U0856146

药用动物原色图谱及养殖技术

A Colour Atlas of The Medicinal Animals with Text on Techniques of Their Breeding

主　编

陈德牛

副主编

王林瑶　雷富民

金盾出版社

内 容 提 要

本书由中国科学院动物研究所的专家编著。书中介绍了具有药用价值的动物 298 个种类。内容包括各种动物的形态特征、生活习性、药材采集与加工及部分动物的养殖方法等，并附有彩图 374 幅。这是一本系统介绍药用动物的科普性专著，适于药用动物养殖人员及有关科技工作者阅读参考。

图书在版编目(CIP)数据

药用动物原色图谱及养殖技术/陈德牛主编.—北京:金盾出版社,2002.12
ISBN 7-5082-2073-0

Ⅰ.药… Ⅱ.陈… Ⅲ.①药用动物-图谱②药用动物-饲养管理 Ⅳ.S865.4

中国版本图书馆 CIP 数据核字(2002)第 055547 号

金盾出版社出版、总发行

北京太平路 5 号(地铁万寿路站往南)
邮政编码:100036 电话:68214039 68218137
传真:68276683 电挂:0234
彩色印刷:北京精美彩印有限公司
黑白印刷:北京万兴印刷厂
各地新华书店经销
开本:787×1092 1/16 印张:24 彩页:100 字数:440 千字
2002 年 12 月第 1 版第 1 次印刷
印数:1—11000 册 定价:53.00 元

《药用动物原色图谱及养殖技术》编辑委员会名单

主　编:陈德牛

副主编:王林瑶　雷富民

编　委:(按文章先后顺序排列)

陈德牛　张国庆　(无脊椎动物类)

王林瑶　张立峰　(昆　虫　类)

张世义　庄　琰　(鱼　　类)

黄祝坚　王秀敏　(两栖、爬行类)

尹祚华　雷富民　贺大为　(鸟　　类)

罗　彤　(兽　　类)

序

继我国第一部系统介绍药用动物专著——《中国药用动物志》1977年(第一册),1983年(第二册)出版后,《药用动物原色图谱及养殖技术》一书相继问世,这实在是动物学界和药学界的喜讯。

我国地域辽阔,栖息繁衍着极其丰富的药用动物。我国人民对动物药物的应用有着悠久的历史,在与疾病长期斗争过程中积累了丰富的经验,它是我国医药宝库的重要组成部分。在我国传统的中医药宝库中,动物药占有很重要的地位。据统计,在我国应用较普遍的500种中药中,其中植物药有409种,占总数的81.8%,动物药59种,占总数的11.8%,矿物药32种,占总数的6.4%。在中药的丸、散剂成药中,例如龟鹿滋肾丸、乌鸡白凤丸以及目前风靡世界的最佳保健品——羊胎素等,无不是以动物为主要原料制成的。

本书是中国科学院动物研究所数位动物分类学家,根据有关文献,并结合本身研究的专业,经三年多时间编写而成,以求全面系统总结我国动物药的种类及采集与加工方法。随着科学技术和医药学水平的不断提高,药用动物的应用也进入了一个新的阶段,对药用动物的需求量和某些具有特殊疗效的动物药越来越引起人们的关注。但是,我国自然界药用动物从数量上和产品品质上都远远不能满足人们的需求,加之近来自然环境的日益恶化,动物的种类和数量日趋减少,某些种类已经灭绝或正在灭绝之中。从目前药用动物资源现状来看,是令人堪忧的。因此,如何保护现有的药用动物资源和开辟新的药用动物资源是目前面临的紧要课题。保护好药用动物资源使其免遭破坏,并永远为人类造福,尚任重而道远。

药用动物涉及的动物类群十分广泛,如何鉴别、分类药用动物是一个迫切需要解决的问题。本书把鉴别特征与原色图结合起来,使读者能一目了然,分辨清楚,这种集原色图谱和鉴别特征于一身的新型图书在国内尚属少见。

本书既是一项专业性很强的药用动物分类学研究成果,又是一本有广泛参考价值的普及性专著。本书的出版无疑会对我国药用动物的生产开发和保护,以及药用动物学的科研工作等起到推动作用。

中国科学院院士　张广学

2002.8.于北京

目　录

第一章 无脊椎动物类

1. 疣吻沙蚕

Tylorrhynchus heterochaetus (Quatrefages)

体细长，分头、躯干区和肛区。头前缘有2个短触手和触角，背面两侧各有2个眼，吻大。躯干由许多结构相同的体节组成，疣足有发达的双叶型背叶和腹叶。肛区位于身体最后端。体色浅黄。全体入药，药材称禾虫。

2. 直隶环毛蚓

Pheretima tschiliensis (Michaelsen)

体长230～345毫米，体节75～129个，环带3节，呈戒指状，体上有刚毛。体背紫红色或灰紫色。以干燥全体或去内脏干燥体入药，药材称地龙。

3. 秉氏环毛蚓

Pheretima carnasa (Goto et Hatui)

体长150～340毫米，体节105～179个。环带戒指状。背部深褐色或紫褐色。以干燥全体或去内脏干燥体入药，药材称地龙。

4. 日本医蛭

Hirudo nipponica (Whitman)

体长30～50毫米，体环103个。背面黄绿或黄褐色，有5条白色纵纹。腹面灰色，无纵纹。眼5对，排列成马蹄形。前吸盘较大，后吸盘呈腕状，朝向腹面。干燥全体入药，药材称水蛭。

5. 红 螺

Rapana thomasiana Crosse

贝壳近球形，螺层约6层，体螺层膨大，结节突起呈三角形。壳面粗糙，有螺旋肋和细沟纹，呈黄褐色，具棕褐色斑点。壳口大，边缘有与螺肋相当的缺刻，壳内面呈杏红色。厣棕褐色，椭圆形，生长线明显。贝壳入药。

6. 蛎敌荔枝螺

Purpura gradata Jonas

螺壳呈三角形，高约30毫米，螺旋约6层，螺旋部短，顶尖而光滑。螺层肩部有结节突起。生长线明显。胚螺层无肋，其他各层有螺旋肋。螺层中、上部的壳面下凹成弧形面。壳面青灰色或带白色。螺口长卵圆形。厣角质，棕色。螺壳入药。

7. 褐云玛瑙螺

Achatina fulica (Ferussae)

壳高约130毫米，呈长卵圆形，有6～8个螺层。壳顶尖，缝合线深。壳面黄或深黄底色中带有焦褐色雾状花纹，胚壳层玉白色。壳口卵圆形，壳内淡蓝色或蓝色。螺肉入药。

8. 泥蚶

Arca(Anadara)granosa Linnaeus

壳大而坚厚，两壳合抱近球形。壳顶突起，尖端内卷。表面放射肋发达，有18～21条。壳表面白色，被褐色薄皮。腹缘生长轮呈鳞片状。壳内灰白色。前闭壳肌痕呈三角形，后闭壳肌痕为四方形。肉和壳均入药。

9. 贻贝

Mytilus edulis Linnaeus

壳较大，呈楔形，前端尖细，后端宽广，背缘弧形。壳背缘黑褐色，壳顶及腹缘淡褐色。生长纹细而明显。壳内面灰白色或淡蓝色，有珍珠光泽。前闭壳肌痕小，半月形；后闭壳肌痕大，椭圆形。干燥贝肉入药。

10. 大竹蛏

Solen grandis Dunker

壳长，两壳合抱呈竹筒状，前端、后端开口。壳顶位于前端，壳的腹、背缘平行。壳表面平滑，无放射肋，生长线明显，被黄褐色外皮。壳内白色或有淡红色彩带。肉和壳入药。

11. 短蛸

Octopus ocellatus Gray

体长约270毫米，胴部球形或卵圆形。头部两侧各有1个发达的眼。第二至第四对腕之间有一椭圆形金色圈。各腕的长度相近，腕吸盘2列。活体呈褐色。去内脏干体或鲜体入药。

12. 平甲虫

Armadillidium vulgare (Latreille)

体长1厘多，呈长椭圆形，背部呈弓形，胸7节，腹5节，尾节与腹节连成半圆形。胸肢7对，腹肢5对，尾肢扁平。体呈灰色或暗褐色，有的局部带黄色，有光亮的斑点。干燥全体入药，药材称鼠妇。

13. 锦绣龙虾

Panulirus ornatus (Fabricius)

体大，可达5千克。头胸甲上有五彩花纹，后缘的横沟等宽，腹部背甲无横沟。步足棕紫色，有白色圆斑点。取肉鲜用或晒干入药。壳晒干研末供药用。

14. 东亚钳蝎

Buthus martensi Karsch

成体长约60毫米。头胸部背甲梯形，胸腹板三角形。螯肢钳状，上枝有2个齿。前腹部板有3条隆脊线，后腹部前4节各有10条隆脊线，第五节仅有5条。第五节后为袋状尾节，内有1对白色毒腺。躯干绿色，尾土黄色。干燥全体入药，药材称全蝎。

15. 大腹圆珠

Aranea ventricosa (L.Koch)

雌体长约30毫米，雄体长约15毫米。头胸部梨形，扁平，有白毛。8个眼处于3个眼丘上。螯肢强壮，步足强大。腹部近圆形，背面中央有叶状斑带，腹面有1对白斑。头胸部、腹部黑褐色。干燥全体入药。

16．宽跗陇马陆

Kronopolites suenhedini (Verhoeff)

体呈圆柱形。雌体长约20毫米， 雄体长约26毫米，由20个体节组成。头部有1对触角，无眼。胸部由1～4体节组成。腹部由5～20体节组成。2～4体节各有步足1对，5～18体节各有2对步足。全体呈褐色或棕色。各体节均有1条黄色横纹。全体入药。

17．燕山蛩

Spirobolus bungii (Brandt)

体长约120毫米，头鞘平滑，中央有1条纵沟。体节板54片，2～4节各有1对步足，5～54节各有2对步足。胸板呈“v”形。躯干背面黑褐色，后缘淡褐色。颈板深褐色。干体或鲜体入药。

18．少棘蜈蚣

Scoropendra Subspinipes mutilans L.Koch

体长110～140毫米，有21个体节。体节两侧各有1对气门。头板两侧各有4个单眼，颚足内部有毒腺。步足21对。头板和第一背板金黄色，其余背板黄褐色。干体入药，药材称蜈蚣。

第二章　昆虫类

19．毛衣鱼

Ctenolepisma villosa (Fabricius)

雄体身长 8～13 毫米，呈梭形，黄褐色，背面有灰白色鳞毛。头小，触角长 11～16 毫米。胸部扁宽，有 3 对胸足。腹部11节，末端有尾须1对。雌体长10～15 毫米，体色较深，尾须下方有伸出体外的产卵管。干燥全体入药。

20．衣　鱼

Lepisma saccharina Linnaeus

体长 10～13 毫米，全身银灰色。头近半月形，触角细长。胸扁宽，两侧有长毛，胸足 3 对。腹部 11 节，第十一节特化为尾须。干燥全体入药。

21．赤　蜻

Crocothemis servillia (Drury)

体长 40～48 毫米，翅长 31～38 毫米。雄性身体黄褐色，雌性鲜红色。复眼大，棕褐色。胸部有 1 条纵脊。腹部橙黄色。翅透明，脉纹黄褐色，翅痣黄色。干燥全体入药。

22．夏赤辛

Sympetrum darwinianum (Selys)

体长 33～39 毫米，翅长 28～33 毫米。雄性身体红色，雌性黄色。复眼大，褐色。胸背部有 1 条黑色纵脊。腹部黄色。翅透明，脉纹烟黑色，脉痣黑色。干燥全体入药。

23. 黄 蜻

Plantala flavescens (Fabricius)

体长38～43毫米，翅长38～41毫米。身体浅黄色，头和胸背黄色，腹部黄褐色。翅透明，较宽大，脉纹黄褐色，翅痣黄色。干燥全体入药。

24. 大蜻蜓

Anax parthenope julius Selys

体长70～75毫米，翅长48～51毫米。身体翠绿色，面部黄色，胸部淡绿色，腹部背面黑褐色，侧板黄色。翅透明，有黄色光泽，脉纹烟灰色，翅痣黄色。干燥全体入药。

25. 大蜻蜓稚虫

26. 中华真地鳖

Eupolyphaga sinensis Wallker

雌成虫无翅。体长30～35毫米，体扁平，椭圆形，背部隆起。背部赤褐色至黑褐色。头小，隐于前胸下。前胸背板似三角形，中、后胸狭窄。腹9节，末端有1对尾须。药材称土鳖虫、苏土元、蟅虫。

雄性有翅。体长30～50毫米，淡褐色，被有纤毛。头比雌性小，触角粗短。背板前缘呈弓形。翅2对，前翅革质，后翅膜质，半透明，脉纹黄褐色。不作药用。

雄性成虫

27. 中华真地鳖若虫

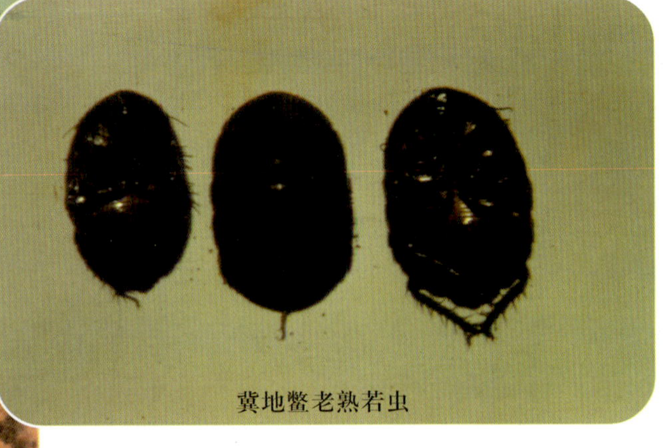

冀地鳖老熟若虫

金边地鳖若虫及卵袋

28. 冀地鳖

Polyphaga plancyi Bolivar

雌虫无翅。体长38～40毫米，呈椭圆形，背部隆起如盾牌状。全身棕褐色至黑褐色，密布小颗粒。头隐于前胸背板下，取食时才伸出来。触角丝状，细而短。前胸背板呈三角形，中、后胸扁宽。药材称大土元、䗪虫、土鳖虫。

雄性有翅，体长30～35毫米。触角后半部粗大。翅粗大，前翅革质区较宽，脉纹较疏。不作药用。

29. 金边地鳖

Opisthopatia orientalis Bunn

成虫雌、雄相似，均无翅。雄性体长22～25毫米，雌性体长35～40毫米，体态呈椭圆形，扁平，体色紫褐至棕黑。前胸宽大，背板为半月形，前缘及侧缘有橘黄色镶边。腹部第八节末端有1对分节尾须。药材称土鳖虫、䗪虫。 卵袋长20毫米左右，初为乳白色，逐渐变暗黄、黄褐至棕褐色。经20～30天，卵孵化出若虫，初孵出的若虫体色较浅，经7～8次蜕皮，发育为成虫。

30. 家白蚁

Coptotermer fomosanus Shinraki

兵蚁体长5.3～5.8毫米，浅黄色，背面观呈椭圆形。触角念珠状，腹部白色。有翅成蚁体长13.5～15毫米，棕黄色，触角念珠状，前后翅大小、结构相同，翅面有纤毛。工蚁体长5～5.4毫米，触角15节，腹长大于宽，不膨大。将成蚁、蚁巢阴干，供药用。

兵 蚁

31. 黄胸散白蚁

Reticulitermes speratus (Kolbe)

兵蚁体长5.5~5.7毫米，头与触角黄褐色，前胸背板后缘近弧形，后胸背板宽于前胸背板。有翅成蚁体长9.2~10毫米，头黑色，长圆形，触角15~17节，黄色至黄褐色，胸背板黄褐色，翅长7.8~8.2毫米。工蚁体长4~5.1毫米，前胸背板前缘翘起，周身乳白色，有短毛。

32. 守卫在蚁后周围的黄胸散白蚁兵蚁群

33. 黄胸散白蚁的蚁后及菌圃

34. 中华螳螂

Tenidera aridifolia sinensis Saussure

体长80~95毫米，黄褐色或绿色。头似等边三角形，复眼大而圆，向两侧突出。前胸背板呈长菱形，背线隆起成脊。前翅为复翅，后翅呈扇形，半透明。腹部黄褐色，有尾须，雌性膨大，雄性细长。前足粗大，镰刀状。全体及卵鞘入药，卵鞘药材称桑螵蛸。

35. 广腹螳螂

Hierodula patellifera (Serville)

体长50～70毫米，绿色至紫褐色。头三角形，复眼卵圆形，大而外突。前胸背板宽大，呈长菱形，中、后胸背板有纵隆线。前翅淡绿色或稍呈褐色，后翅宽大呈扇形，透明。雌性腹部粗大，尾须细小；雄性尾端有黑色小齿。前足腿节粗壮，内侧有黑褐色小刺。

雌 性

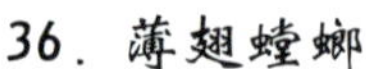

36. 薄翅螳螂

Manis religiosa Linnaeus

雄性体长34～45毫米，雌性49～63毫米，淡绿色或褐绿色。头部三角形，复眼圆形，向两侧突出。雄性前胸背板狭长，中部膨大。腹部细长，体节明显。前翅雄性淡褐色，较薄，雌性色深，较厚；后翅宽大，呈扇形。前足基节内侧有椭圆形黑色斑纹，腿节爪沟位于中部，中间有4根刺。

37. 薄翅螳螂前足内侧斑纹形状

38. 广腹螳螂在交配

39. 螳螂卵鞘

40. 螳螂卵鞘的内部结构

41. 广腹螳螂若虫

42. 异色剑角蝗

Acrida cineria Thunberg

雄虫体长35～49毫米，翅长30～36毫米；雌虫体长55～80毫米，翅长47～65毫米。体青色至枯黄色。头顶尖，颜面向后倾斜，脊明显。触角剑状，褐色。前胸背板的中隆脊和侧隆脊明显，中胸腹板侧叶间隔狭小，后胸腹板侧叶分离，较宽。后翅半透明，脉纹明显。鲜体或干燥全体入药。

43. 短额负蝗

Atractomorpho sinensis I.Bdivar

雄虫体长19～22毫米，前翅长19～24毫米；雌虫体长28～34毫米，前翅长22～30毫米。体色草绿至黄绿，布有褐色散点。头呈短锥形，颜面向后倾斜与头形成锐角。触角呈剑状。前胸背板中线细，有3条横沟，中胸腹板侧叶间隔宽。前翅粉褐色，后翅基部玫瑰色，近端半透明。

44. 飞蝗(散居型)

Locusta migatoria manilensis (Meyen)

体长35～50毫米，绿色或黄绿色。头顶短宽，向前倾斜，颜面直。触角丝状，浅黄色。复眼大，椭圆形。前胸背板前狭后宽，中隆线明显，侧观呈弧形隆起。腹部灰黄色，气门清楚。前翅褐色，有细碎不规则暗斑；后翅浅黄色，透明，脉纹色较深。干燥全体入药。

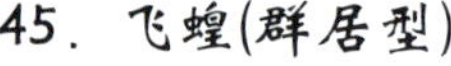

45. 飞蝗(群居型)

前胸板前狭后宽，中隆线不明显，侧观平直，其他同飞蝗散居型。

46. 飞蝗若虫

47. 云斑车蝗

Gastrimargus marmoratus (Thunb.)

雄虫体长25～30毫米，前翅长24～32毫米；雌虫体长36～50毫米，前翅长36～46毫米。身体黄褐色或暗褐色，有大理石状花纹。前胸背板侧片中有黄褐色大斑，并杂有黑色小斑点。前翅密布云状暗色斑；后翅基部鲜红色，中间有暗色横纹。

48. 棉 蝗

Chondracris rosea rosea (De Geer)

雄虫体长44～56毫米，前翅长43～45毫米；雌虫体长62～80毫米，前翅长50～70毫米。身体黄绿色，头顶中央至前翅臀脉区有橘红色纵纹。头较大，颜面向后倾斜。触角丝状。前胸背板上密布黄色小颗粒，中隆线较高。前后翅接近后足胫节中部。

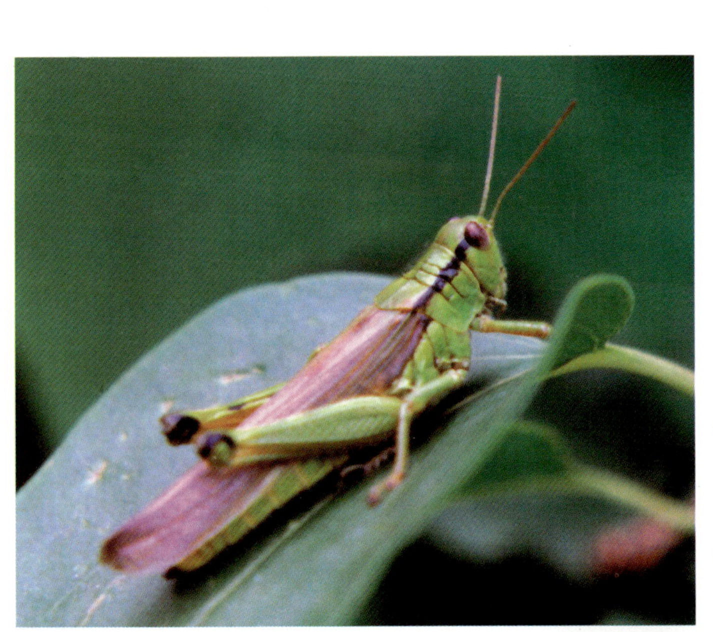

49. 中华稻蝗

Oxya chinesis (Thunberg)

雄虫体长15～33毫米，前翅长10～25毫米；雌虫体长19～40毫米，前翅长12～32毫米。身体黄绿色，也有褐绿色和绿色的。头大，颜面向上倾斜。触角丝状。前胸背板宽而平，中隆线明显。前翅接近后足胫节中部。

50. 斗 蟋

Velarificorus micado (Saussure)

雄性体长13～16毫米，雌性体长14～19毫米，黑褐色。头后部有3对粗大的橙黄色纵纹，颜面平直。触角细长，线状。雄性前翅达腹部末端，雌性只达腹部中央，后翅都不发达。雄性前翅上的发音镜完善。雌性腹部末端有1根矛形产卵管。以干燥全体入药。

51. 长颚蟋

Velarificurus sspersus Walkder

雄性体长13～16毫米，雌性体长14～18毫米，黑褐色，有光泽，头后部有3对浅褐色纵纹。雄性面部下陷，颚片突出，正面看像猴脸。触角线状。前胸背板有黑褐色斑纹。雌性颚片短，有明显的产卵管。

52. 大扁头蟋

Loxoblemmus doenitzi Stein

雄性体长15～20毫米，雌性体长16～22毫米，黑色。雄性头向前伸，前缘呈弧形，颜面两侧向外突，形成上宽下狭的三角形，正面看像棺材头；雌性头顶稍向前突，两侧呈耳形。前胸背板宽大于长。雄性前翅达腹部末端，音镜呈四方形。雌性前翅达不到腹部末端，产卵管呈矛形。

53. 油葫芦

Gryllus testaceus Walker

雄性体长19～22毫米，雌性体长20～24毫米。体背面褐色至深褐色，腹面色较浅，头顶及两颊黄褐色，前胸背板黑褐色。雄性前翅长17毫米，接近尾端，音镜长方形，后翅长于腹部末端。雌性前翅达腹部末端，后翅超出腹部，产卵管呈矛形。

54. 南方油葫芦

Gryllus mitratus Walker

雄性体长18～20毫米，雌性体长20～22毫米。头大，顶部黑色，颜面橙黄色，两复眼间有“八”字形浅黄色斜纹。前胸背板黑色，有1对“八”字形深褐色斑纹。雄性前翅黑色，长达尾端，音镜长方形。雌性前翅达腹端，后翅伸出腹端，如长尾，产卵管长矛形。

55. 油葫芦若虫

56. 蝈蝈

Gampsaocleis gratiosa Watenwyl

雄性体长34～45毫米，雌性体长45～53毫米。体色鲜绿或绿色。头部较大，近平直。触角丝状。前胸背板呈盾形，盖住中胸及后胸。前翅脉纹褐色，雌性只达腹部第二节，雄性达腹部1/2～2/3，有明显的音镜。雌性产卵管长30～35毫米。干燥全体入药。

雄　性

57．织螽蟖

Mecopoda elongata Linnaeus

体长 50～60 毫米。身体绿色或褐绿色。头短扁宽，顶部有折纹处呈褐色。触角细长。前背板褐绿色，前缘直，后缘弧形。前翅近体长的两倍，革质化，脉纹粗，前缘有纵列的赭色斑。雌性产卵管呈马刀形。

58．华北蝼蛄

Gryllotalpa unispina Saussure

雄性体长39～45毫米，头狭长；雌性体长 42～45 毫米，头宽 8～9 毫米。身体椭圆形，黄褐色至黑色，腹部色浅。触角短小，丝状。前胸宽大，隆起呈盾形。前翅较短，黄褐色；后翅大，膜质，透明，浅黄色。前足发达，转节有一粗大的距；胫节扁宽，末端有4个黑色尖齿；跗节基部有 2 个大齿。以干燥成体入药。

59．非洲蝼蛄

Gryllotalpa africana Palisot et Beavcois

雄性体长 29～31 毫米，雌性体长31～33毫米。身体茶褐色，前宽后窄，近纺锤形。头圆形。前胸背板后部宽于前方，后缘突起。前翅短，后翅膜质，较长，卷成尾状伸出腹部末端。前足短而坚硬，腿节端部狭，跗节较短，边缘有齿，使前足呈铲状。

60．紫胶蚧 *Laccifer lacca* Kerr

雌性体呈囊形，紫色，常隐于胶质中，虫体固着在寄主植物上后不能再移动。雄性有翅型头、胸、腹紫红色，前翅膜质，腹部末端有锥形阴茎鞘及 2 根白色的蜡丝。以紫胶蚧分泌的紫红色胶质入药，药材名紫草茸。

紫胶蚧及分泌的紫胶

61．蚱 蝉

Cryptotympana pustulata (Fabricius)

雄性体长 44～48 毫米，雌性体长 38～44 毫米。体黑色，被金色绒毛。头部中央及颊上方有红黄色斑纹。前胸背板比中胸背板短。腹面黑色，腹部各节侧缘黄褐色。雄性腹部第一节两侧有发音器；雌性无发音器，有听音器，产卵器发达。药用干燥成虫全体及若虫脱下的壳，若虫壳称蝉蜕，为常用药材。

62．雌雄蚱蝉腹面

63. 蟪 蛄

Platypleura kaempferi (Fabricius)

体长20～33毫米，体短阔。头及前胸背板和中胸背板暗绿色，斑纹黑色。腹部各节黑色，后缘暗绿色。前翅面布满黑褐色斑。药用干燥全体、蝉蜕和蝉花。

64. 蒙古寒蝉

Meimuna mongolica (Distant)

体暗绿色，有光泽。雄性体长30～32毫米，翅长40～44毫米；雌性体长28～31毫米，翅长40～42毫米。头短，宽与中胸背板基部相等。前、后翅透明。

65. 草 蝉 *Moongania kebes* Walker

体短宽，色绿，被黄色细毛，体长19～21毫米。头锥形，向前伸出。腹部两端细，中部宽，各节有成对的黑斑。前、后翅膜透明，脉纹绿色。

66. 蚱蝉的生活环境次生混交林

67. 刚从土中出来的蚱蝉若虫

68. 正在脱壳的蚱蝉若虫

69. 蚱蝉若虫脱下的壳

70. 樗鸡

Lycorma delicatula White

雄性体长14～17毫米，雌性体长18～22毫米。体隆起，体色美丽。头小，头顶前方与额连接处呈锐角。触角鲜红色。前胸背板淡褐色。前翅基部淡褐色，脉纹白色；后翅膜质，扇形，基部多为红色，脉纹黑色。翅外有粉状白蜡。以干燥成体入药。

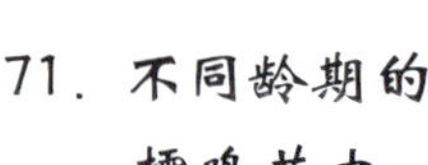

71. 不同龄期的樗鸡若虫

72. 樗鸡的卵块（白色）及孵化后的卵壳

73．五倍子

为角倍蚜、倍蛋蚜在盐肤木等树上寄生形成的虫瘿。形状各异，大小差别大，依其形状分为倍蛋、角倍、圆角倍、倍花红、倍花、小铁刺、蛋铁倍、枣铁倍、铁倍花等。于5～10月份五倍子由青转为紫红色而未裂开时采收，采后用开水煮死内部的倍蚜，晒干供药用。

74．荔枝蝽

Tessaratoma papillosa Drury

体椭圆形，棕黄色，有赭色光泽。体长20～30毫米，宽10～17毫米。头短小，近三角形。前胸背板及小盾片有密集的刻点。前翅膜质，长超过腹部末端，侧缘似锯齿形。以干燥成虫入药。

75．稻绿蝽

Nezara viridula smaragdula Fabricius

体色鲜绿至青绿。体长10～17毫米，宽6～9毫米。头小，近三角形。前胸背板有狭小黄边，小盾片长三角形。前翅长于腹部末端，革质，无斑点。腹部腹面黄绿色至淡绿色，有深色斑。

76. 水黾

Rhagadotarsus kraepelini (Breddin)

身体黑褐色，有蓝白色斑纹。体长3～5毫米，中、后足长度超过体长的1～2倍。头部明显。胸部宽大。翅膜质，长度超过腹部末端。腹部近灰色，有褐色斑。以干燥全体入药。

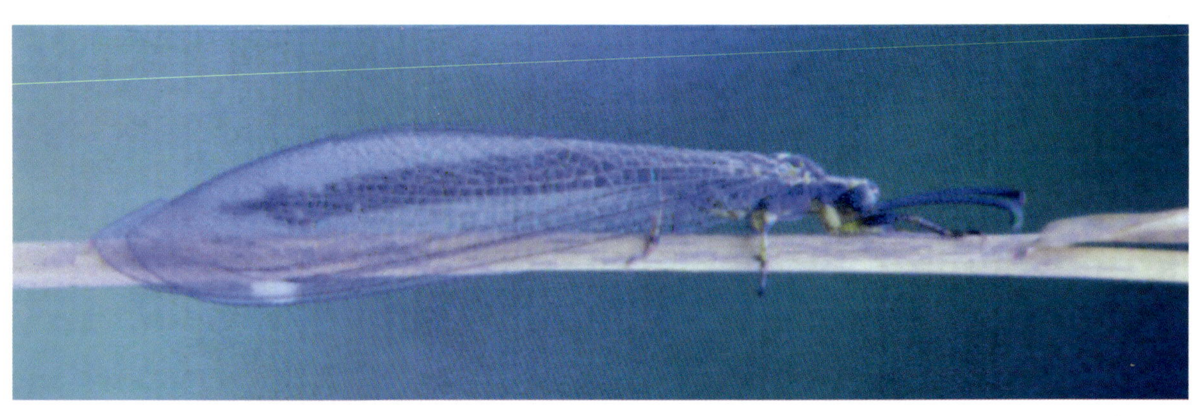

77. 蚁蛉 *Myrmeleon formicarius* Linnaeus

身体细长，似蜻蜓。头宽大于长，触角棒形，复眼外突。体黄灰褐色，胸背有斜“十”字纹。前翅长36～39毫米，薄而透明，有不规则的灰色斑，翅脉网状。以干、鲜幼虫入药。

78. 黄足蚁蛉

Magenomyia micans

(Mac lachlan)

体长30～32毫米，翅长35～37毫米。头宽大于前胸，呈黑褐色。触角棒状，黑、黄两色相间。前胸黄色，中、后胸黑色。翅透明，有黄色光泽，脉纹黄色，周缘有黄毛。腹部被黄色毛。

79. 中华蚁蛉

Euroleon sinicus (Navas)

体长25～33毫米，翅长26～34毫米。头部黄色，两触角之间有6个黑斑。前胸背板上有3条黄色纵纹，中、后胸黑褐色。翅透明，脉纹烟灰色，有褐色小点，后翅脉纹较少。

80. 虫草蝠蛾

Hepialus armoricanus Oberthur

雄虫翅长37～42毫米，体长14～19毫米；雌虫翅长40～45毫米，体长15～20毫米。体黄色，体表有灰黄色长毛。前翅缘深褐色，有银白色散斑；后翅棕褐色，三角形，雌性黑斑明显，雄性色鲜艳。

81. 虫草蝠蛾幼虫

体长39～45毫米。头棕褐色。身体乳白色至污白色，圆筒形，各体节有深色毛基片。前胸背板乳黄色。胸足腿节长于其他各节。腹足5对，趾钩圆形。臀足趾钩肾形。气门新月形。以被虫草菌寄生而形成的冬虫夏草入药。

82. 湖南棒蝠蛾幼虫

83. 在自然环境中虫草蝠蛾幼虫被虫草菌寄生后形成的虫体头部菌座

84. 冬虫夏草成品药材

85. 条螟

Proceras venosatum (Walker)

成虫翅长13～16毫米。头圆，白色至乳白色。胸部及翅基浅黄至褐色，有深褐色斑点。前翅褐色；后翅雄性灰黄色，雌性灰白色。

86. 条螟幼虫

体长20～30毫米，初孵出时乳白色，后变为黄白色。夏型幼虫各体节背面有4个黑褐色斑。末代老熟幼虫越冬前蜕1次皮后斑点消失，背面有4条紫褐色纵纹，腹部白色。以鲜、干幼虫和蛹入药。

87. 玉米螟

Pyrausta nubilaois (Hubern)

成虫翅长13～18毫米。头、胸及前翅黄褐色。前翅内横线暗褐色，呈波纹状；外横线暗褐色。雌蛾体壮，体色偏黄；雄蛾体稍瘦，体色偏黄褐。

88. 玉米螟幼虫

体长25毫米左右。背部色斑有浅褐、深褐、灰黄等。头部褐色或红褐色。背部有粒状突，其上有毛刺。

89. 黄刺蛾

Cnidocampa fiavescens (walker)

成虫翅长12～18毫米。头和胸背为黄色，腹背黄褐色。前翅内一半为黄色，外一半为黄褐色；后翅黄色至赭褐色。

90. 黄刺蛾幼虫

体长23～27毫米。头小，淡褐色，隐于前胸节背板下方。胸部宽大，黄绿色。体背有较宽的紫褐色斑。各体节有2对枝状刺，体侧各节有瘤状突。

91. 黄刺蛾的茧

黄刺蛾的茧椭圆形，长12～14毫米，质地坚硬，灰白色，有数条褐色纵纹，形似雀蛋，紧贴于树枝上。以有蛹的实茧和空茧入药，药材名雀瓮。

92. 褐边绿刺蛾

Parasa consocia Walker

成虫翅长12～20毫米。头及胸部背面绿色，胸背中央有1条红褐色背线，腹部浅黄色。前翅绿色，后翅浅黄色。

93. 褐边绿刺蛾幼虫

幼虫体长25～28毫米。头小，黄褐色，缩于前胸下。体黄绿色，体型近长方形。前胸两侧有黑刺1对。背色浅蓝。各腹节计有10对刺突。

94. 绿刺蛾

Parasa sinica Moore

成虫翅长12～14毫米。头顶及胸背面绿色，腹部灰褐色。前翅绿色，后翅灰褐色。

95. 绿刺蛾幼虫

体长16～20毫米。身体黄绿色，前胸盾片有黑点。背线由蓝绿色双行点组成。各体节有灰黄色肉质刺瘤1对。

幼虫及其编结的囊袋

96. 大蓑蛾

Clania preyeri (Leech)

雄蛾翅长35～40毫米，雌性体长28～36毫米。雄性体褐色，有浅色纵纹。前翅红褐色，后翅黑褐色。雌性无翅，体肥大，淡黄色或乳白色，胸部中央有褐色隆脊状背线。幼虫期以枯叶和小枝用丝编结成囊袋，在袋中生活，取食时头、胸、足外露。以幼虫和成虫的干燥体入药。

97. 洋槐蓑蛾

Eurukuttarus nigraplaga Wileman

雄蛾翅长20～25毫米，雌性体长10～15毫米。雄蛾头及前胸灰白色，后胸及腹部黑色，腹部腹面淡褐色。前翅及后翅基部烟黑色，其余部分透明。雌成虫无翅。雄蛾羽化后，与在囊袋中的雌蛾交配。

98. 家蚕蛾

Bombyx mori Linnaeus

前翅长20～25毫米，体翅灰白色，顶角呈圆形，各横线色较暗；后翅色较浅。腹部中央有成丛的白色长毛。以雄蛾全体（原蚕蛾）入药。

99. 家蚕蛾在产卵

100. 家蚕幼虫

体长62～73毫米，头黄褐色，体白色，透出体内蓝绿色的消化系统，各体节间稍灰褐色，围气门片褐色。以被白僵菌感染而死亡的尸体（白僵蚕）、排泄的蚕屎（原蚕沙）、脱下的皮（蚕蜕）及卵壳（蚕退纸）等入药。

101. 家蚕蛹

蛹长20～23毫米，呈纺锤形。雄蛹小于雌蛹，色较深。初化的蛹黄褐色，时间延长逐渐由黄褐色变为棕褐色。蛹在茧内体外披一层蜡质粉末。以蚕蛹、蛹油、蚕茧及蚕蛹经烘干、破碎后用白僵菌接种发酵制成物（僵蛹）入药。

102. 野蚕蛾

Theophila mandarina Moore

翅长16～23毫米，体翅暗灰褐色。前翅顶角外突，内线及外线深棕褐色，中部有深棕色斑；后翅灰褐色至棕灰色，中部有深色宽横带，后缘中央有一棕黑色新月形斑。雄蛾比雌蛾色深，中室端有肾形纹。

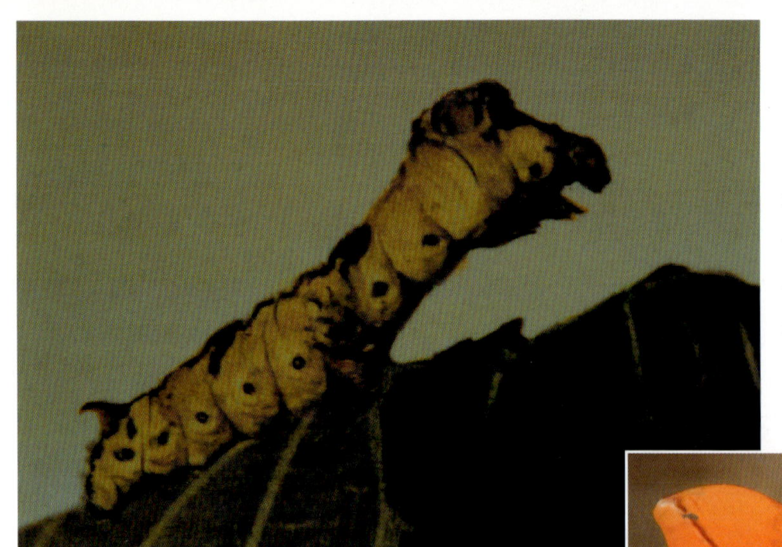

103. 野蚕幼虫

体长35～45毫米。头暗褐色，身体黄褐色。前胸节较小，中、后胸节膨大；中胸背线两侧有斜黑纹及眼形斑；后胸背面褐色，两侧有月牙形黑斑。腹部各节有黑色波状纵纹。

104. 柞蚕蛾

Antheraea pernyi Geurin-Meneville

翅长55～76毫米，体长30～40毫米。头小，复眼大，触角羽状至栉齿状。体翅黄褐色。前翅前缘紫褐色，中室端有较大的透明眼形斑；后翅与前翅相似。雄蛾体型稍小。

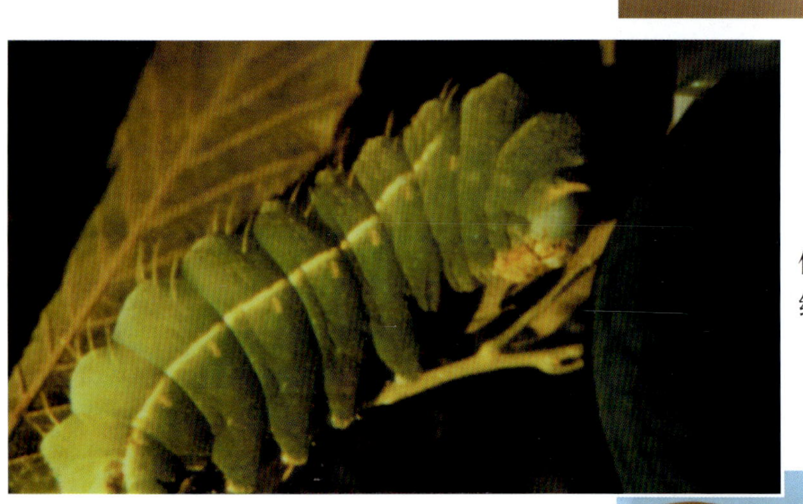

105. 柞蚕幼虫

体长60～70毫米。头较小，褐绿色。体黄绿色，背中线稍隆起，气门上线与下线有瘤形突起，气门上方有银色斑。

106. 樗蚕蛾

Philosamia cynthia (Drurvy)

体长26～30毫米，翅长63～66毫米。头部四周、颈板前缘、前胸后缘、腹部背线及侧线、腹部末端为粉白色，其他部位为青褐色。前翅顶角钝圆，内有一黑色圆斑；后翅与前翅相似。

107. 樗蚕幼虫

体长55～66毫米。体型粗壮，青绿色，各体节有树枝形刺。胸足和腹足基部有黑色斑点。幼龄幼虫淡黄色，有黑色斑点。中龄后体表有白色蜡质粉。

108. 蓖麻蚕蛾

Philosamia cynthia ricini

(Donorvan)

翅长95～110毫米。身体棕褐色。肩板四周有白色缘毛，胸背棕褐色，腹部体节间有环形白色茸毛。前翅内线、外线白色，端线灰褐色。

109. 黄凤蝶

Papilio machaon Linnaeus

为大型蝶类，翅长60～100毫米，体长17～21毫米。身体黄色，有金属光泽，腹部有黑色背线。翅底色鲜黄。前翅基部黑色；后翅有蓝色鳞斑，臀角有1块红褐色斑。以干燥老熟虫、蛹及成虫入药。

110. 黄凤蝶幼虫

初龄时体灰黑色，有白斑，极似鸟粪，蜕2次皮后体色转绿。老熟幼虫体长48～52毫米。

111. 黄凤蝶蛹

112. 橘凤蝶

Papilio xuthus (Linnaeus)

体长18～30毫米，翅长30～55毫米。身体黄绿色，背面有黑色纵带，腹部各节间有灰色环形纹。翅浅黄色，有黑色纹及斑点。前翅中室有4条黄色纵纹；后翅有青蓝色月牙形黄斑。

113. 橘凤蝶幼虫

114. 橘凤蝶老熟幼虫

体长38～42毫米，体色绿至黄绿，头部色较浅。第三腹板上有横皱纹。腹部各节背板后缘有深绿色斑。

115. 橘凤蝶蛹

116. 白粉蝶*Pieris rapae* (Linnaeus)

雄蝶粉白色，体长15～18毫米，翅长17～26毫米。前翅长三角形，翅面纯白，三角区有1个三角形黑斑。雌蝶大于雄蝶。翅面灰黄色。以成虫入药。

117. 黄胸青腰虫

Paederus idea lewls

体长6毫米左右。头黑色，有稀疏的刻点；复眼较大，椭圆形。触角鞭状，11节，棕色至赭色。前背板黄色，后胸棕色，两翅鞘较短，呈黑色。后翅膜质，灰棕色，折叠隐藏于前翅下。腹部棕红色，第六节末端有1对黑色尾须。以干燥全体入药。

118. 三星龙虱

Cybister tripunctatus Gschwendtn

雌性体长24～28毫米，雄性体长约26厘米。体长圆形，黑褐色，有光泽。头部扁平，中央稍隆起，两侧有凹陷。身体背面黑绿色，鞘翅上有点状线。腹面黑色、棕色或棕黄色。雄性前足跗节基部膨大呈盘状。干燥全体入药。

119. 黄边大龙虱

Cybister japonicus Sharp

体长35～40毫米，前胸及鞘翅两侧的黄边中间夹有一黑纹。雌性鞘翅上布满沟状刻纹。

120. 黄边宽龙虱

Cybister limbatus Fabr

体长30～36毫米。身体两侧的边缘呈黄褐色。

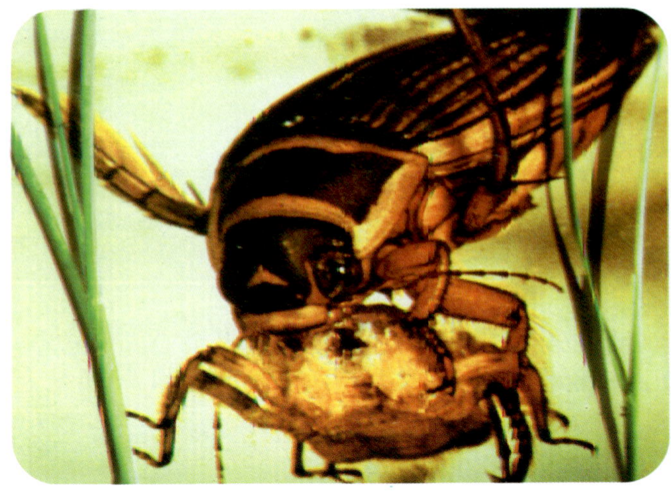

121. 黑芫菁

Epicauta megalocephala Gebl

体长8～14毫米。身体黑色。头部额中央有一红色小斑。前翅黑色，两鞘翅中缝及各鞘翅上有1条白色纵纹。以干燥全虫入药。

122. 中华豆芫菁

Epicauta chinensis Laporte

体长14～15毫米。头黑色，后方两侧及额中央各有1块红斑。身体黑色，前胸长大于宽。鞘翅侧缘、端缘及中缝有白色毛组成的边。前足的腿节和胫节背面有密集的短毛。

123. 绿芫菁

Lytta caragane Pallas

体长11.5～17毫米。身体蓝绿色，有金属光泽。鞘翅紫铜色，有红色光泽。体背光滑无毛。头部有刻点，额中央有一红色小斑。

124. 眼斑芫菁

Mylabris cichorii Linnaeus

体长11～19毫米。头、胸部及身体腹面、腹足黑色，被有密集黑毛。前胸前狭后宽；背板布满刻点，中部有圆形洼坑。鞘翅黑色，基部各有1个圆形黄斑，两侧相对如眼状。

125．光肩星天牛 *Anpolophora glabripennis* Motschulsky

体长17.5～39毫米。体黑色，有金属光泽。前胸背板侧刺突较长，胸面无毛斑。鞘翅基部光滑，表面刻点密，肩部刻点粗大。翅上有小型白色毛斑。以干燥成虫入药。

126．光肩星天牛幼虫

体长圆筒形，略扁。头扁，长方形。前胸背板后方的小腹片褶骨化程度不强，前缘无明显的纵脊纹，前胸背板前缘的飞鸟形纹不明显。以干燥幼虫入药，药材名桑蠹虫。

127．桑天牛

Apriona germari (Hope)

体长26～51毫米。体大，背面灰黑色，密被棕黄色绒毛。头黑色，前唇基棕红色。前胸背板侧突发达，端部尖锐。胸部背面有横皱纹。鞘翅长形，中缝、侧缘及端缘有灰色狭边。

128．云斑天牛

Batocera horsfieldi (Hope)

体长33～63毫米。身体黑色或黑褐色。前胸背板中央有对称的肾形白色毛斑，两侧刺突稍向后弯。鞘翅黑褐色至黑色，上有不规则的白斑。翅基部稍下方有密集瘤状颗粒。

129. 橘褐天牛

Nadezhdiella cantori (Hope)

体长26～50毫米。体灰黄色至黑色。头部中央有较深的纵沟。前胸两侧有刺突，背板有密集瘤状皱褶。鞘翅肩部隆起，翅面有小刻点。

130. 粪堆粪金龟

Geotrupidae stercorarius Linnaeus

体长15.5～22毫米，身体呈长椭圆形。背面隆起，呈拱状，有铜绿色光泽。腹部密被绒毛。头小，有时缩于前胸下。前胸背板四周有刻点，周围有上翘的边框。小盾片三角形。鞘翅两侧将腹部包住。以干燥成虫入药。

131. 神农蜣螂

Catharsius molossus (Linnaeus)

体长23.7～40毫米。体大，短宽，呈黑色或黑褐色。头较大，密布鳞片状横刻纹。雄体前胸背板有高而尖的横脊；雌体背板前缘有一较平缓的横脊。鞘翅上有7条较细的纵纹。以干燥成虫入药。

132. 臭蜣螂 *Copris ochus* (Motschulsky)

体长20～27毫米。身体深棕色至黑色，背部拱起，腹部被棕褐色绒毛。头宽大于长。雄性有1个角状突；雌性无角突。前胸背板宽大，雄性有1对向前伸的角状突；雌性有弧形小横脊。鞘翅刻点浅。

133. 华北大黑鳃金龟

Holotrichia oblita (Faldermann)

体长17～21毫米。体长椭圆形，赭褐色至棕褐色。头部布满小刻点。前胸背板前缘有毛及刻点。小盾片近半圆形。鞘翅上有几条隆起的暗纹。以干燥幼虫入药。

134. 棕色鳃金龟

Holotrichia sauter (Moser)

体长23～25毫米。身体棕褐色。头小，中部有横沟。前胸背板表面布满小刻点。每个鞘翅上有4条脊形线及密集的小点。小盾片三角形。

135. 铜绿丽金龟

Anomala corpulente Motschusky

体长17～23毫米。头大，铜绿色。前胸背板大。小盾片半月形。鞘翅浅铜绿色，泛铜黄色光辉，上面布满刻点，背面有纵肋2条。身体腹面乳黄色或黄褐色。以干燥幼虫入药。

136. 白星花金龟

Liocola brevitarsis Lewis

体长18～25毫米。体表光泽，古铜色或青铜色，有白色绒毛组成的斑纹。头上有粗大的刻点。前胸背板有2～3对白色绒毛斑。小盾片长三角形。鞘翅宽大，布满粗大刻点。翅上有波浪形白绒斑。腹部光滑，臀板有皱纹及黄绒毛斑。以干燥幼虫入药。

137. 独角犀金龟

Allomyrina dichotomus (Linnaeus)

体长35～60毫米。雄性体红棕色，有光泽。头上有1个粗壮的双分叉角突；前胸背板隆起，表面刻纹密集，中央有分叉角突。雌性深褐色至黑褐色，体表密被短毛，额部有3个小丘突；前胸背板上的刻纹似皱褶，无角突。鞘翅肩角外突，腹部节间有皱纹及金黄色列毛。干燥成虫入药。

138. 日本脊吉丁

Chalcophora japonica (Gory)

体长约34毫米。身体长条状，近似纺缍形，黑色，有金铜色条纹。头近三角形，头顶中央有深沟。前胸背板近方形，中央有黑色中脊。鞘翅黑色，有5条纵隆线，隆线间有金黄色刻点，鞘翅后端呈锯齿形。以成虫的酒浸泡液入药。

139. 六星铜吉丁

Chaysobothris affinis Fabricius

体长13～15毫米。身体黑色，有紫铜色光泽。头近三角形。胸背板较平坦。鞘翅上各有3个金黄色暗斑。翅上各有3条不明显的隆脊，脊间较光滑。

140. 双斑黄虻

Atylotus bivittateinus Takahasi

雌性体长13～17毫米，体黄色，头部前额灰黄色，颚须黄色。胸部背板及小盾片黑灰色。翅透明，脉纹黄色，后翅演化成的平衡棒为黄色。腹部污黄色。雄性体长11～12毫米，胸部灰色，腹背板两侧有大块橙色斑。以干燥雌成虫入药，药材名虻虫。

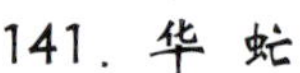

141. 华 虻

Tabanus mandarinus Schiner

雌性体长16～18毫米，体灰黑色，头上前额灰黄色。颚胸部背板灰色，有5条黑色纵带。翅透明，脉纹棕色。腹背板中央有1排三角形白斑。雄性体长17～20毫米，腹部第二节有大白斑。

142. 江苏虻

Tabanus kiangsuensis Krolber

雌性体长12～15毫米，前额灰黄色。胸部背板黑色，有灰色纵纹5条。翅透明，脉纹棕色。腹部灰黑色，背板中央有灰白色三角形斑，腹板灰色。雄性体长12～14毫米，腹板末节细而尖，第二、三节背板棕红色。

143. 峨眉虻

Tabanus omeishanenesis Xu

雌性体长 20～25 毫米。头黑色，胸部灰褐色，有5条灰黄色纵纹。翅半透明，浅棕色。腹部棕黑色至黑色，1～6背板后缘有黄色横带。雄性与雌性相似。

144. 大金头蝇

Chrysomyia megacephala (Fabricius)

体长8～11毫米。头顶部黑色，复眼大，深红色。雌性两复眼距离远，雄性两复眼接近。胸、腹部绿色偏蓝，有紫色光泽。老熟幼虫体长11～15毫米，呈蛆形，乳白色；头小，似锥状，无眼。胸部3节，腹部8节。以干燥老熟幼虫入药，药材名五谷虫。

145. 大华丽蜾蠃

Eumenes petiolata (Fabricius)

雌性体长24～26毫米。头黄色，似三角形。胸部椭圆形，黄色，有黑斑及刻点。胸、腹节由基部向下倾斜，中间有纵沟，两边角状突明显。腹部第一节由基部向端部逐渐变粗，呈柄状，暗褐色，腹板末端尖，黄色。雄性小于雌性。以干燥成虫入药，药材名蠮螉。

146. 黑尾胡蜂

Vespa tropica ducalis Smith

雌蜂体长24～36毫米。头橘黄色，有浅刻点。前胸背板棕色，中胸及后胸背板黑色。小盾片黄色。并胸腹节黑色。翅膜质，半透明，棕色。腹部各节有红褐色、黄色、黑色等。雄蜂与雌蜂相似，只是胸部棕褐色斑多些。以干燥成蜂和蜂房入药。

147. 斑胡蜂

Vespa mandarinia Smith

雌蜂体长30～40毫米。身体大部分为橘黄色。前胸背板黑色，中胸背板黑褐色。小盾片黑褐至黑色。翅基片棕色。腹部背板棕黄色与黑褐色相间，各节表皮光滑，被棕黄色毛。雄蜂与雌蜂近似，只是体表有棕色斑。

148. 大胡蜂

Vespa magnifica (Smith)

雌蜂体长25～35毫米。头棕色。前胸背板两侧及中间背板前方有2个褐色斑。小盾片隆起。翅褐色。腹部光滑，圆筒形，1～4节后缘黄色。胸部呈棕黄色或棕赭色。体毛黄白色或金黄色。雄蜂似雌蜂，腹部为7节。

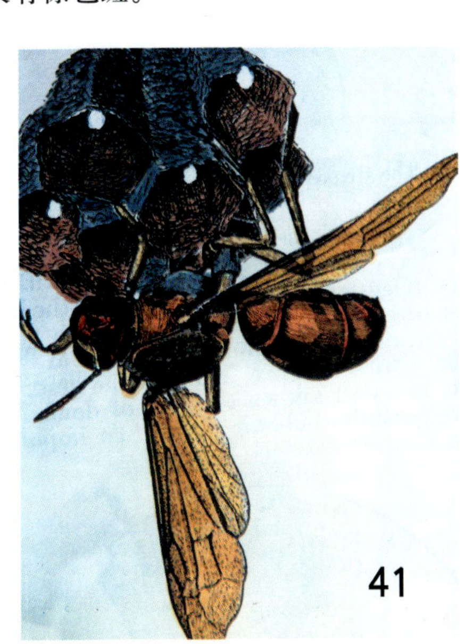

149. 中华马蜂

Polistes chinensis Fabricius

雌蜂体长14～18毫米。前胸背板前缘中部及后缘黄色，中胸背板黑色，后胸侧板黑色，上下各有1块黑斑。小盾片黄色，有棕色斑纹。腹板棕色，第三至第六节背板及腹板黑色。雄蜂与雌蜂相似。以蜂房和幼虫入药。蜂房药材名露蜂房。

150. 黄星长脚马蜂

Polistes mandarinus Sassuer

雌蜂体长15～17毫米。身体黄色，有黑色斑纹。头黑色。胸部黑色，前胸前缘有黄边。小盾片上有2个黄斑。中胸黑色。翅基片红褐色。并胸腹节黑色。雄蜂体色较雌蜂鲜艳。

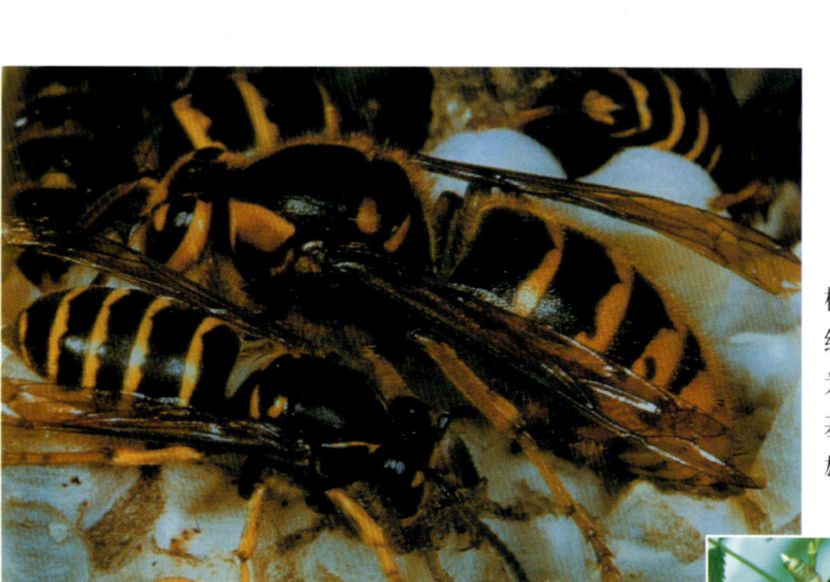

151. 台湾马蜂

Polistes formosana Sonan

雌蜂体长15～17毫米。额上部呈橙色，下部为黄色。胸部黄色，各骨片缝呈黑色。中胸背中央和并腹节两侧为黑色。前翅前缘色较深。腹部第一节基部、第二节背板及腹板基部为黑色。雄蜂与雌蜂相似。

152. 中华马蜂在树上筑的巢(露蜂房)

153. 中华蜜蜂

Apis cerana (fabricius)

雄蜂体长12～15毫米，体黑色，全身被黑褐色毛，并间杂有白毛，复眼大。蜂王体长13～16毫米，腹部暗褐色，各节间黄色，或腹部黑色，各节间黄色。工蜂体长11～13毫米，全身被黄褐色毛，唇基隆起，有三角形红色斑，胸部小盾片隆起，呈黄色，腹部各节上有黑色环带。以蜂蜜、蜂乳、蜂毒、蜂胶、蜂蜡、蜜蜂子、花粉入药。

154. 意大利蜂

Apis mellifera Linnaeus

雄蜂体长14～16毫米。蜂王体长16～17毫米。工蜂体长12～13毫米。形态与中华蜜蜂大致相同，只是体型较大，主要区别在于唇基片为黑色，没有红斑，后翅中脉不分叉。

155. 中华木蜂

Xylocopa sinensis Smith

雄蜂体长24～25毫米。雌蜂体长25～26毫米，体色黑。中胸有中盾沟，胸部被黄色毛。翅褐色，有紫色光泽。雄蜂与雌蜂相似，区别在于体被黄色长毛。以干燥成体入药。

156. 灰胸木蜂

Xylocopa phalothorax (Lepeletier)

雄蜂体长23～25毫米，雌蜂体长21～23毫米。体黑色，头部有刻点。中胸背板光滑，有光泽。翅膜质，有紫色光泽。腹部背板及足被黑色毛。

157. 大黑木工蚁

Camponotus japonicus Mayr

雌蚁体长15.4～15.9毫米，头小，有短竖毛，中胸发达，腹柄结宽，后腹部粗大，有短毛。雄蚁体长9.66～9.68毫米。工蚁体长7.36～13.8毫米，体黑色，头及并胸腹节有黄色斜生毛，并胸腹节背面呈长弓形，后腹部密被斜生毛。以成体入药。

158. 黄猄蚁

Oecophylla smaragdina Fabricius

雌蚁体长15～18毫米，头宽大，并胸腹节粗壮，中背板发达，腹柄结短，体青色。雄蚁体长6～7毫米，头小，体棕色，密被红褐色纤毛。工蚁体长7～11毫米，体锈红色，有弱光泽，全身有纤毛。

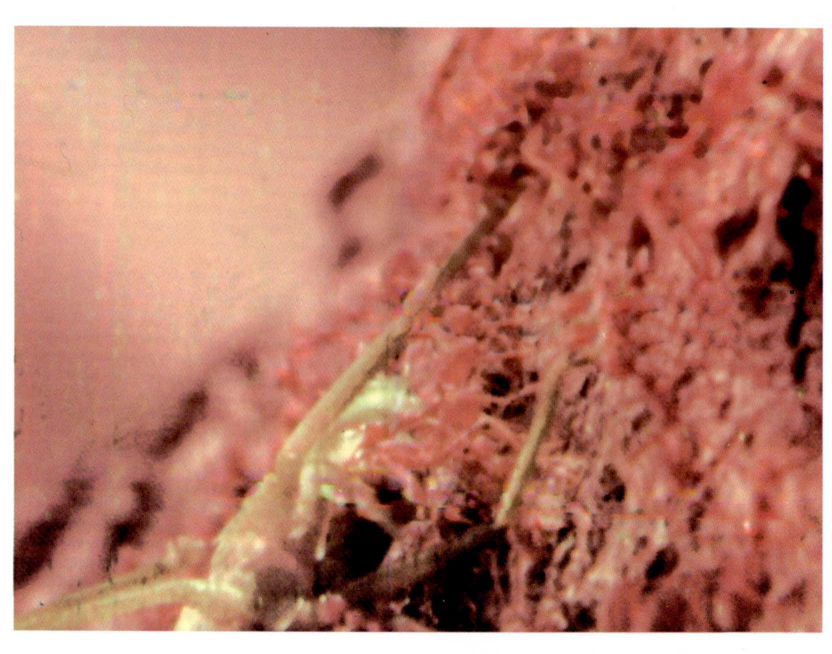

159. 双齿多刺蚁

Polyrhochis dives Smith

雌蚁体长8.62～9.77毫米，头小，前胸背板和并胸腹节上有短刺。雄蚁体长5.8～6.5毫米，并胸腹节及腹柄结无刺。工蚁体长5.28～6.3毫米，体黑色或黑褐色，腹柄结的顶部有1个长刺，后腹部短。

160. 鼎突多刺蚁

Polyraohis vicina Roger

工蚁体长4～5毫米，全身黑色，有赭黄色贴体毛，头短而宽，胸部圆，腹柄结高，左右侧角各有1根刺，两刺之间有3个钝齿，1前2后，呈鼎形排列。

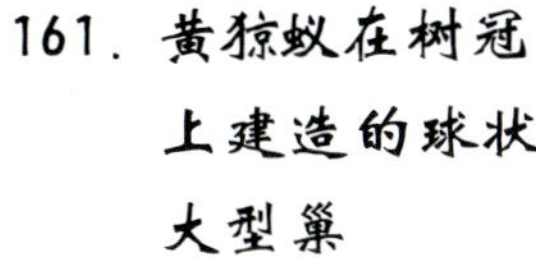

161. 黄猄蚁在树冠上建造的球状大型巢

第三章　鱼　类

162. 日本七鳃鳗

Lampetra japonica (Martens)

体长380～540毫米。全体灰褐色或灰黄色。体光滑无鳞。眼后有7个鳃孔排成1列。以盐制干品入药。

163. 扁头哈那鲨

Notorhynchus platycephalus (Tenore)

体长2～3米。体黄褐色，有黑色斑纹，前粗后细，头扁，尾狭长。尾鳍长，后部有缺刻。以鳍、胚胎、肝、肉入药。

164. 条纹斑竹鲨

Chiloscyllium plagiosum (Bennett)

体长1米左右。体深棕色，背侧有12～13条暗色横纹，横纹中及横纹边缘有白色斑。背正中有一纵行皮嵴。背鳍2个，胸鳍宽大，尾鳍尾端圆形。以肉、油、心、皮、骨、鳍入药。

165. 鲸　鲨 *Rhincodon typus* Smith

体长可达20米。体灰褐色或赤褐、青褐色，有白色或黄色斑点及横纹。胸鳍刀形，尾鳍叉形。以脊椎骨、肝、胆、鳍、肉等入药。

166．梅花鲨 *Halaelurus burgeri* (Muller et Henle)

体长364～469毫米。体黄色，有暗色条纹和褐色斑点，似梅花排列。体细长。鳃孔5个，背鳍2个，尾鳍小，尾端圆形。以鱼皮入药。

167．灰星鲨 *Mustelus griseus* Pietschmann

体长约1米。体背侧灰褐色，腹面白色。体细而长。鳃孔5个，背鳍2个，尾端钝圆。以肉和胚胎入药。

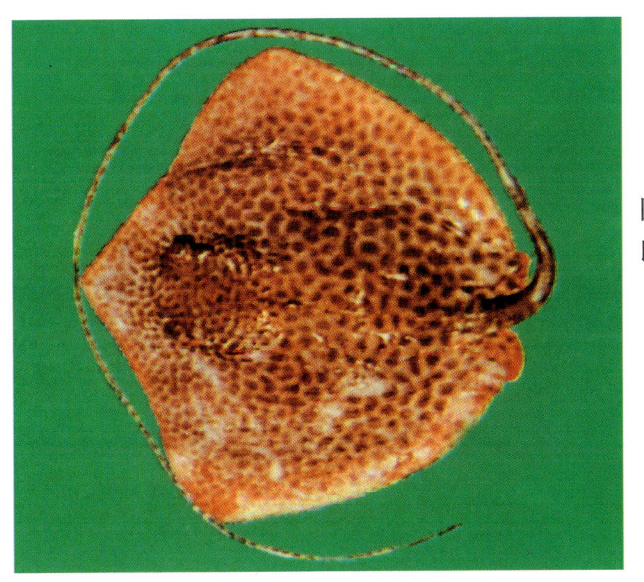

168．花点魟

Dasyatis uarnak (Forskal)

体盘直径1.5米以上，亚圆形。体面褐色，有黑色圆形或多边形斑块。尾长，鞭状，有暗青色条纹70余条。以胆和尾刺入药。

169．赤魟

Dasyatis akajei (Muller et Henle)

体盘亚圆形，长约1米。体黄褐色或绿褐色，腹面白色，边缘橙黄色。体背正中央至尾刺有1行刺。尾细长，上下方有皮膜。以肉、肝、尾刺入药。

170. 黑龙江鲟 *Acipenser schrenskii* (Brandt)

背部和体侧褐色或灰褐色。体梭形，头呈三角形，吻较尖。吻下面须的基部有疣状突起。皮肤较光滑，体上有5纵行骨板，每个骨板上有锐利的棘。以鱼鳔入药。

171. 太平洋鲱

Clupea pallasii Valenciennes

体长189～301毫米。体背部青绿色，体侧上方微绿，两侧及下方银白色。体长形，侧扁，腹部近圆形。鳞中等大，薄圆形。尾鳍叉形。以肉、精巢和卵巢入药。精巢又称鱼白，卵巢也称鱼籽。

172. 青鳞小沙丁鱼

Sardinella zunasi (Bleeker)

体长76～130毫米。体背部青褐色，体侧及腹部银白色，各鳍白色。体长近方形，侧扁，腹部具棱鳞。以鱼肉入药。

173. 鲥 鱼

Tenualosa reevesii (Richardson)

体长可达600毫米。体背部绿色，体侧和腹部银白色，吻部乳白色，鳍淡黄色，幼鱼期体侧有斑点。体长椭圆形，被椭圆鳞。尾鳍深叉形。以肉和鱼油入药。

174．鳓 *Ilisha elongata* (Bennett)

体背灰色，体侧银白色，头背、吻端、背鳍、尾鳍淡黄绿色，背鳍、尾鳍边缘灰黑色。体长而宽，侧扁，腹缘有锯齿状棱鳞。体被薄圆鳞，易脱落。尾鳍宽叉形。以全鱼入药。

175．刀　鲚

Coilia ectenes

Jordan et Seale

体长115～358毫米。体银白色，背侧呈青色或金黄色、青黄色，尾鳍深灰色。体侧扁而长，背平直，腹缘有锯齿状棱鳞。体被薄圆鳞。以肉入药。

176．大麻哈鱼 *Oncorhynhus keta* (Walbaum)

体长约600毫米。头背和体背青黑色，腹部白色。体侧有10～12个橙赤色横斑。体修长，侧扁，被细小圆鳞，侧线明显，尾端叉形。以肉、肝、精巢和鱼头入药。

177．大头狗母鱼 *Trachinocephalus myops* (Bloch et Schneider)

体长170～330毫米。头背部有红色花纹，背中间有1条灰色花纹，体侧有13条灰色纵纹和3条黄色细纹。体稍修长，亚圆筒形。头粗大，口大，鳃孔大。被细圆鳞。尾鳍叉形。以鱼尾入药。

178. 长蛇鲻

Saurida elongata (Temminck et Schlegel)

体长180～200毫米。体棕色，腹部白色。体延长，圆筒形，头短，吻钝，口大，鳃孔大。体被圆鳞，侧线发达。尾鳍分叉。以肉和尾入药。

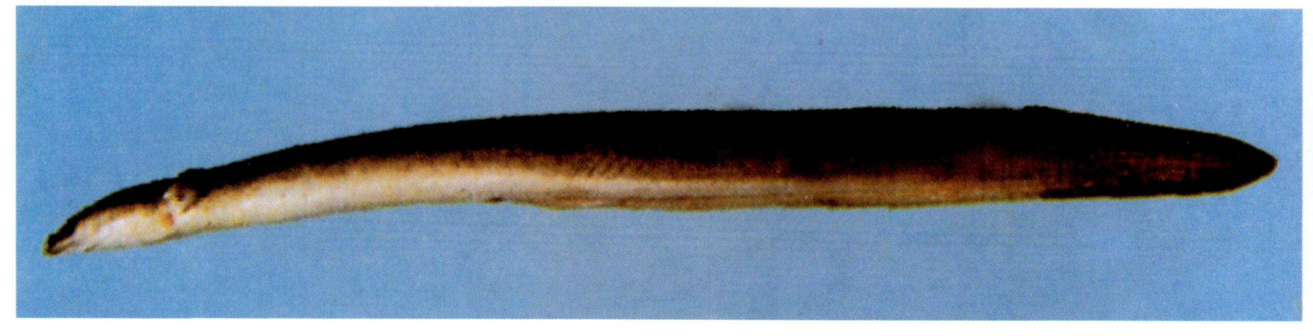

179. 鳗 鲡 *Anguilla japonica* (Temminck et Schlegel)

体长0.3～1.3米。体背侧绿色，腹侧淡白色。体长，前部近圆筒形，后部侧扁。头尖长，平扁。鳞细小，埋于皮下，呈席纹状排列，侧线发达。背鳍、臀鳍后部与尾鳍相连。以肉入药。

180. 波纹裸胸鳝

Gymnothorax undulates (Lacepede)

体长可达1.5米。体和鳍赤褐色或暗褐色，有淡黄色或黄白色网状纹，或波状横列线纹，线纹较粗。体延长，稍侧扁。体无鳞。背鳍、臀鳍与尾鳍相连。以全体及血入药。

181. 海 鳗

Muraenesox cinereus (Forskal)

体长480～690毫米。体背侧银灰色，大的个体则呈暗褐色，腹侧乳白色。背、臀、尾鳍边缘黑色。体延长，圆筒形。头大，尖长，吻突出。体光滑无鳞。背鳍、臀鳍与尾鳍相连。以肉、鳔、卵巢、血和胆入药。

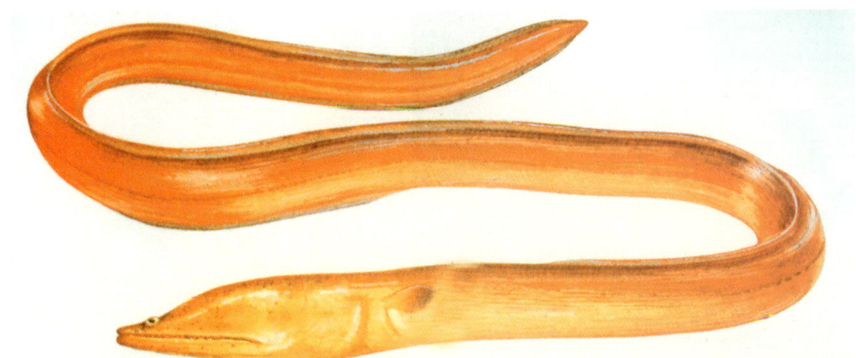

182. 鳄形短体鳗

Brachysomophis crocodilinus (Bennett)

体长259～737毫米。体背部红褐色，腹侧黄褐色，体上有细小黑斑。背鳍、臀鳍边缘黑色，胸鳍淡黄褐色。体延长，圆筒形，无鳞，有侧线。无尾鳍，尾部尖突。以鱼肉等入药。

183. 鲤

Cyprinus carpio Linnaeus

体长90～270毫米。体背暗灰色，侧面青黄色，腹面白色。雄鲤臀鳍、尾鳍橙红色。体延长，侧扁。吻钝圆，须2对。体被圆鳞。尾鳍叉形。以肉、胆、脑、脂、鳞等入药。

184. 青 鱼

Mylopharyngodon piceus (Richardson)

最大体长约1米。体背深黑色，体侧青黑色，腹部灰白色，各鳍颜色比体色深。体长，腹部圆，向后稍侧扁。鳞较大，侧线完全。尾鳍叉形。以肉、胆等入药。

185. 草 鱼

Ctenopharyngodon idellus (Cuvier et Valenciennes)

大者体长约1米。体背面青褐色，侧面银白带黄色，腹面灰白色，各鳍灰色。体延长，前部亚圆筒形，向后逐渐侧扁。体被圆鳞，侧线完全，尾鳍叉形。以肉、肠、胆入药。

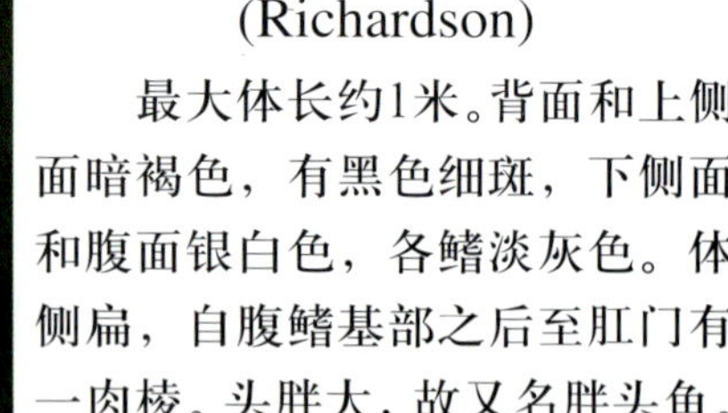

186. 鳙

Aristichthys nobilis (Richardson)

最大体长约1米。背面和上侧面暗褐色，有黑色细斑，下侧面和腹面银白色，各鳍淡灰色。体侧扁，自腹鳍基部之后至肛门有一肉棱。头胖大，故又名胖头鱼。体被细小圆鳞，侧线完全。尾鳍分叉。以头和胆入药。

187. 鲢

Hypophthalmichthys molitrix (Cuvier et Valenciennes)

体长 91～358 毫米。体银白色，各鳍灰白色。体侧扁，腹部较狭窄，有发达的腹棱。头大，体被小圆鳞，尾鳍深叉形。以鱼肉入药。

188. 鲫

Carassius auratus Linnaeus

体长78～263毫米。体银灰色，大个体有黄色光泽，背部色较深，各鳍灰色。体侧扁。无须。背鳍和臀鳍后缘有锯齿。尾鳍叉形。以肉、卵、胆等入药。

189. 金 鱼

Carassius auratus (L.var Goldfish)

体长60～100毫米。体五彩缤纷，有红、黄、白、黑、蓝、紫、橙等颜色。体有长形、椭圆形、纺锤形等。头有平头、鹅头、狮子头等。眼形有龙睛、望天、水泡等。体被圆鳞，鳞有的透明，有的呈珍珠状。鳍有单鳍、双鳍等。以肉和全体入药。

190. 红鳍鲌

Culter erythropteru Basilewsky

体长 200～300毫米。体背部灰色，体侧、腹部银白色。体侧扁而长。腹缘有完全的皮棱。体被圆鳞，侧线完全。尾鳍分叉。以全体入药。

191. 厚唇裸重唇鱼

Gymncdiptychus pachycheilus Herzenstein

体背和头顶部黄褐色或灰褐色，有黑褐色斑点；腹部灰白或黄灰色，无斑点。体长筒形，略侧扁。有1对短须。体裸露，仅有臀鳞1行。以肉、骨入药。

192. 赤眼鳟

Squaliobarbus curriculus (Richardson)

体长67～292毫米。眼上缘有一红斑。体银白色，背部灰白色，鳞片基部有黑色斑条，形成鱼体网状斑纹。体长，略呈圆筒形，后部稍侧扁。有颌须2对，侧线完全。以肉入药。

193. 鳡

Elopichthys bambusa (Richardson)

体长0.163～1.01米。背部灰褐色或灰绿色，腹部银白色，背鳍、尾鳍灰白色，颊部、其他各鳍灰色。体修长，侧扁。头小，吻尖。鳞小，侧线完全。尾鳍深叉形。以肉入药。

194. 鯮 *Luciobrama macrocephalus* (Lacepede)

体长0.147～1.05米。体背深灰色，侧面及腹部银白色，侧线上方有一微黑纵纹。体延长，略呈圆柱状。头前半部细，稍呈管状，吻平扁，似鸭嘴形。鳞细小。尾鳍深叉形。以肉入药。

195. 泉水鱼 *Semilabeo prochilus* (Sauvage et Dabry)

体长89～260毫米。背部灰黑色，腹部灰白色，各鳍微黑。体较长，前部圆，后部稍扁，腹部较平。吻部与下唇有肉质小乳突。口呈三角形，须2对，吻较长。以肉入药。

196. 华鲮

Sinilabeo rendahli (Kimura)

体长100～360毫米。背部青黑带绿色，腹面淡黄色，鳞有紫绿色金属光泽，并缀有红点。体长而侧扁。头小，吻钝圆。尾鳍叉形。以肉入药。

197. 鲮

Cirrhinus molitorella (Cuvier et Valenciennes)

体长102～325毫米。背部青灰色，腹部灰白色，体侧上部的鳞片各有1个黑斑点。体长而侧扁。头短，吻圆钝，须2对。尾鳍深叉形。以肉入药。

198. 倒刺鲃

Spinibarbus denticulatus denticulatus (Oshima)

体长102～262毫米。体灰绿色，背微黑，腹部白色，体侧鳞前缘黑灰色。体长形，稍侧扁，腹部圆。头较小，须2对。背鳍起点有一平卧刺。以肉入药。

199. 鲈鲤

Percocypris pingi (Tchang)

体长212～470毫米。背青黑色，腹部灰白色，体侧鳞片有黑斑，排列成黑点纵纹。体长而侧扁，头圆锥形，口圆钝，须2对，鳞较小。尾鳍叉形。以肉入药。

200. 金钱鲃

Sinicyclocheilus grahami (Regan)

体长100～230毫米。背部灰黑色，腹部灰白色，头背部及侧线上部有不规的黑色斑纹。体长而侧扁。须2对。背鳍硬刺后有锯齿。尾鳍深叉形。为国家二级保护动物。以肉入药。

201. 唇䱻

Hemibarbus labeo (Pallas)

体长85～272毫米。背部青灰色，腹部白色，背鳍和尾鳍灰黑色。体长形，稍侧扁，腹部圆。吻长，唇厚，须1对。背鳍硬刺光滑、粗壮。以全鱼入药。

202. 华鳈

Sarcocheilichthys sinensis Bleeker

体长75～150毫米。背部灰黑色，腹部灰白色，体侧有4 条黑色横带。各鳍灰色，边缘白色。体长形，稍侧扁。口小，须1对。尾鳍叉形。以肉入药。

203. 中华鳑鲏 *Rhodeus sinensis* (Güneher)

体长35～65毫米。背部灰褐色，腹部灰白色，体侧上部鳞片有小黑点。鳍微黄。体椭圆形，侧扁。口小，无须。侧线不完全。尾鳍叉形。以肉入药。

204. 䱗

Hemiculter leucisculus (Basilewsky)

体长65～181毫米。背部青灰色，腹面银白色，尾鳍边缘灰黑色，其他鳍略黄。体长形，侧扁，有完全的腹棱。鳞中等大。尾鳍叉形。以肉 入药。

205. 鲂

Megalobrama terminalis (Richardson)

体长89～501毫米。体色灰黑，鳞片有灰黑色斑，连结成灰黑色纵带。体高而侧扁，呈菱形。有明显的腹棱。口小。鳞中等大。以肉入药。

206. 翘嘴红鲌

Erythroculter ilishaeformis (Bleeker)

体长500～1000毫米。体侧上部灰褐色，下部银灰色，腹部银白色，背鳍和尾鳍灰黑色，其他鳍灰白色。体长形，侧扁，有腹棱。口上位，下颌厚尖而上翘。鳞小。以肉入药。

207. 黄尾鲴

Xenocypris davidi Bleeker

体长130～310毫米。背部灰褐色，体侧下半部及腹部银白色，鳃盖后缘有一黄色斑块。体长形，较厚而侧扁，腹部圆。有短腹棱。头圆锥形。鳞片中等大。以肉入药。

208. 宽鳍鱲

Zacco platypus (Temmince et Schlegel)

体长74～100毫米。体色鲜艳，背部灰黑，腹部银白，体侧粉红，有12～13条蓝绿色横带纹。尾鳍分叉深。以全鱼入药。

209. 泥 鳅 *Misgurnus anguillicaudatus* (Cantor)

体长80～120毫米。背部暗褐色，体侧灰黑色，密布黑褐色斑点，腹部白色或浅黄色。体延长，后部侧扁。头中等大，口小，须5对。体被细小圆鳞。尾鳍后缘圆形。以全鱼入药。

210. 黑斑原鮡

Glyptosternum maculates (Regan)

背侧黄绿色或灰绿色，腹部黄白色，体侧有不明显的块状斑。体修长，前部扁平，后部侧扁。头部扁平，口大。全体无鳞。尾鳍截形。以肉、骨、胆入药。

211. 黄颡鱼

Pelteobagrus fulvidraco (Richardson)

最大体长达300毫米。体青黄色，腹部淡黄色，体侧有黄褐色斑，各鳍灰色。体长形，后部侧扁。口大，须4对。背鳍硬刺后缘有锯齿。尾鳍深叉形。以全鱼及鳍硬棘入药。

212. 鲇

Silurus asotus Linnaeus

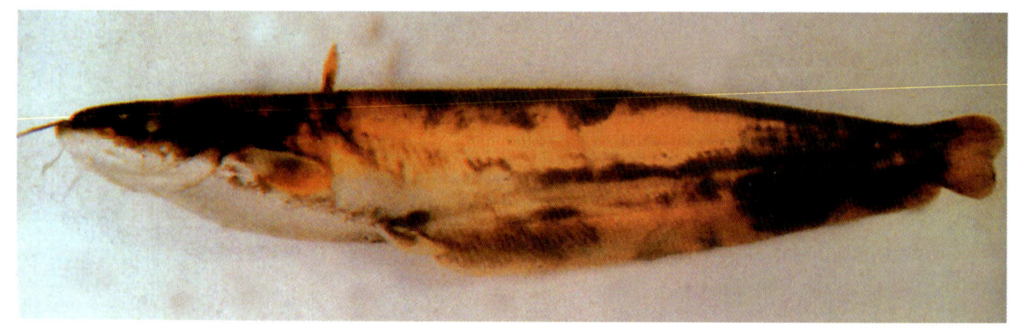

体长107～400毫米。体灰褐色，腹部白色，体侧有黑色斑块。头扁平，口大，须2对，体修长，后部侧扁，体无鳞。尾鳍圆形或微凹。以肉或全体入药。

213. 胡 鲇 *Clarias batrachus* (Linnaeus)

体长41.9～221毫米。体暗褐色，下部较淡。体长形，背鳍起始前较扁平，向后逐渐侧扁。体无鳞。口宽，须4对。尾鳍圆形。以肉或全体入药。

214. 真燕鳐鱼

Prognichthys agoo

(Temminck et Schlegel)

体长233～284毫米。体背面黑色，腹部银白色。体略呈梭形，背、腹部宽，两侧较平。头短，眼大，口小。体被大圆鳞。胸鳍强大，后部伸到臀鳍末端，用于滑翔。腹鳍大，尾鳍叉形。以肉入药。

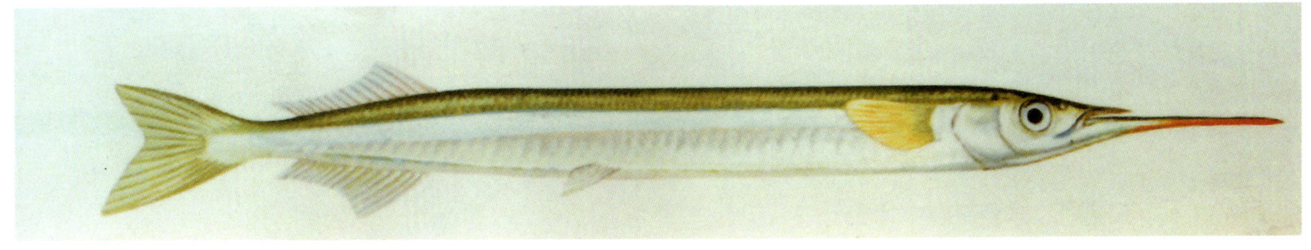

215. 日本鱵 *Hemirhamphus sajori* (Temminck et Schlegel)

体长165～241毫米。体银白色，背部暗绿色，背中央有一黑色线条，体两侧各有1条银灰色纵带。体细长，呈柱形。头长，前端尖。被薄圆鳞。胸鳍短宽，尾鳍分叉。以肉入药。

216. 大头鳕

Gadus macrocephalus

Tilesius

体长200～300毫米。背部灰褐色，有不规则的棕色和黄色横纹，腹灰白色。体延长，稍侧扁。口大，上颌突出，下颌有一颏须。体被小圆鳞。背鳍3个，臀鳍2个。尾鳍后缘微凹。以肉、骨、肝、鳔入药。

217. 鳞烟管鱼 *Fistularia petimba* Lacepede

体长174～406毫米，大者达700毫米。体浅红色，腹部白色，各鳍色淡略带浅红。体修长，鞭状。吻特长，管状。体大部分无鳞，侧线在背鳍、臀鳍后方形成线状鳞。尾鳍叉形，中间鳍条延长。以全鱼入药。

218. 斑海马

Hippocampus trimaculatus Leach

体长106～175毫米。体淡黄褐色或淡白色，背侧有3个黑斑。体侧扁，腹部突出。躯干部棱形，尾部四棱形，卷曲。头似马头，吻细长，管状。体无鳞，由骨质环包裹。以干燥体入药，药材名海马，是名贵药材。

219. 许氏海龙

Syngnathus Schlegeli Kaup

体长110～190毫米。体黄绿色，腹部淡黄色，有不规则的暗色环带。体细长，鞭状，躯干七棱形，尾部四棱形。头长而细尖，吻细长，呈管状。全身无鳞，为骨环所包裹。以全体入药，药材名海龙。

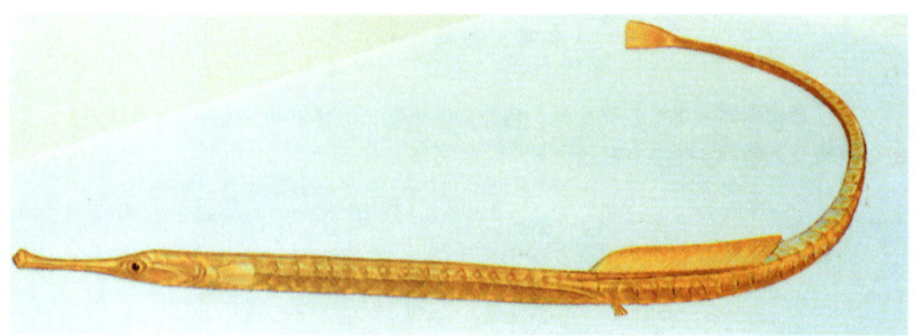

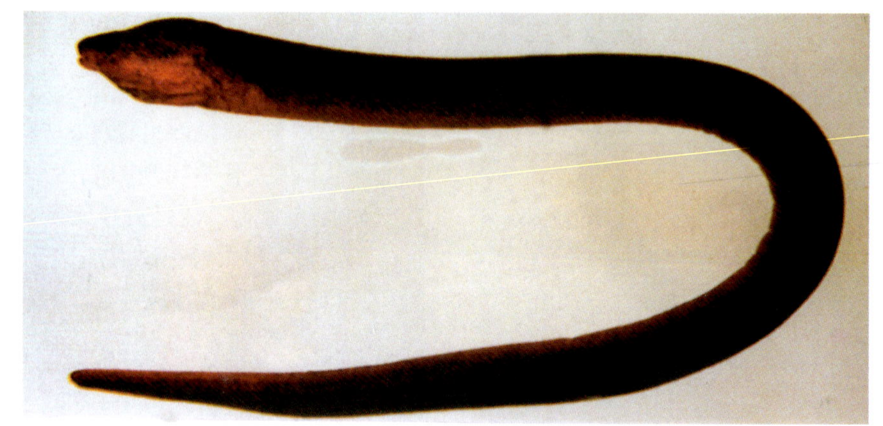

220. 黄 鳝

Monopterus albus (Zuiew)

体长300～400毫米。有些大个体达700多毫米。背部灰褐色或黄褐色，腹部色较淡，全身有小黑斑。体长，鳗形，前部圆筒形，后部侧扁。头圆锥形。左右鳃孔在头部腹面连成“V”字形裂缝。以鳝肉等入药。

221. 鲻 *Mugil cephalus* Linnaeus

体长183～416毫米。背面青黑色，腹部白色，体两侧上半部各有7条黑色纵纹，条纹间有银白色斑点。体粗壮，前部平扁，胸鳍后渐侧扁。圆鳞较大，无侧线。背鳍2个，尾鳍叉形。以鱼肉入药。

222. 花鲈

Lateolabrax japonicus

Cuvier et Valenciennes

体长214～288毫米。体上部灰绿色，下部灰白色，体侧上半部及背鳍的棘上有黑斑。体长形，侧扁。体被小栉鳞。侧线完全。以鱼肉和鳃入药。

223. 黄斑鲾

Leiognathus bindus

(Cuvier et Valenciennes)

体长80～100毫米。背部淡蓝色，有蓝黑色斑纹，腹部银白色。体侧扁而高。头小，口小，眼大。体和胸部被薄圆鳞。尾鳍叉形。以鱼肉入药。

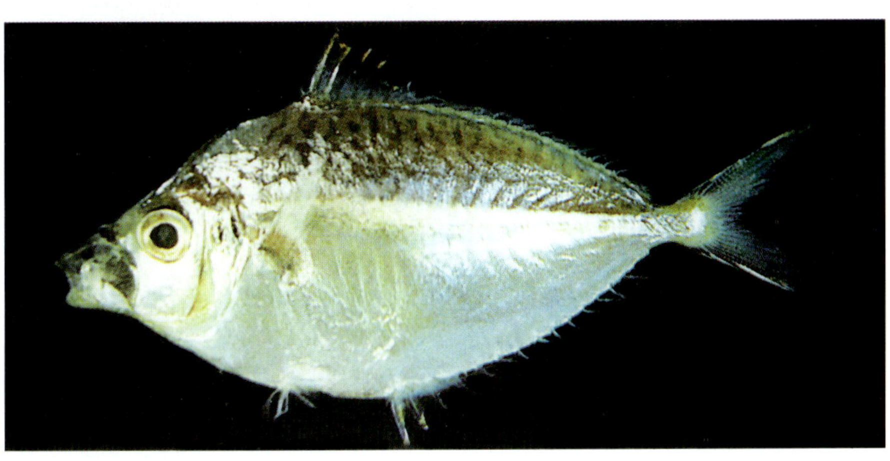

224. 横带髭鲷

Hapalogenys mucronatus

(Eydoux et Souleyet)

体长150～200毫米。背部灰褐色，腹部色淡，体两侧各有7条黑色横带。体椭圆形，高而侧扁。颏部密生小髭。体被细栉鳞。背鳍的鳍条之间有深缺刻。尾鳍圆形。以鱼鳔入药。

225. 黄姑鱼

Nibea albiflora

(Richardson)

体长210～250毫米。背侧灰褐色，背面有波状灰色条纹。体延长，侧扁，体及头后被栉鳞，侧线发达。以鱼肉和鳔入药。

226. 鮸 鱼 *Miichthys miiuy* (Basilewky)

体长 450～550 毫米。体修长，侧扁，被栉鳞，吻部和鳃盖被小圆鳞。尾鳍楔形。以鱼鳔和鳞入药。

227. 大黄鱼

Pseudosciaena crocea (Richardson)

体长 400～500 毫米。体背面和上侧面黄褐色，腹面金黄色，各鳍黄色或灰色，唇橘红色。体修长，侧扁。头部及体前部被圆鳞，后部被栉鳞。尾鳍楔形。以鱼肉、鳔、耳石入药。

228. 小黄鱼

Pseudosciaena polyactis (Bleeker)

体长 230～260 毫米。体黄褐色，腹面金黄色，各鳍灰黄色，唇橘红色。体修长，侧扁。其他特征与大黄鱼相同。以鱼肉、鳔、耳石入药。

229. 金钱鱼

Scatophagus argus (Linnaeus)

体长 100～280 毫米。体褐色至暗褐色，腹部浅蓝色，体侧有大黑色斑。体高，侧扁，略呈六角形。体被细栉鳞，侧线完全。尾鳍呈截形或双凹形。以鱼胆入药。

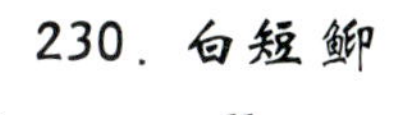

230. 白短䲟

Remora albescens

(Temminck et Schlegel)

体长165.5～205毫米。体橘黄色，腹部及鳍后缘淡白色。体前部平扁，向后逐渐侧扁。头及体前部背面被吸盘占据。第一背鳍已特化成卵圆形吸盘。尾鳍截形，中央稍凹。以肉入药。

231. 黄斑蓝子鱼

Siganus oramin

(Bloch et Schneider)

体长96～127毫米。体黄绿色，背部色较深，腹部色较浅，体侧有小黄色斑点。各鳍浅黄色。体侧扁，呈长卵圆形，被小薄圆鳞。尾鳍浅叉形。以胆入药。

232. 带鱼

Trichiurus japonicus

(Forskål)

体长可达1米。体银白色，背鳍、胸鳍有小黑点，尾部深黑色。体侧扁，呈带状，尾部细长。头小，侧扁，尖突。全体光滑，侧线完全。背鳍起于前鳃盖骨上方，延至尾端。无腹鳍。以鱼肉、胆、鱼头、鱼油入药。

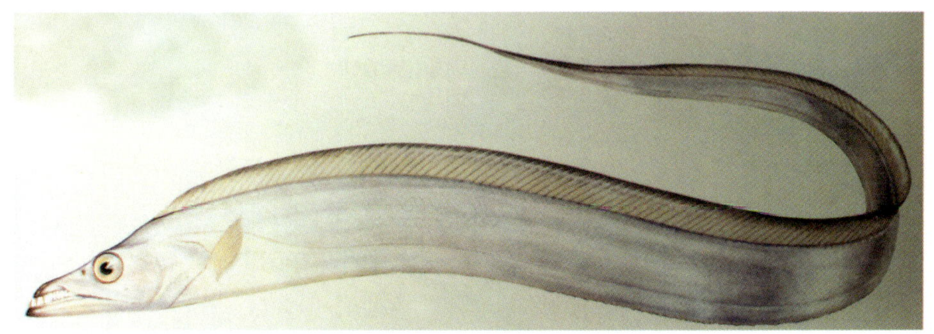

233. 鲐鱼 *Pneumatophorus japonicus* (Houttuyn)

体长210～260毫米。背部青绿色，腹部银白色，两侧胸鳍以上有深蓝色斑纹。体纺锤形，稍侧扁，被细小圆鳞，侧线完全，有2个背鳍，第二背鳍后方有5个小鳍。臀鳍与第二背鳍形态相同。尾鳍深叉形。以鱼肉入药。

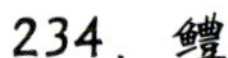

234. 鳢

Channa argus (Cantor)

体长93～100毫米。体灰黑色，背部色暗，腹部色浅，体侧有2纵行黑色斑块，背面有1行黑色花斑。体呈圆筒状，前部圆形，后部侧扁。头长而扁平。体被圆鳞。尾鳍圆形。以肉入药。

235. 斑 鳢 *Channa maculata* (Lacepede)

体长与形态特征与鳢相似。以鱼肉入药。

236. 鬼 鲉

Inimicus japonicus

(Cuvier et Valeneiennes)

体长200毫米左右。体色在浅水区为黑褐色，深水区为红色或黄色，体侧有红蓝斑点。体前部粗大，后部稍侧扁，光滑无鳞。背鳍鳍条前面的短小，后面的较长，鳍基部有毒腺。下颌下方有1对有须状分支的皮瓣。尾鳍圆形。以鱼肉入药。

237. 牙 鲆

Paralichthys olivaceus

(Temminck et Schlegel)

体长250～800毫米。头大，两眼均位于头的左侧。有眼侧灰褐或暗褐色，侧线前端及中央上下各有一亮黑斑。无眼侧为白色，鳍淡黄色。体呈长椭圆形，侧扁。有眼侧体被栉鳞，无眼侧被圆鳞。尾鳍呈双截形。以鱼肉入药。

238. 马来斑鲆

Pseudorhombus malayanus Bleeker

体长90～220毫米。头大而高，两眼位于头部左侧。有眼侧淡褐色，侧线前端有一黑斑，胸鳍淡黄色。无眼侧为乳白色，鳍色较淡。体长椭圆形，侧扁，体两侧被小栉鳞。以鱼肉入药。

239. 短吻三刺鲀

Triacanthus biaculeatus (Bloch)

头部和体背侧浅灰蓝色，腹部银白色，吻部白色。体长椭圆形，侧扁。头短，侧扁，吻短而尖。体粗糙，有小鳞，侧线发达。有2个背鳍。两腹鳍各有1根粗大的鳍棘。尾鳍深叉形。以鱼肉、皮入药。

240. 绿鳍马面鲀

Navodon septentrionalis (Günther)

体长180～280毫米。体蓝灰色，各鳍鳍条绿色。体长椭圆形，侧扁而高，被绒状小鳞，无侧线。背鳍2个，腹鳍退化，胸鳍扇形，尾鳍圆形。以全鱼或皮入药。

241. 黑鳃兔头鲀

Lagocephalus inermis (Temminek et Schlegel)

体背部黄褐色，体侧灰褐色，腹部乳白色，体侧下方金黄色。体粗壮，亚圆筒形，后部稍侧扁。侧线发达，上位。以鱼鳔和皮入药。

242. 虫纹东方鲀

Fugu vermicularis

(Temminck et Schleger)

体长150～300毫米。体灰褐色，下侧面黄色，腹面白色，背侧有淡蓝色和白色斑点，有些斑点呈条状和虫纹状。各鳍黄色，臀鳍和尾鳍下缘为白色。体亚圆筒形，向后渐细狭。侧线发达，上位。尾鳍截形。以鱼肉、肝、卵巢、血等入药。

243. 六斑刺鲀

Diodon holacanthus

Linnaeus

体背侧黄褐色，腹部白色，头部背面有6个具黄色边缘的黑斑和许多小斑点。各鳍灰白色。体宽短，稍平扁。体被长棘，仅吻部和尾柄光滑。尾鳍后缘圆形。以鱼皮入药。

244. 九斑刺鲀

Diodon novemaculatus

Cucier

体背及体侧黄褐色，腹部黄白色，背部有9个大黑斑，斑周有白色环纹。各鳍黄色，微绿。体长圆形，稍扁平。体被长棘，仅吻部和尾柄光滑。尾鳍后缘圆形。以鱼皮入药。

245. 翻车鲀

Mola mola (Linnaeas)

体长可达3～3.5米。背侧和各鳍灰褐色，腹侧银白色。体椭圆形，侧扁而高。吻圆钝，口小。体无鳞，皮厚而粗糙，如革状。各鳍无鳍棘。无腹鳍。尾鳍短宽，后缘圆形。以肝炼油入药。

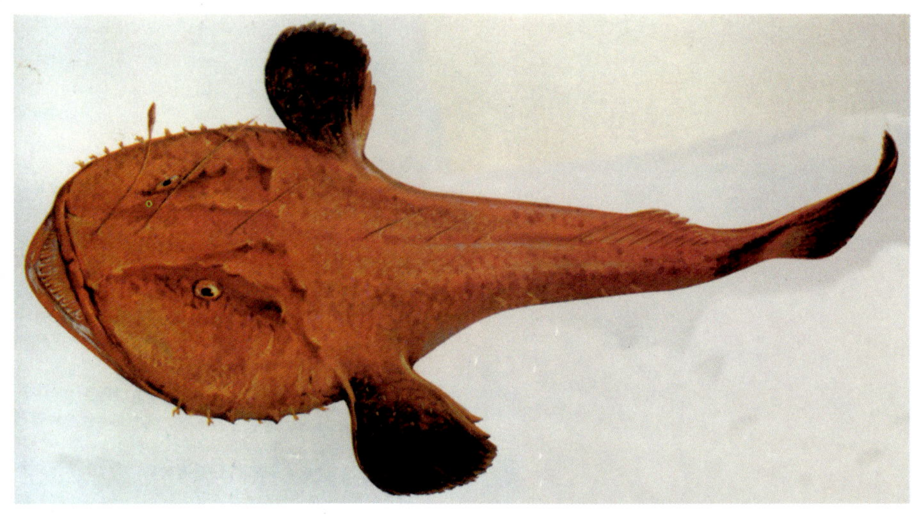

246．黄鮟鱇

Lophius litulon (Jordan)

体紫褐色，腹部白色，各鳍黑色，体上方有小白点。体前端平扁，呈圆盘状，向后变尖细，呈柱状。头大，平扁。吻宽阔，平扁。眼小，位于上方。体柔软，无鳞。胸鳍圆，臂状。以头骨、胆等入药。

247．海蛾鱼 *Pegasus laternarius* Cuvier

体背暗绿褐色，腹侧及尾部淡黄铬色。体平扁，前部较宽，后部渐细，无鳞，身被骨板，躯干不能活动。尾部四棱形，稍可活动。胸鳍大，翼状。尾鳍截形。以全体入药。

248．牙棘茄鱼

Halicmetus reticulates

Smith et Raduliffe

体红色，背部有云状斑纹。头、体前方宽平，呈圆形，后方及尾部略呈圆锥形。体无鳞，头盘周缘有骨质突起。第一背鳍棘变为吻触手，第二背鳍短小。尾鳍截形。以全体入药。

鱼类彩图仿《中国淡水鱼类原色图集》和《台湾鱼类志》等

第四章　两栖、爬行类

249. 大鲵

Andrias davidianus (Blanchard)

体长0.6～1米。头宽阔而扁平，吻端圆。躯干粗扁，体侧有长条肤褶。四肢粗短，前肢四指，后肢五趾。皮肤光滑。头部的背、腹面有疣粒。尾侧扁，基部较宽。为国家二级保护动物。以肉入药。

250. 中华蟾蜍

Bufo gargarizans Canfor

体长约100毫米。背、腹面布满疣粒。吻棱明显，鼓膜清晰，耳后腺长圆形。雄性略小，无声囊。繁殖季节雄性背面黑绿色，雌性色较淡，腹面有乳黄色、棕色或黑色花斑。以耳后腺分泌液、皮等入药，药材名分别称蟾酥、干蟾皮。

251. 黑眶蟾蜍

Bufo melanostictus Schneider

体长70～100毫米。皮肤粗糙，布满疣粒。头部吻至上眼睑内缘有黑色骨质嵴棱。鼓膜、耳后腺椭圆而大。体棕色，有棕红色花斑。以耳后腺分泌液、皮等入药，药材名分别称蟾酥、干蟾皮。

252. 中国林蛙

Rana chensinensis David

体长约50毫米。头扁平。鼓膜显著，该处有三角形黑斑。背侧褶在颞部形成曲折状。皮肤略粗糙，背部及体侧有小疣粒。体背及侧面土灰色或棕黄色，有黄色和红色小点。四肢背面有黑横纹。以去内脏全体和雌蛙输卵管入药，输卵管干品药材名哈蟆油。

253. 黑斑蛙

Rana nigromaculata Hallowell

体长70～80毫米。吻钝圆而略尖。鼓膜大。前肢短，后肢较肥，四肢有黑横斑。背面有1对侧褶。腹面皮肤光滑。体背面黄绿色或深绿色，有不规则的黑斑。以全体、胆和蝌蚪入药。

254. 棘胸蛙*Rana spinosa* David

体长约120毫米。吻端钝圆。鼓膜可见。前肢较短，后肢肥大。皮肤粗糙，背面黑棕色，腹部肉紫色，有云斑。雄蛙背部有长形疣棱，胸部有肉质疣。雌蛙腹面光滑。以去内脏新鲜全体入药。

255. 花姬蛙

Microhyla pulchra Hallowell

体长约40毫米。吻端钝尖。身体花纹艳丽，背面粉棕色，有棕色花纹，由肩上中央向后伸延，呈"人"字形多条排列。腹部黄白色。皮肤平滑，有痣粒。前肢细弱，后肢粗壮。以去内脏全体入药。

256. 蠵龟

Caretta caretta olivacea Linnaeus

背甲长约1米。头背有对称的大鳞。吻突出，上下颌钩状。背甲边缘整齐，盾片平铺排列。四肢桨状，各具2个爪，前肢大，后肢小。尾短。背部棕红色或褐色，有土黄色或黑色斑纹。腹部黄色或柠檬黄色。为国家二级保护动物。以龟板入药。

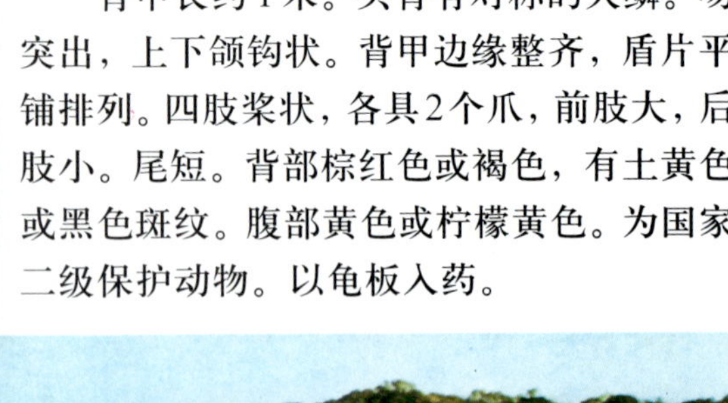

257. 海龟

Chelonia mydas (Linnaeus)

体长1米多。体背棕黄色，腹面黄色。脂肪绿色。吻短而圆，上喙不钩曲，下喙发达。头部鳞对称。背甲呈心形，盾片镶嵌排列。腹甲前后缘圆形。四肢桨状，各有2个爪。雄龟尾长，雌龟尾短，不超出背甲。为国家二级保护动物。以龟板、血及胆汁入药。

258. 玳瑁

Eretmochelys imbricata (Linnaeus)

体长1米多。背部棕红色，有浅黄色花纹，头与四肢棕色，腹面黄色，有褐斑。吻略长，上颌钩曲，头部有对称的鳞。背甲略近心形，脊棱明显，盾片覆瓦状排列。腹甲前缘圆形。四肢桨状，外侧各有2个小爪。为国家二级保护动物。以甲片及肉入药。

259. 平胸龟

Platysternon megacephalum Gray

背甲长椭圆形，长约250毫米，宽约200毫米，前缘中部凹入。腹甲前缘平切，后缘凹入。头大，颈短，不能缩入壳内。头背有大块盾片。上颌粗大，显著钩曲，呈鹰嘴状。指、趾间有蹼。尾甚长。体背棕黑色或棕褐色，腹面深黄色。以肉入药。

260. 乌龟

Chinemys reevesii (Gray)

头小，前顶部平滑，后部有细粒状鳞。背甲椭圆形，长约120毫米，宽约85毫米，有3条小脊棱。腹甲平坦，前缘平切，略上翘，后缘缺刻较深。四肢扁平，有爪，指、趾间有蹼。尾短。背甲棕色或黑色，腹甲色浅，盾片上有大黑斑。以龟板、肉等入药。

261. 鳖

Trionyx sinensis Wiegmann

背甲卵圆形，长60～170毫米，宽54～140毫米，正中有微脊棱，被革质皮肤，满布疣粒，呈橄榄绿色；腹甲光滑，呈肉色，有对称的深色斑。头三角形。颈甚长。四肢扁平，各有3个爪，有栉状短宽肤褶。以背甲入药，药材名鳖甲，肉亦入药。

262. 变色树蜥

Calotes uersicolor (Daudin)

体长80～90毫米。头较大，吻端钝圆，鼓膜裸露，眼周有深色辐射纹。体表鳞呈覆瓦状排列，正中有1列直立鬣鳞。四肢发达，有爪。体色棕灰，背面有5～6条棕色横斑，尾部有环纹。生殖季节雄性头部红色。以去内脏全体入药。

263. 大壁虎*Gekko gecko* (Linnaeus)

体长约300毫米。头近三角形，耳孔椭圆形。体被小粒鳞，间有疣鳞，排成纵行；腹面鳞片大，呈六角形。四肢指、趾膨大，扁平状，有爪。雄性尾基部较粗。躯干、四肢背部砖灰色，有橘黄与蓝灰色斑。腹面白色，有粉红色斑。为国家二级保护动物。以去内脏干燥全体入药，药材名蛤蚧。

264. 纵斑蜥虎

Hemidactylus bowringii (Gray)

体长约 120毫米。头钝，吻钝圆，耳孔小，椭圆形。头和体躯背面有细鳞，胸腹鳞较大。尾圆柱形。后肢较粗，指、趾膨大，底部有双行褶襞形成的吸盘，指、趾末端有爪。以干燥全体入药。

265. 铜石龙子 *Lygosoma indicum* (Gray)

全体长约210毫米。吻凸而圆，耳孔卵圆形，鼓膜小，下陷。体背面古铜色，背中央有1条黑脊纹，头及躯体两侧各有3～4条黑纵带，头背和四肢有散在的小黑点。以去内脏鲜体或干燥全体入药。

266. 脆蛇蜥

Ophisaurus harti Boulenger

全长288～534毫米。体形似蛇，圆筒状，细长，无四肢。吻端钝，眼小。背鳞14～16行，中央8～10行有棱，相连成纵直棱延至尾部。腹鳞光滑。体背棕褐色，有不规则的蓝色横斑。体、尾侧紫色。腹部色浅，无横斑。以干燥全体入药，药材名脆蛇。

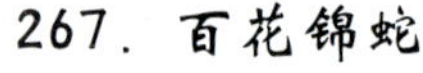

267. 百花锦蛇

Elaphe moellendorffi (Boettger)

全长达2米。头呈梨形，头背赭红色。体鳞多有弱棱，背部灰绿色，正中红棕色，有镶黑边的大斑块，体侧色斑小。尾背部为红棕色与橘红色斑相间排列。以去内脏、盘成圆形的干燥全体入药，药材名白花蛇。胆泡酒入药，称花胆酒。

268. 黑眉锦蛇

Elaphe taeniura Cope

体长超过2米，体粗大。头较大，头颈区分明显，从颊鳞至最后2个上唇鳞的上半部有黑色横斑，状如黑眉。体背面黄绿色或棕灰色，体前段背正中有黑色梯状横纹，体后部逐渐扩展为黑纵带。腹部灰白色。尾部和体侧黄色。此蛇无毒。以蛇肉和蜕下的皮入药，蛇皮药材名蛇蜕。

269. 灰鼠蛇

Ptyas korros (Schlegel)

体全长2米以上。背鳞平滑。各鳞片边缘暗褐，中间蓝褐色，互相交织成网纹。头及体背灰褐色，唇缘及腹部淡黄色。以去内脏干体入药。

270. 滑鼠蛇

Ptyas mucosus (Linnaeus)

体全长2米以上。头较长，眼大而圆。头背黑褐色，体背黄棕色，体后有不规则的黑色横纹。腹面黄白色，腹鳞后缘黑色。此蛇无毒，肉可供食用，以去内脏干燥体入药。

271. 乌梢蛇

Zaocys dhumnades (Canfor)

体长2米以上。头扁圆，瞳孔圆形。体背面灰褐色，其上有 2条黑色线纵贯全身，背脊褐色纵线明显。以去内脏、去皮干燥体入药，药材名乌梢蛇或乌蛇。

272．金环蛇

Bungarus fasciatus (Schneidei)

体全长1～1.5米，蛇体粗壮。头椭圆形。背中线隆起呈脊状，脊鳞扩大呈六角形。头部黄褐色，自额鳞后至颈部有一黄色“人”字形纹，上颌缘色浅，镶深色边。躯干及尾部黑色，体部有20～28条黄色环纹，尾部有3～5条环纹。以去内脏鲜体或干体入药。

273．银环蛇

Bungarus multicinctus Blytn

体长1米左右。头椭圆形。背鳞平滑，脊鳞扩大呈六角形。头部黑褐色，躯干和尾背部黑色，体部有20～50条白色环纹，尾部有7～17条白色环纹。尾端尖细。腹部乳白色，有褐色细斑点。以去内脏、盘成圆形的干燥体入药，药材名金钱白花蛇。

274．眼镜蛇 *Naja naja* (Linnaeus)

体长1～2米，蛇体粗壮。头部椭圆形。颈背有白色或淡黄色眼镜架状纹，眼镜架纹中央有一较大的黑斑。体背棕褐色、黑褐色至深黑色，有狭窄、不规的白色或淡黄色横纹17～20条。颈腹面有黑横斑及黑点。体腹面前端黄白色，中后段灰褐色。以去内脏、毒牙的干燥体入药。

275．眼镜王蛇

Ophiophagus hannah (Cantor)

体长 2～3米，体粗壮。头椭圆形。背鳞平滑。颈扁而宽，有“∧”形黄白色斑。体背灰褐色，有白色和黑色环带 40～54个，也有无环带的，腹部灰褐色。以去内脏干燥全体入药。

276. 青环海蛇

Hydrophis cyanocinctus Daudin

体长1.5～2米。头中等大。体鳞覆瓦状排列，有棱。体细长，后端及尾部侧扁。头背橄榄色，眼部和颞部有黄斑。体背深灰色，腹面黄色或橄榄色，全体有青黑色环带47～80个。背面环带宽，色深，腹面环带窄而色浅。以鲜肉或去内脏及皮的干燥肉骨入药。

277. 蝮蛇

Agkistrodon Halys

体长400～600毫米。头呈三角形。体中段背鳞平滑或有棱。头背部和体背部颜色为灰褐色与土红色相间的色调，体背交互排列着黑褐色圆形斑，有些个体有1条红棕色脊线。体腹面灰黑色，有不规则的黑色小点。尾腹面黄色，尾尖黑色。以去内脏干燥体入药。

278. 尖吻蝮

Agkistrodon acutus (Güenther)

体长达1.5米。头部呈三角形，吻端尖，向前上方翘起。体背鳞有强棱。头背面黑色，头侧自吻棱至口角下端黄白色，头腹面白色。体背面棕褐色，两侧有“∧”形大斑纹24个。斑纹暗褐色，其顶端常与背中线相接，将背分隔成许多斜形方块。体腹面白色，有交错排列的褐斑。尾略短，后段侧扁，腹面有黑褐色点状斑。以去内脏、盘成圆形的干燥体入药，药材名大白花蛇。

第五章　鸟　类

279. 小䴙䴘

Tachybaptus ruficollis (Pallas)

体长250～318毫米。形似鸭而小，体形像葫芦，嘴窄而尖。夏羽与冬羽的颜色有所不同。一般额、头顶、后颈黑褐色至黑色，下喉、耳羽、颈侧红栗色至棕红色，上体和飞羽黑褐色。嘴黑色，跗跖黑褐色。以肉或全体入药。

280. 鸬鹚

Phalacrocorax carbo sinensis (Blumenbach)

体长786～923毫米。嘴长，呈圆锥形，尖端有钩，下嘴有小喉囊。夏羽与冬羽颜色有差别，一般体羽主要为黑色，带有紫绿色金属光泽。上嘴黑褐色，先端和下嘴角黄色。跗跖、趾和蹼黑色。以肉和骨等入药。

281. 鸿雁

Anser cygnoides (Linnaeus)

体长820～900毫米。雄鸟嘴基有一膨大的瘤，雌鸟瘤不发达。雄、雌鸟羽色相似，一般头部至颈后为棕褐色，上体多为暗褐色，下体近白色，腹部有黑色条状横纹，尾前褐后白。嘴黑色。跗跖橙黄色。以肉入药。

282. 家鹅

Anser cygnoides orientalis

体长800～1000毫米。头较大，额骨凸出，上嘴部有一大而硬的肉瘤，嘴下皮肤形成皱褶，嘴扁阔而长，颈长而稍弯曲，胸部发达。腿长，尾短。羽毛有各种颜色，白鹅全身洁白，灰鹅多为暗黄褐色或黑色。以肉、羽毛等入药。

283. 绿头鸭

Anas platyrhynchos Platyrhynchos (Linnaeus)

体长515～615毫米。雄鸟头颈暗绿色，有金属光泽，颈基部有白色领环与栗色胸部分隔。翼镜蓝紫色。雌鸟前额、头顶、枕黑色，杂以棕黄色。头侧、后颈及颈侧黄色，有褐色纹。以肉、羽入药。

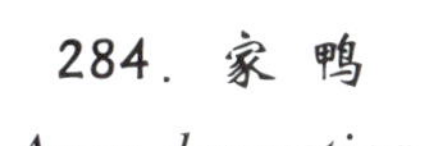

284. 家鸭

Anas domestica

285. 北京鸭——家鸭优良品种之一

公鸭体长背宽，颈略粗长，眼大明亮，胸部丰满，腿高而粗，蹼大而厚，成熟后尾部有卷毛。母鸭颈比公鸭短，背稍短宽，腿稍短而粗。公、母鸭全身羽毛洁白，嘴、跗跖、蹼橘红色。以血、肉、胆、肫衣、卵等入药。

286. 赤麻鸭

Tadorna ferruginea (Pallas)

体长510～680毫米。全身羽毛棕黄色，尾和尾羽黑色。雄鸟生殖季节有一黑色颈环，雌鸟无颈环。嘴黑色。跗跖黑黄色。以肉和胆入药。

287. 斑嘴鸭

Anas poecilorhyncha Foster

体长525～638毫米。雌雄羽色近似。头自额至枕部为暗褐色，颊和颈侧白色，有深褐色斑点，眉纹、颏、喉、前颈白色。体羽一般为深棕色至棕褐色。翼镜蓝绿并闪紫色金属光泽。嘴黑色，先端橙黄色。跗跖和趾橙黄色，爪黑色。以鲜肉入药。

288. 普通秋沙鸭

Mergus merganser Linnaeus

体长540～680毫米。嘴狭长，具锯缘，前端向下弯曲呈钩状。头至颈黑褐色，有金属光泽。下颈和外侧肩羽白色，内侧肩羽黑色。上背黑褐色，下背灰褐色，翅上翼镜和覆羽及下体其余部分纯白色，尾羽黑褐色。雌鸟羽冠明显。嘴、跗跖橙红色。以肉、骨入药。

289. 鹌鹑

Coturnix coturnix japonica Temminck et Schlegel

体长150～200毫米。头小尾秃，很像鸡雏，雌、雄颜色相似。一般周身有白色羽干纹，头侧、额、喉等处淡红色。嘴黑褐色，跗跖淡黄色。以肉和全体入药。

290. 鹧鸪

Francolinus pintadeanus (Slopoli)

体长292～345毫米。雄鸟头顶至后颈黑褐色，具栗黄色羽缘，头两侧有栗黄色纵纹，形成椭圆形环斑。前额眉纹黑色。颏、喉白色。雌鸟头部与雄鸟相似，羽色较浅，眉纹不显著。雌雄鸟羽色多为黑白相间，以背、胸、腹等处的白斑更为明显。嘴黑色，跗跖橙黄色。以肉、血、脂等入药。

291. 灰胸竹鸡

Bambusicola thoracica thoralia (Temmick)

体长274～350毫米。头、颈两侧及喉栗红色。额、眉纹灰色，头顶、颈后橄榄褐色。上体大多为橄榄褐色，各羽有黑褐色虫囊状细斑。胸部灰色，腹和两胁棕色，密杂黑色斑。中央尾羽棕红色，有黑褐色横斑，外侧尾羽红棕色。嘴褐色，跗跖和趾黄褐色。雄鸟有距。以肉入药。

292. 家鸡

Gallus gallus domesticus

家鸡常见，略。

293. 乌骨鸡

Gallus gallus domesticus

全身羽毛洁白无瑕，体形娇小玲珑，外貌奇特艳丽，羽毛除翅外，均呈绢丝状，可归纳为十大特征：紫冠（桑椹状复冠）、缨头（毛冠）、绿耳、胡须、丝毛、五爪、乌皮、乌肉、乌骨，也称“十全”、“十锦”。以去羽毛、内脏、爪的肉骨入药，也可与鹿角胶、人参、黄芪等配制乌鸡白凤丸。

294. 环颈雉

Phasianus colchicus Linnaeus

体长500～860毫米。雄鸟羽毛华丽，头顶铜绿色，额、喉、颈后黑色，有紫绿色金属光泽，颈下有一白环。背部前方金黄色，有黑色和白色斑纹。腰蓝灰至栗色。尾羽长。飞羽黑褐色，有白斑。腹部黑褐色。跗跖有距。雌鸟体型较小，体色以沙褐色为主，杂以黑色斑。以肉、脑等入药。

295. 毛腿沙鸡

Syrrhaptes paradoxus (Pallas)

体长350～400毫米。体型似鸽，嘴似鸡，翅形尖长。中央1对尾羽较长，末端细而尖。雄鸟头顶灰褐色，外围浅锈色，耳羽上方和喉部深棕色。上体沙棕色，布满黑色横斑纹。腹部有一宽黑带，余部为沙棕色。雌鸟颜色较雄鸟淡。嘴灰蓝色，跗跖和趾长有羽毛，爪黑色。以肉入药。

296. 家　鸽

Columba livia domestica

体长310～360毫米。体躯纺锤形，嘴短，有鼻瘤，眼周有不同颜色的眼环。毛色复杂，有纯白、黑白、混杂、茶褐等，以青灰色的较多见。以肉、卵等入药。

297. 岩　鸽

Columba rupestris rupestris Pallas

体长290～350毫米。雌雄体色相似。头、颈和上胸石板灰色，颈和上胸有紫绿色金属光泽。背和肩羽及翼上覆羽亮灰色。下体为浅灰色。嘴黑色。跗跖红色。以肉、卵等入药。

298. 山斑鸠

Streptopelia orientalis orientalis (Latham)

体长310～350毫米。形似家鸽。额和头顶蓝灰色，后颈葡萄酒色，颈基两侧各有黑色斑带，羽端蓝灰白色，背羽灰褐色。下体葡萄酒样红褐色。嘴暗铅色，跗跖和趾紫红色，爪黑色。以肉、卵入药。

299. 珠颈斑鸠

Streptopelia chinensis (Scopoli)

体长270～315毫米。雌雄鸟相似，雄鸟羽色较艳丽。额和头顶前部淡灰色，头顶其余部分为灰葡萄红色。颈后基部和两侧有宽阔的黑色领圈，羽端有点状白斑。上体为葡萄褐色，羽缘色较淡。颏灰白色。嘴黑色。跗跖和趾暗红色。以肉、卵入药。

300. 火斑鸠

Oenopopelia tranquebaxica numilis (Temminck)

体长216～240毫米。头顶和额后蓝灰色，颈基部有1道黑色领环。上体呈暗土褐色，胸部蓝灰色，下体淡土黄色。嘴黑褐色，基部色稍浅。跗跖褐红色，爪黑色。以肉入药。

301. 大杜鹃

Cuculus canorus Linnaeus

体长300～335毫米。头部、喉部及上胸灰色，后颈至上体暗灰色，飞羽黑褐色。下胸、腹、胁及尾下覆羽白色，有黑褐色斑纹。嘴黑褐色。跗跖和趾黄色。以鲜肉入药。

302. 普通翠鸟

Alcedo atthis Linnaeus

体长约180毫米。自额至颈后暗蓝色，密布翠蓝色小横纹。前额左右边缘及眼眶下和耳羽栗棕色，耳羽后两侧各有1块白斑。背翠蓝色，尾羽暗蓝色。颏、喉白色。下体栗棕色。嘴黑色，跗跖朱红色。以肉入药。

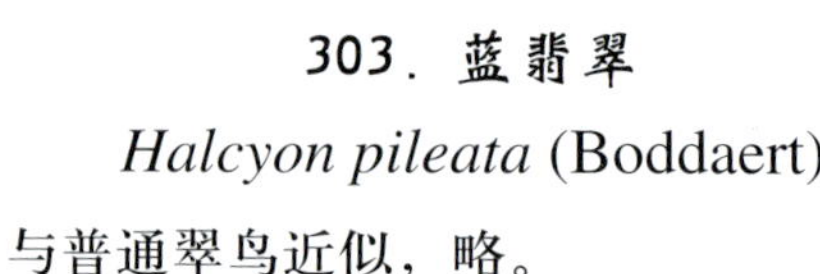

303. 蓝翡翠

Halcyon pileata (Boddaert)

与普通翠鸟近似，略。

304. 戴胜

Upupa epops Linnaeus

雄鸟体长约240毫米，雌鸟略小，雌雄体色相似。头具黄栗色冠毛，各羽末端黑色。头侧和颈后淡棕色，背和肩灰棕色，下背有棕白色横斑。飞羽有多道白色横斑。嘴黑色。跗跖暗铅色。以肉入药。

305. 蚁䴕

Jynx torquilla Linnaeus

体长165～177毫米。外观全身羽毛银灰色，密布暗褐色细纹，似蛇类的蜕皮。上体银灰色，密布黑褐色虫囊状斑。头顶棕褐色，有黑褐色横斑。后头及背中央有纵贯的黑褐色粗纹。颏近白色。上胸淡棕黄色，下胸及腹色淡白，有黑褐至褐色斑。嘴深褐色。跗跖淡紫灰色。以肉入药。

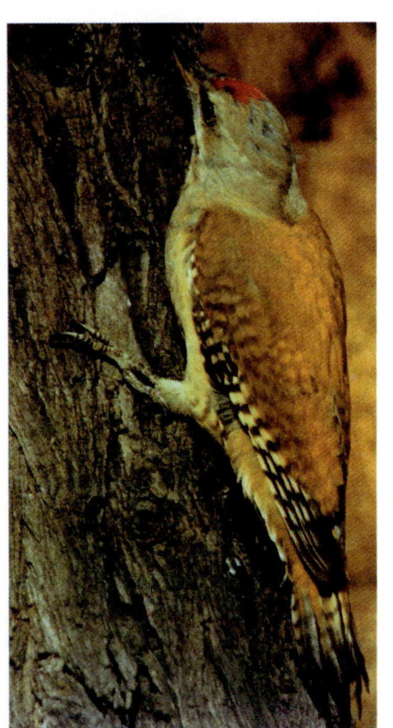

306．黑枕绿啄木鸟

Picus canus Gmelin

体长约280毫米。嘴黑褐色，尖而直，坚硬如凿。舌细长，能伸缩，先端密生短钩。上体暗绿色。雄鸟自额至头顶鲜红色。下体自喉以下污灰绿色。雌鸟额至头顶灰色，有黑色纵斑。跗跖褐绿色。以肉入药。

307．大斑啄木鸟

Dendrocopos major Linnaeus

体长210～225毫米。嘴强直如凿，呈黑铅色。额、眼先、颊、耳羽微白色。枕部有深红色块斑。头和上体黑色，肩、腰有白斑。下体自颏至腹部淡棕色，两胁近白色。下腹中央至尾下覆羽深红色。脚强健，4趾，2趾向前，2趾向后，跗跖和趾暗红褐色。雌鸟枕部黑色，无红斑。以肉入药。

308．短嘴金丝燕

Collocalia breuirostris (Mcdelland)

体长126～131毫米。嘴较短，黑色。上体烟灰色，有辉蓝色光泽。两翼特长，呈暗褐色。下体灰褐色。跗跖和趾淡褐色。以燕窝入药。

309．家 燕

Hirundo rustica Linnaeus

体长160～180毫米。额、颏、喉栗红色。上体蓝黑色，具有金属光泽。尾羽内翈有大白斑。上胸黑色，下胸至尾下覆羽白色。嘴、跗跖和趾黑色。以燕窝土入药。

310. 崖沙燕

Riparia riparia Linnaeus

体长120～130毫米。耳羽灰褐色。上体暗灰褐色，额、腰、尾覆羽色较淡，并有灰白色羽缘。颏、喉灰白色，并伸延至颈侧。胸部有灰色环带。腹和尾下覆羽灰白色。嘴黑褐色。跗跖灰褐色。以燕窝土入药。

311. 黑枕黄鹂

Oriolus chinensis Linnaeus

体长245～270毫米。雄鸟羽金黄而有光泽。自额基、眼先至枕部有1条黑色贯眼纹。额、头顶、上体鲜黄色，下体黄色稍淡。雌鸟与雄鸟相似，色泽较暗淡。嘴肉红色。跗跖浅灰蓝色。以肉入药。

312. 八 哥

Acridotheres cristatellus Linnaeus

体长240～250毫米。通体黑色。头顶、颊、枕、耳羽有绿色金属光泽。额羽高耸成冠状。两翼有白斑，飞翔时从下面往上看，宛如“八”字。尾羽黑色，羽端白色。下体灰黑色。嘴、跗跖黄色，爪黑褐色。以肉入药。

313. 鹪 鹩

Troglodytes troglodytes Linnaeus

体长85～100毫米。上体棕褐色。眼先、颊和耳羽黑褐色，混杂有白斑。下背、两翼至尾羽有黑色横斑。下体棕褐色。颏、喉白色。胸淡黄色。嘴黑色。跗跖肉褐色。以肉入药。

314. 河乌

Cinclus cinclus (Linnaeus)

身长165～175毫米。自额、头顶、后颈至上背和颈侧棕褐色，上体其余部分褐色。尾较短，尾羽褐色。下胸和腹部暗棕褐色。颏和胸部白色或棕色。嘴黑褐色。跗跖和趾暗褐色。以肉入药。

315. 褐河乌

Cinclus pallasii Temminck

与河乌近似，略。

316. 暗绿绣眼鸟

Zosterops japonica Temminck et Schlegel

体长107～120毫米。前胸鲜黄色。眼先黑色，眼周有白色绒状羽。上体暗绿色，飞羽黑褐色，尾羽暗褐色，外缘绿色。颏、喉黄色。腹部污白色。嘴黑色。跗跖和趾黑色。以肉入药。

317. 小云雀

Alauda gulgula Franklin

体长147～154毫米。上体棕褐色，各羽有黑褐色纵纹。眼先和眉纹白色稍带黄。头上有不明显的羽冠。下体棕白色，密布黑褐色纵纹。嘴黑褐色，下嘴基部淡黄色。跗跖肉黄色。以肉、脑、卵入药。

318. 树麻雀

Passer montanus Linnaeus

体长126～137毫米。额至后颈暗栗褐色，背与肩棕褐色，有黑色纵纹。眼先、颏、喉的中央黑色。颊、耳羽和颈侧白色，耳后有黑色斑块。胸和腹灰白色并混有沙褐色。嘴黑色。跗跖黄褐色。以肉入药。

319. 小 鹀

Emberiza pusilla Pallas

体长约130毫米。头顶中央、颏、喉棕褐色。耳和眼先栗色，眼后纹黑色。背、肩沙褐色，有黑褐色纵纹。下体土黄色，也有黑色纵纹。腹部污白色。嘴黑褐色。跗跖肉色。以肉入药。

320. 灰眉岩鹀

Emberiza cia Linnaeus

体长约165毫米。雄鸟眼先和眉纹黑色，头顶中央至后颈蓝灰色。耳羽上方有一短宽栗色纹。上背沙褐色，两肩栗红色。雌鸟头顶黑色条纹多。嘴黑色。跗跖肉色。以肉入药。

321. 黑头蜡嘴雀

Eophona personata (Temmick et schelgel)

体长约210毫米。嘴黄色，强厚短粗，呈锥状。额、头顶、颊基、颏、喉深黑色，额和头顶有金属光泽。肩背葡萄色，尾和尾上覆羽黑色，有光泽。胸部葡萄灰色，腹以下白色。跗跖和趾黄褐色。以肉入药。

322. 紫寿带鸟

Terpsiphone atrocaudata (Eyton)

体长370～390毫米。头部羽冠至颈部黑色，有蓝紫色金属光泽。眼圈钴黄色，背、肩、尾上覆羽紫褐色，有金属光泽。尾羽紫黑色，中央尾羽很长。下胸和腹部灰白色，有黑斑。嘴钴蓝色。跗跖、爪铅蓝色。以肉入药。

323. 紫啸鸫

Myiophoneus caeruleus (Scopoli)

体长280～330毫米。前额基部、颊和眼先黑色。上体深蓝紫色。尾羽深紫蓝色。下腹、尾下覆羽及两胁黑色。嘴、跗跖黑色。以肉入药。

324. 乌 鸫

Turdus merula Linnaeus

体长约280毫米。雄鸟上体黑色，下体黑褐色。颏、喉羽缘棕褐色。雌鸟体黑褐色，颏、喉浅栗褐色，有黑褐色纵纹，下体黑褐色稍混栗色。嘴黄色。跗跖和趾黑褐色。以肉入药。

325. 喜 鹊

Pica pica Linnaeus

体长约450毫米。额、头、颈、背黑色，背部稍混蓝绿。肩羽白色。颏、喉、胸黑色，腰、两胁白色。尾羽黑色，末端有红紫色和深蓝色宽带。以肉入药。

326. 褐背拟地鸦

Pseudopodoces humilis Hume

体长150～170毫米。上体沙褐色。中央尾羽黑褐色，外侧尾羽有白斑。下体淡棕色。嘴黑褐色。跗跖、趾和爪黑色。以肉入药。

327. 红嘴山鸦

Pyrrhocorax pyrrhocorax (Linnaeus)

体长310～400毫米。嘴呈朱红色。通体纯黑，头、后颈和背有蓝色金属光泽，翅与尾羽有绿色金属光泽。跗跖及趾红色，爪黑色。以肉入药。

328. 大嘴乌鸦

Corvus macrorhynchus Wagler

体长410～560毫米。前额突出，嘴粗大、弯曲。全身黑色，有金属光泽。嘴、跗跖、爪黑色。以肉入药。

329. 渡 鸦

Corvus corax Linnaeus

体长630～690毫米。嘴粗大。全身体羽黑色，上体羽毛带有铜蓝色、紫色光泽，头顶、后颈、肩和背部羽毛的金属光泽较辉亮。嘴、跗跖、趾和爪亮黑色。以肉入药。

330. 牛背鹭

Bubulcus ibis loromandus (Boddaert)

体长500～520毫米。头、颈、喉及背部中央蓑羽橙黄色，身体其他部位白色。冬羽全身白色。跗跖黄色，趾和爪褐色。以肉入药。

331. 池 鹭

Ardeola bacchus (Bonaparte)

体长450～510毫米。夏羽头部、羽冠、颈、前胸红栗色，肩布满蓝黑色蓑羽，向后伸至尾羽末端，身体其余部分白色。冬羽无羽冠和蓝色蓑羽，头、颈为黑褐色与土黄色纵纹相杂。嘴黄色，端部黑色。跗跖、趾浅黄色。以肉入药。

332. 白 鹭

Egretta garzetta garzetta (Linnaeus)

体长450～670毫米。全身体羽白色，枕部着生2根狭长的矛状羽，长达10余厘米。肩部着生蓑羽，向后伸至尾部。前颈着生许多矛状羽，向下披至胸前。冬季蓑羽及矛状羽脱落。嘴黑色，嘴裂及嘴下基部黄色。胫与跗跖黑色，趾黄绿色。以肉入药，称鹭肉。

333. 大白鹭

Egretta alba (Linnaeus)

体长965～1100毫米。全身羽毛白色，头有小羽冠。肩部有3列长形蓑羽，向后伸延至尾部。嘴黑色。胫肉红带灰色，跗跖、趾黑色。冬季无蓑羽，头无羽冠毛，嘴黄色。以肉入药。

334. 黄脚三趾鹑

Turnix tanki blanfordii Blyth

体长153～160毫米。头顶和枕黑褐色，有一白色带斑从头顶伸至后颈基部。背和两肩灰褐色，杂以黑色斑块及棕色斑纹。颏、喉淡黄色，胸橙栗色，下胸及两胁浅黄色，有黑色斑点。腹部淡黄白色。嘴黑褐色。跗跖黄色。以肉入药。

335. 普通秧鸡

Rallus aquaticus Linnaeus

体长254～290毫米。头顶至后颈黑色。背、肩、腰、尾覆羽橄榄褐色，满布黑色纵斑。颏、喉、前颈白色。胸部黄褐色。两胁、腹部黑色，有白色横斑。嘴红褐色。跗跖黄褐色。以肉入药。

336. 黑水鸡

Gallinula chloropus (Linnaeus)

体长300～345毫米。头颈灰黑色，背、肩及尾羽为橄榄褐色。下体灰黑色，下腹有黑白相间的块状斑。嘴端黄色，嘴基及额鲜红色。以肉入药。

337. 小杓鹬

Numenius borealis minutus Gouzd

体长300～310毫米。额、头顶和枕部黑褐色，杂以棕黄色斑。上体黑褐色，灰白或棕黄色羽缘形成斑纹。头、颈、胸及胁淡褐色，杂以黑褐色斑纹。腹部及尾下覆羽灰白色。嘴微下弯，棕黄色，先端黑褐色。跗跖青灰色。为国家重点保护野生动物。以肉入药。

338. 白腰杓鹬

Numenius arquata orientalis Brehm

体长575～630毫米。头、颈淡褐色，上体黑褐色，棕褐色和灰白色羽缘形成纵纹。下背、腰及尾上覆羽白色，有黑色横纹。腹、胁白色，有黑褐色斑。嘴长而弯，黑褐色。跗跖铅色。以肉入药。

339. 红脚鹬

Tringa totanus totanus (Linnaeus)

体长260～280毫米。头至上体浅红褐色，各羽中央有黑褐色纵纹和横斑。下体白色，布满暗褐色纵纹。眉纹白色。嘴红色，先端黑色。跗跖橙红色。以肉入药。

340. 红嘴鸥

Larus ridibundus Linnaeus

体长315～410毫米。头、颈暗红褐色。眼圈白色。上背白色。下体全为白色，胸、腹略混淡灰色。嘴赤红色，先端黑色。跗跖和趾赤红色，爪黑色。以肉入药。

第六章 兽 类

341. 刺 猬

Erinaceus europaeus Linnaeus

体长157～287毫米。头宽吻尖，眼小耳短。体背及两侧密生尖刺，刺粗而硬。四肢短小，爪发达，尾短。体色有白色和土棕色。以皮刺和干燥胆囊入药。

342. 缺齿鼹

Mogera robusta Nehring

体长约220毫米，体型圆筒状。吻尖、鼻延长，眼小，无耳壳，颈短。前肢短粗，足宽扁，掌心向外折，爪粗大，后肢小。尾粗短。被毛有金属光泽。以去内脏干燥全体入药。

343. 马铁菊头蝠

Rhinolophus ferrume-quinum Schreber

体长约60毫米。耳宽大，末端较尖。由指骨末端向上至上膊骨，向后至体侧、后肢及尾间，生有翼膜。背部毛色呈浅棕褐色，腹毛灰棕色。以去内脏干燥全体和干燥粪便入药，干燥粪便药材名夜明砂。

344. 家 犬

Canis familiaris Linnaeus

家犬是广为饲养的家畜。品种繁多，体型、大小、毛色各异。以其睾丸、阴茎、胃结石、干燥骨骼及肉入药。睾丸、阴茎药材名狗肾，胃结石药材名狗宝，干燥骨骼称狗骨。

345. 狼

Canis lupus Linnaeus

外形似家犬，体长1～1.6米。吻部较尖，耳直立，尾不卷起。由于生活的地区不同，毛色变化较大。一般头、躯干背面及四肢外侧毛色黄褐或棕黄，杂有灰黑色；腹面及四肢内侧毛色浅棕或棕白。以脂、骨骼、肉入药。

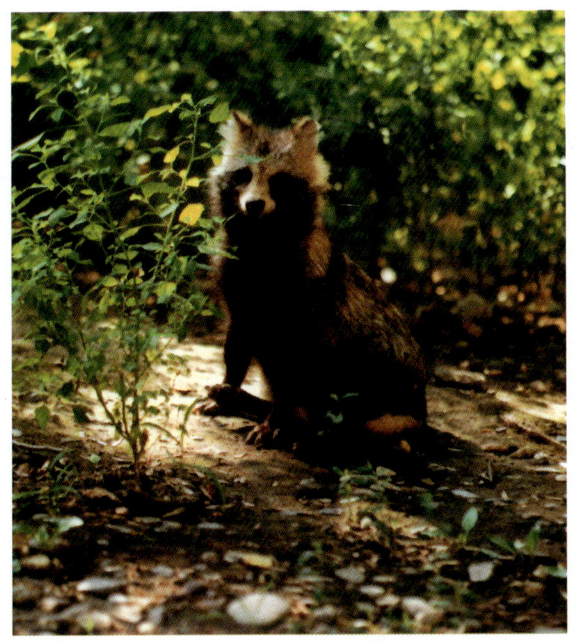

346. 赤 狐

Vulpes vulpes Linnaeus

体型纤长，四肢短，体长600～800毫米。吻尖、耳高尖直立，尾粗大，长400～500毫米。毛色变异较多，一般体背棕黄或棕红、棕白色，前胸及腹部乌灰或白色，四肢浅褐或棕色。身上有特殊的臊臭味。以心、肺、胆、肉等入药。

347. 貉

Nyctereutes procyonoides Gray

体形似狐，略小，体长500～600毫米。吻较短而尖，头部两侧有侧生长毛。耳小而圆，四肢短，尾粗短。面部有“八”字形黑纹。毛色变异较多，一般为乌棕色，背部有界线不清的黑色纹。以肉入药。

348. 棕 熊

Ursus arctos Linnaeus

体长约2米。吻长，鼻阔，鼻端裸出。四肢粗壮，脚掌裸出，有厚实足垫。尾短。体毛棕黑色，面毛栗棕色，下颏暗栗棕色。腹部毛色浅，四肢近黑色。为国家二级保护动物。以肉、骨、掌、胆等入药。

349. 黄 鼬

Mustela sibirica Pallas

雄性体长340～400毫米，雌性体长280～340毫米。体细长，四肢短，颈长，头略圆，尾长为体长之半。体色与所处环境及季节不同，变化较大。一般毛色棕黄或橙黄，腹部色略淡。肛门附近有分泌腺1对。以肉入药。

350. 艾 鼬

Mustela eversmanni Lesson

体长315～460毫米。吻部钝，四肢短小，尾短而细。唇、鼻周围白色，体背棕黄或沙黄色，腰和臀部黑、褐色相杂，胸、腹、四肢黑褐色。以肉入药。

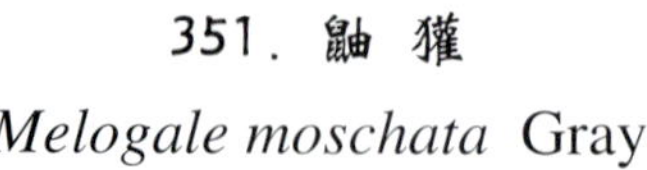

351. 鼬 獾

Melogale moschata Gray

体粗短，体长约360毫米。鼻端尖，裸露而下斜。四肢短健，爪侧偏。体背侧及四肢外侧鼠灰色，从头顶至脊背有一白色或乳黄色纵纹。前额、眼后、颊部、颈侧有不定形的白斑或淡黄色斑。体腹面及四肢内侧淡黄色或白色。以脂肪入药，称獾油。

352. 水獭

Lutra lutra Linnaeus

体长560～800毫米，体型细长。头宽扁，吻短。四肢短，趾（指）间有蹼。尾长。体毛致密。背侧咖啡色，有光泽，腹面灰褐色，喉部有白斑。为国家二级保护动物。以肉和肝入药。

353. 小灵猫

Viverricula indica Desmarest

体长550～580毫米。体躯瘦长，耳短圆，四肢短小，尾较长。全身深灰棕色，颈侧有2条模糊的黑褐色短纹，尾部有6～8个棕黑色环纹。会阴部有香腺囊。为国家二级保护动物。以香腺分泌物入药，药材名灵猫香。

354. 家猫

Felis domestica Brisson

家猫是广为饲养的家畜。头圆，吻短，眼较圆，耳直立，嘴呈“人”字形，胡须较长，四肢短，趾行性，尾较长。毛色无一是规律，常见的有白、黑、黄灰、 双色或三色相杂等。以肉、骨等入药。

355. 豹猫

Felis bengalensis Kerr

体型大小似家猫，体长400～650毫米。两眼内侧至额部有2条纵白纹。横过颊有2条斜黑纹。体背在棕黄的基色上有褐、红棕或棕黑色斑点。自头顶至肩部有4条褐色或棕褐色纵纹，中间2条伸延至尾部。腹面、四肢内侧白色。以骨入药。

356. 马

Equus caballus Noack

马是广泛饲养的家畜。以其胃中结石入药，药材名马宝。

357. 驴

Equus asinus Linnaeus

驴体型比马小，头较长，眼圆，耳长。体色以黑、栗、灰为主。以皮熬胶入药，药材名阿胶。

358. 骡

Equus asinus Linnaeus × *Equus caballu* Noack

骡是马和驴杂交所得的后代。体型比驴大，近似马，头粗长，耳大而长。以胃中结石入药，药材名骡宝。

359. 家猪

Sus scrofa domestica Brisson

猪是饲养最多的家畜。以肉、血、肝、胰、脑、肺、胆囊等入药。

360. 野猪

Sus serofa Linnaeus

体型与家猪相似。体长1.2～1.5米。头细长，吻突出呈圆锥形，耳直立，雄性有獠牙，体躯被硬刚毛。毛色棕黑或黑色，腹部毛色较淡。以胆囊、胆结石等入药。

361. 林麝

Moschus berezovskii Flerov

林麝是小型鹿类动物。体长700～800毫米。后肢长于前肢，尾秃短，无角，雄性口中有露在外面的獠牙。通体灰褐色，从眼下开始的2条白色毛带经颈延至前胸。雄性在阴囊和脐之间有一椭圆形麝香腺囊。为国家二级保护动物。以腺囊中的分泌物入药，药材名麝香，为名贵药材。

362. 麅

Capreolus capreolus Linnaeus

体长1～1.4米，是一种中型鹿类。雄麅有短小的角。额较高，鼻端裸露，耳短圆，眼大，颈长，尾短。冬毛灰棕或灰黄色，颈、背暗棕色，腹面淡黄色，臀部有白斑区。夏毛背部黄棕色，腹面淡黄色，下颌白色。以角入药，末骨化角称狍茸，骨化角称干角。

363. 赤麂

Muntiacus muntijak Zimmemann

体长约1.5米。额部有“V”字形黑纹。雄麂有角，角基长，角尖内弯，两角尖相对。冬毛暗褐色，颈背、脊背色较深，脸、颈两侧鲜棕色，下颌淡白色，后腹为淡黄到纯白色。由于地区不同，毛色变化较大。同类还有黑麂、小麂、罗氏麂等。其中黑麂为国家一类保护动物。以角和骨骼等入药，其角称麂茸，由骨骼熬制的膏称麂骨胶。

364. 梅花鹿

Cervus nippon Temminck

体长约1.45米。雄鹿头上有角，呈四叉型。耳大，颈细长，四肢细长。臀部有白色斑块。夏毛红棕色或棕色，有鲜明的白色斑点。冬毛栗黄色，无斑点。为国家一级保护动物。同属还有白唇鹿，为国家一级保护动物；水鹿，为国家二级保护动物；马鹿，为国家二级保护动物。以角等入药，药材名鹿茸，为名贵药材。

365. 牛

Bos taurus demesticus Gmelin

为大型家畜，有许多品种。我国优良的黄牛品种有秦川牛、南阳牛、鲁西牛、延边牛、蒙古牛等。以胆结石、胆汁等入药。胆结石药材名牛黄，为名贵药材。

366. 山 羊

Capra hircus Linnaeus

体长0.9～1.2米。头面狭而略尖，颌下有1缕长毛，称山羊胡。雌、雄有角，角形简单，体被直毛，绒毛细而短。毛色有灰、黑、褐、白，以白色居多。以血、角、胆汁等入药。

367. 绵 羊

Ovis aries Linnaeus

绵羊品种繁多，外表特征多种多样。全身被密而厚的毛，被毛外层粗硬，内层纤细。角螺旋形，或无角。以肉、肝等入药。

368. 高山鼠兔

Ochotona alpina Pallas

体长150～200毫米。体粗短，吻钝，耳圆而有白边，无尾，四肢短小。毛长而蓬松。体毛背侧棕黄色，腹面浅棕色，颈下、腋下等处杂有灰黑色毛。以干燥粪粒入药，称草灵脂。

369. 草 兔

Lepus capensis Linnaeus

体长平均440毫米。吻短而粗，耳中等长。毛色变化较大，背毛从沙黄到深褐，腹毛纯白，尾纯白色，背中央有一大黑斑。以干燥粪粒入药，称望月砂。

370. 松 鼠

Sciurus vulgaris Linnaeus

体长180～260毫米。体细长，吻部短，眼大，耳壳较大，耳根部有黑色簇毛。前肢短，后肢长，尾长超过体长的一半。毛色个体差异大，一般背侧褐灰色，腹面白色。以去内脏及皮的肉体入药。

371. 岩松鼠

Sciurotamias davidianus Milne-Edwards

体长200～250毫米，形似松鼠。眼眶周围有白圈，耳无簇毛。背及身侧自头至尾青黑黄色，腹面自头至尾黄灰色，下颔白色。以骨骼入药。

372．长尾旱獭

Marmota caudata Jacquemont

体长400～500毫米。颈粗，耳小，四肢粗短。通身橙黄或赭黄色，体背杂有深褐色。尾端黑色或赭褐色。以肉和脂入药，称雪猪肉和雪猪油。

373．豪猪

Hystrix hodgsoni Gray

体长550～770毫米。全身棕褐色，背面密被长刺。刺的直径约6毫米，长200多毫米。由肩到颌下有尖端白色的刺形成的半圆形白色环纹。尾短，隐在刺中。以肉、胃、刺入药。

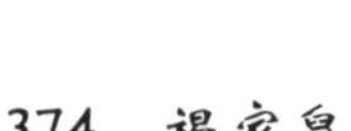

374．褐家鼠

Rattus norvegicus Berkenhout

体长150～220毫米。耳短厚，后脚粗大，尾部有鳞片组成的环节。背毛棕褐至灰褐色，腹面苍灰色，略带乳黄色。以肉、脂、睾丸、幼鼠入药。

第一章　无脊椎动物类

一、海　蜇

海蜇包括海蜇 *Rhopilema esculenta* Kishinouye 和黄斑海蜇 *Rhopilema hispidum* Vanhoeffen，别名水母、海蛇等。分布于我国北起辽宁，南到台湾基隆、福建、广东沿海以及广西的涠洲岛一带海域，以浙江沿海产量最大。

【形态特征】　海蜇(图 1-1)、黄斑海蜇(图 1-2)呈伞半球形，直径为 250～450 毫米，最大的可达 500 毫米以上。伞中央胶质厚，向边缘逐渐变薄。外伞表面光滑。伞缘有感觉器 8 个，位于主辐和间辐的末端缺刻内。

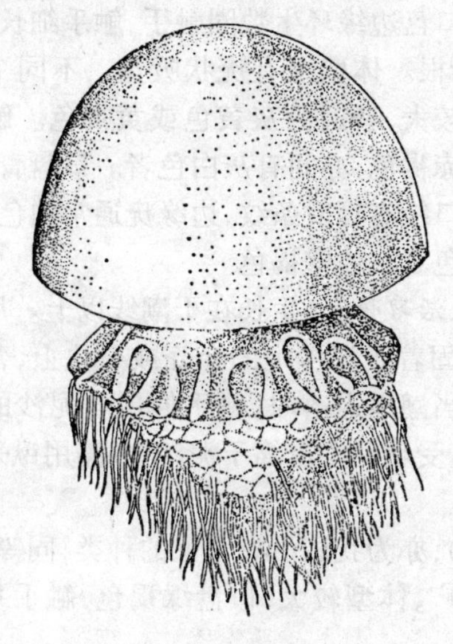

图 1-1　海　蜇

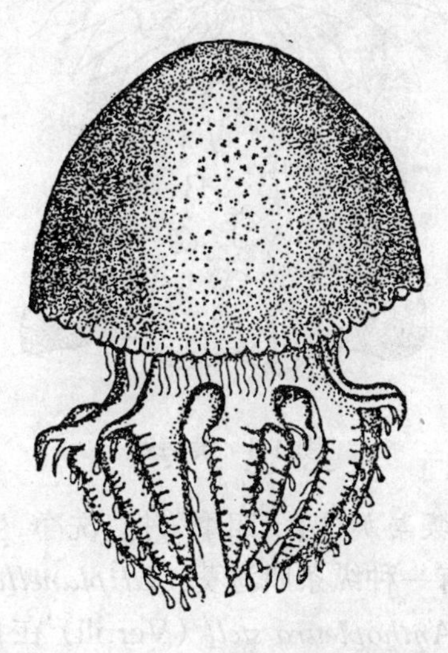

图 1-2　黄斑海蜇

内伞有很发达的同心圆环肌。在 4 个间辐处各有一近心形的生殖下腔。每腔外面有一小的疣状突起，和这些突起交互排列的 4 个口柱向中央汇合到腕盘。口腕很粗，呈棱柱形，由这里向外伸出 8 对弯刀形的肩板，向下有 8 个翼状的口腕。口腕上部融合，中央无口，但在各肩板上缘和腕翼边缘的皱褶上有许多吸口。中央胃腔伸出 16 条辐管，即 4 条主辐，4 条间辐，8 条从辐。这些辐管都伸到伞缘，通过不明显的环管，并在其内、外侧(从辐管在内侧不分枝)发出分枝，彼此相连，构成网状。从胃腔底部的主辐位置伸出 4 条辐管，各自分叉向下伸到 8 个口腕，又多次分枝进入吸口，与外界相通。黄斑海蜇外伞有黄褐色斑点。

海蜇生活时通常为青蓝色，有时呈暗红色。口腕附属器乳白色，或近乎透明。吸口褐色。生殖腺黄色，雄性的颜色要比雌性的淡。

【生活习性】　海蜇、黄斑海蜇是我国沿海水域的大型水母，喜生活在河口、海湾附近。营漂浮生活。以硅藻和桡足类等为食。它受潮汐、风向、海流的影响，可以漂到外海。有时在一夜之间便漂得无影无踪。夏秋季产量较大。

【采集与加工】 每年秋季用渔具捕捞,后用明矾和食盐制成海蜇干。药用为海蜇的干燥全体。一般伞部和口腕部分别加工,口腕部称海蜇头,伞部称海蜇皮。用时置水中浸泡 2～3 天,每天换水,待漂淡后,捞出,切碎。

二、黄海葵

黄海葵 *Anthopleura xanthogrammica* (Berkly),别名海葵花、沙筒、海腚根。分布于我国渤海、黄海及东海。

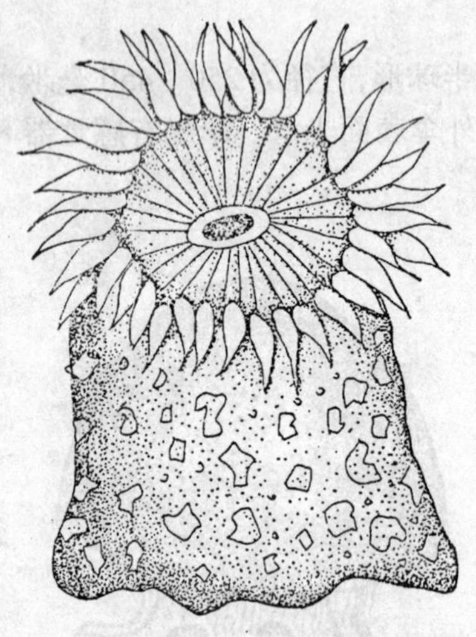

图 1-3 黄海葵

【形态特征】 黄海葵(图 1-3),全体圆筒形,上部稍宽,基盘略扩展。一般个体高约 55 毫米,宽约 50 毫米,最大个体高可达 70 毫米。身体上端有游离的口盘,口长裂缝状,位于口盘中央。口盘边缘环生数圈触手,触手细长,其总数为 96 根。体壁上有疣状吸盘。不同个体色彩变异较大,普通为灰黄色或黄褐色。触手深褐色或赤褐色,亦间有灰白色者。口盘青褐色,膜质的口缘有辐射条纹,边缘疣通常白色,但也有橙黄色者。体壁褐色。

【生活习性】 生长在干潮线以上。用宽大的基盘固着于泥沙中的介壳或石块上,营埋栖生活。当潮水退落时,触手伸展与泥沙的表面平行,若受触动则退缩于泥沙中,需用锹采掘。

【采集与加工】 四季采挖,洗净,生用。全体入药。

另有一种纵条肌海葵 *Haliplanella luciae* (Verrill),亦为我国沿海常见的种类,同等入药。绿海葵 *Anthopleura stell* (Verrill) 在我国沿海分布亦广,体型较大,口盘绿褐色,触手基部赤褐色,内含毒质,切忌内服。

三、粗糙盔形珊瑚

粗糙盔形珊瑚 *Galaxea aspera* Quelch,别名海白石、鹅管石。分布于我国海南岛、西沙群岛、涠洲岛等周围海域。以珊瑚石灰质骨骼入药,药材名珊瑚鹅管石。

【形态特征】 粗糙盔形珊瑚(图 1-4),骼凸形块状,边缘有许多圆形或卵圆形稍突出的小珊瑚杯。珊瑚杯多而密,略呈圆形,或椭圆形、长方形等。珊瑚肋粗,自杯壁上部一直延伸到基部。生活时为黄色或绿色。

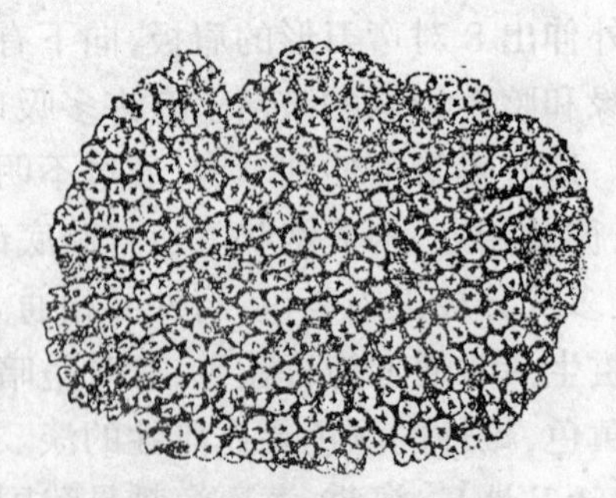

图 1-4 粗糙盔形珊瑚

【生活习性】 为暖水、浅水的造礁珊瑚,只分布在热带海域,是构成珊瑚礁的重要成分。栖息于潮下带至水深15米的礁台上。

【采集与加工】 潜水采收或垂网采收,采收后洗净,除去杂质,晒干,敲碎或研粉用。

四、疣吻沙蚕

疣吻沙蚕 *Tylorrhynchus heterochaetus*(Quatrefages),别名沙虫、沙蚕、海蚯蚓、禾虫。分布于江苏、上海、福建、广东等地。以全体入药。药材名禾虫。

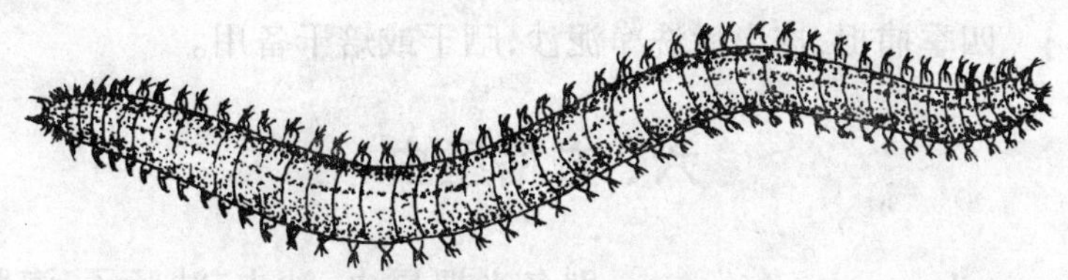

图1-5 疣吻沙蚕

【形态特征】 疣吻沙蚕(图1-5,彩图1)体细长,体长达223毫米,体宽3毫米,体节多至156个。可分头区、躯干区和肛区。头区由头部(亦称口前叶)和围口节组成。头部发达,其前缘具2个短触手和2个触角,触角的基部各具1个基节。头背面两侧各有2个眼。吻很大,能翻出或缩入口内,吻前端有1对浅黄色几丁质大颚。围口节系由2个体节合成,上具4对触须。躯干区由许多个结构完全相同的体节组成。疣足具有发达的双叶型背、腹叶。背叶仅具1个下舌(腹舌),无上舌(背舌)。此外,Ⅰ,Ⅱ两体节的背叶上无刚毛。疣足的基部具有1个背须和1个腹须。躯干区具刚毛,刚毛为复型(即刚毛分节)。肛区,又称肛节,位于身体最后端。生活时体为浅黄褐色。

【生活习性】 生活于淡水水域,栖于泥沙质底内。个体的大小往往随栖处深度的增加而增大。在上海复兴岛的栖息密度很大,可达537个/平方米。疣吻沙蚕在生殖期群游于水面。

【采集与加工】 春季至秋季于沿海河口或稻田中采捕。活体置沸水中烫死,晒干。也可鲜用。

五、海蚯蚓

海蚯蚓 *Arenicola cristata* Stimpson,别名蠋虫、沙蠋。分布于我国渤海、黄海沿岸。干燥全体入药。

【形态特征】 海蚯蚓(图1-6),体呈圆柱状,长达250毫米,前端粗,后端细,形似蚯蚓,生活于海滩,故名海蚯蚓。全体暗绿色,具有褐色条纹。头部退化,口在前端,口内有能翻出的肉质吻。自第五节开始,共有17个刚毛节。刚毛金黄色,其中第七至第十七节每节均有鲜红色的羽状鳃丝。从第三刚毛节开始,每节均有5个环轮,第五节以后的刚毛节,其环轮数目依次减少。疣足退化,背肢为圆锥状突起,有1束细长刺状刚毛;腹肢呈横枕状突起,有1行粗而短的钩状刚毛。

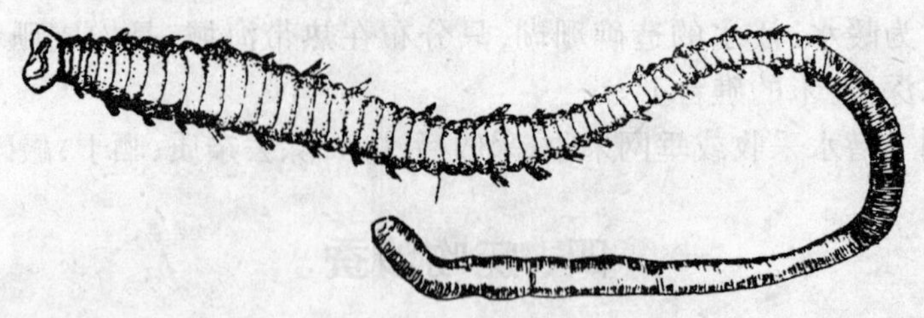

图 1-6　海蚯蚓

【生活习性】 生活在潮间带多沙地带，深度多在 40～50 厘米。穴口常见有许多椭圆形泥条状的堆积物。9 月份产卵，卵群圆形，一端有细丝插入土中。

【采集与加工】 四季捕捉，挖出后洗净泥沙，晒干或焙干备用。

六、方格星虫

方格星虫 *Sipunculus nudus* Linnaeus，别名光裸星虫、沙虫、沙肠子、海肠子。分布于渤海、黄海、东海、南海等海域。以干、鲜全体入药。

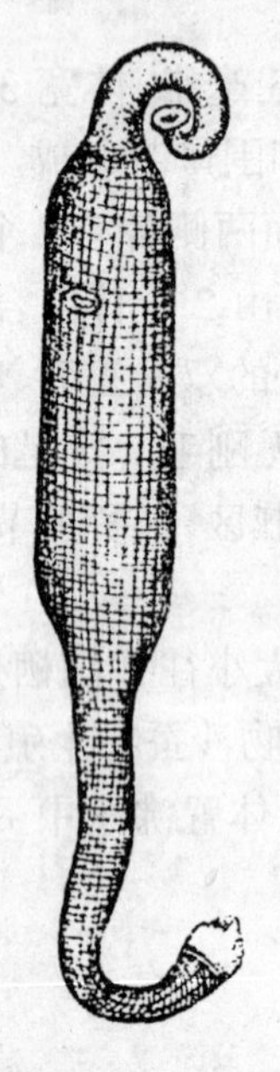

图 1-7　方格星虫

【形态特征】 方格星虫(图 1-7)，体长圆形，形状略似蚯蚓，体长 12～22 厘米。体壁的纵肌成束，与环肌交错排列成格子状花纹。吻短，基部有一环钩，吻前段光滑，前端有一圈触手，伸长时星状，收缩时皱褶，口位于中间。体后端钝，肛门呈一横裂缝，位置在接近体前 1/6 的背面。肛门腹面前方两侧各有一肾孔。消化道细长，约为体长的 2 倍，扭曲成螺旋形。体红色略带乳白。

【生活习性】 生活在沿海潮间区滩涂，以低潮线最多，营穴居生活，涨潮时钻出滩涂，退潮时钻伏在滩涂里。穴呈圆形，细长。靠吻部及肌肉的收缩在泥沙中钻穴，也能在水中作蛇形游泳。以有机质为食。

【采集与加工】 在南方全年可捕捉，以 3～5 月份和 9～11 月份为多。退潮时在滩涂寻找小洞穴，用特制的沙虫锄撞击地面，使洞口冒出小水泡，进行掘取。加工时，用竹签将虫体逐条反转，洗净泥沙，加水煮到虫体由红变白时捞起，晒干。干品每隔 20 天左右需翻晒 1 次，以免发霉或色泽发黄变质。如果用干沙覆盖保存，可使色泽保持 1 年左右。干燥虫体呈长扁形，长约 7～8 厘米，宽约 1 厘米，黄白色，具数十条纵行条沟，壁薄中空，具韧性，气腥。炒炸后质酥脆易断，气香。有些地区用来代替冬虫夏草使用。

七、蚯　蚓

蚯蚓包括直隶环毛蚓 *Pheretima tschiliensis* (Michaelsen);秉氏环毛蚓 *Pheretima carnosa* (Goto et Hatui);赤子爱胜蚓 *Eisenia foetida* Savigny 和背暗异唇蚓 *Allolobophora caliginosa trapezoises* (Duges),别名地龙、曲蟮。分布于全国各地。以干燥全体或去内脏的干燥体入药。药材名为地龙。

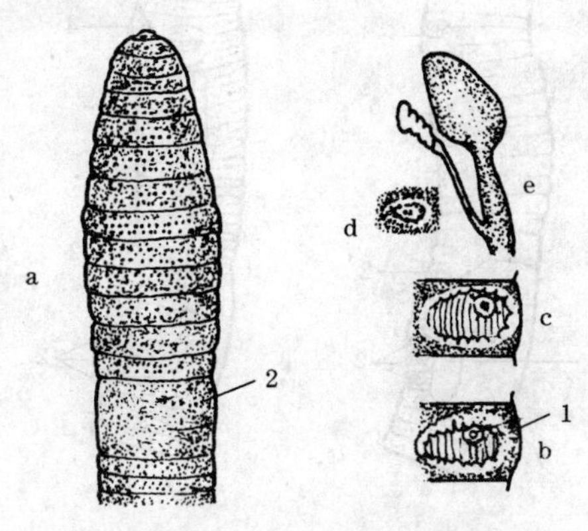

图 1-8　直隶环毛蚓

a. 前端腹面观　b,c. 生殖孔　d. 受精囊孔　e. 受精囊

1. 雄性生殖孔　2. 雌性生殖孔

【形态特征】 直隶环毛蚓(图 1-8,彩图 2),体长 230～345 毫米,体宽 7～12 毫米。体节数 75～129。背面呈紫红色或紫灰色。环带占 3 节,位于 14～16 节,呈戒指状,无刚毛。体上具环生的刚毛。雄性生殖孔在皮褶之底中间突起上。受精囊系一盲管,共有 3 对,内端 1/3 有数个弯曲,下部 2/3 为管状。

秉氏环毛蚓(图 1-9,彩图 3),体长 150～340 毫米,宽 6～12 毫米。体节数 105～179。环带位于 14～16 节,戒指状,无刚毛。雄孔在 18 节两侧一平乳头上,孔内侧有相似的乳头 3 对。背部深褐色或紫褐色,有时刚毛圈色白。环带占 3 节,无刚毛。受精孔 4 对或 3 对。受精囊的盲管较受精囊本体稍短,内端有一枣形的纳精囊。

赤子爱胜蚓(图 1-10),体长 35～130 毫米,宽 3～5 毫米,体节数 80～112。环带位于 24,25,26～32 节上。性隆脊位于 28～30 节上。刚毛紧密对生。雄生殖孔在第十五节,有大腺乳突。贮精囊 4 对,受精囊 2 对,有管,开口在 9～11 节间背中线附近。颜色不定,呈紫色、红色、暗红色或淡红褐色,有时在背部色素变少的节间区有黄褐色交替的带。身体圆柱形。

背暗异唇蚓(图 1-11),体长 100～270 毫米,宽 3～6 毫米,体节数 118～170。颜色灰褐色,环带色棕红,马鞍形。每节 4 对刚毛。雄性生殖孔 1 对,较大,横列状。雌性生殖孔在第十四节。受精囊孔 2 对,小而圆,其管极短。

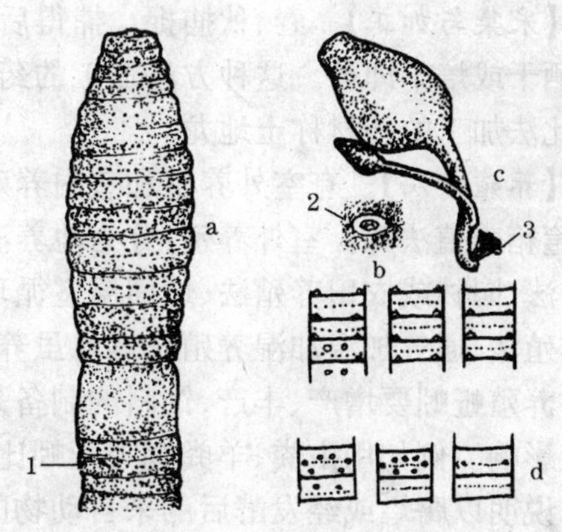

图 1-9　秉氏环毛蚓

a. 前端腹面观　b. 受精囊孔　c. 受精囊与副性腺

d. 乳突的不同排列方式

1. 雄性生殖孔　2. 受精囊孔　3. 副性腺

【生活习性】 蚯蚓穴居于潮湿多腐殖质的泥土中,以菜园、耕地、沟渠等处数量最多。体色因环境不同而异,具有保护色的功能,一般为棕、紫、红、绿等色。蚯蚓雌雄同体。每年 8～10 月份繁殖,互相交配以交换精子。受精卵在蚓茧内发育成小蚯蚓而出茧生活。蚯蚓的再生

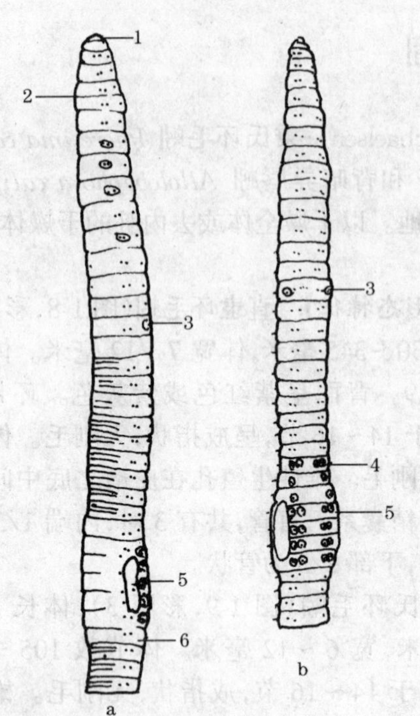

图 1-10　赤子爱胜蚓

a. 侧面观　b. 腹面观

1. 口前叶　2. 背孔始位　3. 雄性生殖孔　4. 生殖隆起　5. 性隆脊　6. 环带

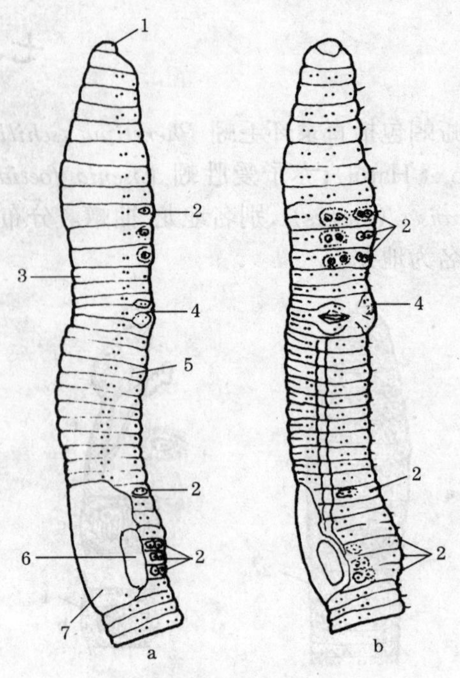

图 1-11　背暗异唇蚓

a. 侧面观　b. 腹面观

1. 口前叶　2. 生殖隆起　3. 背孔始位　4. 雄性生殖孔　5. 输精沟　6. 性隆脊　7. 环带

能力很强。

【采集与加工】　春、秋捕捉。捕得后拌以草木灰,用温水稍泡,洗去体外粘液,剖腹洗净泥沙,晒干或焙干即可。这种方法加工的药材称广地龙。捕后拌以热草木灰呛死,洗净晒干或烘干,此法加工的药材称土地龙。

【养殖方法】　有室外养殖和室内养殖两种方法。室内养殖:依养殖容器的不同,分为盆养法、筐箱养殖法等。室外养殖:分为池养法、沟槽养殖法、肥堆养殖法、沼池养殖法、垃圾销纳场养殖法、园林或农田养殖法、地面温室循环养殖法、半地下室养殖法、人防工事养殖法、塑料大棚养殖法、通气加温加湿养殖法等。虽养殖容器和场地各异,但其基本原理是相同的。

养殖蚯蚓要增产、丰产,饲料的制备是关键。食物的好差对蚯蚓的产量、质量及繁殖都有直接影响。例如用牛粪、羊粪饲喂蚯蚓比以粗饲料和燕麦秸喂养,蚯蚓产茧量高出几倍到十几倍。说明以腐烂或经发酵后的来自动物的、含氮丰富的有机物食料(畜、禽粪便),比植物性含氮少的有机物食料(如麦秸等)更能促使蚯蚓快速生长和繁殖。

虽然蚯蚓可以取食多种食物,但为养好蚯蚓,所用饲料必须合理搭配,注意饲料中的碳、氮比以及维生素、无机盐、微量元素的含量,其中以饲料中的碳、氮比最为重要。各种饲料的碳、氮比,可从已有的各种饲料营养成分含量经计算获得。一般用粪料(猪粪、羊粪、兔粪、牛粪、马粪、人粪和鸡粪等)60%,也可用食品下脚料、蔬菜废弃物、瓜果皮和各种污泥(塘泥、下水道污泥等)、草料(杂草、麦秸、稻草、高粱秸、玉米秸、木屑、垃圾和各种树叶)40%,经过堆沤发酵而成。这样配制的蚯蚓饲料,可得到较满意的饲养效果。在投喂饲料前,应对经发酵的饲料进行鉴定，未腐熟及含有害物质和有害气体的暂不使用，或将发酵好的饲料进行少量试喂，如果蚯蚓取食生长良好，便可大量投喂；大规模、集约化养殖蚯蚓时，更应采取此法，以避免遭受不必要的损失。

温度和湿度对蚯蚓的生长和繁殖有直接的影响，也是人工养殖蚯蚓成败的关键条件之一。蚯蚓成蚓生长的最适宜温度为18℃～35℃，随温度的降低，其繁殖率、产茧率、生长率亦随之降低；反之，在此范围内随着温度的升高，蚯蚓的成熟期缩短，生长加快，产茧量提高。但是温度也不能过高，温度太高也会引起蚯蚓死亡。在夏季温度太高时，可在养殖室、棚内加大通风量，喷洒冷水等措施来降温。在严寒的冬季，尤其在入冬前和初春，必须注意养殖棚、室内的保温，防止突然降温，以免造成蚯蚓的死亡。

饲料和土壤中的水分也影响蚯蚓的生长和繁殖。蚯蚓没有牙齿，喜取食细软、烂而湿的饲料。蚯蚓的呼吸是通过皮肤吸收溶解于水中的氧气来进行气体交换。因此，饲料和土壤的水分供应特别重要。饲料含水量以35%～40%为宜，一般可用手挤压饲料，有水滴滴出即可。在夏天，为了降温，可以适当增加对饲料的洒水量，可每天早晚各洒水1次；冬季则可适当减少洒水量，让好气性微生物加速繁殖，升高饲料温度，一般3～5天洒水1次。为了减少水分的蒸发，可以在饲料面上覆盖稻草、杂草、麻袋等物。江河湖泊的水、自来水、井水等均可单独浇洒，也可用泔水、淘米水、污水或变质的奶、糖渣水、麻酱渣和豆渣水直接浇洒在饲料堆上。

另外，要注意投料的厚薄以及通气性。在炎热夏季，投喂的饲料层可以薄一些，在冬季则可加厚。要注意饲料层的通气性，通气性越好，蚯蚓的新陈代谢越旺盛，活动能力增强，取食加快，产卵增多，并能缩短成熟期，蚯蚓体色鲜明、有光泽；反之，若饲料通气性差，蚯蚓体色暗黑，行动迟缓。为改善饲料的通气性，可以采取以下方法：即投喂的基料、饲料必须充分发酵腐熟，尽量避免使用未腐熟的发酵极强的饲料，如鸡粪等。如果所投喂的饲料发酵不充分，则继续发酵会消耗氧气，还会产生有害气体和有毒物质，而危害蚯蚓。此外，为增加饲料的通气性，还可采用薄料、多层饲养，投喂饲料面厚15～25厘米。在投喂的饲料中加入木屑、杂草和废纸等物，使其疏松通气。如果采取厚料堆养殖方式，则可用木棍或竹竿由上而下戳洞孔，以提高饲料的通透性，增加供氧量，排除料堆中的废气。在日常饲养管理中，还应随时注意饲料的酸碱度，要调适宜后再投喂。

八、水　蛭

水蛭包括日本医蛭 *Hirudo nipponica* (Whitman)；尖细金线蛭 *Whitmania acranulata* (Whitman)；宽体金线蛭 *Whitmania pigra* (Whitman)和光润金线蛭 *Whitmania laevis* (Bairb)，别名蚂蟥、线蚂蟥、柳叶蚂蟥、水蛭、医用蛭等。分布于我国南北方水田、池塘及沼泽中。干燥全体入药。药材名为水蛭。

【形态特征】　日本医蛭(图1-12，彩图4)，体长30～50毫米，体宽4～6毫米。背面呈黄绿色或黄褐色，有5条黄白色的纵纹，背部和纵纹的色泽变化很大。背中线的1条纵纹延伸至后吸盘上。腹面暗灰色，无斑纹。体环数103。雄性和雌性的生殖孔分别位于31/32，36/37环沟，两孔相间5环。阴茎露出时呈细线状。眼5对，排列成马蹄形。前吸盘较大，口内有3个颚，颚脊上有1列细齿。后吸盘呈腕状，朝向腹面。

尖细金线蛭(图1-13)，体型及大小与日本医蛭相仿，只是身体向前伸展时，前端尖细。背

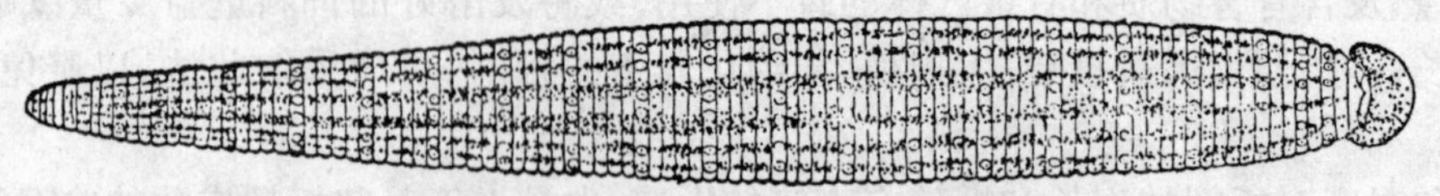

图 1-12　日本医蛭

部橄榄色或茶褐色。背中线两侧有成对的黑褐色斑纹，这些斑纹有时前后依次相连而呈波浪形纵纹。腹面的两侧有不规则的黑褐色斑点。雄、雌生殖孔分别位于 34，39 环的腹面正中，阴茎中部膨大。

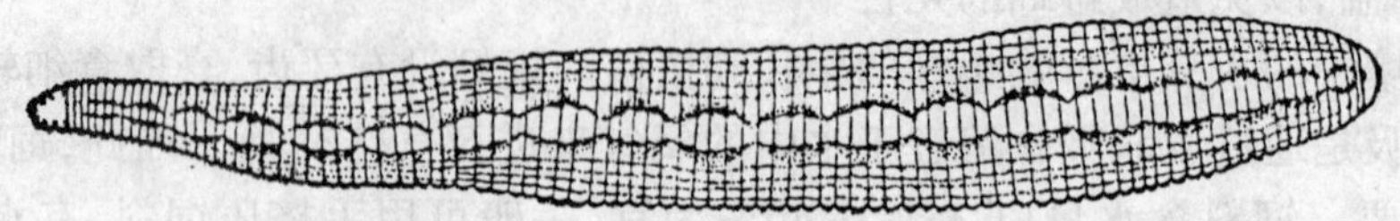

图 1-13　尖细金线蛭

宽体金线蛭（图 1-14），体型较大，成体长 60～120 毫米，宽 13～40 毫米。背面通常暗绿色，有 5 条纵纹，纵纹由黑色和淡黄色两种斑纹间杂排列组成。腹面两侧各有 1 条淡黄色纵纹，其余部分灰白色，杂有茶褐色斑点。体环数 107 。前吸盘小。颚齿不发达，不吸血。雄、雌生殖孔各位于 33/34，38/39 环沟间。

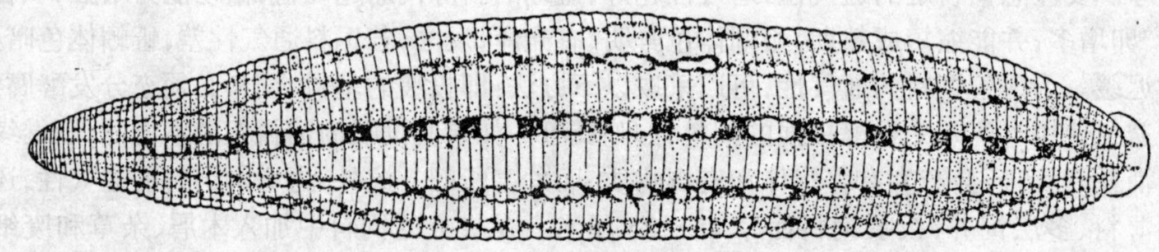

图 1-14　宽体金线蛭

光润金线蛭（图 1-15），体型较小，体长 32～55 毫米，宽 5～12 毫米。背腹面均 4 环，雄、雌生殖孔在 34，39 环的中部。与宽体金线蛭有区别。

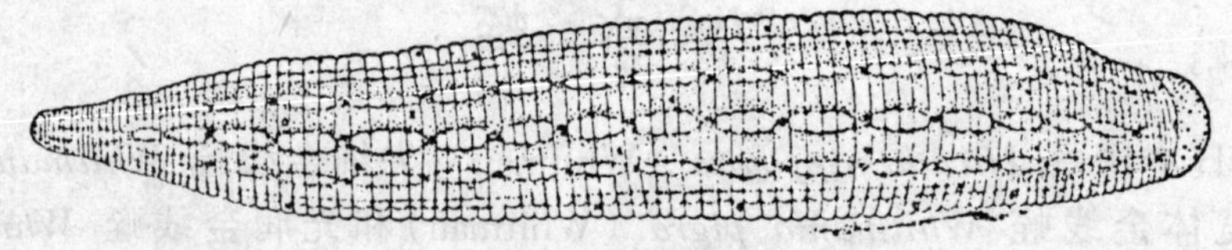

图 1-15　光润金线蛭

【生活习性】　栖息于水田、沟渠中。一遇人、畜在水中走动，即游来吸血。先以前吸盘吸着于人、畜的皮肤上，然后由 3 个颚脊上的细齿刺破皮肤。同时分泌 1 种扩张血管的类组织胺化合物和抗凝血的蛭素，使得伤口流血不止，并使吸入的血液不会在蛭体消化道内凝集。日本医蛭 1 次能吸入大量血液，耐饥力也很强，只需每半年吸血 1 次，即能正常生活。日本医蛭是雌、雄同体而异体受精。交配后约经 1 个月产出卵茧，卵茧产在湿润松软的土壤中，卵茧呈葡萄紫色，外表有蜂窝状海绵层，卵茧产出后经 1 个月孵出幼蛭。医蛭冬季在土中越冬。尖细金线蛭和光润金线蛭生活习性与日本医蛭基本相同。

宽体金线蛭生活在水田、湖沼中,吸食水中浮游生物、小型昆虫、软体动物及泥面腐殖质。冬季蛰伏土中。

【采集与加工】 夏、秋捕捉,捕后洗净,用石灰或酒将其闷死,然后晒干或焙干。因晒和焙的方法不同,药材名称有别。日本医蛭常用线穿于体中央,挂起晒干。尖细金线蛭用线穿起两端,拉长晒干。因药材外形不同,其名称有水蛭、宽水蛭和长条水蛭之分。

【养殖方法】 水蛭养殖可采用野外粗放饲养和建饲养池精养两种方法。野外粗放饲养可利用沼泽、坑塘、河道、稻田等自然水体,投放种蛭,利用丰富的天然饵料,按需要适当投饵,设置尼龙纱网等防逃设施,调节好水位,一般可以取得成效。建饲养池精养需有专用养殖池、充足的饵料、培育种蛭及做好日常饲养管理工作。

建饲养池:选向阳、温暖,水质清洁,环境安静的地方建塘。一般池水深0.5~1米,池大小按需要而定。池周设围栏,用1米宽的尼龙纱网,下端埋入土中20厘米,上端用竹竿撑起,防止水蛭逃走。池底做防渗处理,放1层含有机质丰富的泥土,再放1层鹅卵石,供水蛭附着和隐蔽。池堤上设一高于水面的注水口和2个排水口,1个用于排出过多的水,1个用于排干池水。池中每隔5~10米设一投饵台。投饵台可用木条做成1米见方的框架,框中钉上尼龙纱网,固定在池水中,用于投饵。对实行无冬眠养殖的还应搭建日光温室或加温温室,准备保温、增温设施与材料。

引种:目前多选养日本医蛭与宽体金线蛭。种蛭可从可靠的养殖单位引进,也可从野外采集。野外采集应在水蛭活动季节及活动高峰时间进行,用带血猪骨等诱集,然后用鱼网捕捞。再从中选择体躯饱满、体表光滑有弹性的个体作蛭种放养。还可用水蛭卵茧孵化蛭苗。于四五月间在池沼边湿土中见到1.5厘米孔径的小洞,若是水蛭的产卵洞,可从中挖出泡沫状的卵茧。将卵茧放到塑料容器中,茧孔朝上整齐排放,上盖1层含水40%~50%的沙泥土,温度保持20℃~23℃,经20天左右,可孵出幼蛭。将孵出的幼蛭转入饲养场饲养。

饲喂:饲养池中可投放蛙类、螺类、水蚯蚓等,让其繁殖,供水蛭食用。人工饵料用血粉80%,植物蛋白质10%,碳水化合物7%,青绿多汁饲料3%配成,日投喂量为全池水蛭总体重的1%,投放在食台上。

日常管理:饲养密度每1立方米水体2月龄以下的放养1 500条左右,2~4月龄的放1 000条,4月龄以上的放500条左右,成蛭、幼蛭混养时放800条左右。每日早晚各观察1次,保持水质新鲜,每月换水1次,使池水保持10~20厘米的透明度。要注意调节温度,池中水温保持在25℃左右。注意防治疾病,如白点病、胃肠炎、干枯病、寄生虫病等,要防止鼠、蚂蚁、蛇等敌害生物侵害。养至9~10月份便可采收加工或鲜品出售。可参阅金盾出版社出版的《水蛭养殖技术》等书。

九、石　鳖

石鳖包括红条毛肤石鳖 *Acanthochiton rubrolineatus* (Lischke)和函馆锉石鳖 *Ischnochiton hakodadensis* Pilsbry,别名海石鳖、石鳖、八节毛等。分布于渤海、黄海、东海和南海。全体入药。

【形态特征】 红条毛肤石鳖(图1-16),体卵圆形,体长约28毫米。背面有8块石灰质壳片,呈覆瓦状排列。头壳片半圆形,表面具有颗粒状突起,中间壳片长、宽略相等,峰部有纵肋,翼部有较大的颗粒状突起。尾壳片较小，前缘中央微凹，后缘弧形，表面有颗粒突起。体周围有 18 丛棘束，暗绿色壳片中央有 3 条红色色带。

函馆锉石鳖(图 1-17)，体椭圆形，背腹扁平。土黄色或暗绿色，并杂有斑点。体长约 22 毫米，体宽约 12毫米。背面壳片明显，头壳片有许多放射肋，嵌入片有 15～17 个齿裂。中间壳片的中央部有清晰的网状刻纹，翼部有 5～7 条放射肋，嵌入片每侧各有 2 个齿裂。尾壳片中央区的刻纹与中间壳片的中央部相似，后区有放射肋，嵌入片有 11～18 个齿裂。各壳片越近边缘者其放射肋越显著。环带窄，表面满布鳞片。

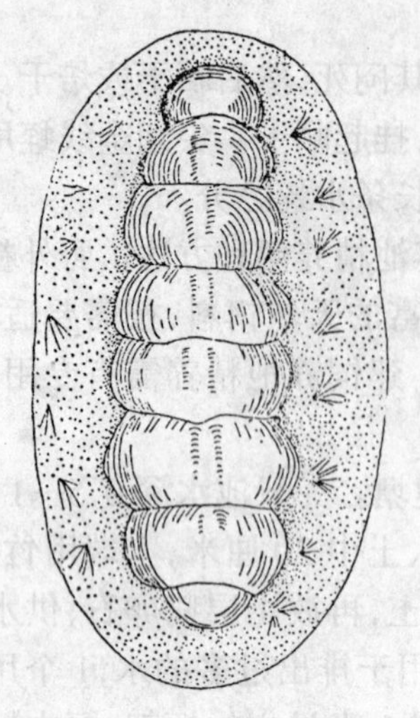

图 1-16 红条毛肤石鳖

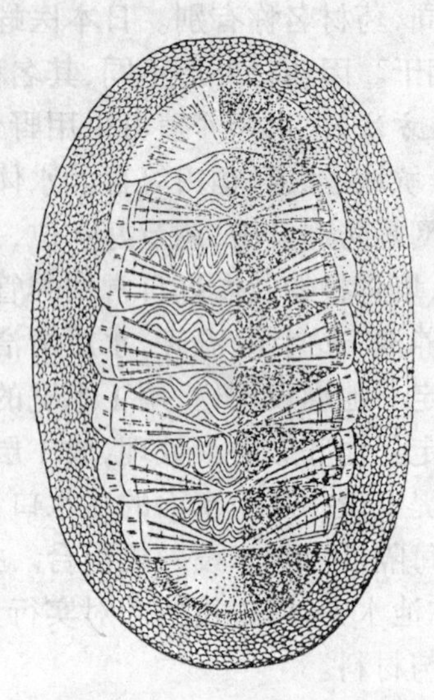

图 1-17 函馆锉石鳖

【生活习性】 栖息于潮间带的岩石上，喜附着在岩石石缝或阴面处，匍匐爬行缓慢。

【采集与加工】 红条毛肤石鳖四季均可捕捉，多于海水退潮时在海滩或岩石缝捕捉，捕后洗净，置沸水中略烫，取出在阴凉通风处干燥，用时置瓦片上焙干，研末。

函馆锉石鳖夏、秋季捕捉，洗净，以微火烘干或晒干即成。

十、鲍　鱼

鲍鱼包括盘大鲍 *Haliotis gigantea discus* Reeve；杂色鲍 *Haliotis diversicolor* Reeve 和耳鲍 *Haliotis asinina* Linnaeus，别名鳆鱼、千里光、九孔鲍等。其肉和贝壳入药，贝壳药材名为石决明。盘大鲍分布于我国北部沿海，以辽宁的大连、山东的长山岛和青岛等地产量较多，它的分布南界在青岛附近，再向南没有发现。杂色鲍分布于东海和南海。耳鲍为暖水性的种类，分布于南海。

【形态特征】 盘大鲍(图 1-18)，贝壳较大而坚厚，呈椭圆形。螺旋 3 层，缝合线浅。壳顶位于壳的后端，常被磨损。壳面粗糙，左侧有 1 条螺旋肋，肋上有一系列突起，其中最前端边缘有 4～5 个开孔，开孔的边缘向背部突起，略呈管状。贝壳由螺旋肋分为左、右两部分，两部分相交的角度接近垂直。左部狭长，壳面较平滑，在紧靠螺肋处有 1 条与螺肋平行的沟；右部宽大，壳面有许多不甚规则的瘤状或波状突起。壳面深绿褐色，生长纹明显，无大的褶襞，壳内面有珍珠光彩，壳口卵圆形，外唇薄，边缘呈刃状，内唇厚，并向壳口内弯成一个较宽的遮缘。

杂色鲍(图 1-19),贝壳呈卵圆形,壳质坚实而厚。螺层 3 层,自上而下急剧增大。基部缝合线深,往顶部渐不显。螺旋部极矮小,壳顶钝,稍低于体螺层的最高处,成体的壳顶多呈破蚀状态,露出珍珠光泽。体螺层则骤然膨大,占壳的绝大部分。由壳顶向下,从第二螺层中部开始至体螺层末端边缘,有 1 行排列整齐而逐渐增大的突起和小孔,总数可达 30 余个,其中靠体螺层边缘有 7~9 个开孔,故常常称为九孔鲍。这些开孔与外套膜边缘的裂缝相当,不开孔的突起顶部则下陷成窝。壳表面还有不甚规则的螺旋肋和细密的生长线。生长线随生长时期而形成数个极为明显的褶襞。壳表面有褐、绿、黄色云斑,但因常附着许多其他生物,如苔藓虫与水螅、龙介等,故往往呈现灰褐色;壳内面银白色,具珍珠光泽。壳口为长卵形,大小与体螺层相等,外唇薄而坚硬,边缘锋利;内唇厚,边缘向壳口内延伸,形成一个上端宽、基部略窄的片状遮缘。无厣。

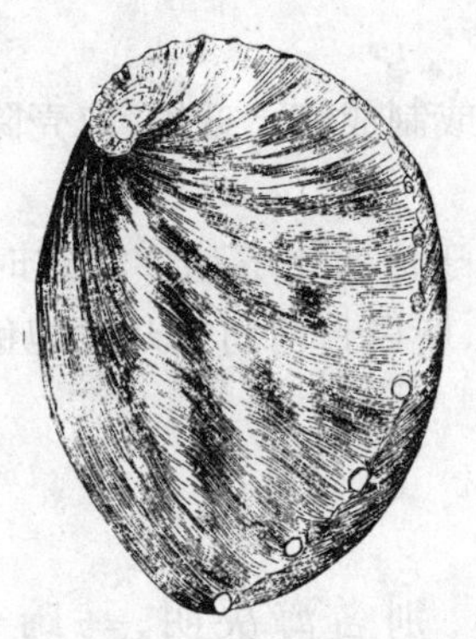

图 1-18　盘大鲍

图 1-19　杂色鲍

耳鲍(图 1-20),贝壳较小,狭长,略弯曲,呈耳状。壳质较薄。螺层约 3 层,自上而下急剧增大。缝合线浅,尚能辨认。壳螺旋部极短小,壳顶钝,其高度与体螺层高度略相等或稍低。体螺层极宽大。壳面由壳顶向下自第二螺层的中部开始至体螺层边缘,具有 1 行由小渐大、排列整齐的突起,其数约 30 个,为呼吸孔列,其中末端有最大的 5~7 个开口,以 6 个开口最为普遍。壳面最高点就在这行突起和小孔的线上,线的腹面有自第二层开始直达贝壳边缘的螺旋肋约 4 条;线的背面则有更多同样的螺旋肋,惟极小的第一螺层光滑无肋,往下螺旋肋明显,但愈至下端则又变得渐不明显。生长线明显,但无大的褶襞,因此壳表面颇为光滑美丽。壳面颜色多变化,有草绿色、灰绿色或黄褐色,上面散布有暗绿色或紫褐色的三角形斑纹及淡褐色或黄褐色不规则的云状斑。在壳顶部还常有淡红色、紫红色、杏黄色以及绿色的斑纹。壳内面银白色,有淡绿色闪光及珍珠光泽。壳口长椭圆形,大小与体螺层相等。外唇厚,边缘中部略向内弯曲;内唇边缘向壳口内下方延伸,形成 1 片状遮缘。无厣。壳长为 65 毫米左右,最大可

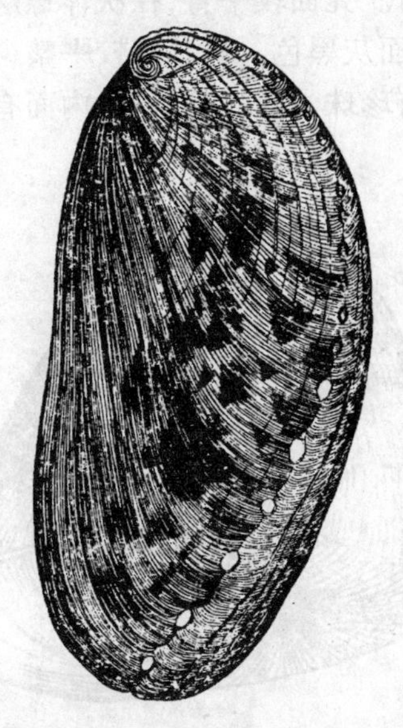

图 1-20　耳　鲍

达 70 毫米以上。壳宽略小于壳长的 1/2，壳高小于壳长的 1/6，约相当壳宽的 1/3。

【生活习性】 盘大鲍生活在潮下带数米至数十米的潮流通畅、水色清新、海藻繁茂的岩礁海底，以足部吸着在岩礁上或在岩礁上爬行。以褐藻、红藻为食。雌雄异体，7～8 个月性成熟，雌性生殖腺墨绿色，雄性生殖腺黄色，产卵和排精的适温为 20℃～25℃。卵子、精子均由贝壳边缘的最后一个孔排出。卵子在水中受精发育，经担轮幼虫和面盘幼虫期，然后变态成匍匐幼体，逐渐长成为小鲍鱼，在海底生活。

杂色鲍多生活于低潮线附近至深 10 米左右的潮下带岩礁海底，以盐度较高、水清和藻类丛生的环境栖息较多，用宽大的腹足爬行或牢固地吸着在岩礁上或石缝内。在潮间带的下区常可采到比较幼小的个体。

耳鲍生活于低潮线以下的岩石或珊瑚礁及藻类丛生的海底，在潮间带下区有时亦可采到。以发达的腹足在岩石上或在珊瑚礁上爬行。

【采集与加工】 夏、秋季捕捉，捕捉后洗净，取肉鲜用，或制成鲍干备用，取壳除去杂物，晾干水分备用。

【养殖方法】 可以利用自然苗和人工苗，放在笼中，悬于海水中养殖。需定时喂以海藻，但苗源少，人工培苗在我国尚未开发，而且养殖的成本较高，所以目前尚未开发鲍鱼的养殖。

十一、凹　螺

凹螺包括黑凹螺 *Chlorostoma nigerrima*（Gmelin），别名海决明、马蹄子；锈凹螺 *Chlorostoma rusticum*（Gmelin），别名马蹄螺、高腰螺。主要分布于我国渤海、黄海、东海和南海等广大海域以及日本、萨哈林、朝鲜半岛。壳全体入药。

【形态特征】 黑凹螺(图 1-21)，贝壳呈塔形。壳质厚而结实。壳高约 24 毫米，壳宽与壳高略相等。螺层 6 层，壳顶 3 层，很小，下面 3 层宽度骤然增大。缝合线细而清晰。壳顶乳突状，较光滑。壳面较平直，在次体螺层常显膨胀。生长纹细波状，放射肋细密，与生长纹交叉而行。壳表面灰黑色。壳基部较平整，有纵行的灰黑色条纹和自壳面引伸而来的肋痕。壳内面银白色，有珍珠光泽。壳口斜，内面有数条环形的细褶襞。内唇斜，呈"U"字形，中部延伸成白色的胼胝，基部有钝齿 1～2 枚。厣角质，圆形，褐色，多旋，核在中央。脐孔深，部分被内唇之胼胝所掩盖，变得很小，周缘灰白色。

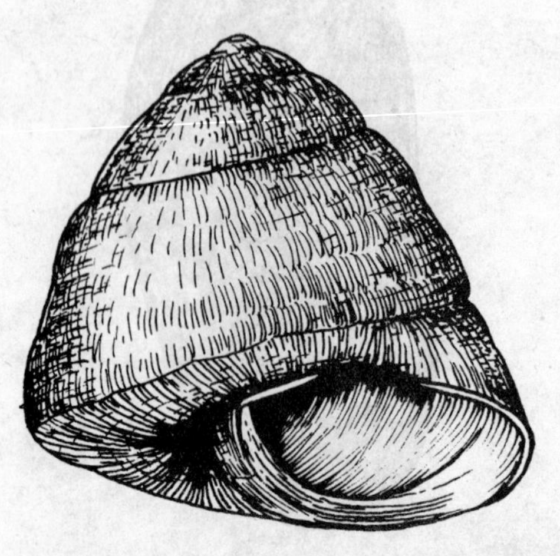

图 1-21　黑凹螺

锈凹螺(图 1-22)，壳为圆锥形。壳质坚实而厚，螺层约 6 层，自上而下迅速增大。露于外面的螺层略呈隆起状。缝合线显著。螺旋部较高，呈圆锥突起。壳顶通常呈破蚀状态，很少有保存完整者。体螺层不膨大。壳底平，与体螺层相交约呈 70°角。贝壳表面自壳顶向下的各层都具有很显著的斜行肋线，尤以在体螺层外面的最为显著。生长线细密，清晰可辨，与斜行的肋线呈"十"字形交叉。壳面为黄褐色，具有斜行的棕色色带，位于斜行的肋线上。壳的内面为灰白色，具有珍珠光泽。壳口斜，呈马蹄形。外唇简单而薄，具有1个褐色与黄褐色相间的镶边；内唇厚，上方脐孔伸出一白色遮缘，下方向壳口伸出1～2个白色齿。厣为角质，圆形而薄，棕红色，具有一银色边缘，核位于中心，有多数微细的同心环纹。脐孔圆形，大而深，在脐孔的周围常有1圈白色带环围绕。一般壳高23毫米，宽25毫米。大者壳高可达25.7毫米。

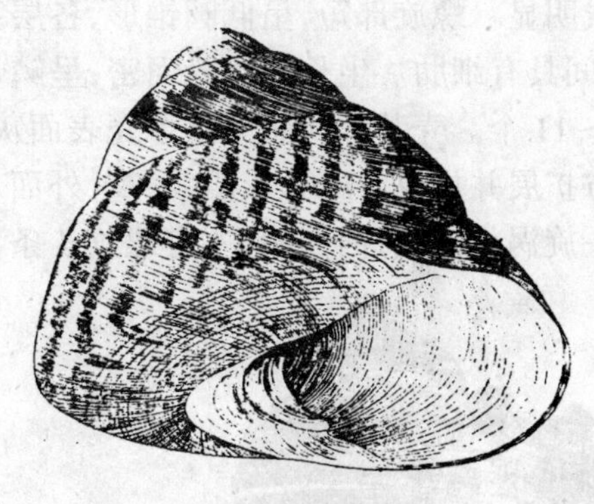

图1-22 锈凹螺

【生活习性】 凹螺为亚热带种类，常生活在潮间带下区，平均栖息密度可达6～7个/平方米以上；在潮下带5～10米深的岩礁上或海藻丛中，栖息密度可达20个/平方米以上，是数量较多的种类。其上足及下足触手均与其本身的壳色相同，同时又与藻类颜色近似，此为适应性的保护色。

【采集与加工】 可四季采收，采后洗去泥沙，肉可供食用，壳晒干备用。

十二、蝾 螺

蝾螺包括夜光蝾螺 *Turbo marmoratus* (Linnaeus)；蝾螺 *Turbo cornutus* Sorander，别名流螺；节蝾螺 *Turbo articulatus* (Reeve)；金口蝾螺 *Turbo chrysostomus* (Linnaeus)，别名狗眼睛螺；带蝾螺 *Turbo petholatus* (Linnaeus)。主要分别分布于印度洋和太平洋西岸及我国东海和南海。贝壳全体入药，厣名甲香也可入药。

【形态特征】 夜光蝾螺(图1-23)，贝壳大型，呈拳状。壳质极坚厚。螺层约6.5层，自上而下迅速增宽。露于外面的螺层呈圆形隆起。缝合线浅。螺旋部不高，呈低圆锥形。体螺层极膨胀，其基部向外折曲、加厚，与内唇相接，构成壳口内下侧的1个耳状突起。顶部各螺层壳面光滑无肋，由第四螺层下部开始，螺层中部隆起，形成1个连续的由结节连成的螺旋肋，使螺旋部形成一明显的肩角，将壳面分成上下两部分。上部壳面呈斜坡状，下部壳面近垂直。这条肋至体螺层渐变粗大，其下方还有2～3条较细弱的螺旋肋。生长纹细密，有时有褶襞。壳表面为暗绿色，具有褐白二色相间的带状环纹，偶尔亦杂以红色环纹。壳顶部常染有翠绿色斑纹，壳内面珍珠层很厚，银白色，具极耀眼的珍珠光泽。壳口大，近圆形。外唇较薄而脆，易破损，边缘有一很窄的绿色边；内唇极厚，向外下方卷转。厣为石灰质，极厚重，圆形，中央部向外凸出，外面白色，内面棕黄色，且具光泽。一般壳高为170毫米左右，壳宽略与高相等。

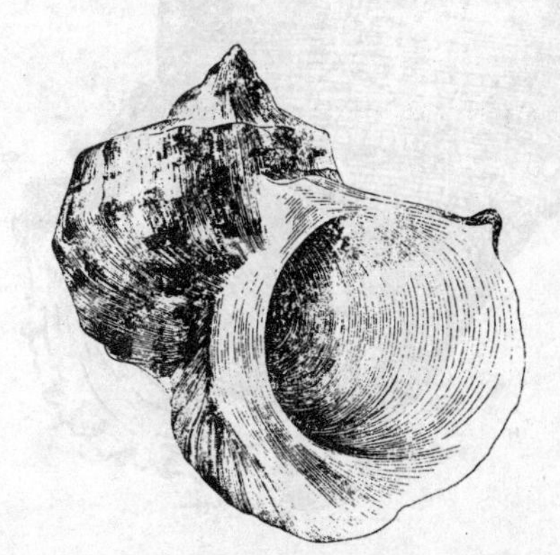

图1-23 夜光蝾螺

蝾螺(图1-24)，一般壳高约90毫米，壳宽约80毫米。壳质坚硬而厚。螺层约5～6层。

缝合线明显。螺旋部短,呈低圆锥形,各层宽度增加均匀。体螺层极膨大。壳面具有发达的螺肋,肋间具有细肋。生长纹粗糙而密,呈鳞片状。在体螺层上常有2列强大的半管状棘,每列约10～11个。壳基部膨胀。整个壳表面灰青色。壳口大,圆形,内具珍珠光泽,外唇简单,内唇下方扩展并加厚。厣石灰质,厚重,外面灰绿色或灰黄色,有密集的小粒状突起,中央偏内下方有一旋涡状缺刻,内面稍平,有螺纹4条,核略偏下方。无脐。

图1-24 蝾 螺

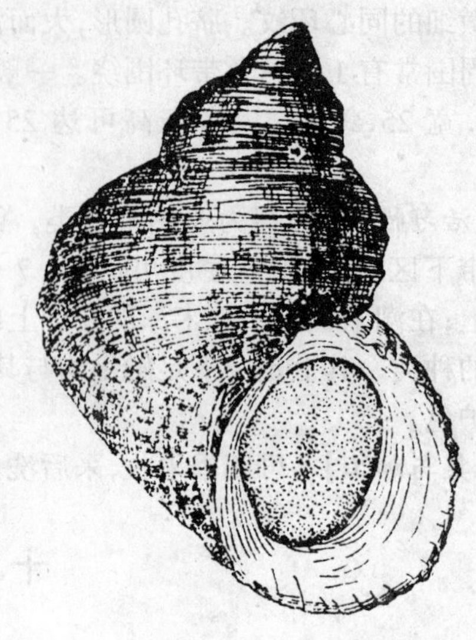

图1-25 节蝾螺

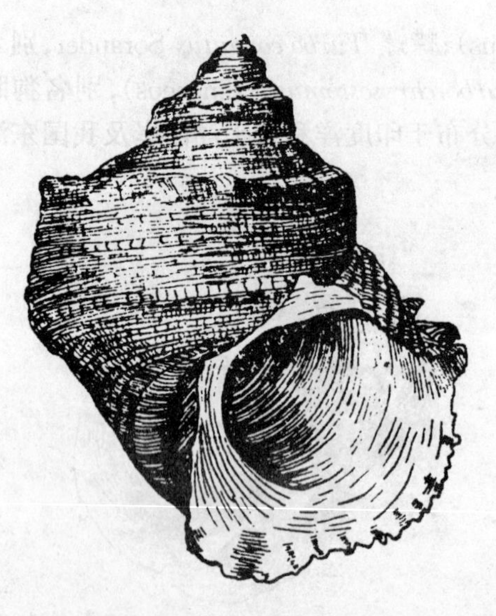

图1-26 金口蝾螺

节蝾螺(图1-25),壳质坚实而厚。壳高50毫米左右,壳宽约为壳高的2/3。螺层约6层,露于外面的螺层较膨圆。缝合线明显。螺旋部呈低圆锥形,约占壳高的1/4。壳顶尖,各螺层自上而下逐渐加宽,体螺层稍膨大而较斜。壳表面密生螺肋,每隔1～3肋便间有1条稍宽大的粗肋。壳表面黄绿色,有清楚的紫褐色放射状色带。壳内面灰白色,有珍珠光泽。壳口圆,外唇有细齿状缺刻和淡蓝色镶边,内唇厚。厣石灰质,边缘部分有细小的粒状突起,中部逐渐加厚稍凸。脐小而深,并顺着内唇引伸出1条宽沟。

金口蝾螺(图1-26),贝壳呈陀螺形,中等大小。壳质重厚结实。壳高约70毫米,壳宽为壳高的6/7。螺层约6层,自上而下增长迅速。缝合线深。壳塔低圆锥形,壳顶稍高。体螺层膨大。壳面螺肋密生,生长纹细,呈水波状,将肋面及肋间分切成覆瓦状小鳞片。在螺层中部有1稍扩张的螺肋,把壳面分成上下两部,上部为略倾斜的肩部,下部为一垂直面。在扩张的螺肋上还有角状突起,体螺层上的角状突尤为发达。壳表面橙褐色,染有紫色放射条纹。壳口圆,内面金黄色,故名金口蝾螺。外唇有缺刻,内唇向下方扩张。厣石灰质,圆形,重厚,外面中央绿紫色,周围淡棕色并有细沟纹;内面螺纹约5圈,核接近中央。脐不明显,在贝壳基部围绕脐和唇轴有1条半圆形的粗肋。

带蝶螺(图 1-27),贝壳中等大,近陀螺形。壳质结实。壳高约 50 毫米,壳宽几乎与壳高相等。螺层约 6 层,自上而下增长迅速。缝合线明显。螺旋部短,壳顶略尖。体螺层较宽大。壳面略膨圆,甚光滑,生长纹纤细。壳色鲜艳夺目,壳顶粉红色或紫红色,其他部分通常为褐色,并有棕褐色和棕绿色螺带,螺带上还有不规则的黄白色的火焰状斑纹。壳内面白色,有珍珠光泽。壳口圆,外唇简单光滑;内唇厚,黄绿色,上端向内扩展掩盖脐部,下端略反折成一扩张面。厣石灰质,靠内唇部加厚,白色,较光滑;中央部分翠绿色;靠外唇部稍薄,有细小的粒状突起,褐色。

图 1-27 带蝶螺

【生活习性】 生活于潮下带数米至数十米深的海底岩石及珊瑚礁上。在潮间带下区和基准面附近的岩石缝或珊瑚礁的洞穴中亦常能采到幼小个体。内壳表面常附着藤壶、苔藓虫、履螺等动物。或多生活在潮间带中、下区岩礁间,在潮下带的泥沙质海底亦可采到。

【采集与加工】 可四季采收,采后洗去泥沙,去肉,厣和壳晒干备用。

十三、螺 蛳

螺蛳包括方形环棱螺 *Bellamya quadrata* (Benson);梨形环棱螺 *Bellamya purificata* (Heude)和铜锈环棱螺 *Bellamya aeruginosa* (Reeve),别名方田螺、豆螺蛳、石螺、湖螺、蜗螺牛、金螺、豆田螺。分别分布于黑龙江、吉林、辽宁、内蒙古、河北、河南、山东、安徽、江苏、浙江、江西、湖北、湖南、福建、广东及云南等地。全体入药,其旧螺壳亦供药用。

【形态特征】 方形环棱螺(图 1-28),贝壳中等大小,全体呈长圆锥形。壳质厚,极坚固。壳高 26~30 毫米,壳宽 14~17 毫米。有 7 个螺层,各螺层缓慢均匀增长。缝合线极清晰。螺旋部高,呈长圆锥形,其高度约等于壳高的 2/3。壳顶尖,各螺层壳面平直,体螺层亦不膨胀。壳表面绿褐色或黄褐色,具有细密而明显的生长纹及螺棱,体螺层上的螺棱较粗而明显。壳口呈卵圆形,上方有一锐角,周缘完整。外唇简单;内唇肥厚,上方贴覆于体螺层上。厣角质,卵圆形,较薄,表面黄褐色,具有同心圆的生长纹,核略靠近内唇中央处。脐孔不明显。

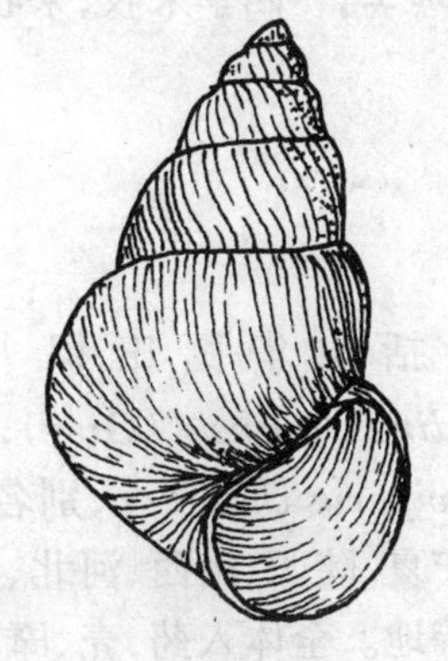

图 1-28 方形环棱螺

梨形环棱螺(图 1-29),呈梨形,壳质坚实而厚。壳高可达 39 毫米,壳宽为 24~36 毫米。螺层 6~7 层,自上而下缓慢增长,缝合线明显。螺旋部呈宽圆锥形,壳顶尖,各螺层膨胀,体螺层尤为膨胀。壳表面黄绿色或黄褐色,略光滑。在体螺层及次体螺层上常具 3~4 条螺棱,最

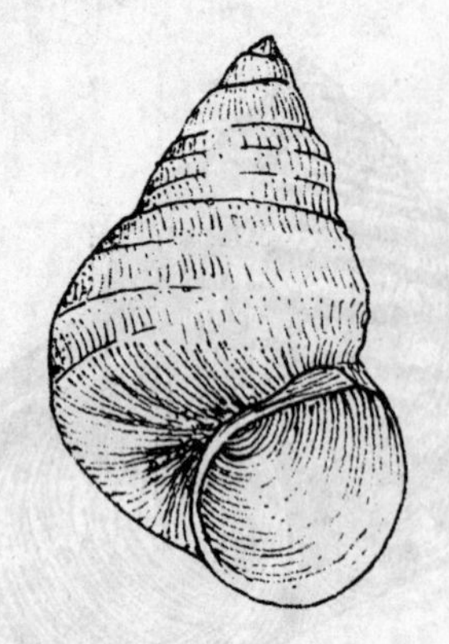

图 1-29 梨形环棱螺

下端的 1 条螺棱特别明显，幼贝的螺棱上长有许多细毛。壳口呈卵圆形，常具有黑色框边。外唇简单；内唇肥厚，上方外折贴覆于体螺层上。厣为一角质薄片，卵圆形，黄褐色。脐孔明显。

铜锈环棱螺(图 1-30)，一般壳高为 24 毫米，壳宽 14 毫米。全体呈长圆锥形。壳质厚而坚硬。螺层 6～7 层，自上而下缓慢增长。缝合线浅而明显。螺旋部呈尖圆锥形，体螺层稍膨大。壳表面铜锈色或绿褐色，较光滑，生长纹明显，体螺层上有 3 条明显的螺棱。壳口卵圆形，上方有一锐角，周缘完整。外唇较薄，内唇肥厚，上方贴覆于体螺层上。脐孔明显，呈狭缝状。与梨形环棱螺的主要区别在于螺旋部和体螺层都不甚膨胀，壳面常为铜锈色。

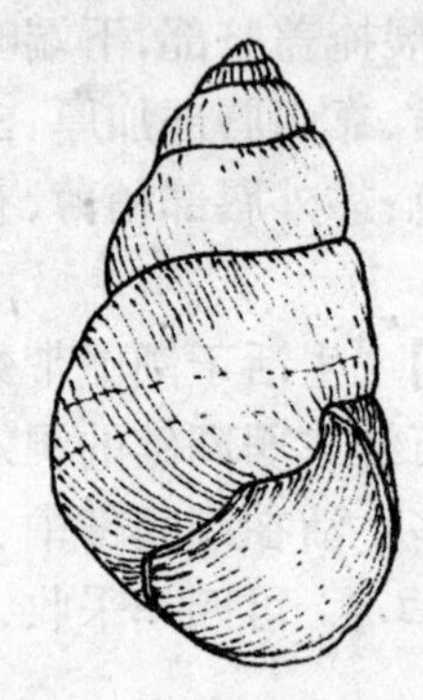

图 1-30 铜锈环棱螺

【生活习性】 生活于河流、湖泊、沟渠或池塘内，水田中亦偶有发现。多栖息在水底腐殖质丰富的浅水水域(水深 1 米左右)，以宽大的足部在水底及水草上匍匐爬行，或附着在岸边岩石上。雌螺全年怀胎。卵胎生。以小型藻类、植物表皮或其他有机质为食料。

【采集与加工】 四季采收，采收后洗去泥沙，生用，螺壳晒干或焙煅，煅至红透，放凉碾碎备用。

十四、田 螺

田螺包括中华圆田螺 *Cipangopaludina cathyensis* (Heude)；中国圆田螺 *Cipangopaludina chinensis* (Gray)；乌苏里圆田螺 *Cipangopalind ussuriensis* (Gerstfeldt)和东北圆田螺 *Viviparus chui* Yen，别名臭田螺、螺蛳、黄螺、田中螺。分别分布于黑龙江、吉林、辽宁、内蒙古、宁夏、陕西、山西、河北、山东、安徽、江苏、浙江、湖北、湖南、江西、福建、广东、广西、四川及云南等地。全体入药，壳、厣亦入药。

【形态特征】 中华圆田螺(图 1-31)，贝壳大，呈卵圆形，壳质薄而坚实。螺层 6～7 层，各层表面膨大，螺层在宽度上增长迅速，螺旋部较短而宽，体螺层特别膨大。壳顶尖锐，缝合线深。壳面呈绿褐色或黄褐色。壳口为卵圆形，周缘经常具有黑色的框边。外唇简单，内唇肥厚，遮盖脐孔。脐孔呈缝状。厣角质，为黄色卵圆形薄片，具明显的同心圆生长纹，厣核位于内唇中央处。

中国圆田螺(图 1-32)，呈圆锥形，壳质薄而坚固。有 6～7 个螺层，各螺层高度、宽度增长迅速，壳面凸。缝合线极明显。壳顶尖。体螺层膨大。贝壳表面光滑无肋，具有细致而明显的生长线,有时在体螺层上形成褶襞。壳面黄褐色或绿褐色。壳口呈卵圆形,上方有一锐角,周缘具有黑色框边,外唇简单,内唇上方贴覆于体螺层上,部分或全部遮盖脐孔。脐孔呈缝状。厣与中华圆田螺相似。齿舌:每一横列具有 7 个齿,中央 1 个为中央齿,两侧各有 1 个侧齿及 2 个缘齿。圆田螺是雌、雄异体螺类,成熟个体雄性右触角比左触角短而粗,弯曲,形成交配器官。

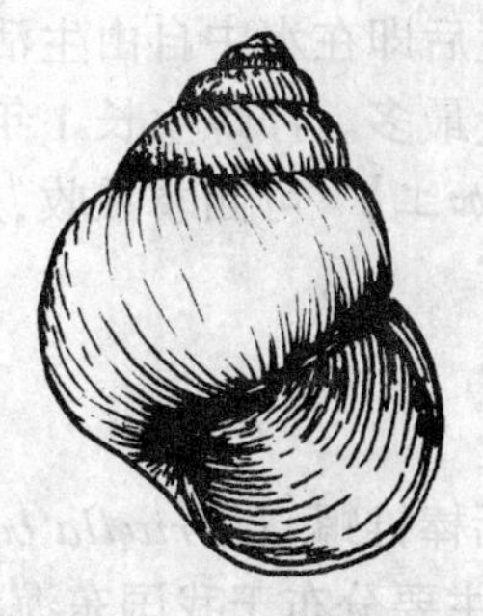

图 1-31　中华圆田螺

乌苏里圆田螺(图 1-33),贝壳大,呈卵圆锥形,壳质薄,略透明。螺层 5～6 层,各螺层增长迅速,表面膨胀。壳顶尖,螺旋部呈宽圆锥形。缝合线深。壳面生长纹细密,绿褐色,有1～3 条暗褐色或红褐色的色带及 3～4 条突起的螺肋。壳口呈卵圆形,周缘完整,常具有黑色框边。壳口内面青灰色。厣为角质卵圆形薄片。

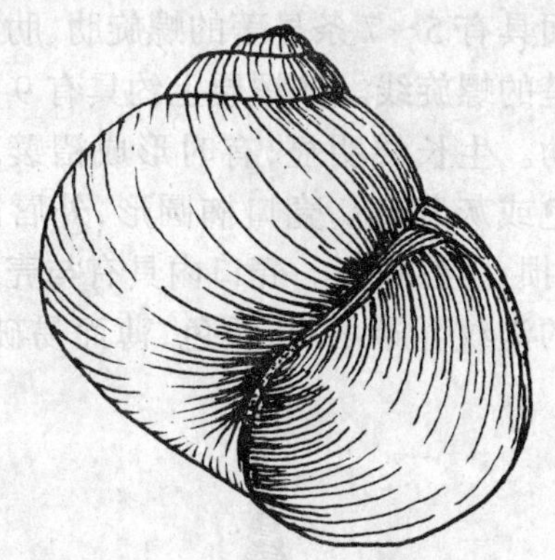

图 1-32　中国圆田螺

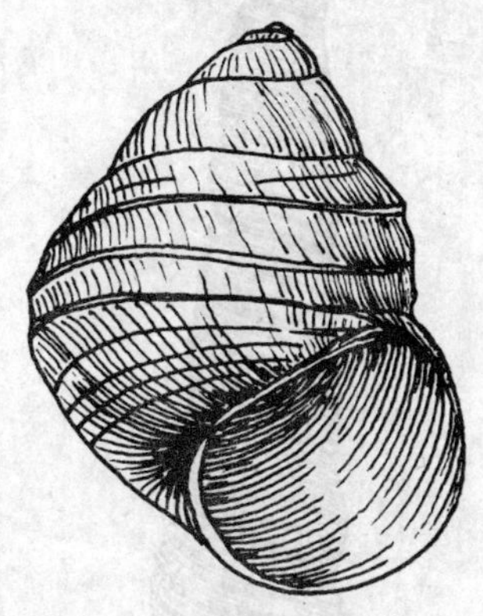

图 1-33　乌苏里圆田螺

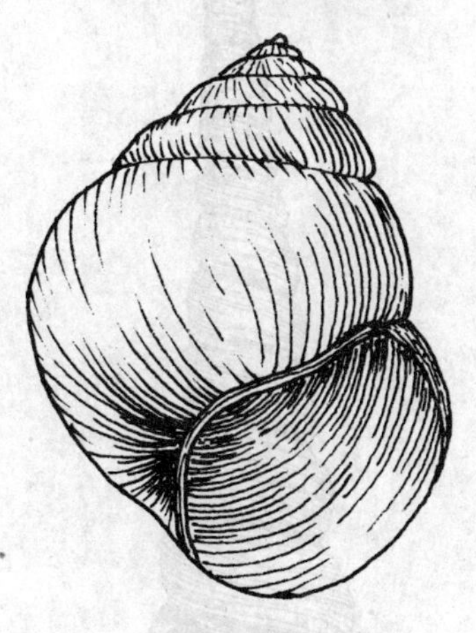

图 1-34　东北圆田螺

东北圆田螺(图 1-34),贝壳中等大小,略呈球形,壳质坚厚。有 5 个螺层,螺旋部低矮,体螺层极膨大,其高度约占全部壳高的 4/5。壳面呈黄绿色或褐色,并具有红褐色的色带,在体螺层上有 3 条色带,新鲜标本色带明显。壳口卵圆形,上方有一锐角。脐孔不明显。厣为角质黄褐色卵圆形薄片,有环纹。

【生活习性】　生活在池塘、湖泊、水田及暖流小溪内及水草茂盛的水库、河沟内。常以宽大的足部在水底及水草上匍匐爬行。田螺对干燥及寒冷皆有极大的适应性,在干燥时期,即将肉体缩入壳内,用厣将壳口封闭,或钻入土中,以减少体内水分丧失,环境适宜时则行动;冬季潜入泥土中,呈冬眠状态,翌春出土活动。以水生植物的叶子和低等藻类为食。田螺为卵胎生螺类,卵在体内受精发育,雌性个体怀胎螺数十个,多者可达 100 余个,长成仔螺后陆续排出体外。仔螺出生后即在水中自由生活。在北京地区的中国圆田螺4～8月份皆可产仔螺，以6～7月份产仔数量最多。仔螺生长1年可达到性成熟。

【采集与加工】 可四季采收，采收后洗净泥沙，即可使用，壳、厣晒干或焙干备用。

十五、锥　螺

锥螺包括棒锥螺 *Turritella bacilum* Kiener 和笋锥螺 *Turritella terebra* (Linnaeus)，别名单螺、锥螺。主要分布于我国东海和南海。干燥厣入药。

【形态特征】 棒锥螺(图1-35)，贝壳呈尖锥状，壳质厚而坚固。螺层20～23层，每层高度、宽度增长均匀。露于外面的螺层微呈隆起状。缝合线深，呈沟状。螺旋部呈高宝塔状。壳顶尖细。体螺层很短，稍膨大。壳塔每一螺层的表面具有5～7条显著的螺旋肋，肋间还夹杂有清楚的螺旋线。体螺层上约具有9条显著的螺旋肋。生长线明显，有时形成褶襞。壳表面黄褐色或灰紫色。壳口椭圆形，外唇简单而薄，易破损；内唇较坚。壳口内具有与壳表面螺肋相同的沟纹。厣角质，栗色，薄而易破碎，圆形，核位于中央。一般壳高为124毫米，壳宽为22毫米。

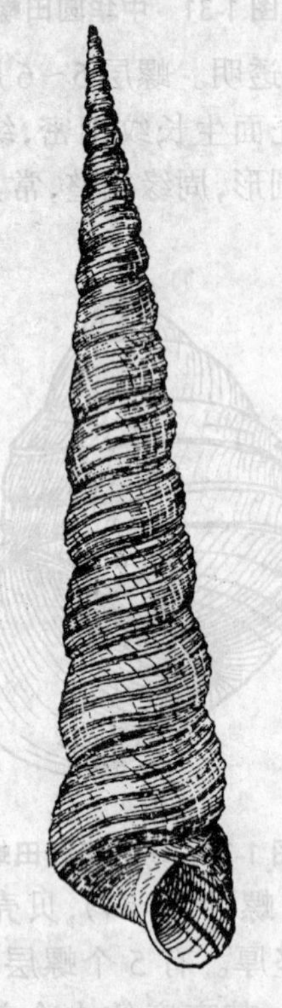

图1-35　棒锥螺

笋锥螺(图1-36)，贝壳呈尖锥状，其宽度约为高度的1/5。壳质稍薄，但尚坚固。螺层约29层，自上而下每层的高度、宽度均匀增长。露于外面的螺层呈圆形隆起。缝合线深凹而明显。螺旋部极高，壳顶尖细，极易破损。体螺层极短，明显膨大。壳塔每一螺层表面具有5～6条明显的螺旋肋，体螺层螺旋肋约为11条。在各肋间尚夹杂有清楚的螺旋线。生长线明显，靠近边缘时常形成褶襞。壳表面为黄褐色或淡灰紫色，壳内面乳白色。壳口近圆形。内

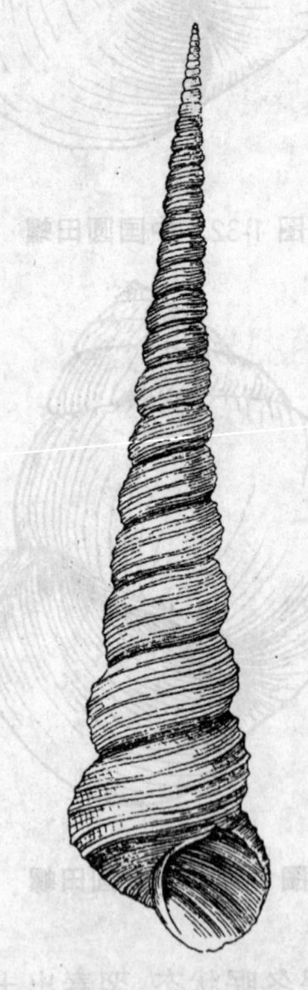

图1-36　笋锥螺

外唇均薄,壳柱白色。内面具有与壳表面相同的沟纹。厣角质,栗色,圆形,核位于中央。一般壳高为 161 毫米,壳宽为 33 毫米。

【生活习性】 生活于潮间带的低潮线附近至潮下带 40 米深的泥沙质或软泥质的海底。潮水退后可以钻入沙内潜伏,为沿海常见的种类。

【采集与加工】 退潮后在沙滩上掘沙捕捉,捕后置沸水中烫死,将厣取出,晒干备用。

十六、货 贝

货贝 *Manetaria moneta* (Linnaeus),别名白贝齿、贝子。主要分布于我国南海。壳全体入药。

【形态特征】 货贝(图 1-37)螺旋部完全被珐琅质遮盖,背线不清楚。壳背部中央高起,两侧坚厚而低平。在贝壳后方两侧壳长 1/3 处突然扩张,形成结节。壳表面极为光亮夺目,无任何肋纹,呈淡黄色或金黄色,或稍带灰绿色,两侧绿色较淡。背部具有 2～3 条灰绿色横带,整个壳的形状很像汉字“贝”。壳基部平,黄白色,壳口附近白色,壳内面紫色。壳口狭长,两唇缘的齿约 12～13 枚。无厣。一般壳长 24 毫米,壳宽 20 毫米,壳高 12 毫米。大的个体壳长可超过 27 毫米。

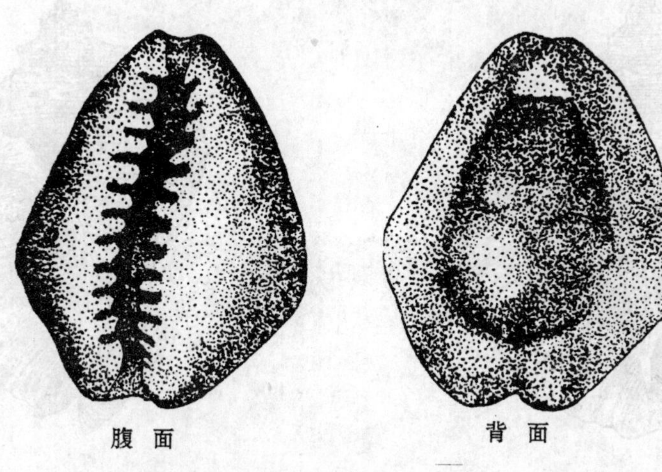

图 1-37 货 贝

【生活习性】 生活在潮间带中区的珊瑚礁间,潮水退后隐藏在石块下面及珊瑚礁洞穴内,多在黄昏后外出觅食。肉食性,用齿舌捕食海绵、有孔虫及小型甲壳类等。雌、雄异体,春夏季产卵,卵多产于珊瑚洞穴、空贝壳或阴暗的地方,卵囊黄色。产卵后雌贝卧于卵上,保护其卵,直至孵化为止。幼体自卵囊孵化后在海水中行浮游生活,最后附着海底变态为成体。幼贝贝壳很薄,螺旋部很显著,壳口宽,唇极薄。

【采集与加工】 夏季于浅海边捞取,除去肉,贝壳洗净,晒干备用。

十七、红 螺

红螺包括红螺 *Rapana thomasiana* Crosse 和皱红螺 *Rapana bezoar* (Linnaeus),别名海

螺、菠螺、菠螺拳。主要分布于辽宁、河北、山东，向南直到广东沿海。贝壳全体入药。

【形态特征】 红螺(图 1-38，彩图 5)，贝壳近球形，坚厚，螺层约 6 层，每层的宽度增加迅速。螺旋部较低，体螺层膨大。壳面粗糙，具有排列整齐的螺旋肋和细沟纹。螺层上部肩角有结节突起，体螺层结节突起呈三角形，特别突出，有时形成棘。在肩角的下方还有 3～4 条有结节突起的粗肋。壳面黄褐色，具棕褐色斑点。壳口大，前沟宽短，外唇厚，边缘具有与螺肋相当的缺刻。内唇后方薄，贴覆于体螺层上，前方加厚，向外伸展，与体螺层前部的螺肋共同形成假脐，壳口内面杏红色，有瓷光。厣角质，棕色，呈椭圆形，核位于靠外唇的边缘，生长线明显。

皱红螺(图 1-39)贝壳略近梨形，壳质极坚厚。螺层约 7 层，自上而下急剧增宽。缝合线浅，螺旋部短小，约占壳高的 1/4～1/3，壳顶尖细，体螺层极膨大。每一螺层表面具有由鳞片状结节相连的肩角。肩角将螺层分为上下两部分，上下壳面相交几成 90°角。体螺层的肩角上部具有显著的薄片状折叠。壳面粗糙，具有明显的螺旋形肋和细沟。一些个体，在体螺层肩角的下部还有 2～3 条带有鳞片状结节的螺旋肋。贝壳表面黄褐色，或具红褐色斑点。壳口大，呈卵圆形，周围白色或杏红色，有光泽，外唇厚，其内侧有与壳口相当的肋纹；内唇上部薄，下部加厚，并向外延伸，与体螺层基部的螺肋共同形成较大的假脐。厣为角质，红褐色。一般壳高为 93 毫米，壳宽 74 毫米。

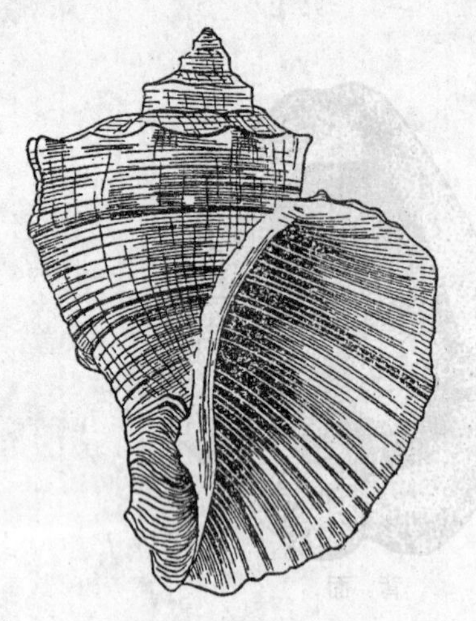

图 1-38 红 螺

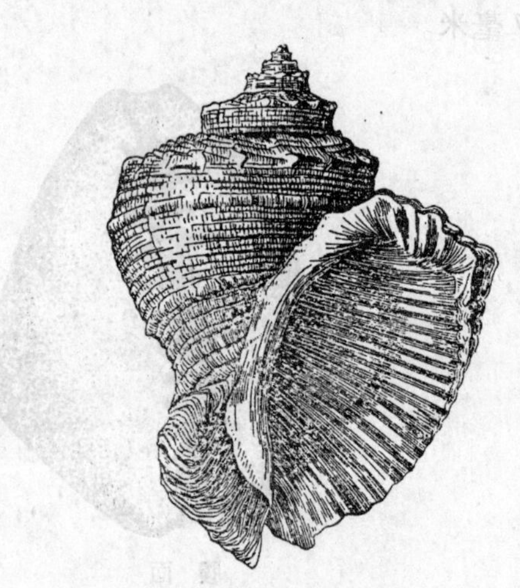

图 1-39 皱红螺

【生活习性】 红螺的成体多栖息于潮下带数米至十数米的海底，幼螺分布于低潮线附近。能潜入泥沙中捕食双壳类软体动物。雌、雄异体，交尾产卵，产卵期为 5～8 月份，卵产在几丁质的卵袋中。卵袋狭长，呈菊花瓣状。每个雌体可以产很多卵袋，每一卵袋中包含卵子数百至数千个。许多这样的卵袋在基部相连，附着在岩石或贝壳上，形状酷似菊花，沿海渔民叫它“海菊花”。卵子在水温 23℃～26℃ 的条件下，经 3～4 周可以发育为面盘幼虫，破袋而出，在水中时游时息，过一段时间即变态成幼螺，在海底匍匐爬行，2 年可达性成熟，4～5 年可长成采捕规格。喜食双壳类软体动物，为肉食性种类，是贝类养殖的敌害。

【采集与加工】 春至秋捕捉，捕后放沸水中烫死，去肉，将贝壳晒干，生用或煅用。

十八、荔枝螺

荔枝螺包括蛎敌荔枝螺 *Purpura gradata* Jonas 和疣荔枝螺 *Purpura clavigera* Kuster，别名三角荔枝螺、辣螺。主要分布于我国渤海、黄海、东海和南海海域。螺壳入药。

【形态特征】 蛎敌荔枝螺（图 1-40，彩图 6），贝壳较小，呈菱形，一般壳高为 30 毫米。壳质坚厚，螺层约 6 层，缝合线不明显。螺旋部短，呈低圆锥状，占壳高的 1/3 左右。壳顶尖而光滑。体螺层上部膨大，基部缩小。壳面各螺层的肩部具结节突起。生长线明显。胚螺层光滑无肋，其他各层具螺旋肋，肋间还有细肋，肋在体螺层尤其明显。每螺层中部和体螺层上部的壳面下凹，成为一弧形面，而区别于他种荔枝螺。壳表面青灰色或带白色，具有灰褐色或棕色的不规则纵纹。壳口呈长卵圆形，内部黄色，具有棕色花纹和肋。外唇薄；内唇后部薄，前部加厚，有时遮盖假脐。厣角质，棕色。

疣荔枝螺（图 1-41），壳为小纺锤形。壳质极坚厚。螺层约 6 层，自上而下迅速增宽。缝合线极浅，不易辨认。螺旋部呈低圆锥形，其高度仅约为全壳高度的 1/3。壳顶尖细，常呈破蚀状态。体螺层显著膨胀。壳表面具有环形疣肋，壳的各螺层肩部和下部各有 1 条较明显的疣肋。肩部 1 条较粗大，由连续的粒状突起构成，下部 1 条恰在缝合线上，较细弱，有时不明显。体螺层有 5 条环形疣肋，上面 2 条粗大，下面 3 条较细弱。在这些大的疣肋之间还夹杂着 4～5 条细弱的小肋。生长线不甚清晰。壳面为灰绿色或黄褐色，常杂以白色的纵行条纹；壳内面黄白色或粉黄色，外唇内侧为黑紫色。壳口卵圆形，后沟呈缺刻状，前沟则短而开张。外唇边缘薄，向内增厚，其内侧具有细锯齿，更向内侧变成与壳面相当的 5 条疣肋；内唇具有发达的胼胝，黄白色或粉黄色，光亮如瓷，在壳轴处微呈凹陷状。厣角质，棕褐色，卵圆形，很薄，核位于靠外唇的边缘，不显著，假体孔不明显。壳高一般为 25 毫米，宽为 16 毫米，大者壳高可达 30 毫米，壳宽为 19 毫米。

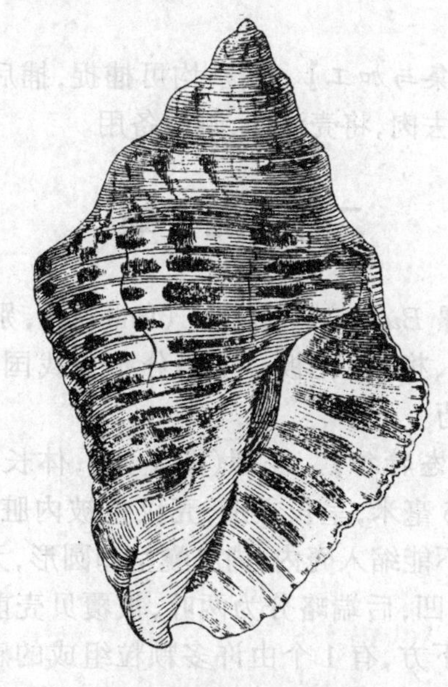

图 1-40　蛎敌荔枝螺

图 1-41　疣荔枝螺

【生活习性】 生活在潮间带或低潮线下 1.5 米左右有岩石的海底，也在河口附近平均盐度不低于 5‰、有附着物的泥沙质海底。雌、雄异体，4～10 月份为产卵季节，5～6 月份为产卵盛期。卵子被包在黄色筒状革质鞘中。各卵鞘所含卵子的数目不等，少者仅 40 枚，最多可达 250 枚。每一雌体可产卵鞘 49～69 个。每一母体平均繁殖子代 7 300 多个。产卵次数不止一次，多爬到中潮区有岩石或其他物体能使卵群粘着的地方产卵。为肉食性动物，行动缓慢，喜食藤壶（*Balanus*）、牡蛎（*Ostrea*）等，也常常附着在牡蛎的空壳内。尤喜食牡蛎的幼贝，故为贝类养殖业的一大敌害。

【采集与加工】 春、秋季潮水退后，在沙滩上捕捉，捕后置沸水中烫死，去肉取壳，晾干备用。

十九、栉棘骨螺

栉棘骨螺 *Murex triremis*（Perry），别名骨螺、蝲螺、三列刺骨螺。主要分布于我国东海和南海。贝壳入药。

【形态特征】 栉棘骨螺(图 1-42)，贝壳略呈球形，壳高 100 毫米左右，最大可达 140 毫米。壳质结实，不厚。螺层 9 层。壳面较膨凸，缝合线明显，凹陷呈沟状。螺旋部短小，呈低圆锥形，约为壳高的 1/7。壳顶尖锐而结实，体螺层膨胀。壳面螺旋肋与纵肋交织成方格状，纵脉 3 条，各具 1 列长棘，肩角棘发达，棘间尚有小棘，体螺层肩角棘的高度超越前一螺层之上。壳表面灰白色或浅灰褐色，壳口内具褐色带。壳口不大，呈卵圆形，唇高出。外唇边缘呈齿列状，共有 7 条长棘而区别于其他种类，前沟甚长，向前方直伸，上具 3 列栉状齿列，彼此呈 120°角，棘间又生有 3 列较小的棘列。棘较细长，腹面具沟缝，末端微向腹面弯曲。

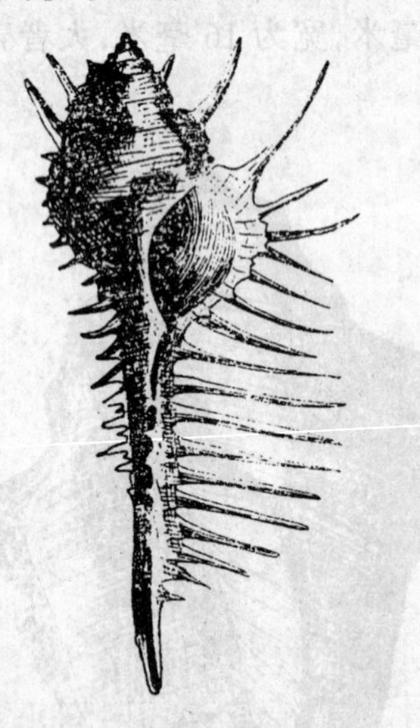

图 1-42 栉棘骨螺

【生活习性】 栖息于浅海泥沙质的海底，营浅海底栖生活，喜泥沙质底。沿岸采到者均为空壳。

【采集与加工】 四季均可捕捉，捕后用开水烫死，去肉，将壳洗净，晒干备用。

二十、泥 螺

泥螺 *Bullacta exarata*（Philippi），别名吐铁、麦螺、梅螺、泥板。主要分布于我国沿海。鲜肉入药。

【形态特征】 泥螺(图 1-43)，体长 40 毫米，宽 15 毫米，呈长方形，壳仅包被内脏囊，其余部分不能缩入壳内，内脏囊呈卵圆形，无螺旋部和脐。身体的前端有头盘，大而肥厚，呈履状，前端微凹，后端略分为两叶，被覆贝壳前端的一部分。眼退化埋藏于头盘的皮肤中。在头盘两侧的下方，有 1 个由许多颗粒组成的感觉器官，呈梭形，生活时呈鲜黄色。外套膜不发达，被贝壳包被，其后变成肥厚的叶片，游离，只一部分向体背翻转，遮盖贝壳两侧的一部分。鳃呈三角形，由 17～20 个小鳃片组成，位于外套膜右侧的长形腔中。开口广阔，其长度几与壳长相等，上部较下部狭窄，前端宽大，后端缩小，外缘简单锋利，唇向上部扩张，超过壳顶。无厣，螺轴平滑。

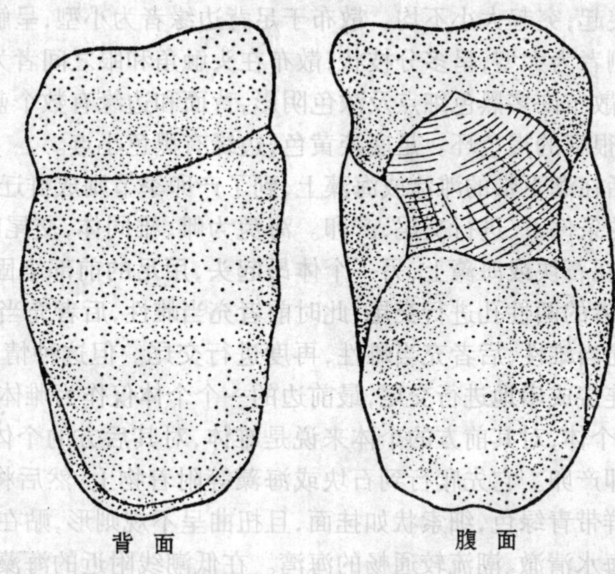

图 1-43　泥　螺

【生活习性】 生活在海湾潮间带底质含泥沙较多、硅藻丰富的泥沙上营底栖生活。

【采集与加工】 随时采收。除去贝壳，取肉洗净，鲜用。

二十一、蓝斑背肛海兔

蓝斑背肛海兔 *Notarchus leachii cirrosus* Stimpson，别名海兔、海珠。主要分布于我国东海和南海。卵群(俗称海粉)入药。

【形态特征】 蓝斑背肛海兔(图 1-44)，个体中等大，略呈纺锤形。贝壳完全消失，全身柔软。头颈部显著，前端腹面有一垂直的口，口缘多皱褶，两侧有 1 对叶片状的唇瓣，后面有一浅沟与足分界。有 2 对触角，前 1 对较大，称头触角，位于头部的前侧角；后 1 对较小，称嗅角。头触角的外侧有一纵行的深沟，呈耳状，表面生有树枝状分枝的绒毛突起；呈短棍形的嗅角位于头触角后的颈部上，表面也有绒毛突起，外侧沟仅限于上端。眼位于嗅角基部的前方两侧，小而黑，无眼柄。胴部极膨大。侧足发达，两侧足的前端分离，后端愈合，于体之中部组成 1 个背裂孔，构成 1 个特殊的腔。本鳃大，呈扇形，位于心脏的右后方。有紫汁腺，鳃下腺有许多开口。肛门呈管状突起，位于鳃的正后方。两

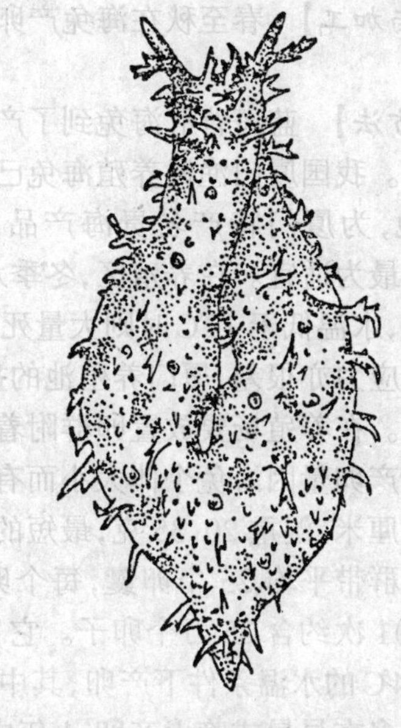

图 1-44　蓝斑背肛海兔

性生殖孔位于两侧足前端的中间。阴茎孔位于右触角基部,阴茎孔与两性生殖孔之间有卵精沟相沟通。足宽大,平滑,前端呈截形,两侧扩张并形成尖突,末端呈短尾状。

体背面多羊毛状突起,突起大小不均。散布于足背边缘者为小型,呈触手状,排列较密集;散布在头部和腹部背侧者为大型,呈多分枝状;散布在头触角和眼之间者为特大型。体表面为黄灰至青绿色,背侧面散布许多黑色细点及浓色阴影,背面和边缘有数个蓝色或青绿色的大型眼状斑,眼状斑外围有很窄的褐色环。足底淡黄色,边缘有黑色小点。

【生活习性】 生活在潮下带的滩涂或海藻上,到了产卵季节则成群迁居于潮间带,在水温14℃～23℃风浪平静的条件下,进行交尾,产卵。海兔为雌、雄同体,交尾时,两个个体并排靠拢,一个个体用足附着在石块或海藻上,另一个体昂起头,用足的前部牢固地附着在前者的背中央,突出阴茎插入前者的两性孔进行交尾,此时前者充当雌性,后者充当雄性;经过一段间隔之后,彼此调换,前者充当雄性,后者充当雌性,再度进行交尾。但这种情形并不多,常见的是三五个到十数个个体连接成串地进行交尾,最前边的一个个体仅作为雌体,最后的一个个体仅作为雄体,中间的一些个体,对其前方的个体来说是雄体,对其后方的个体来说是雌体。交尾后的海兔经1天左右即产卵。它先爬行到石块或海藻等附着物上,然后将卵群带从两性孔经卵精沟徐徐排出。卵群带青绿色,细索状如挂面,且扭曲呈不规则形,贴在附着物上。

海兔喜欢生活在海水清澈、潮流较通畅的海湾。在低潮线附近的海藻间最多。杂食性,常吞食泥沙,刮食大量底栖硅藻和有机腐殖质,也以各种海藻、原生动物、底栖桡足类和小型软体动物等为食,但主要的食料还是底栖硅藻。

海兔没有贝壳来保护软体,也没有强有力的武器来抵御强敌,但它们有很好的保护色,可以逃避敌害。它们的体色和花纹与栖息环境中的海藻极相似,这样就可以很好地隐蔽起来。此外,本种海兔还有一种积极的御敌本领,在其外套膜边缘的下面有一种叫紫汁腺的腺体,当它受刺激时,会射出紫色的液体,借动荡的海水,使紫色汁液迅速扩散,将周围海水变成紫色,作为烟幕,借以避开敌害的视线。

【采集与加工】 春至秋在海兔产卵季节向海中插竹竿、放石块,收集卵群。采集后,洗净,晒干备用。

【养殖方法】 蓝斑背肛海兔到了产卵季节成群爬行于潮间带,因此,可以在潮间带筑堤进行人工养殖。我国厦门渔民养殖海兔已有百年历史,近年进行了大量养殖,销售天津、上海及东南亚诸地,为厦门特产名贵海产品之一。本种海兔生活的水温范围为12℃～26℃,以16℃～21℃最为适宜。在养殖区,冬季水温下降到12℃时,即移居较深水层,把头插入泥中,呈静止状态,水温低于12℃时则大量死亡。夏季水温升高到26℃以上亦大量死亡。这种海兔对盐度的适应力亦很差,厦门养殖池的盐度为24‰～26‰,生长很好;在雨季淡水大量注入时常引起死亡。在养殖场要放置卵群附着器,如插竹竿、放置石块等,以便于收集卵群带。卵分几次产出。产卵量因海兔个体大小而有别,而且同一个体的每次产卵量亦有不同,最长的卵群带长达926厘米,湿重20.35克,最短的120厘米,湿重2克。卵囊在胶质带里呈螺旋形排列。以每厘米卵群带平均25个卵囊,每个卵囊平均以20个卵子计算,则一般产卵(以卵群带为500厘米计)1次约含35万个卵子。它日夜都能产卵,但因季节而不同。在厦门养殖的情况是在13℃～24℃的水温条件下产卵,其中以16℃～21℃为最适宜。因此,冬天多在午后产卵,秋初和春末多在早晨或晚上产卵,1年中2～3月份为产卵旺季,9～10月份次之。

二十二、蛞 蝓

蛞蝓包括光滑缨蛞蝓 *Deroceras leave*（Muller,1774），别名鼻涕虫、蜒蚰；双线粘液蛞蝓 *Philomycus bilineatus*（Benson）；黄蛞蝓 *Limax fralus* Linnaeus。主要分布于黑龙江、吉林、辽宁、内蒙古、宁夏、陕西、山西、北京、河北、山东、安徽、江苏、浙江、湖北、湖南、江西、福建、广东、广西、四川、云南和新疆等地。全体入药。

【形态特征】 光滑缨蛞蝓（图 1-45），无外壳，体柔软光滑，呈不规则的圆柱形，尾部狭长，具有钝的尾嵴。活动时体长 30～60 毫米，内壳壳长 4 毫米，宽 2 毫米。身体呈灰色、黄褐色或红褐色，有的个体有不明显的暗带纹或斑点。

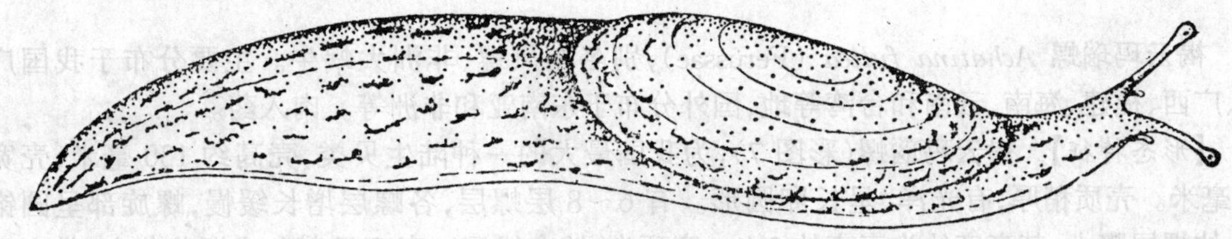

图 1-45 光滑缨蛞蝓

双线粘液蛞蝓（图 1-46），无外壳，体柔软，呈不规则的圆柱状。外套膜覆盖全身，仅露出足的尖端。体背部灰色、黄色或褐色，并具有黑色斑点，背中及身体两侧各有 1 条纵长的黑色色带。呼吸孔位于身体前端右侧，距头部约 5 毫米处，右侧的 1 条色带从下方绕过呼吸孔。身体前端较宽，后端狭长，尾部有一嵴状突起。跖为肉白色，粘液白色。受精囊为圆球形。泄殖腔较大，阴茎牵引肌较长。伸展时体长 35～37 毫米，宽 6～7 毫米。

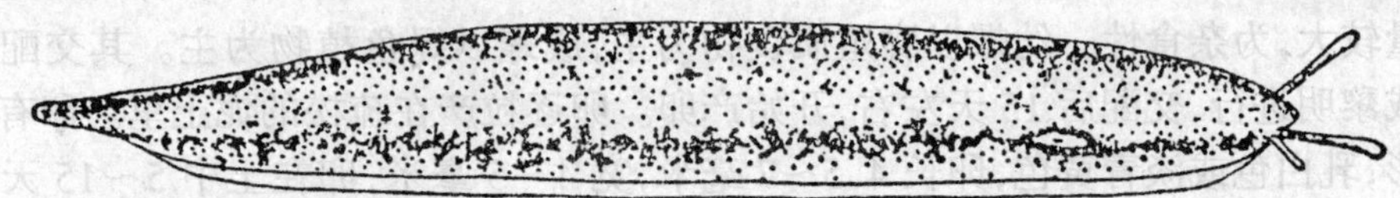

图 1-46 双线粘液蛞蝓

黄蛞蝓（图 1-47），无外壳，体柔软，呈不规则的圆柱形，体前端宽大，后端狭小，尾部具有短的尾嵴。在活动时，最大者体长可达 120 毫米，体宽 12 毫米。头部具有 2 对淡蓝色触角，大触角顶端具眼点。在身体背部前端的 1/3 处，有一椭圆形的外套膜，其前半部呈游离状态。背面具有同心圆皱褶，皱褶的中心稍移向后方右侧，在活动时，皱褶极明显。体呈黄褐色或深橙色，具有散在的淡黄色斑点，近足部两侧色较浅，足部呈淡黄色。呼吸孔位于外套膜右侧后方边缘处。生殖孔在右前触角基部稍后处。

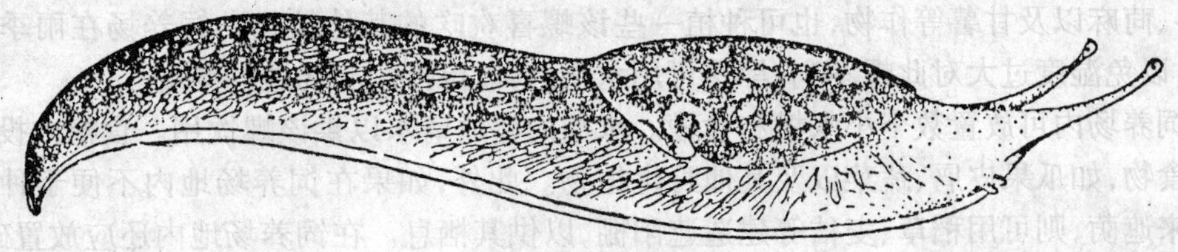

图 1-47 黄蛞蝓

【生活习性】 生活在阴暗潮湿、腐殖质多的地方，畏光怕热，白天躲藏在阴暗的墙缝、土缝、土块或石块下及住宅内的下水道或自来水管附近潮湿的地方，夜晚及雨天外出活动，高温、高湿的夏季夜晚活动最盛。北京地区黄蛞蝓6月份开始产卵，卵为白色半透明胶质颗粒，呈椭圆形，每次可产卵1～40粒，产卵粒多时，卵呈链球状排列，卵产于石块下或泥土内。蛞蝓食性很杂，喜食蔬菜、瓜果、植物叶及幼苗等。住宅区的蛞蝓喜食人们食物的残渣，为农业害虫。

【采集与加工】 可四季捕捉：春至秋于雨后在住宅附近潮湿的墙边沟缘捕捉，冬季到室内潮湿的墙边、地板下或温室木板、花盆下收集。鲜用或焙干研粉用。

【养殖方法】 蛞蝓的养殖方法与褐云玛瑙螺相同。

二十三、褐云玛瑙螺

褐云玛瑙螺 *Achatina fulica* (Ferussae)，别名东风螺、非洲大蜗牛。主要分布于我国广东、广西、福建、海南、云南和台湾等地，国外分布于东南亚和非洲等。肉入药。

【形态特征】 褐云玛瑙螺(彩图7)，为我国最大的一种陆生贝类，壳高约130毫米，壳宽54毫米。壳质稍厚，有光泽，呈长卵圆形。有6～8层螺层，各螺层增长缓慢，螺旋部呈圆锥形，体螺层膨大，其高度约为壳高的3/4。壳顶尖，缝合线深。壳面呈黄色或深黄色底，带有焦褐色雾状花纹，胚壳一般为玉白色。其他各螺层有断续的棕色条纹，生长线粗而明显。壳内为淡紫色或蓝白色。壳口呈卵圆形，外唇薄，易碎。内唇贴覆于体螺层上，形成“S”形的蓝白色的胼胝部。轴缘内折。无脐孔。

【生活习性】 喜欢在夜间活动和摄食，白昼躲藏。通常生活在阴凉、潮湿的地方，如芭蕉树根下缝隙、芭蕉树叶或草丛里、瓦砾下、潮湿的墙壁、阴沟、草丛、泥洞以及垃圾堆等处都可以找到它的踪迹。尤其雨后晴天，不论昼夜，褐云玛瑙螺从各隐蔽的场所爬出，到处觅食。摄食凶猛，食量较大，为杂食性。幼螺以腐殖质食物为主，成螺以绿色植物为主。其交配经常在黄昏、夜间或黎明进行，交配后15天左右，开始产卵。卵逐粒产在疏松的泥土里。卵有石灰质外壳，椭圆形，乳白色或淡青黄色，卵长4.5～7毫米，宽4～5毫米，卵在土中5～15天即孵化成完整的幼螺。刚破壳的幼螺一般有2.5层螺层，经5个月后即达到性成熟。

【采集与加工】 春至秋捕捉，捕后洗净，置沸水中略烫，取出螺肉，晒干。

【养殖方法】 养殖方式，概括起来可分为室外开放式饲养和室内封闭式饲养(包括箱养、地下室、人防工事、温室等)。

开放式饲养法(室外圈养法)：选择背风，阴暗潮湿，长有杂草的山脚、坡地或荒地设置养殖场。养殖场地的土壤应疏松，并覆盖有丰富腐殖土或沙土，便于褐云玛瑙螺栖息和产卵。土壤含水量为30%～40%。养殖场地应防止阳光直射和暴晒，在养殖场地四周可种一些向日葵、蓖麻等高秆作物，遮蔽阳光；在饲养场地内还可以种植一些蒲公英、水仙、牛蒡草、胡萝卜、莴笋、款冬、苘麻以及甘薯等作物，也可种植一些该螺喜欢吃的其他植物。饲养场在雨季应能排除积水，以免湿度过大对此螺不利；旱季可用水喷洒，以保持饲养场地的湿度。

在饲养场内可放置数个小水槽和食槽。水槽内盛放清水以供该螺饮用。食槽内投放其喜欢吃的食物，如瓜果皮屑、蔬菜以及其他野生植物。此外，如果在饲养场地内不便于种植作物和植物来遮荫，则可用稻草、麦秸等建造遮阳棚，以供其栖息。在饲养场地内还应放置砖块、瓦砾、树叶等物，以便该螺产卵。

开放式人工养殖食用褐云玛瑙螺，虽然管理较为简便，但应重视其外逃问题。因为该螺会对农作物造成危害。目前国内外养殖褐云玛瑙螺防逃的方法有以下几种：即防逃围栏、防逃尼龙网、防逃电网围栏等。在野外开放式养殖中应特别注意气候变化和天敌侵害，要采取必要的保护措施。为防鸟类啄食卵和幼螺，可在养殖场地上空罩上防鸟类侵袭的纱网。为防止蚂蚁侵害，可在饲养场地的周围构筑环形小沟，沟内蓄水，既可防止蚂蚁侵入，又可供螺饮用，还能保持场内湿润。鼠类也是该螺的敌害。因此，除安设金属网罩外，也可在饲养场附近养猫或设置捕鼠笼器，或用毒饵诱杀，但应防止误杀褐云玛瑙螺或牲畜、家禽等。

室内封闭式饲养法：其养殖设施、条件多种多样，养殖者可以根据条件，因地制宜，因陋就简，灵活选用。如箱式饲养，可利用空房间或阳台、走廊、过道、地下室、菜窖或建造半地下式养殖棚等作为养殖场所。设置饲养箱，将该螺饲养在箱内。用饲养箱是最常见的养殖方法之一。也可利用房脚和屋侧建方格养殖池，占地不多，地面利用率高，建池材料易得，便于管理，饲养效果较好。也可设多层饲养台。此法是一种立体式饲养，能充分利用室内空间，扩大养殖面积，便于观察、管理，而且饲养室内的温度、湿度较易控制。目前法国一些养殖场也采用此法。

二十四、皱巴坚螺

皱巴坚螺 *Camaena cicatricosa*（Muller），别名天螺、圆螺。主要分布于我国广东、广西、湖南、江苏等地。干燥贝壳入药。

【形态特征】 皱巴坚螺（图1-48），贝壳大型，左旋，壳质厚，呈扁圆球形。壳高35毫米，宽49毫米，有5.5层螺层，前几个螺层增长稍快，略突出。螺旋部呈拱状，体螺层上部平坦，下部膨胀，靠近壳口的体螺层周缘上有钝的龙骨突起。壳面呈黄褐色，有多条栗色色带，在体螺层周缘下方的1条色带较宽，并有较粗的生长线。壳顶钝，缝合线浅。壳口呈半月形，口缘锋利，向外折，呈白瓷色，轴缘外折，将脐孔遮盖一半，内唇贴覆于体螺层上形成透明而光滑的胼胝部。脐孔宽大，呈圆形。

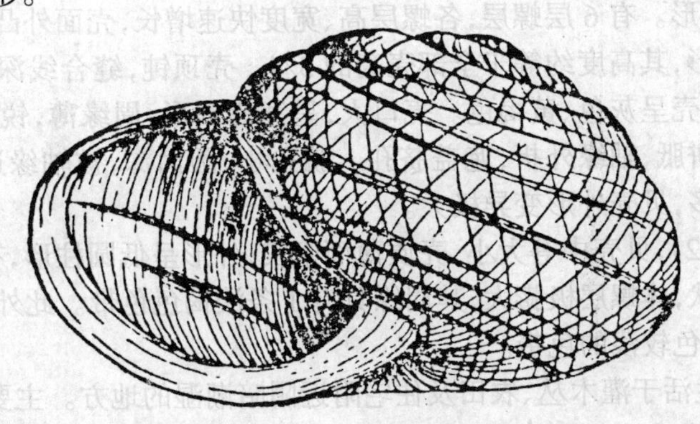

图1-48 皱巴坚螺

【生活习性】 生活在树林中、石块下、芭蕉丛中、石灰岩岩洞里、草丛中。卵圆形，白色，产于石块下或石缝中。

【采集与加工】 春、秋采捕。置沸水中略煮，将肉取出，把贝壳晒干。用时煅酥研粉。

二十五、蜗　牛

蜗牛包括同型巴蜗牛 *Bradybaena similaris*（Ferussae）；江西巴蜗牛 *Bradybaena kingsiensis*（Martens）；灰巴蜗牛 *Bradybaena ravida*（Benson）和条华蜗牛 *Cathaica fasciola*（Draparnaud），别名水牛、蜒蚰螺、天螺。主要分布于我国黑龙江、吉林、辽宁、内蒙古、新疆、青海、甘肃、陕西、山西、北京、河北、河南、山东、江苏、江西、浙江、湖北、湖南、广东、广西及四川等地。蜗牛壳和全体入药。壳亦称土牛。

【形态特征】 同型巴蜗牛（图1-49），贝壳中等大小，壳质稍厚而坚固，外形呈扁球形。有5～6层螺层，体螺层膨大，其高度约为壳高的3/4。壳面光滑，呈黄褐色、红褐色或淡灰色。在体螺层周缘和缝合线上，常具有2条褐色色带。

江西巴蜗牛（图1-50），为我国特有种。贝壳较大，壳质厚，坚固，呈圆球锥形。壳高28毫米，宽30毫米。有6～6.5层螺层，前几螺层缓慢增长，略膨胀。体螺层特别膨大。壳面呈琥珀色或黄褐色，有光泽，有稠密细微的生长线和皱褶。在体螺层中部有1条红褐色色带环绕。壳口呈椭圆形，口缘完整而锋利，略外折，轴缘在脐孔处外折，略遮盖脐孔。脐孔呈洞穴状。壳顶尖。缝合线深。

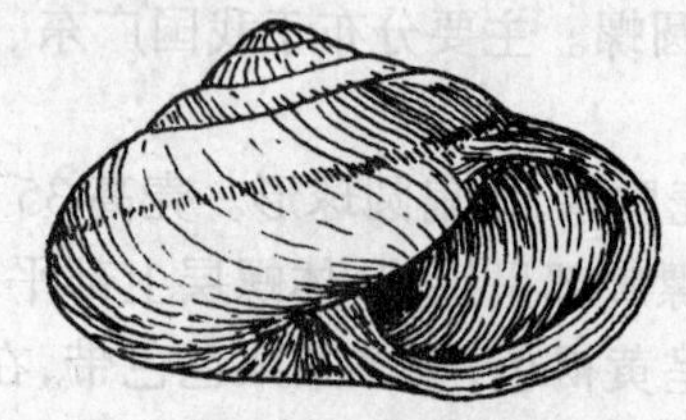

图1-49　同型巴蜗牛

图1-50　江西巴蜗牛

灰巴蜗牛（图1-51），贝壳中等大小，壳质薄，不坚固，外形呈球形。有6层螺层，各螺层高、宽度快速增长，壳面外凸。螺旋部低矮，体螺层极膨大，周缘呈圆形，其高度约等于全部壳高的3/4。壳顶钝，缝合线深。壳面光滑，具有明显的细密生长线。贝壳呈灰色、黄褐色。壳口大，呈宽椭圆形，周缘薄，锐利易碎，内唇上方贴覆于体螺层上，形成胼胝，轴缘外折，遮盖脐孔。脐孔小，圆而深，被轴缘遮盖约2/3。灰巴蜗牛分布广泛，个体极多，贝壳外形变异极大。

条华蜗牛（图1-52），贝壳中等大小，壳质薄而坚实，外形呈低圆柱形，有5～5.5层螺层，螺旋部低矮，略呈圆盘状，体螺层极膨大，其周缘具有1条淡褐色色带。此外，在各螺层下部靠近缝合线处也有1条颜色较浅的色带。

【生活习性】 生活于灌木丛、农田及住宅附近阴暗潮湿的地方。主要取食植物的根、茎、花、叶及果实等，是农业害虫之一，对棉花危害甚严重，还是家畜、家禽某些寄生虫的中间宿主。

【采集与加工】 夏、秋季捕捉，鲜用或晒干，或拾取干壳，洗净，晾干。用时煅酥研粉。

图 1-51 灰巴蜗牛

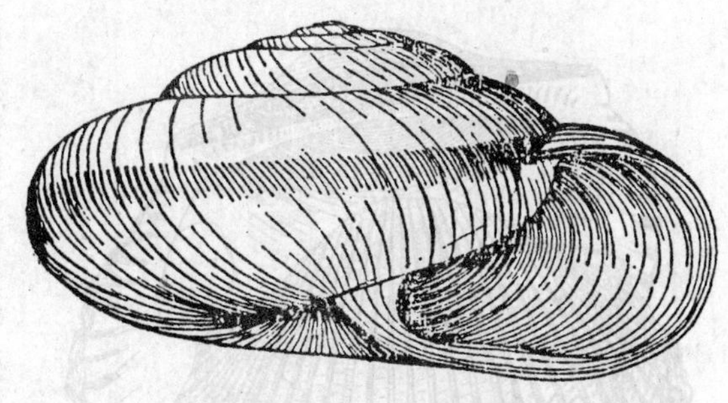

图 1-52 条华蜗牛

二十六、蚶

蚶包括泥蚶 *Arca*（*Anadara*）*granosa* Linnaeus；魁蚶 *Arca inflata* Reeve 和毛蚶 *Arca subcrenata* Lischke，别名毛蛤蜊、瓦垄子、垄蛤、瓦楞子、蚶子。主要分布于我国渤海、黄海、东海及南海等沿海岸地带。蚶的肉和贝壳入药。

【形态特征】 泥蚶（图 1-53，彩图 8），贝壳极坚厚。两壳抱合略近球形。背部两端略呈钝角，腹缘圆。壳顶凸出，尖端向内卷曲，位置偏于前方。表面放射肋发达，有 18～21 条，肋上具有极明显的颗粒状结节。壳表面白色，被褐色薄皮，生长轮脉在腹缘明显，略呈鳞片状。韧带面呈箭头状，角质，黑色，布满菱形沟。壳内面灰白色，边缘具有与壳面放射肋相应的深沟。前闭壳肌痕呈三角形，后闭壳肌痕四方形。

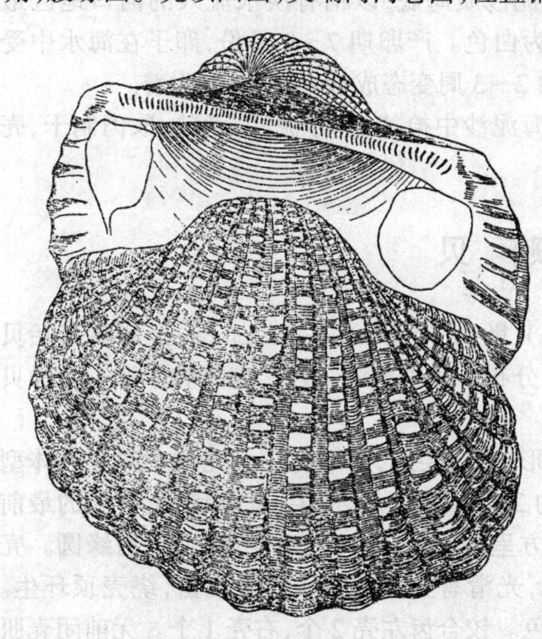

图 1-53 泥 蚶

魁蚶（图 1-54），贝壳大，呈斜卵圆形，极膨胀，左右两壳稍不相等。壳顶膨胀。背部两侧略呈钝角，腹缘圆，前端短，后端延长。放射肋宽，有 42～48 条，平滑无明显的结节，同心生长轮脉在腹缘略呈鳞片状。壳面白色，被棕色表皮。

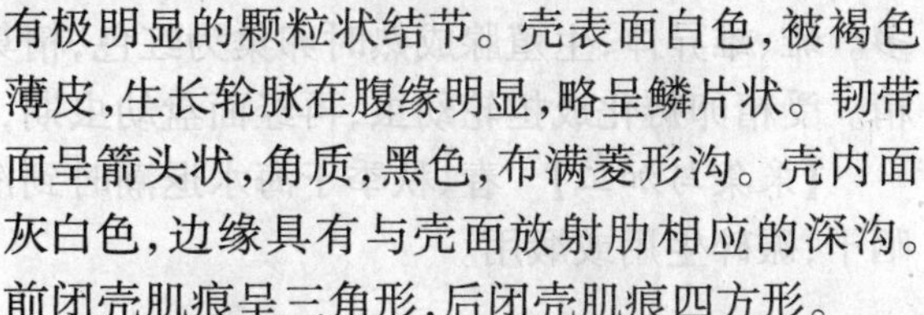

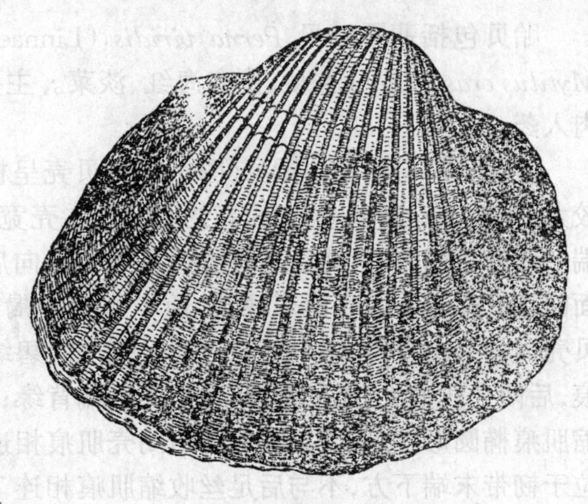

图 1-54 魁 蚶

毛蚶（图 1-55），贝壳中等大，壳质坚厚，膨胀，呈长卵形，两壳不等，右壳比左壳稍小。背侧两端略有棱角。腹缘前端圆，后端稍延长，壳顶突出，向内卷曲，位置偏前方。两壳顶间的距

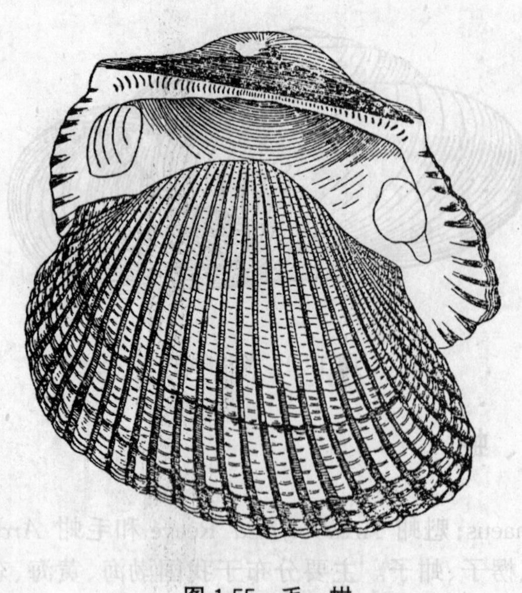

图 1-55　毛　蚶

离中等。韧带呈披针形，黑褐色。壳表面的放射肋发达，有 30 余条，顶端肋细，到腹面渐粗大，右壳各肋除前端数条有结节突起外均较平滑，左壳各肋除后部的以外均有整齐的、方形结节突起连接而成。肋间沟约与肋的宽度相等。壳外被有棕褐色毛茸状外皮，外皮易磨损脱落，壳面常为白色。壳内面白色或灰黄色，边缘具有与壳面放射肋相应的齿和沟。铰合部直，中央部分的铰合齿较小、较密，两侧者较大、较稀疏。

【生活习性】　泥蚶、魁蚶生活于沿海潮下带数米至十数米的软泥沙质的海底或浅海软泥滩中，或有淡水流入处。产卵期 8～10 月份。生殖腺成熟时雌性为淡红色，雄性为淡黄色；卵子在海水中受精孵化。幼蚶生活于风浪小的细沙质潮间带，2 年成熟。

毛蚶生活于潮间带以下至 20 余米深的泥或泥沙质海底，以稍有淡水流入的河口地区最多。雌、雄异体，生殖腺成熟时卵巢为红色，精巢为白色。产卵期 7～9 月份，卵子在海水中受精。受精卵孵化成担轮幼虫，再经面盘幼虫期，约 2～3 周变态成幼蚶，在海底附着。

【采集与加工】　春、秋季于海水退潮时到浅海泥沙中拾捕，洗净泥沙，煮熟，取肉制干，壳晒干，碾碎生用或煅用。

二十七、贻　贝

贻贝包括翡翠贻贝 *Perna viridis* (Linnaeus)、贻贝 *Mytilus edulis* Linnaeus 和厚壳贻贝 *Mytilus crassitesta* Liscke，别名海红、淡菜。主要分布于我国渤海、黄海、南海和东海。干燥贝肉入药。

【形态特征】　翡翠贻贝(图 1-56)，贝壳呈楔形，前端尖细，后端宽广。壳质中等厚。体型较大，壳长 136 毫米左右，壳高约 58 毫米，壳宽约 28.5 毫米。壳顶尖，呈喙状，位于壳的最前端。腹缘直或略弯，背缘与腹缘约呈 30°角，向后方呈抛射状延伸，壳后半部较直，后缘圆。壳面前端有隆起肋。壳面翠绿色，前半部呈绿褐色，光滑有光泽。生长纹极细密，绕壳顶环生。贝壳内面呈白瓷色，略具珍珠光泽。壳内为碧绿色。铰合齿左壳 2 个，右壳 1 个。无前闭壳肌痕，后闭壳肌痕大，略呈圆形，位于壳后端背缘；前足丝收缩肌痕小，位于壳前端背缘；后足丝收缩肌痕椭圆形，位于壳后端而与后闭壳肌痕相连；缩足肌痕及中足丝收缩肌痕联合呈椭圆形，位于韧带末端下方，不与后足丝收缩肌痕相连。外套痕明显。外套缘较薄，具有触手状突起。足纤细呈棒状。足丝淡黄色，较细软。

贻贝(图 1-57，彩图 9)，贝壳较大，呈楔形，质较薄。前端尖细，后端宽广，壳顶在壳的最前端，前方有淡褐色的菱形小月面。贝壳腹缘直，足丝伸出处略凹入，背缘与腹缘形成 30°角，自壳顶向后延伸，约伸至背缘中部时形成一个钝角，然后向腹缘延伸，使整个背缘成为一个弧形。

贝壳的后缘宽而圆，壳长，呈黑褐色，具光泽。壳顶及腹缘常呈淡褐色，生长纹细而明显。贝壳内面灰白色或淡蓝色，具珍珠光泽。壳内面边缘均有壳表包入的暗绿色角质外皮的窄缘。外套痕及闭壳肌痕明显，前闭壳肌痕小，半月形，位于壳顶下方；后闭壳肌痕大，椭圆形，位于贝壳的后背部。缩足肌和足丝收缩的痕迹互相融合成一狭长的带，与后闭壳肌痕相连，形成"6"字形。壳顶部有不发达的铰合齿2～12个。韧带深褐色，位于背角的前方。

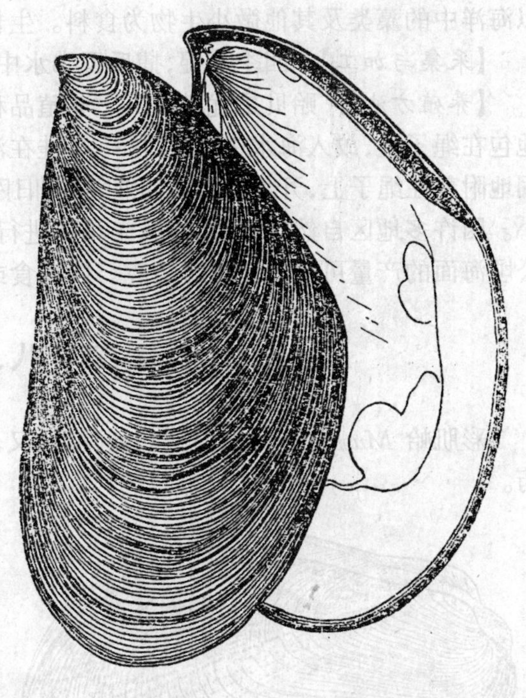

图 1-56　翡翠贻贝

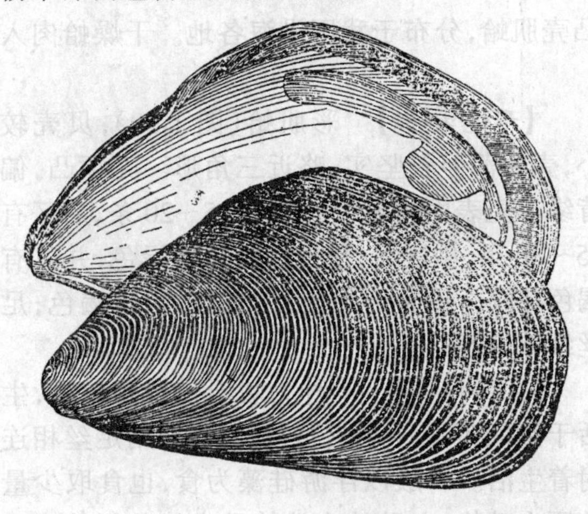

图 1-57　贻　贝

厚壳贻贝（图 1-58），贝壳呈楔性，比贻贝的大、厚。壳顶尖细，位于壳的最前端。背缘与腹缘形成30°角。壳面由壳顶沿腹缘形成1条隆起线，将壳面分为上下两部分，两壳闭合时在腹面形成一菱形平面。生长纹明显，不规则，足丝孔狭窄。壳面呈棕褐色，顶部常被磨损而显露白色。贝壳内面呈灰蓝色，具珍珠光泽。由背部韧带末端向下，绕壳后缘至腹缘末端有一宽灰黑色边缘。壳顶有2个不发达的主齿。外套缘有分枝状触手。足微扁，呈棒状。足丝淡褐色。

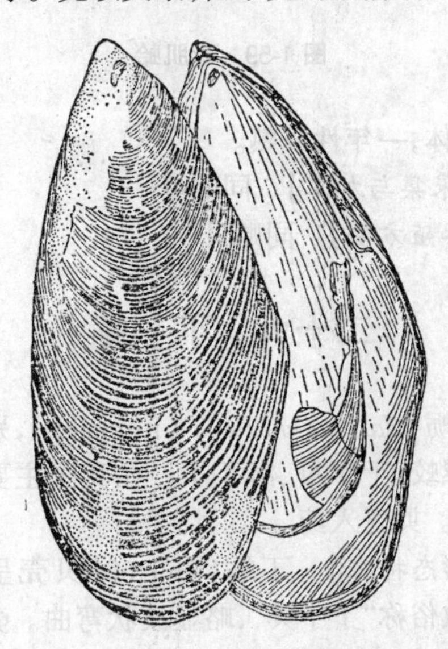

图 1-58　厚壳贻贝

【生活习性】　翡翠贻贝和厚壳贻贝以足丝附着在水流通畅处的岩石上，自干潮线至水深5～6米处分布较密，最深可至17米左右。雌、雄异体，产卵早的在6月中旬，晚的在10～12月间。贻贝栖息于近岸、内湾浅海的岩礁底，能大量附着在海港堤坝、护木及船底、浮筒等上。生殖腺成熟时，雄性为乳黄色，雌性为橘红色。产卵期分春秋两季。卵子在海水中受精，受精卵孵化为担轮幼虫，再经面盘幼虫期，约3周变态为幼贝，开始分泌足丝附着在物体上生活。

以海洋中的藻类及其他微小生物为食料。生长很快，1 年即达性成熟。

【采集与加工】 四季捕捉，捕后置沸水中烫死，去壳，取肉晒干。干燥药材贝肉呈椭圆状。

【养殖方法】 贻贝是优良的贝类养殖品种。秋季采集自天然海区的种苗，用旧网片均匀地包在绳子上，放入海水中，绳子的一端挂在浮筏上。经过几天时间，小贻贝便会分泌足丝，牢固地附着在绳子上，开始生长。此时可把旧网片拆开。经过 1 年，贻贝就可以长到收获的大小。因许多地区自然苗不足，用人工培苗进行养殖也取得了很好的效果。贻贝的产量较高，每公顷海面的产量可超过 7.5 万千克。肉鲜食或加工成淡菜。

二十八、彩 肌 蛤

彩肌蛤 *Musculus senhousei* (Benson)，又名凸壳肌蛤，分布于我国沿海各地。干燥蛤肉入药。

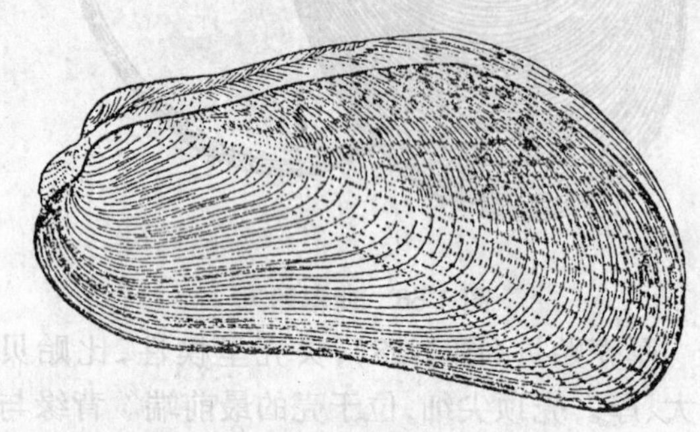

图 1-59 彩肌蛤

【形态特征】 彩肌蛤(图 1-59)，贝壳较小，壳质薄但较坚实，略近三角形。壳顶凸，偏背缘。壳表面放射纹前区有 15～20 条，后区有 25～30 条，中区无；呈青绿色或黄绿色，并具有褐色花纹。铰合部无齿；韧带较短，呈褐色；足丝细软，较发达。

【生活习性】 本种为暖温带广分布种，生活于潮间带泥沙滩或泥滩，成群地用足丝相连附着生活。一般以浮游硅藻为食，也食取少量的原生动物、六肢幼虫残体及有机碎屑等。为雌雄异体，一年性成熟。

【采集与加工】 同贻贝。

【养殖方法】 同贻贝。

二十九、丁 蛎

丁蛎 *Malleus malleus* (Linnaeus)，别名白丁蛎、螺蛟、丁字贝、海丁子。在我国主要分布于南海。贝壳入药。

【形态特征】 丁蛎(图 1-60)贝壳呈“丁”字形，故俗称“丁字贝”，略显波状弯曲。壳质坚厚。壳长 150 毫米左右，高约 52 毫米。两壳相等，右壳平，左壳稍凸。壳顶极小，位于中央，稍向前曲。壳顶前后各有 1 个翼状突起，整个贝壳呈锤形。背腹两侧边缘具有大型波状起伏；后缘圆。两壳外面呈黄白色，同心生长纹粗糙，略呈鳞片状。壳内面内脏所占的位置为棕黑

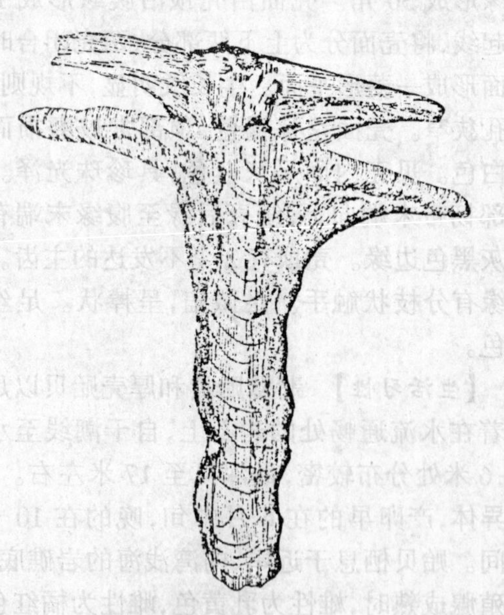

图 1-60 丁 蛎

色，具有珍珠光泽，其余部分颜色与外面相同。铰合线长，无齿；韧带槽大，近三角形，稍斜。韧带宽，紫褐色。闭壳肌痕长卵圆形，棕黑色，位于前部背侧。足丝孔很小，足丝毛发状。

【生活习性】 为热带海洋性种类，分布于印度洋和太平洋的热带海洋中。生活在潮间带下区至浅海泥沙质的海底。体后部露出地面，渔民拖网或干潮时均可采到。

【采集与加工】 四季捕捉，将肉去除，取壳洗净，晒干。

三十、珠母贝

珠母贝包括马氏珠母贝 *Pinctada martensii* (Dunke)；珠母贝 *Pinctada margaritifera* (Linnaeus)和大珠母贝 *Pinctada maxima* (Jameson)，别名珍珠贝、白蝶贝、马氏珍珠贝、合浦珠母贝。主要分布于我国南海。以珠母贝体内的珍珠和贝壳入药。

【形态特征】 马氏珠母贝(图 1-61)，贝壳为斜四方形，稍薄而脆。壳高约 70 毫米左右，壳长与壳高大体相等，壳宽 25 毫米左右。较大的个体壳高可达 100 毫米以上。壳顶位于前方，两侧有耳，前耳小，后耳大。背缘平直，腹缘圆。两壳不等，右壳较平，左壳稍凸，右壳前耳下方有一明显的足丝凹。壳面同心生长纹细密，呈片状，薄而脆，极易脱落。贝壳中部常被磨损。足丝孔大，足丝呈毛发状。壳面淡黄褐色，常有数条黑褐色放射线。壳内面珍珠层发达，具极强的珍珠光泽。边缘淡黄色，无珍珠层。铰合线直，内面有一凸起的主齿，沿铰合线下方有一长齿片。韧带紫褐色。前上掣肌痕明显，位于壳顶下方，闭壳肌痕大，位于壳中央稍近后方，长圆形，前端稍尖。

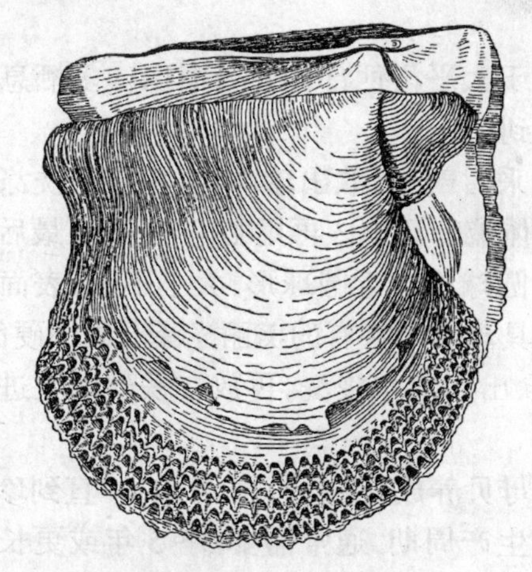

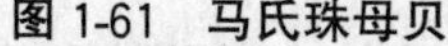

图 1-61 马氏珠母贝

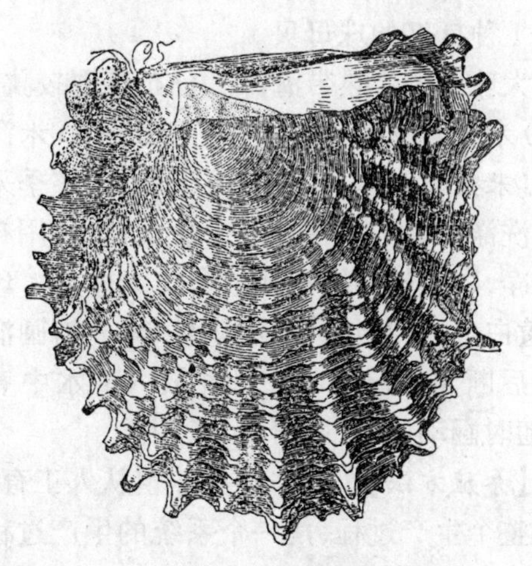

图 1-62 珠母贝

珠母贝(图 1-62)，贝壳呈不规则圆形，略凸。壳质坚厚。壳高约 110 毫米，最大可达 200 毫米左右，壳长与壳高几乎相等。壳顶位于背缘前端并向前弯。右壳顶前方有一凹陷，为足丝的出孔。两壳耳不明显。后耳稍大。壳面的生长鳞片较密，左壳后部为成行排列，常突出壳缘外。壳顶光滑，绿色。壳面呈黑绿色或褐绿色，多数个体具有白色放射纹。壳内面珍珠层厚，呈美丽的银灰色，边缘为黑绿色，且具光彩。铰合部较短，平直，无齿。韧带强大，紫褐色。前上掣肌痕较小，位于壳顶下方。闭壳肌痕宽大，长圆形，顶部不尖。外套缘黑色。肛门膜具黑色素，肥厚宽大，顶端有一小突起。

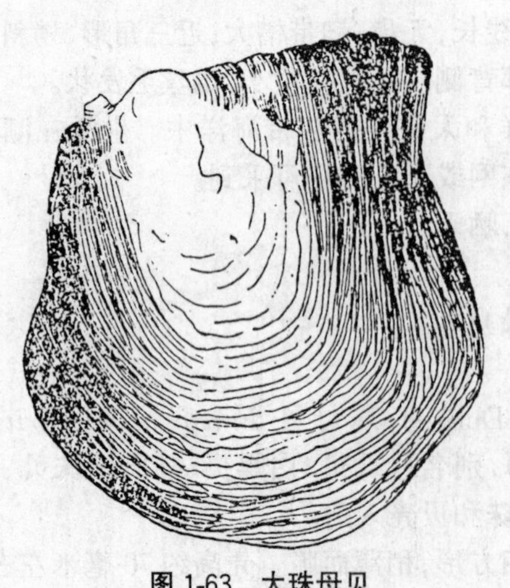

图 1-63　大珠母贝

大珠母贝(图 1-63),壳极大,略呈圆形。壳质坚实厚重。是珍珠贝中最大的一种,成体壳高超过 200 毫米,据报道,最大个体壳高可达 300 毫米,重达 5 000 克,壳长与壳高几乎相等。贝壳比珠母贝稍平。壳顶位于背缘前端,前耳小,后耳缺。壳面暗黄褐色,具有淡褐色放射肋,鳞片排列不规则,老贝体鳞片常脱落,珍珠层明显外露,放射肋不明显。壳内面珍珠层美丽,为银白色、边缘部为黄褐色的角质。在较大的个体中,珍珠层外缘与壳边缘部之间有一黄色色带。铰合部的后端稍突出。韧带宽厚,脱落后遗留一凹痕,有的个体凹痕内有褶。闭壳肌痕宽大,略呈肾脏形,外侧 1/2 处有一粗横褶,内侧 2/3 处加宽,痕面不平滑,有许多明显的横纹。肛门膜舌形,末端极宽圆。

【生活习性】　马氏珠母贝主要生活于亚热带海中,栖息于风浪较平静的内湾。在沙泥、岩礁或石砾较多,潮水通畅、水质较肥的海区生长较好。以足丝固着在岩礁或小石块上,从低潮线附近至水深 10 米左右的海底均有分布,在 5 米深处最多。食物以硅藻为主。适温范围在 15℃ ~30℃之间,产卵期 5~10 月份。生长速度较快,2 年生的壳高即可达 70 毫米左右。

珠母贝为热带、亚热带海产。生活在潮下带,以足丝固着于岩石或珊瑚礁上,可产大型珠,也是 1 种良好的珠母贝。

大珠母贝为热带海产。分布范围较狭窄,仅生长于太平洋西部的热带海区。多栖息于水深 20 米左右的浅海,我国海南沿海 60 米深水处能采到。

【采集与加工】　全年可采收,以冬季采收最多。采后剖开,取出珍珠,放入水中洗涤。然后在洗涤珍珠的水中加入少量食盐,再用布擦去珠面体液和污物。再用肥皂水洗涤,最后用清水洗净,以柔软的绒布或纱布打光即成。珍珠药材呈圆球形或近圆球形,大小不一,表面为白色、黄白色、淡粉红色或淡蓝色等,光滑圆润,半透明,具珍珠所特有的美丽光泽。质坚硬而重,破开后断面呈层纹状。贝壳放入碱水中煮开,然后取出用清水浸洗,再放在铁丝网上进行煅烧,随时翻动,至松脆研粉,备用。

【养殖方法】　珍珠贝类养殖从人工育苗开始,经母贝养成、插核手术、育珠,一直到珍珠采收的整个生产过程,是一个系统的生产过程。每 1 个生产周期,通常需要 3~5 年或更长的时间。

人工育苗:人工育苗是通过人工方法,造成适于珠母贝繁殖的生态环境和生活条件,促使幼体形成高密度的种群优势,保障其顺利发育,并大量长成贝苗。人工育苗的生产过程包括亲贝的选择和蓄养,诱导受精与解剖授精,早期胚胎培育及幼体选育,幼体的饲养,采苗和幼苗培育,幼体、贝苗的病害防治等。

人工育苗的基本工程设施包括:供水系统、育苗系统、饲料生物培养系统及附属设备等。

①供水系统。包括抽水设备、沉淀池、过滤装置、贮水池、调温设备及供水管道等。②育苗系统。包括亲贝蓄养池、采卵孵化设备和幼体培育池等。③饲料生物培养系统。主要用于培养幼体的饲料,也可为蓄养亲贝提供一些鲜活饲料。包括藻种分离、保种设备、扩种设备和饲

料生物培养池。饲料生物培养池即饲料池,多集中建在阳光充足处,应有天棚和调温装置。棚内需要有日光灯或其他光源。池内面铺设瓷砖,上面备有活动的小网目保护罩,用以防止昆虫进入。池深0.6米左右,面积1~2平方米,以利于培养操作。④附属设备。检测幼体和水质的工作室,备有显微镜、解剖镜和水质仪等仪器及充氧、搅拌设备和采苗器材等。

以上是海洋珍珠贝人工育苗的一些基本工程设施和设备,实际上由于各地仪器设备、环境条件和技术力量的不同,设施和设备也应因地制宜,因陋就简,尽可能节约生产投资。淡水珍珠蚌类在幼体阶段营寄生生活,不需要饲料,也就不需要饲料生物培养系统设施。

母贝的养成:从幼贝开始养至用于培育珍珠之前,是珍珠贝体的养成期。此期时间最长。一般贝体能够生长的水域,都可设立养殖场。

养成方式:母贝的养成方式有海底放养和垂下吊养。垂下吊养又分为联桩吊养、平台吊养、浮球吊养、浮筏吊养等。目前多采用海上吊养和潮水养殖池吊养相结合的养殖方式。

饲料供应:在珍珠贝人工育苗之前,就要培养好饲料。饲料藻液可人工培养,首先要准备好培养所需的用具,容器使用前应进行消毒。培育藻类的海水也应作消毒处理。然后配制培养液,接种藻种,培养藻液。还应做好藻种的保存工作。

病害防治:在母贝的养殖过程中常见病害有:贝壳穿孔病,可用水泥沙浆涂盖法治疗。多毛虫寄生病,可用饱和盐水浸泡法除去。此外,应经常清除养殖笼和贝壳外的附着物,还应注意防止赤潮侵害。

珍珠的培育:珍珠的培育需要经过一系列的技术处理和养殖过程,一直到珍珠采收,要有一段较长的时间。大致要经过母贝的预先处理,小片贝和外套膜小片的准备,插核手术和小片移植,休养,育珠,采收和加工。

以上仅为简要介绍,详细请参阅吴教东等人编写的《实用珍珠养殖技术》(金盾出版社,1993年)及谢玉坎编写的《珍珠科学》(海洋出版社,1995年)等书籍。

三十一、江　珧

江珧 *Pinna pectinata* (Linnaeus),别名簸箕蛤蜊、栉江珧、马甲柱。主要分布于我国黄海、渤海、东海和南海。在印度洋和太平洋也有分布。贝壳及后闭壳肌入药。

【形态特征】 江珧(图1-64),贝壳略呈三角形或扇形,壳质稍薄而脆。体型极大,壳长300毫米左右,高约186毫米,宽约75毫米。壳顶尖细,位于壳的最前端。壳后端宽大。背缘直或略凹,腹缘前半部较直,后半部则逐渐突出,后缘直或略呈弓形。壳无中央裂缝。除近腹缘壳面光滑外,其余部分有10余条放射肋,肋上具有斜向后方的三角形小棘,有的个体(特别是老年个体)则放射肋多不明显,棘或无或不明显。此三角形棘状突起在背缘最后1行变成

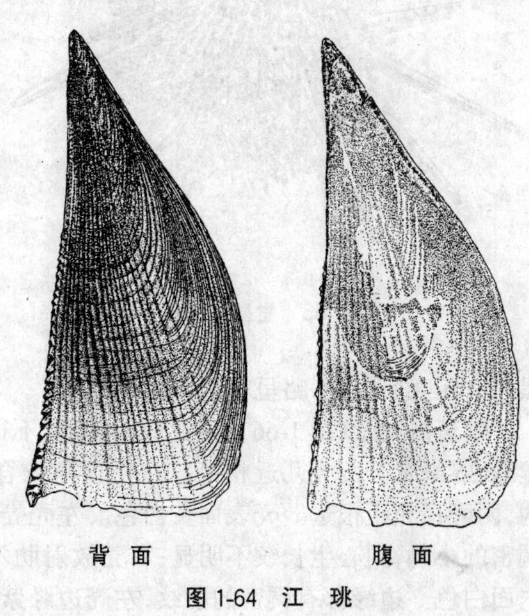

图1-64　江　珧

强大的锯齿状。壳表面颜色常随年龄不同而有变化,幼小个体呈淡褐色,成体多呈黑褐色。壳顶部常被磨损而露出珍珠光泽。贝壳透明度随年龄的增长而逐渐减弱。生长线在近背缘处细,至腹面变粗,多呈褶襞状。贝壳内面颜色与壳表略同,壳前半部具有珍珠光泽。韧带淡褐色,与壳背缘等长,自壳顶至背缘 2/3 处韧带较宽,颜色亦较浓。前闭壳肌痕小,呈椭圆形,位于壳顶内面;后闭壳肌痕大,呈马蹄形,位于贝壳中部。外套痕略显,与壳缘相距甚远。足小,呈棒状。足丝淡褐色,极发达。近年来在福建晋江、惠安沿海发现大量栉江珧资源,已进行人工采捕。本种在壳形及颜色上,南、北方个体略有不同,北方的壳形较粗短,色较浓,南方的壳形较细长,色较淡。

【生活习性】 生活于水深 20～40 米泥沙底的浅海。干潮时在水深 2～5 米的泥沙质海底,用拖网或潜水可以采到。雌、雄异体,繁殖期 5～9 月份。

【采集与加工】 四季均可采捕。采捕后剖取肉柱,鲜用或加工成干品,俗称干贝,作药材称江珧柱,贝壳洗净泥沙,晒干备用。

三十二、蛤

蛤包括堂皇海菊蛤 *Spondylus imperialis* (Ckenu);紫斑海菊蛤 *Spondylus nicobaricus* Chemnitz,别名刺蚶、海菊蛤、喇蚶;文蛤 *Meretrix meretrix* Linnaeus,别名花蛤、黄蛤、蛤蛎;青蛤 *Cyclina sinensis* (Gmelin),别名墨蚬;日本镜蛤 *Dosinia* (*Phacosoma*) *japonica* (Reeve);薄片镜蛤 *Dosinia* (*Lamellidosinia*) *laminata* (Reeve);蛤仔 *Venerupis* (*Amygdala*) *philippinarum* (Adams et Reeve)和江户布目蛤 *Protothaca jedoensis* (Lischke)。主要分布于我国渤海、黄海、东海和南海。贝壳入药。

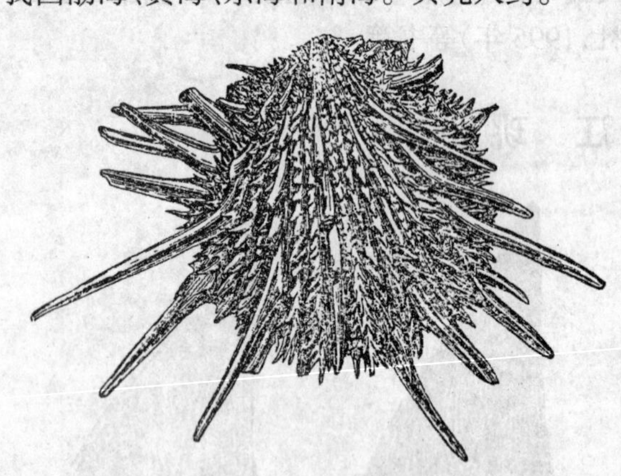

图 1-65 堂皇海菊蛤

【形态特征】 堂皇海菊蛤(图 1-65),贝壳卵圆形。壳质坚厚。壳高为 65 毫米左右,长约 57 毫米,宽约 27 毫米。两壳大小相等。壳顶稍胀,两壳顶接近,位于贝壳背缘中央部。前后耳同形,不大。壳表面呈粉红色或玫瑰色。左右两壳各有主肋 5～6 条,两条主肋之间各具有 2～3 条较细的小肋,每条主肋和小肋均伸出许多长短不同的棘状突起,基部还生有许多小刺,使壳面如菊花状,极为美丽。壳内面白色,略带粉红,边缘具缺刻。铰合线直,两壳各有 2 个强大的铰合齿,在对应的壳上各有 2 个相应的齿槽。2 个齿的中央凹陷,即为内韧带槽。韧带黑色。闭壳肌痕浅,略呈马蹄形。

紫斑海菊蛤(图 1-66),壳近似卵圆形,不很凸。壳质坚厚。壳高约 48 毫米,长约 46 毫米,宽约 25 毫米。两壳几近相等。右壳顶与铰合部之间有 1 个大三角形的倾斜面,中央有一浅沟,两壳顶相距很远。壳表面黄白色。左壳壳顶附近有紫色斑点,放射肋细密,不规则,肋上有稠密的小刺,同心生长纹不明显;右壳放射肋不明显,同心生长纹呈薄片状,翘起,不规则。壳内面白色。边缘部有稠密的肋纹,左壳边缘紫色,右壳边缘白色。铰合部发达,两壳各有 2 个强大的铰合齿，中央为韧带槽，黑紫色的内韧带居于其中。闭壳肌痕浅，卵圆形，位于贝壳的背后部。

文蛤（图 1-67），贝壳坚厚，背缘呈三角形，腹缘略呈圆形。壳顶突出，位于背面稍靠前方。

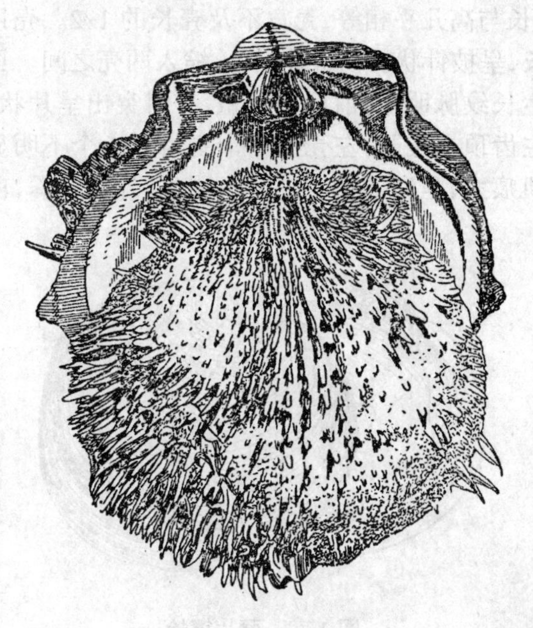

图 1-66 紫斑海菊蛤

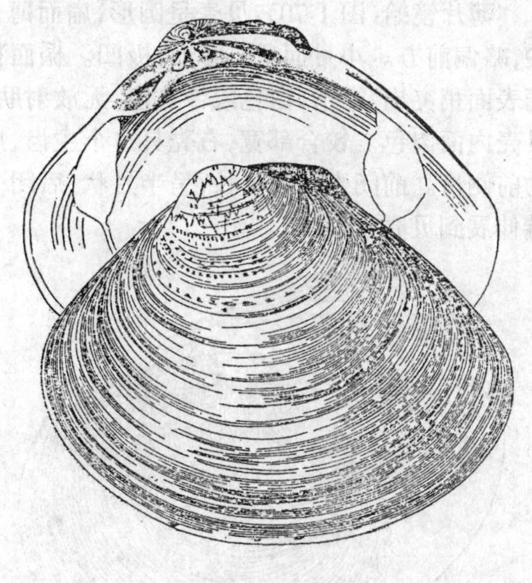

图 1-67 文 蛤

小月面狭长，呈矛头状。楯面宽大，卵圆形。韧带短粗，黑褐色，凸出壳面。贝壳表面膨胀，光滑，被 1 层黄褐色光亮如漆的壳皮。同心生长纹脉清晰。壳面有环形色带，小型个体花纹丰富，变化较多，大型个体较恒定。色带为褐色，底色灰黄。近背缘部分有锯齿状或波纹状的褐色花纹。壳内面白色，前后缘有时略带紫色，无珍珠光泽。铰合部宽，右壳有 3 个主齿及 2 个前侧齿；左壳有 3 个主齿及 1 个前侧齿。外套痕明显，外套窦短，呈半圆形。后闭壳肌痕较大，呈卵圆形，前闭壳肌痕较狭，呈半圆形。

青蛤（图 1-68），壳薄，近圆形，两侧膨圆，没有显明的小月面。壳表面无放射肋。同心生长纹脉顶端细密，不显著，腹面粗，突出壳面成细肋状。壳面淡黄色、带棕红色或黑色。铰合部有 3 个主齿，没有侧齿。前闭壳肌痕细长，略呈半月状；后闭壳肌痕椭圆形。

日本镜蛤（图 1-69），贝壳近圆形，壳质扁平而坚厚。贝壳长度略大于高度。壳顶尖，向前弯曲。小月面心脏形，极凹，周围有很深的凹沟。贝壳背缘前端凹入，后端略呈截形，腹缘圆。贝壳表面略凸起，平滑，白色。无放射肋，同心生长纹脉明显，纹脉间形成浅沟纹。贝壳内面白色或淡黄色，具光泽。铰合部宽，右壳有

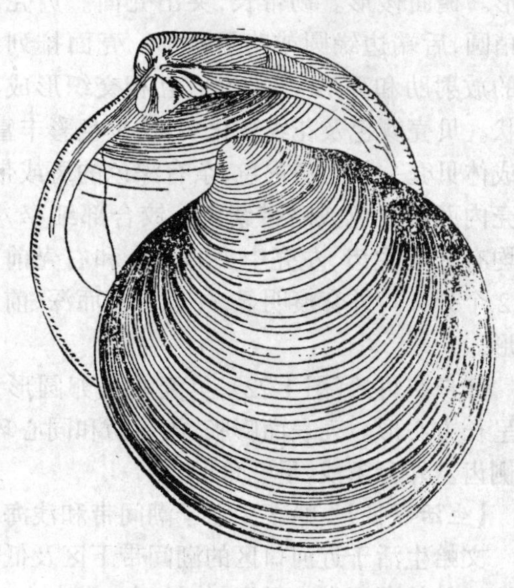

图 1-68 青 蛤

主齿3个，前端2个较小，呈“八”字形排列，与背缘垂直，后端的1个较长，斜向后方，末端分裂；左壳主齿3个，前主齿为一耸立的薄片，中主齿粗壮，后主齿长，前主齿前方有一椭圆形前侧齿。外套窦深，前端尖细，呈尖锥状。

薄片镜蛤(图1-70)，贝壳呈圆形，扁而薄，壳长与高几乎相等，壳宽不及壳长的1/2。壳顶尖，略偏前方。小月面呈心脏形，极凹。楯面狭长，呈披针状。韧带棕褐色，缩入两壳之间。贝壳表面稍突出，平滑，白色或带黄色，无放射肋，生长纹脉明显，前后端较粗，有时突出呈片状。贝壳内面肉色。铰合部宽，右壳具3个主齿，后主齿顶端裂开；左壳具3个主齿及1个不明显的前侧齿。前闭壳肌痕狭长，呈半月状；后闭壳肌痕大，呈卵圆形。外套痕明显，外套窦深，前端伸展到贝壳，呈舌状。

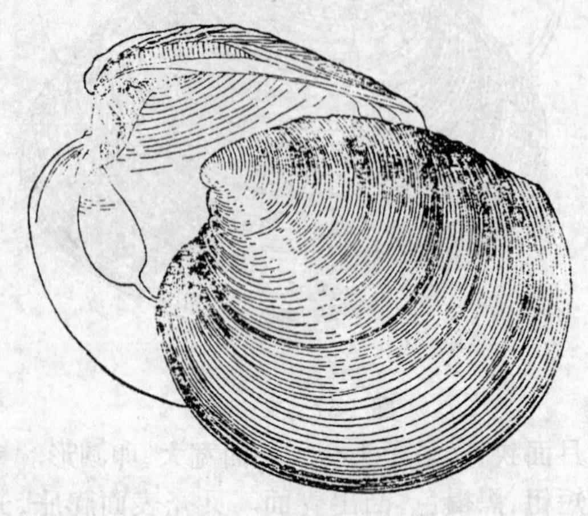

图1-69 日本镜蛤

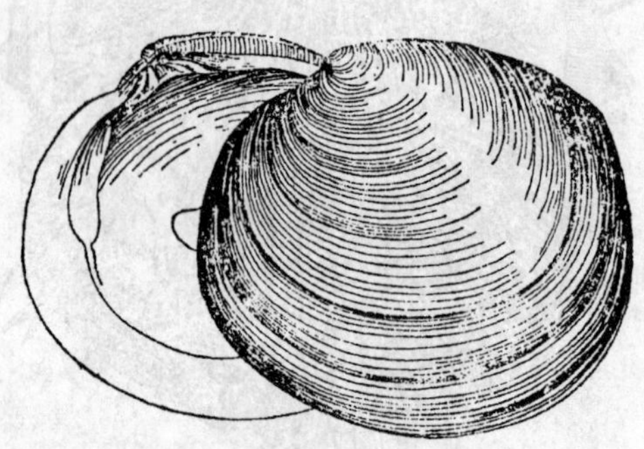

图1-70 薄片镜蛤

蛤仔(图1-71)，贝壳中等大，呈卵圆形。壳顶稍突起，前端尖。小月面宽，椭圆形或略呈菱形。楯面梭形。韧带长，突出壳面。贝壳前端稍圆，后端边缘圆或略呈截形。壳面排列细密的放射肋和环形生长纹脉，互相交织形成布纹状。贝壳颜色及花纹变化多，幼贝色彩丰富，老成体贝壳一般为灰褐色，杂有深色的斑或带。贝壳内面灰白色或略带紫色。铰合部细窄，每壳均有3个主齿，左壳中央的1个和右壳前面的2个分叉。外套痕明显，外套窦宽而深，前端圆形。

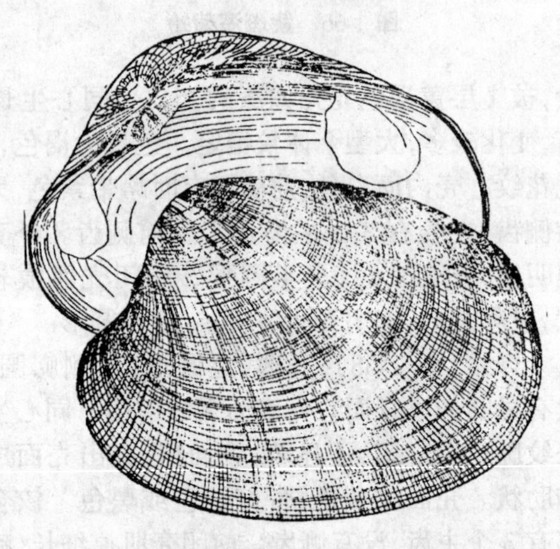

图1-71 蛤 仔

江户布目蛤(图1-72)，贝壳略呈卵圆形，壳质坚厚。壳顶凸起，前端尖，向前弯曲。小月面呈长方心形。壳表面膨胀，放射肋和同心环状纹脉交织成布纹状或帘子状。铰合部3主齿，无侧齿。外套窦浅，呈三角形。

【生活习性】 蛤多生活于潮间带和浅海，以右壳固着于岩石或珊瑚礁上。

文蛤生活于近河口区的潮间带下区及低潮线以下的浅海沙质海底；幼小个体则生活于更近河口处的潮间带中上区，待长到一定大小时，能分泌胶质带或囊状物使身体悬浮水中，借潮流之助向潮间带下区及潮下带迁移。雌、雄异体。雄性生殖腺乳白色，雌性生殖腺米黄色。卵子和精子均排在海水中。受精卵在海水中孵化发育。

蛤仔的生活力较强,生活于潮间带到潮下带十余米的泥沙底或砂砾底中。潮间带的岩石缝隙,凡有泥沙堆积的地方都能生活。有些地方生长密度很大,每公顷可产7.5万千克以上。雌、雄异体。在我国北方,其繁殖季节为6～10月份。

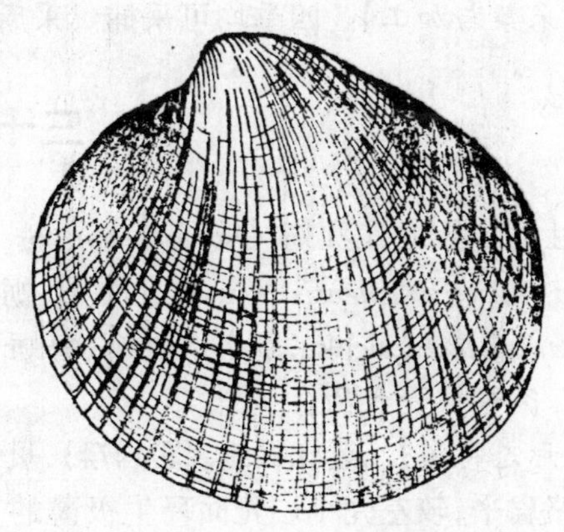

图1-72 江户布目蛤

【采集与加工】 可四季用拖网捕捉。蛤仔自然产量较多,可以在退潮后于潮间带采捕。在胶州湾渔民乘舢板出海,利用退潮后水浅用耙网在海底捕捞,每天每船可采几千千克。采后取肉供食用,将贝壳洗净,晒干备用。药材通称海蛤壳。用时把干壳打碎或煅制后打碎。

【养殖方法】 许多地区对蛤仔进行养殖,把采到的幼苗均匀地播撒在预先选好的养殖区中,蛤苗便潜入泥沙中生长。一般第三年便可长成收获。

三十三、海 月

海月 *Placuna placenta* (Linnaeus),别名窗贝、蚝蚬窗、明瓦。为印度洋、西太平洋海区的热带种。主要分布于东南沿海。肉和贝壳入药。

【形态特征】 海月(图1-73),贝壳圆形,扁平。壳质脆薄,半透明;边缘容易破碎。壳高为92毫米左右,长约100毫米,宽约5.5毫米。左壳较凸起,右壳平。壳表面白色,壳顶微紫色。放射肋及同心生长纹极细密,近腹缘的生长纹略呈鳞片状。贝壳内面白色,具有云母光泽。铰合部大,右壳具有2个长度不等的铰合齿,呈“八”字形排列;左壳相应的部位形成2条凹陷沟。韧带紫黑色,纳于凹陷沟上。闭壳肌1条,呈圆形,位于壳的中央。无足丝。

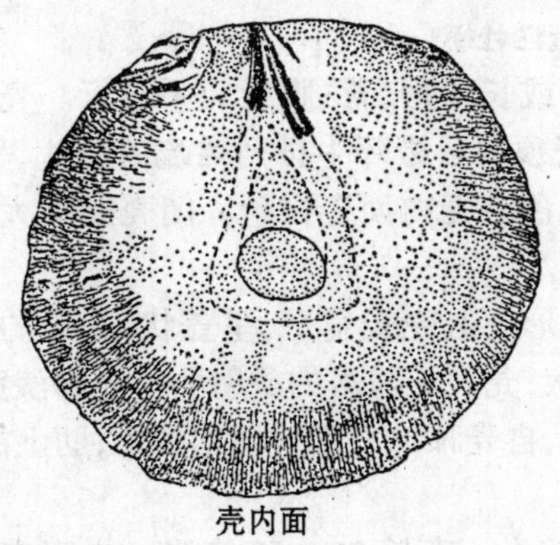

壳内面

壳表面

图1-73 海 月

【生活习性】 栖息于潮间带中、下区及浅海沙质或泥沙质海底的表面。右壳朝下,左壳向上。壳表常沾有泥沙或附着一些藤壶、牡蛎、苔藓虫、海藻等生物。产卵期在5～7月份。在我国东南沿海,退潮后可在海滩上采到。

【采集与加工】 四季均可采捕。采后取肉供食用和药用。贝壳洗净,晒干备用。

三十四、牡 蛎

牡蛎包括近江牡蛎 *Ostrea rivularis* Gould;长牡蛎 *Ostrea gigas* Thunberg;大连湾牡蛎 *Ostrea talienwhanensis* Crosse;褶牡蛎 *Ostrea plicatula* Gmelin 和密鳞牡蛎 *Ostrea denselamellpsa* Lischke,别名大牡蛎、海蛎子、蛎房、蚝。我国从鸭绿江口至海南沿海一带都有分布。肉和贝壳入药。

【形态特征】 近江牡蛎(图 1-74),贝壳大而坚厚,圆形或卵圆形,有时呈长形或三角形。右壳略扁平,较左壳小。壳面环生极薄的黄褐色或暗紫色鳞片。鳞片平,层次少。1~2 年生的个体鳞片平、薄而脆,有时边缘游离;2 年以上的个体鳞片平坦,有时后缘起伏呈水波纹状,有些个体鳞片层层相叠,坚厚如石。左壳同心鳞片的层次较少。贝壳内面白色,边缘灰紫色。闭壳肌痕大多为卵圆形或肾脏形。

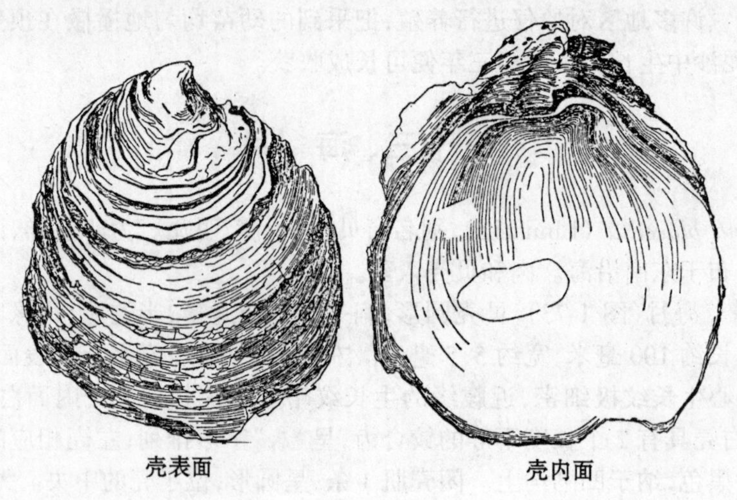

图 1-74 近江牡蛎

长牡蛎(图 1-75),贝壳大、长而厚,呈长条形或长卵形,背、腹缘几乎平行。壳长为壳高的 3 倍。壳表面平坦或有数个大而浅的凹陷。自壳顶向后缘环生排列稀疏的鳞片,呈波纹状,没有明显的放射肋。壳表面淡紫色、灰白色或黄褐色。壳内面瓷白色。闭壳肌痕大,呈马蹄形,棕黄色。

大连湾牡蛎(图 1-76),贝壳中等大,近三角形。右壳较扁平,呈盖状,壳顶的鳞片趋于融合,其他各区有稀疏的同心鳞片,起伏呈水波纹状,壳表无显著的放射肋。壳面淡黄色,间有紫色条纹或斑点。壳内面灰白色,有光泽。左壳凸,自壳顶部发出放射肋数个,肋上的鳞片坚厚、竖起,壳面黄白色。内面凹入如盆状。

褶牡蛎(图 1-77),贝壳形状似大连湾牡蛎,较小。壳长 30~60 毫米。右壳表面有同心环状鳞片多层,鳞片层边缘伸出舌状片或尖形棘;左壳顶部圆,附着面大,表面有粗大的放射肋。

密鳞牡蛎(图 1-78),贝壳大而坚厚,圆形或卵圆形。两壳壳顶前后常有耳。右壳较平坦,顶部较光滑,其他部分有呈覆瓦状排列的鳞片。鳞片密、薄而脆。壳面有放射肋多条。铰合部两侧有小齿 1 列。左壳壳顶不规则,腹缘环生坚厚的同心鳞片,放射肋粗大。

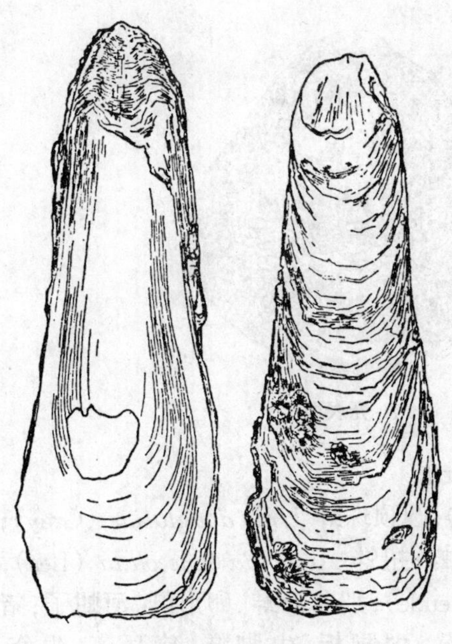

图 1-75　长牡蛎

【生活习性】　多栖息于低潮线附近至水深7米左右的海区，也可生活于水深15～30米左右的浅海，在河流入海一带的水域中数量最多。最适盐度为10‰～25‰。大量群聚在海底，下部常被软泥埋没，也有附着在海底岩礁上的。为卵生型，繁殖期为5～9月份。

【采集与加工】　可全年采收。采集后，取肉鲜用或制干，药材多为牡蛎肉，也称蛎黄。将贝壳洗净，晒干，生用或煅用。

【养殖方法】　在牡蛎的繁殖季节，即幼体变态附着之前将石块或其他附着基投入海底，于退潮时整理成行，牡蛎的幼体即可附着生长。幼体附着以后，要经常管理，如上提石块等，以防沉没在泥中将牡蛎憋死。一般3年养成。有的还根据采苗、养成等不同特点，在采苗以后将附着有牡蛎苗的石块移到适于牡蛎生长的海区养成。在收获之前，再将长成的牡蛎移到肥水区养一个阶段，叫做育肥。

图 1-76　大连湾牡蛎

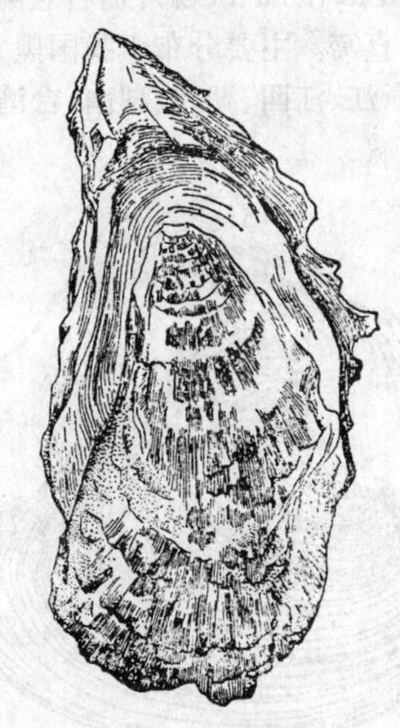

图 1-77　褶牡蛎

三十五、蚌

蚌包括褶纹冠蚌 *Cristaria plicata* (Leach)，别名湖蚌、燕蛤蜊、鸡冠蚌、河蚌、大江贝、水壳；三角帆蚌 *Hyriopsis cumingii* (Lea)，别名大燕蛤蜊；背角无齿蚌 *Anodenta wioodiana* (Lea)，别名河蛤蜊、蛤蜊；背瘤丽蚌 *Lamprotula leai* (Gray)，别名麻皮蚌、蹄蚌、麻歪歪；射线

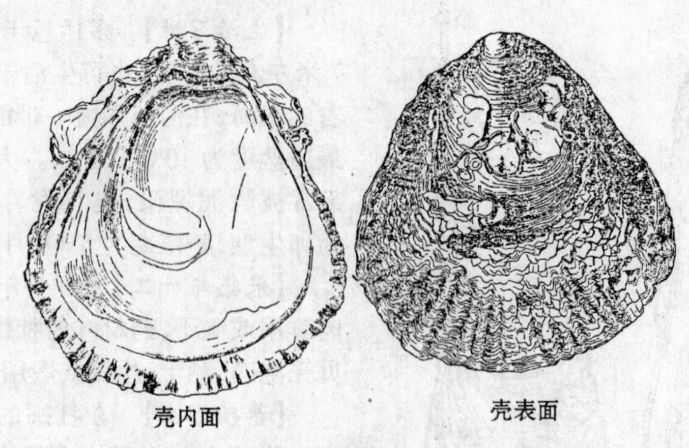

图 1-78　密鳞牡蛎

裂脊蚌 *Schistodesmus lampreyanus*（Baird et Adams）；圆顶珠蚌 *Unio douglasiae*（Gray）；巨首楔蚌 *Cuneopsis capitata*（Heude），别名老鸹嘴、楔子蚌；扭蚌 *Arconaia lanceolata*（Lea），别名香蕉贝、角子；蚶形无齿蚌 *Anodonta arcaeformis*（Heude），别名河蚌、卵形蚌、河蚶子；猪耳丽蚌 *Lamprotula rochechouarti*（Heude），别名猪耳朵、牛脚板、牛脚蚌、猪耳壳；失衡丽蚌 *Lamprotula tortuosa*（Lea），别名老窝子、猪耳蚌；多瘤丽蚌 *Lamprotula polysticta*（Heuds），别名麻歪歪、直窝。主要分布于我国黑龙江、吉林、辽宁、内蒙古、陕西、山西、河北、河南、山东、安徽、江苏、浙江、江西、湖北、湖南、台湾、广东、广西及四川等地。蚌肉、颗粒状珍珠及贝壳入药。

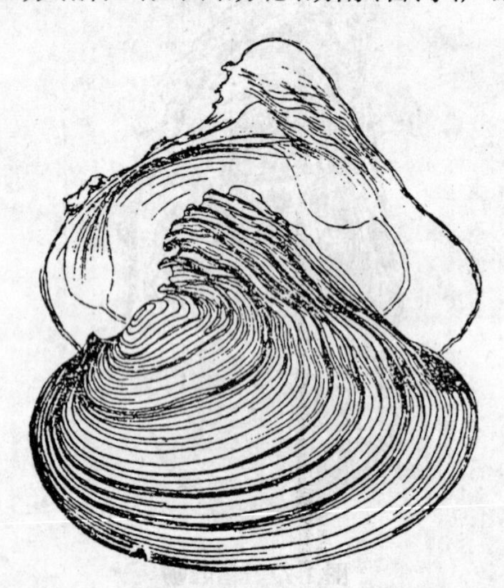

图 1-79　褶纹冠蚌

【形态特征】　褶纹冠蚌（图 1-79），壳巨大，较坚厚，外形略似不等边三角形。壳前部短而低，前背缘有不明显的冠突；后部长而高，后背缘向上斜出伸展成为大型的冠；壳的后背部自壳顶起向后有一系列的逐渐粗大的纵肋；后缘圆，腹缘长，近直线状。壳顶位于距前端壳长约 1/6 处。壳顶部生长纹成同心圆肋脉。壳表面黄绿色至黑褐色，并有从壳顶到腹缘的绿色或黄色的辐射线。韧带粗大，位于冠的基部，贝壳外部不易看到。左右 2 壳无主齿，各具有高大的后侧齿及细弱的前侧齿；后侧齿下方有与壳面相应的纵肋与凹沟。前闭壳肌痕大，呈楔形。伸足肌痕小，呈楔形，前缩足肌痕小而深，后闭壳肌痕大而浅，外套膜肌痕宽。珍珠层上半部呈肉红色，下半部呈淡蓝色，并具有珍珠光泽。

三角帆蚌（图 1-80），贝壳大而扁平，壳质重厚、坚硬，外形略呈三角形。后背缘向上扩展成三角帆状翼。此翼脆弱易于折断。腹缘近直线略呈弧形。壳面不平滑。壳顶部有粗大的肋脉。生长纹同心环状排列，距离宽。后背区有 2 道由结节状突起组成的斜行粗肋。壳内面平滑，珍珠层乳白色。左壳有 2 个不同大小的拟主齿及 2 个长侧齿；右壳有 2 个拟主齿和 1 个大侧齿。

背角无齿蚌（图 1-81），壳有角突，卵圆形，壳长约为壳高的一倍半。前端稍圆，后部略呈斜切状，腹缘呈弧形。壳顶位于背缘中央稍偏前方，前背缘比后背缘短。后背部有自壳顶发出的 3 条粗肋脉。壳面绿褐色，平滑，有细环形肋脉，壳顶部有略呈同心圆的 4～6 条肋脉。无铰合齿。闭壳肌痕长椭圆形，大而浅。壳内面珍珠层乳白色，有强光泽，边缘部为青灰色。

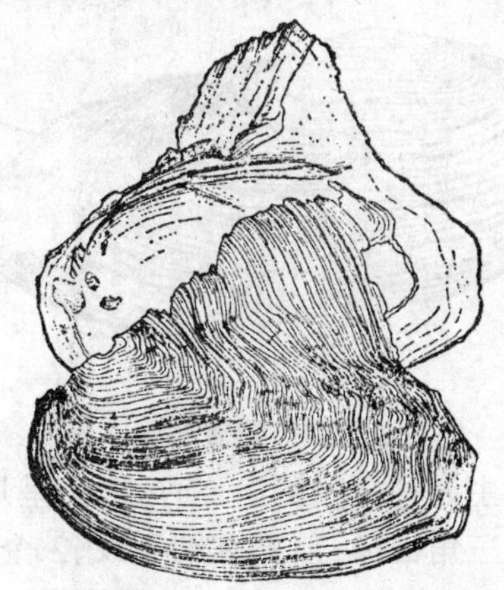

图 1-80　三角帆蚌

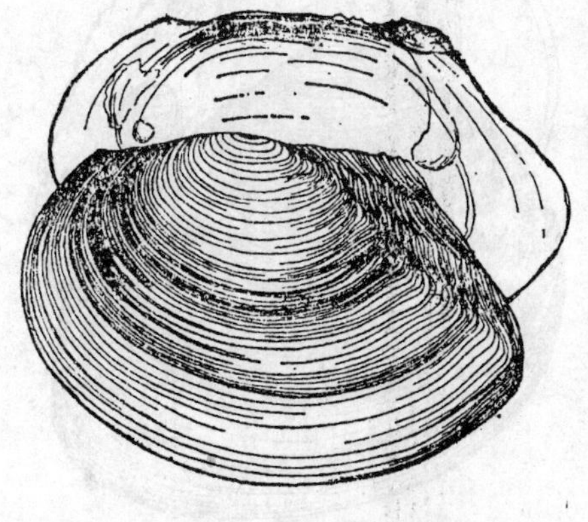

图 1-81　背角无齿蚌

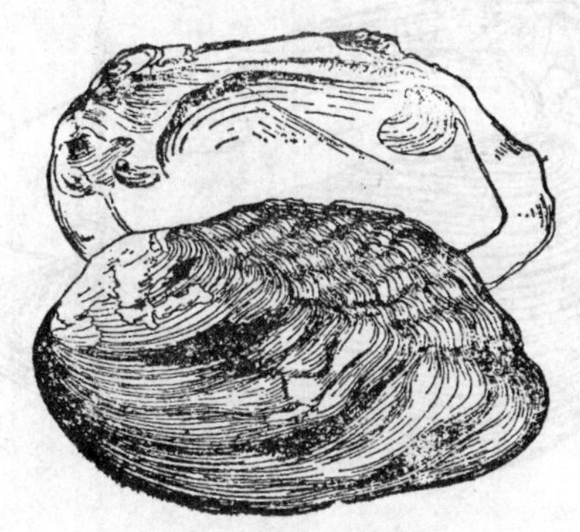

图 1-82　背瘤丽蚌

背瘤丽蚌(图 1-82)，壳甚厚，质坚硬，外形呈长椭圆形。前端圆窄，后端扁而长，腹缘呈弧形，背缘近直线状，后背缘弯曲稍突出呈三角形。壳顶略高于背缘之上，位于背缘最前端。壳面布满瘤状结节，一般个体结节连成条状，并与后背部的粗肋相接形成“人”字形。幼蚌壳面呈绿褐色，老蚌壳为暗褐色或暗灰色。壳外形变异很大，有的壳前部短圆，有的前部长。壳内面为乳白的珍珠层。铰合部发达，左壳有 2 个拟主齿和 2 个侧齿，右壳有 1 个拟主齿和 1 个侧齿。前闭壳肌痕圆形，深而粗糙；后闭壳肌痕较大，近三角形，浅而光滑。外套膜痕明显。

射线裂脊蚌(图 1-83)，壳中等大小，质厚，坚固，外形稍呈三角形。壳面光滑，有以壳顶为中心的粗大同心圆皱脊数条。壳面呈黄绿色或紫褐色，有光泽。从壳顶至边缘有多条黄色、深绿色或暗绿色的放射条纹。铰合部发达。左壳有一强大的、三角形拟主齿，有 2 条深沟把齿分成三部分，并有 2 个侧齿；右壳有 1 个强大的带裂缝拟主齿和 1 个侧齿。

圆顶珠蚌(图 1-84)，壳不大，外形呈长椭圆形，长度为高度的 2 倍强。前部钝圆，后部伸长，末端稍窄扁。壳面有同心圆状粗大生长线。铰合部发达。左壳有 2 个拟主齿和 2 个长侧齿，拟主齿 1 个向前伸，1 个在壳顶下方；右壳有 2 个拟主齿和 1 个长侧齿，在前方的拟主齿极小。

巨首楔蚌(图 1-85)，壳长约 70 毫米，高约 25 毫米，宽约 25 毫米。壳质厚而坚硬。壳前部膨大，向后高度和宽度急剧缩小，外形呈长三角楔状。前端圆，很短，背缘向下呈斜截状，腹缘圆，向后微弯，后背缘与后腹缘相连成一锐角。壳前部膨大处的后方有一凹陷，约位于壳中。壳顶位于背缘前端，高而膨大。壳表面棕褐色，具有同心圆生长纹。壳内面珍珠层银白色。壳顶窝很深，压扁。前闭壳肌痕圆形，深而光滑；后闭壳肌痕椭圆形，大而浅。铰合部发达。左壳

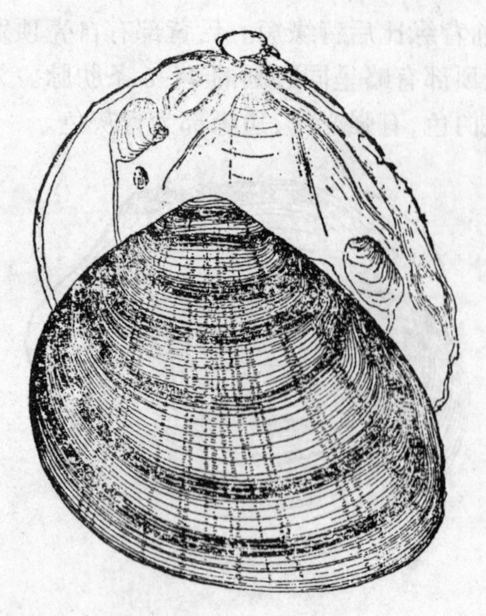

图 1-83　射线裂脊蚌

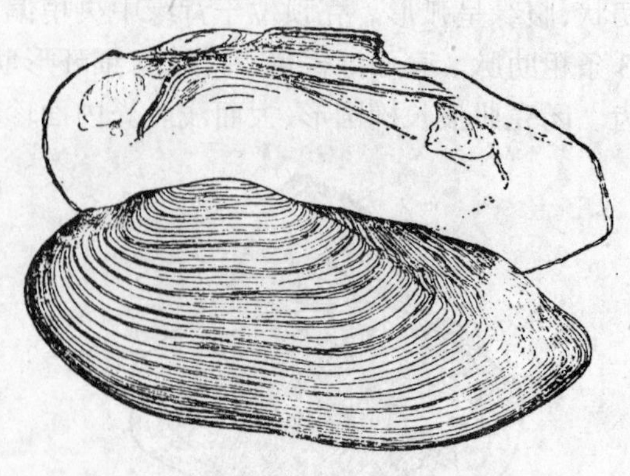

图 1-84　圆顶珠蚌

有 2 个拟主齿和 2 个侧齿,前拟主齿呈片状,后拟主齿呈三角锥形,顶部有细裂纹,2 个侧齿细长而平行;右壳有 1 个三角锥形前拟主齿和 1 个侧齿,其后拟主齿则只留有痕迹。

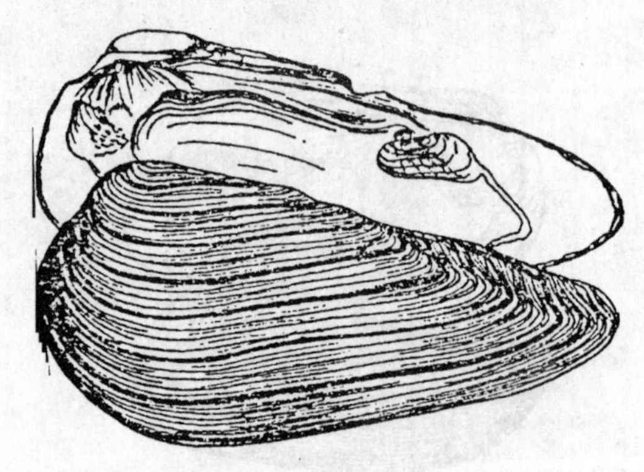

图 1-85　巨首楔蚌

扭蚌(图 1-86),中型蚌类,全体窄长呈香蕉状。壳质厚而坚固。壳长约 100 毫米,高约 25 毫米,宽约 20 毫米。左右两壳不对称,壳后半部顺长轴约向左方或右方扭转 45°角。壳前缘稍延长成一喙状突尖。后部延长并弯曲,末端在后背嵴下边呈钝角。背、腹缘略平行。壳顶小,不突出,位于壳背缘前端壳长度的 1/4 处,常呈破蚀状态。壳面不平滑,略覆盖着绒毛状物。后背嵴明显,略呈角状。生长纹细密,不规则。幼龄蚌壳上部有瘤状结节或垂直皱褶,老壳不明显或大部分消失。壳表面灰褐色。壳内面白色,有珍珠光泽,壳顶下方略呈鲑肉色。前闭壳肌痕圆形,深而光滑,前缩足肌痕及伸足肌痕极明显;后闭壳肌痕长椭圆形,后缩足肌痕小而明显,位于后闭壳肌痕左上方。铰合部发达。左壳有 2 个拟主齿和 2 个侧齿,前拟主齿三角形,显著突起,后拟主齿刻裂明显,侧齿纵长;右壳有 2 个拟主齿和 1 个侧齿,前拟主齿扁长而低矮,后拟主齿呈三角形,顶端有刻裂。

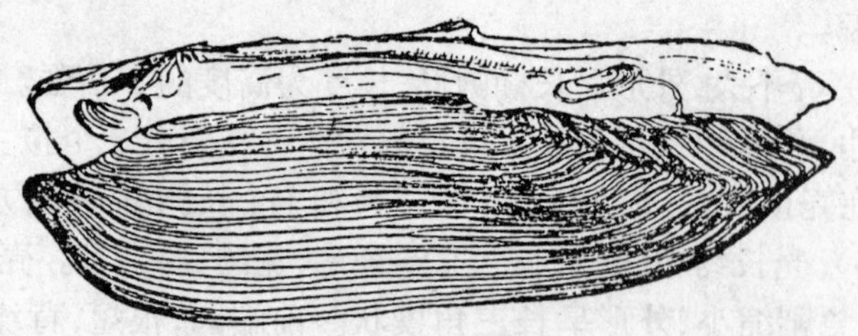

图 1-86　扭　蚌

蚶形无齿蚌(图 1-87),为中小型蚌类,长卵圆形,两壳膨胀,外形略似海产蚶子。壳质薄而易碎。壳长 90 毫米左右,高约 50 毫米,宽约 43 毫米。壳前缘呈半圆形,后缘为斜切状,末端略尖,后背缘与后缘形成明显的钝角。背缘和腹缘略直,二者近乎平行。壳顶位于壳中部,略突出于背缘之上,常呈破蚀状态。后背缘有从壳顶向后发出的 2~3 条肋脉,最下 1 条肋脉末端在壳中线上。壳面生长纹细弱,呈同心圆状。壳表面淡黄绿色或黄褐色,有光泽;壳内面灰褐色或青灰色,有珍珠光泽。铰合部弱,无齿,韧带短,突起。前闭壳肌痕模糊不清,后闭壳肌痕长卵圆形。外套痕不明显。

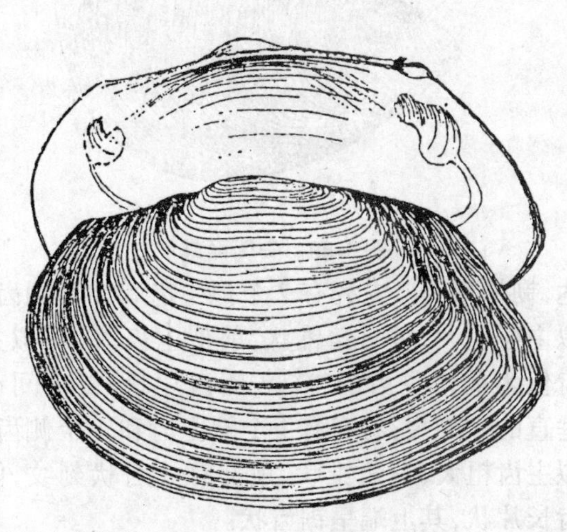

图 1-87　蚶形无齿蚌

猪耳丽蚌(图 1-88),外形似猪耳状,壳质厚而坚硬。壳长 120 毫米左右,高 90 毫米左右,宽 45 毫米左右。左右两壳相等。前缘稍圆,后缘稍弯,下斜;背缘与腹缘相连处呈斜截状;腹缘弯曲,在近后端有一明显的凹陷。壳顶位于背缘最前端,不膨胀。壳面除近前缘部分外,均散布着瘤状结节,壳顶附近的结节细小而略锐,其他部分的较大。后背嵴上约有 10 条排列均匀的粗大肋。壳表面黑褐色,壳内面珍珠层为瓷白色,有珍珠光泽。壳顶窝极深,压扁。前闭壳肌痕椭圆形,深而粗糙;后闭壳肌痕大,近圆形,浅而光滑。铰合部发达,左壳具有 2 个拟主齿和 2 个侧齿。前拟主齿极小,呈三角形的片状,后拟主齿大,近三角锥形,2 个侧齿均呈长条状,平行排列,上缘有微小的锯齿;右壳仅具有 1 个拟主齿和 1 个侧齿,拟主齿长锥形,侧齿长条状,上缘亦有锯齿。

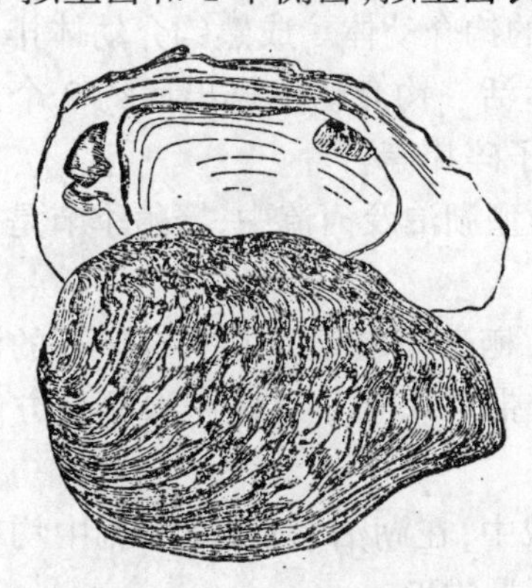

图 1-88　猪耳丽蚌

失衡丽蚌(图 1-89),呈斜卵圆形。壳质坚厚。壳长 60 毫米左右,高约 45 毫米,宽约 33 毫米。左右两壳稍不相等,前端略向右方扭转,左壳向前或背部伸长。壳前缘极短,呈缺刻状。腹缘及后缘弧形,后背缘弯曲,后端呈角状。壳顶位于背缘前端,突出并稍向内卷,常呈破蚀状态。壳面不具有瘤状结节,仅被有绒毛状外皮,并有同心圆细弱生长纹。幼龄蚌的背部及壳顶附近有排列成斜行的肋或小型瘤状结节。壳表面灰褐色或暗灰色;壳内面珍珠层瓷白色,有珍珠光泽,后部有虹彩样光泽。壳顶窝极深。前闭壳肌痕较小,深而粗糙,呈横卵圆形;后闭壳肌痕大,略呈三角形,浅而光滑。铰合部发达,左壳有 2 个拟主齿和 2 个侧齿。右壳仅具 1 个拟主齿和 1 个侧齿,与左壳相嵌入。外套痕明显。

多瘤丽蚌(图 1-90),呈近圆形或椭圆形。壳质厚而坚硬。壳长约 85 毫米,高约 58 毫米,宽约 42 毫米。左右两壳相等,略膨胀。壳顶位于背缘最前端、前背嵴的下方,向前突出,并向内弯。壳面除前腹缘外,其余部分布满瘤状结节,后背缘的结节构成数条粗大斜肋。壳表面呈褐色或棕黄色,稍具光泽;壳内面珍珠层乳白色或鲑肉色,有珍珠光泽,壳后端珍珠层薄。壳顶窝深。前闭壳肌痕呈马蹄形,深而粗糙,后闭壳肌痕卵圆形,浅而光滑;外套痕明显。铰合部发

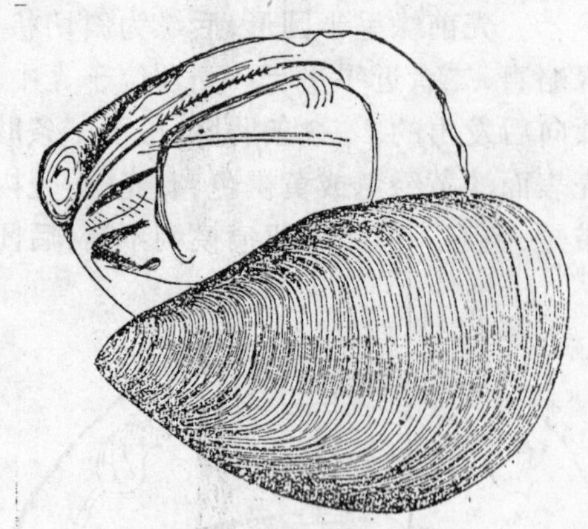

图 1-89　失衡丽蚌

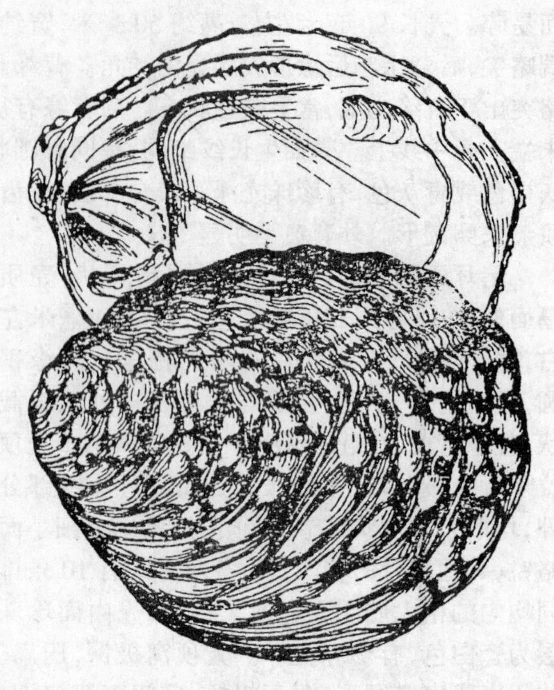

图 1-90　多瘤丽蚌

达，韧带粗大。左壳有 2 个拟主齿和 2 个侧齿，拟主齿强大，呈三角锥状，前拟主齿大，后拟主齿仅为前拟主齿的 1/3。侧齿片状，二齿间有垂直的粗刻裂；右壳有 1 个拟主齿和 1 个侧齿，拟主齿粗大，三角锥状，顶部有放射状刻纹，侧齿长片状，其上端呈锯齿状。

【生活习性】　生活于泥底或泥沙底的河流、湖泊及池塘内。

褶纹冠蚌 1 年繁殖 2 次。3～4 月份与10～11 月份各 1 次。性腺成熟后开始产卵、排精。卵子在雌体外鳃中受精发育，胚体在外鳃中逐渐发育成钩介幼体。怀有成熟钩介幼体的母蚌外鳃呈橘红色，用针刺破外鳃，可见带丝状、外形呈菱形的钩介幼体。成熟钩介幼体排出后，附着于鱼体上，发育成幼蚌后脱离鱼体，沉入水底营底栖生活。钩介幼体排出后约 2 个月时间，可长成 1～2 厘米长的幼蚌。主要食浮游生物及植物叶子碎片等。

三角帆蚌喜生活于水质清、水流急、底质略硬的大中型湖泊及河流中，繁殖季节是 4～8 月份。

背瘤丽蚌喜生活于水深、水流较急的河流及湖泊内，栖于质较硬、沙底、有卵石的泥沙中，有的个体栖于岩石缝中。幼蚌行动较灵活，在水域沿岸带可采到。成蚌在水深处方能采到。饵料为硅藻、原生动物、单鞭毛藻类及各种有机碎屑。

蚶形无齿蚌栖息于淤泥或泥沙底的缓流或静水水域中，在湖泊、池塘及河流中均有出产。以微小生物及有机碎屑为食料。雌、雄异体，钩介幼体不具钩齿。

【采集与加工】　多于秋季采收已培育 2～3 年的珍珠母蚌，取出外套膜上的珍珠，用水洗涤，混入少量食盐，用布擦去珠面上的液体和污物，用肥皂水洗涤，再用清水洗净，以柔软的绒布或纱布打光备用。取肉供药用。蚌壳加入碱水中煮，移至清水中浸洗，取出用刀刮去黑色外皮，再放在铁丝网上煅烧，随时翻动，至松脆即为药材珍珠母。将蚌壳碾成粉，即为药材蚌粉。取蚌体内分泌物，称丰泪，供药用。

【养殖方法】　淡水珍珠的人工养殖包括：①育苗。亲蚌的选择与培育，钩介幼苗成熟的检查，人工采苗。②成蚌养成。水池育养，箱、笼吊养，底播育养，穿壳吊养，水质管理，繁殖饵料生物，防治自然灾害与生物敌害。③育珠手术。育珠蚌的采捕、运输与暂养，手术室的建造，手术器具的制备，手术药液的配制，珠核的制造，植珠手术等(参见李松荣编著《淡水珍珠培育技术》一书，金盾出版社，1997 年)。

采捞蚌宜在早春及晚秋进行。这时气候适宜，蚌离水后不易死亡。捕捞后可养于水质肥沃、水流通畅、水面宽阔、空气充足的池塘、湖荡等清净水域内，可吊养及底养。

褶纹冠蚌选择 5～7 龄、体质健壮的雌、雄亲蚌，吊养于水体流动的池塘内，使亲蚌易于产卵、排精及卵子受精。当受精卵发育成钩介幼体后，蚌的外鳃膨大，可将其放入有水的采苗桶(盆)内。雌蚌放出钩介幼体时，两壳猛然开启，幼体依靠足丝相互粘连呈絮状体，由雌蚌出水孔排出。这时将采苗小鱼(6～10 厘米大的草鱼、鳙鱼、鲢鱼等)放入桶内，钩介幼体便附着在鱼体上，经过 1 小时后将小鱼取出，放入流水环境。钩介幼体在鱼体上发育变态为幼蚌后，从鱼体上脱落下来。幼蚌脱落后在水底营底栖生活。

三十六、蛏　子

蛏子包括缢蛏 *Sinonovacula constricta* (Lamarck)，别名蛏、青子；长竹蛏 *Solen gouldi* Conrad 和大竹蛏 *Solen grandis* Dunker，别名马刀。主要分布于辽宁至广东沿海。蛏肉和蛏壳入药。

【形态特征】 缢蛏(图 1-91)，壳长方形，背腹缘近平行，前、后端稍圆。两壳关闭时前端开口。壳顶不突出，位于背缘前端约壳长的 1/3 处。外韧带黑褐色，略呈三角形。自壳顶至腹缘有 1 条微凹的斜沟。壳表面生长线明显，被有 1 层黄绿色的外皮。成长的个体外皮常被磨损、脱落而呈白色。壳内面白色。壳顶至腹缘有与壳表凹沟相当的 1 条肋。铰合部小。右壳有 3 个主齿，中央 1 个大，分叉。闭壳肌痕三角形，前面的较小，后面的较大。外套痕明显，外套窦宽、深，前端呈圆形。

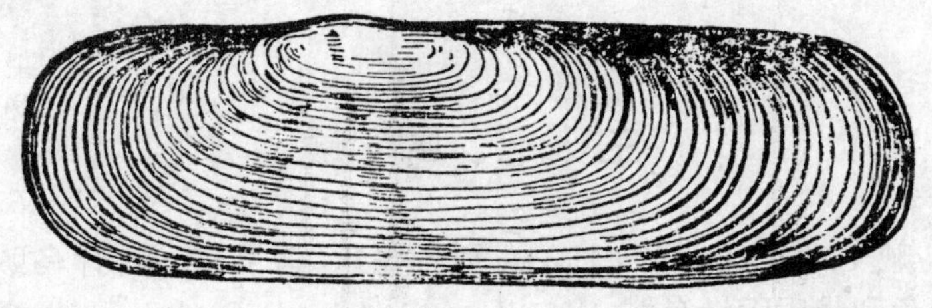

图 1-91　缢　蛏

长竹蛏(图 1-92)，壳较长，两壳抱合呈竹筒状，前、后端开口；前端呈截形，后端稍圆。背腹缘平行，直。壳表面光滑，被有黄褐色外皮。生长线明显，呈弧形。后端有的形成褶襞。壳内面白色或淡黄色。铰合部小，每壳各有 1 个主齿。前闭壳肌痕细长，后闭壳肌痕呈半圆形。外套痕明显，前端背缘凹入，外套窦半圆形。

大竹蛏(图 1-93，彩图 10)，壳较长，两壳抱合成竹筒状，前、后端开口。壳长为壳高的 4～5 倍。壳顶位于最前端，壳的背腹缘平行。壳表面凸出，被有1层发亮的黄褐色外皮。壳表面平滑无放射肋，生长线明显，有时有淡红色彩色带。壳内面白色或可见到淡红色的彩带。左右壳各具 1 个主齿。大竹蛏足部肌肉极发达，前端尖，左右扁，水管短而粗。

【生活习性】 缢蛏生活在河口或有少量淡水流入的内湾、潮间带中下区的软泥滩中，利用足挖穴潜居。潜入泥中的深度随季节而有不同，夏季浅，冬季深，一般为 10～20 厘米。雌、雄

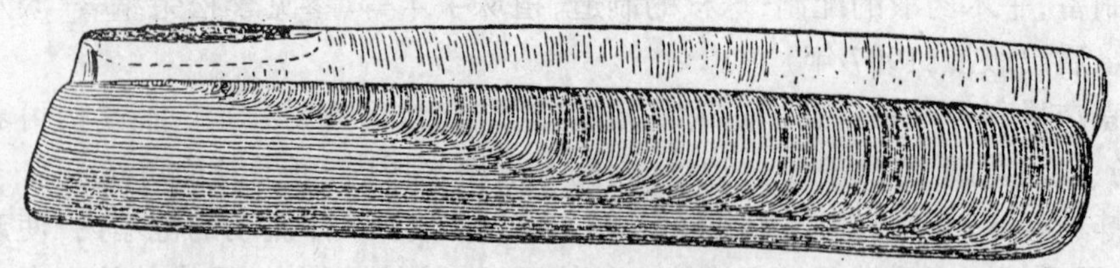

图 1-92　长竹蛏

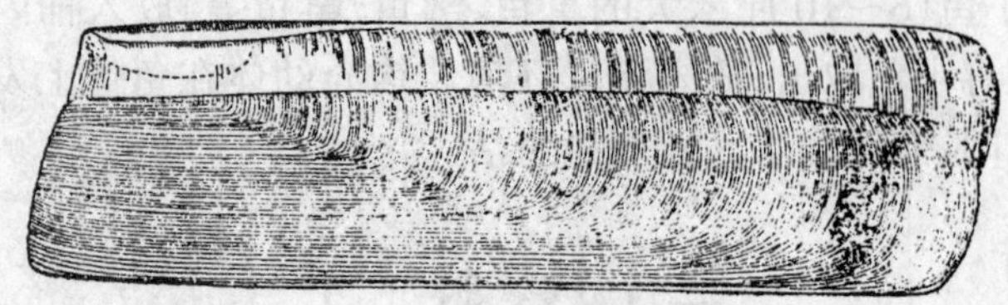

图 1-93　大竹蛏

异体,繁殖期为 8～11 月份。

长竹蛏生活于潮间带中区至潮下带的浅海中,栖息于沙质或泥沙质海底,栖息密度有时较大。雌、雄异体,春夏之间繁殖。

大竹蛏穴居于潮间带中下区和浅海的泥沙滩上,栖息深度为 30～40 厘米,洞穴斜,与地面呈 70°～80°角,常与长竹蛏生活在一起。

【采集与加工】 缢蛏于春、夏、秋在潮间带中、下区挖泥采捕。长竹蛏和大竹蛏用铁锹挖取或用铁钩钩取。采后洗净泥沙,取肉鲜用或晒制成蛏干备用。壳收集起来,晒干,煅制用。

【养殖方法】 缢蛏在潮间带养殖。将选好的滩涂整理成蛏埕,将蛏苗均匀地播在里面,幼苗生长较快,1～2 月份播苗 ,当年或翌年 4～5 月份即可收获。在我国以浙江、福建沿海养殖蛏最为有名。

三十七、乌　贼

乌贼包括金乌贼 *Sepia esculenta* Hoyle,别名墨鱼、乌子、乌鱼;针乌贼 *Sepia andreana* Steenstrup,别名墨鱼和曼氏无针乌贼 *Sepiella maindronide* Rochebrune。金乌贼主要分布于我国北部沿海。针乌贼主要分布于黄海、东海。曼氏无针乌贼分布于辽宁到广东沿海。骨状壳及肉、缠卵腺及墨汁入药。

【形态特征】 金乌贼(图 1-94),体型中等大,头部短,眼位于头的两侧。眼的后方有一皮肤突出形成的线形肋。嗅觉陷椭圆形。胴长约 200 毫米,呈卵圆形,长度为宽度的 1.5 倍。鳍窄,位于胴部,两侧的全缘。腕的长短相近,有吸盘 4 行。雄性左侧第四腕茎化为生殖腕,其中部吸盘极小。触腕长度稍超过体长,触腕穗半月形,约为全腕长的 1/5,吸盘小而密,约 10 行,大小相近。体肉色,有细密的紫色色素斑。背部色素极密,因而色深。内壳发达,呈长椭圆形,长度约为宽度的 2.5 倍,后端中央有一锥形骨针,周缘有角质边。背面凸,被有坚硬的石灰质粒状突起,自后端开始,突起略呈同心环状排列,腹面的石灰质松软,中央有一纵沟,沟的两侧隆起。横纹面略呈菱形。

针乌贼(图 1-95),体较小,胴部瘦长,后端尖细。鳍窄,位于胴部两侧的全缘。雄性胴部瘦长呈圆锥形，第二对腕为其他各腕长度的 2 倍以上。雌性胴部稍肥短，近卵圆形，各腕长度相差极小。内壳雌、雄也有差别。雄体较长，长度约为宽度的 6 倍；雌体较短，长度约为宽度的 4 倍。

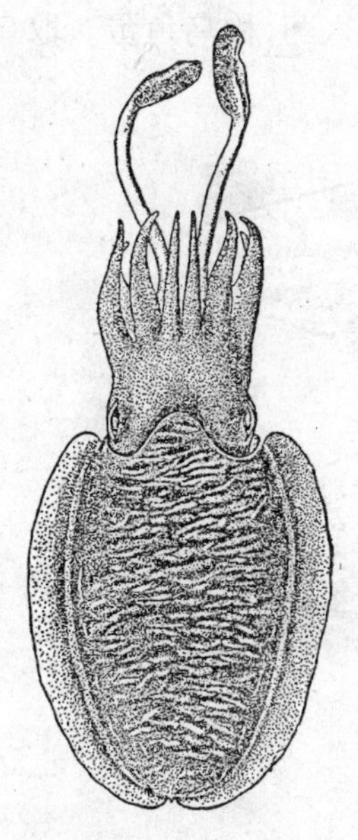

图 1-94 金乌贼

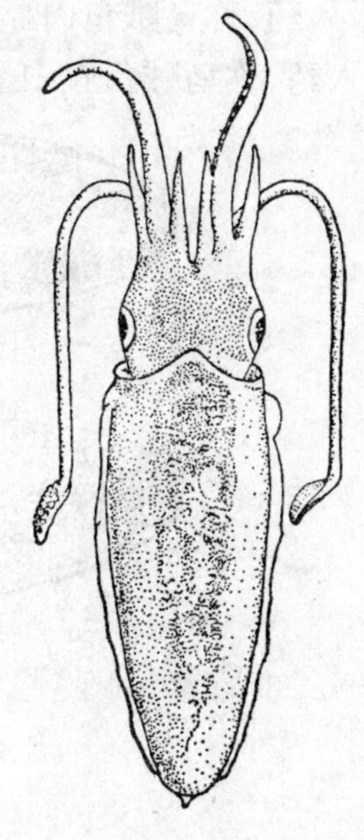

图 1-95 针乌贼

曼氏无针乌贼(图 1-96)，体中等大，胴部卵圆形，长度约为宽度的 2 倍。胴的后端腹面有一腺孔，常流出近红色带腥味的浓汁。鳍前端略窄。各腕的长度近相等。触腕长度略超过胴长，触腕吸盘小而密，大小近相等。内壳长椭圆形，长度约为宽度的 3 倍，末端无骨针。

【生活习性】 金乌贼的游泳能力很强，每年秋冬游至深水处越冬。春、夏之际游至近岸浅水处交尾产卵。卵多附着在海藻或其他海底物基上，外面包有黑紫色卵膜，许多卵胶着在一起，形状似葡萄，称之为“海葡萄”，在水温 18℃～22℃时，孵化期约需 1 个月。刚孵出的稚仔，背部黄褐色，有紫色色素，与成体近似，活动力较弱，常潜于水底。稚仔生长迅速，当年即长成，翌年春季便开始交尾产卵，产卵后大部分死亡。

针乌贼性群集，游泳力弱，每年约 4 月份常随海流进入沿岸，可敷设定置张网捕捉，也可用大拉网捕捉。

曼氏无针乌贼在春夏之际，从深水海区洄游至浅水处产卵，潮流缓慢、水质澄清和盐度较高的海域为产卵活动中心，卵子产在海藻丛中，外包以黑色胶膜，状似葡萄。稚仔孵出后与成体相似，背斑明显，活动能力强，早晚常升至水的上层活动，白天多下沉海底。食物主要是甲

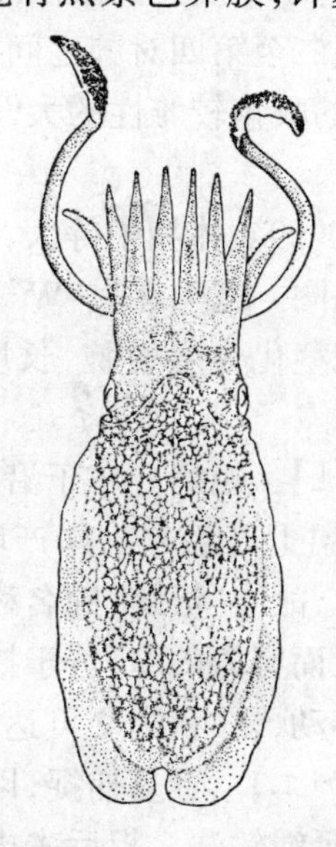

图 1-96 曼氏无针乌贼

壳类,也吃小鱼。

【采集与加工】 在春、夏季将漂浮在海边或积留在海滩上的乌贼骨拾起,以淡水漂净,晒干,或将加工、食用乌贼时弃下的内壳收起,洗净,晒干备用,药材称海螵蛸(图 1-97)。取乌贼肉鲜用或制干入药,称乌贼鱼肉。收集雌乌贼的缠卵腺晒干入药,称乌鱼蛋。取乌贼墨囊中墨汁,制成干粉入药,称乌贼鱼腹中墨。

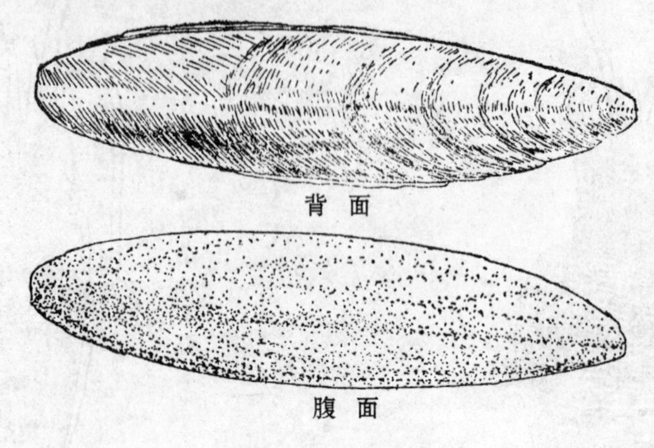

图 1-97 海螵蛸

三十八、蛸

蛸包括短蛸 *Octopus ocellatus* Gray,别名饭蛸、坐蛸、短脚蛸、章鱼、八带;长蛸 *Octopus variabilis* (Sasaki),别名长爪章、马蛸、长腿蛸、石拒、章拒。主要分布于辽宁到广东沿海。干燥或鲜体去内脏入药。

【形态特征】 短蛸(图 1-98,彩图 11),体小,全长约 270 毫米,胴部球形或卵圆形。头部短小,两侧各有 1 个发达的眼。眼周有小型的棘状突起,两眼间的皮肤表面有一纺锤形或半月形的斑块。第二至第四对腕之间的区域内有一椭圆形金色圈。腕较短,各腕的长度相近,腕吸盘 2 列,雄性的吸盘较雌性的大,雄性左侧第二腕茎化为生殖腕,端器颇小,呈圆锥形。生活时体褐色。

长蛸(图 1-99),体型中等大,全长约 800 毫米。胴部长椭圆形,表面光滑。两眼间无斑块,两眼前无金色圈。漏斗器呈"W"字形。腕颇长,第一对腕最长,长度约为第四对腕的 2 倍。雄性右侧第三腕茎化为生殖腕,长度仅为左侧第三腕的 1/2,端器大而明显,匙形。内壳退化。体肉红色。

【生活习性】 短蛸分布于沿岸海域,营底栖生活。秋冬水温下降时群集移向较深的水中越冬,春季水温上升后来沿岸产卵。卵多产于空贝壳中。产卵期为 3~5 月份,以 4 月最盛。卵形似大米粒,故有"饭蛸"的名称。

长蛸具长而有力的腕,善于挖穴栖居。冬季在潮下带泥中深潜,春季渐向大潮低潮线以上的盐卤地中移动,夏、秋之交可达潮间带中区,晚秋复回潮下带潜伏。肉食性。常以蟹肉为食。

【采集与加工】 春夏捕捉,以 4 月为宜;秋、冬季捕捉,以 11~12 月份为宜。以红螺或小蟹作钓饵,用延绳钓法。捉后去内脏,晒干或鲜体入药。

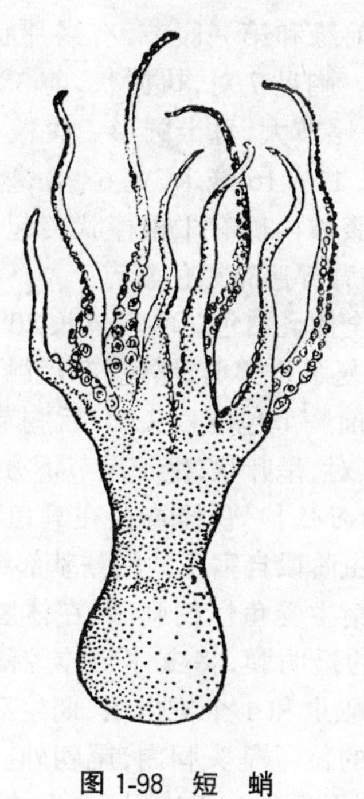

图 1-98 短 蛸

图 1-99 长 蛸

三十九、鱼 怪

鱼怪包括鱼怪 *Ichthyoxenus japonensis* Richardson，别名鲤怪、鱼虱；张氏鱼怪 *Ichthyoxenus tchangi* Yu，别名鱼虱子、鱼寄生、鱼鳖。鱼怪主要分布于我国长江流域、黄河流域，京津地区及云南、台湾也有分布。张氏鱼怪主要分布于我国南方水域。以鱼怪的干燥全体入药。

【形态特征】 鱼怪（图 1-100），雌虫体长 19～28 毫米，宽 11～15 毫米。身体两侧有时不

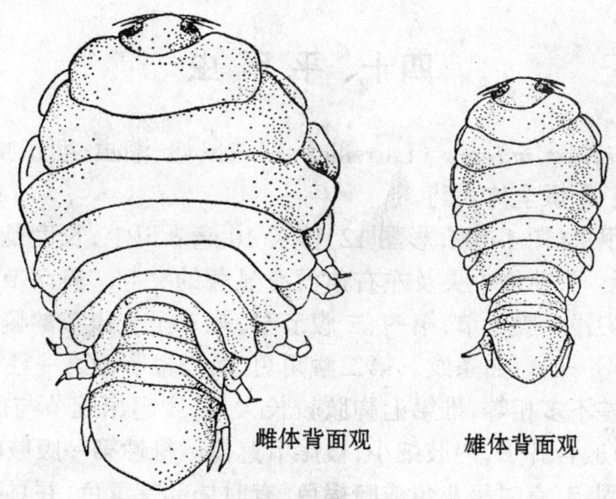

图 1-100 鱼 怪

对称。头节小，呈横椭圆形或菱形，有 1 对复眼。第一触角 8 节，第二触角 9 节，均短小。头节

的附肢还有大颚及颚足。胸部宽大,分7节。第一胸节前缘和第一腹节,有鳞片状抱卵板4对,构成育卵室,内含卵数百粒;怀卵时,这部分膨大如球。胸足7对,执握状,前3对向前伸,后4对向后伸。腹部较窄,舌片状,分6节,前5节短小,尾节大,呈半圆形。腹板5对,双肢型,为呼吸器官。腹部的最后一对附肢为尾肢。雄虫体长11～16毫米,宽6～8毫米,体型比雌性窄小,两侧对称。颚足较雌体的窄长,其腹部的第二腹肢内侧有1根棒状突起,是交接器官。雌、雄虫生活时为乳白色,固定标本逐渐变为黄色,体背部遍布黑色素点。

张氏鱼怪(图1-101),体呈长卵形,阔而扁,无坚甲。全体乳白色。雌者体长20毫米,宽约15毫米;雄者体较小,长4～10毫米,宽1～6毫米。头部复眼长卵形,黑色,有短触须2对,头下方有大颚1对,小颚2对。胸部发达,长而阔,共7节,前胸节包围后头部,后胸节包围腹部第一、二节。胸肢7对。腹部萎缩成尾状,分5节,鳃足5对,呈叶状,生于尾节下方。

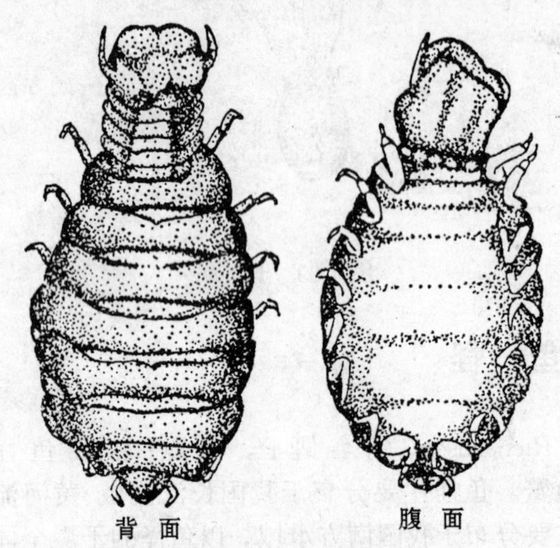

图1-101　张氏鱼怪

【生活习性】　鱼怪寄生在鲤鱼、鲫鱼的胸腔中。幼虫阶段自宿主的胸鳍基部穿破鱼体进入体腔。宿主受鱼怪的刺激,在体腔前端形成1个袋形的透明膜,将虫体与体腔隔开。袋内包着1个雌虫和1个雄虫,长期生活在内。鱼怪在袋内的位置是头朝内,尾朝外。尾节靠近囊孔,以利于呼吸。长成后,由于体型增大,就不能再由原孔钻出体外,而从胸鳍基部的孔可以看到。患鱼怪病的鲤鱼、鲫鱼生长迟滞,鱼体瘦弱,并丧失生殖能力。

张氏鱼怪寄生于鲤鱼、鲫鱼的胸鳍后的特别囊内,除幼虫阶段外都在囊内。

【采集与加工】　在春、秋、冬季采收。捕鱼时将寄生有鱼怪的鱼挑出,自鱼鳍的白色囊中取鱼怪,晒干或烤干备用,药材名鱼虱子。用时以微火焙干或用60℃烤箱烘干,研粉用。

四十、平甲虫

平甲虫 *Armadillidium vulgare* (Latreille),别名鼠妇、潮虫、西瓜虫。主要分布于河北、山东、江苏、浙江等地。干燥全体入药。

【形态特征】　平甲虫(图1-102,彩图12)体长10毫米以上,长度是宽度的2倍。体型呈长椭圆形,背部呈弓形。头前缘中央及左右角没有显著的突起。胸7节,第一、二胸节的后侧板较第三至第七节的尖锐。腹5节,第一、二腹节窄,第三至五腹节的侧缘与尾节后缘连成半圆形。体节均有多少不一的弯曲条纹。第二触角短,第二鞭节较第一鞭节长。胸肢7对,第一至第六对胸肢的坐节差不多相等,惟第七胸肢较长大,长度超出腕节与前节之和。腹肢5对。尾肢扁平,外肢与尾节嵌合齐平,内肢细小,被尾节遮掩。雄性第一腹肢的外肢如鳃盖状。雌、雄虫背表面的颜色不固定,有时呈灰色或暗褐色,有时局部带黄色,并具有光亮的斑点。

【生活习性】　喜阴暗、潮湿的环境,多栖于朽木、腐叶、石块等下面,有时也出现在房屋、庭院内。春季开始繁殖。数量多,群居,一群有几十个。

【采集与加工】 于夏、秋季在潮湿的墙角及石下捕捉。捕后用沸水烫死，晒干或炒干入药，药材名鼠虫。

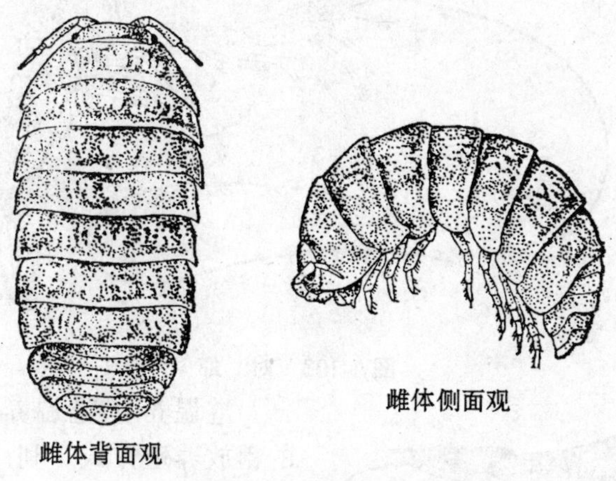

图 1-102 平甲虫

四十一、对 虾

对虾包括对虾 *Penaeus orientalis* Kishinouye，别名大虾、明虾和长毛对虾 *Penaeus penicillatus*（Alcock）。对虾主要分布于渤海、黄海和江苏、浙江以北沿岸海域。长毛对虾主要分布于广东、福建沿海。肉或全体入药。

【形态特征】 对虾（图 1-103）体长大而侧扁，甲壳甚薄，表面光滑。额角细长，平直前伸，顶端稍超出第二触角鳞片的末端，其基部上缘微微隆起，末端尖细。头胸甲具眼眶触角沟、颈沟及额角侧沟，无中央沟及额胃沟。额角侧沟仅延伸至胃上刺附近。肝沟细而明显，平直前伸，其下方无肝脊。额角后脊至头胸甲中部即行消失。眼胃脊甚明显。头胸甲具触角刺、肝刺及胃上刺。眼眶角圆形无眼上刺，前侧角亦为圆形而无颊刺。腹部第四至第六节背面中央具有纵脊，第六节长约为高的 1.5 倍。尾节长度稍短于第六节，其末端甚尖，两侧无活动刺。步足较小，前 3 对步足呈钳状，后 2 对步足呈爪状。5 对步足皆具短小的外肢。体甚透明，微呈青蓝色，胸部及腹部肢体略带红色，尾肢之末为深棕蓝色并夹有红色，全体隆起部分为浓棕灰色。雄虾体色较黄。雌性生殖腺成熟前呈绿色，成熟后呈棕黄色。

长毛对虾（图 1-104），额角侧沟浅，越向后越浅，至胃上刺下方消失，无肝脊及额胃脊。无中央沟。额角后脊伸至头胸甲后缘附近。额角基部背面较凸，末端较细，第一触角上鞭与头胸长度相等（或稍短于头胸甲）。额角上缘有 7～8 齿，下缘有 4～6 齿，基部稍高（背面凸）。雄虾第三颚足末节为末第二节长度的 1.2～2.7 倍。额角脊上有断续的凹点。雌虾交接器前片顶端疣突比较小，宽为纳精器的 2/9。

【生活习性】 喜生活于泥沙底的浅海，捕食底栖的虾类、小型甲壳类、小型双壳软体动物以及各种无脊椎动物的幼体或硅藻等。

【采集与加工】 春季捕捞。捕后洗净去壳，取肉或全体煮熟晒干入药。取对虾壳晒干研末入药，称海虾壳。

【养殖方法】 对虾养殖主要有港塭养殖和池塘养殖两种方式。

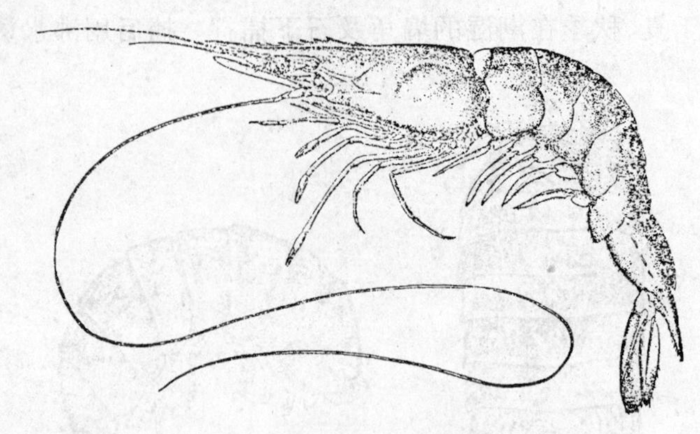

图 1-103　对　虾

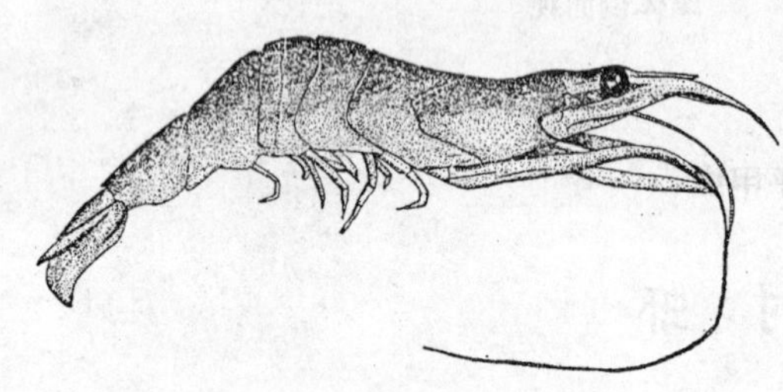

图 1-104　长毛对虾

港塭养殖:港塭养殖是主要依靠天然饵料的粗放养殖方式。利用沿海荒滩进行围堵,挖沟建闸,引水纳苗,鱼虾混养。

场地选择。港塭的面积为四、五十公顷。除沟渠以外,水深半米左右。具体要求是:①在港湾中、下游,选择中潮区的低、中潮地带,满潮时,水可漫滩,干潮时,水可排干,地势平坦,有天然水沟,"口小肚大",围堤最短的低洼地建塭。②底质以泥沙质较好,便于造堤,保水性好,水中养料不易流失,适合虾类栖息和生长,也有利于饵料生物繁殖。选择底质时,要挖几个深坑观察一下泥土之下有无沙层。③有充足的水量,良好的水质,有利于对虾生长。要求海水相对密度(比重)稳定,潮流通畅,有适量淡水注入,场地周围和上游的水源无工业污水和农药污染。④附近有丰富的苗源。

港塭建造。大致可分筑堤、建闸和挖沟等 3 部分。①筑堤。可利用筑堤最短的地方筑堤坝。在堤外保留部分海滩作缓冲地带。筑堤可在港塭内距离堤基 5 米处挖土。以坚土筑堤,土质要求含水量小,粘结牢固,一般壤土、黄土加沙即可。堤坝要高出洪水线 1.5 米左右,临海迎浪面的主堤坡度为 1:2～3,用石块护坡或铺植 1 层草皮,堤面宽 2 米以上,若兼作道路,还应加宽,并在堤基外面栽种一些耐碱植物,以减少风浪的冲击,起到保护堤坝的作用。②建闸门。闸门起着控制水位、纳苗、调节水质和放水出虾的作用,应建造牢固。闸门的位置设在地势低、底质坚硬、港塭之外有天然水沟、水流畅通的地方。闸门大小与数量可依据水面而定,一般以 5～6 公顷设一闸门。闸门大小为 1～1.5 米。为了便于造堤作业和有利于合龙时排水,应先建闸后筑堤。闸门设闸槽 2～4 道,以安装闸板、进水网、拦网和收虾挂网之用。闸门由闸板控制水位,闸板有整块的和分片的 2 种。前者可使用机械升降,后者开启方便,利于纳苗操作。③ 挖沟。挖沟可加深水位,有利于虾的活动和栖息,尤其夏季水温较高时,对虾可栖息于水沟深处,同时也便于排水出虾。可利用天然水沟,略为整理,没有水沟的港塭,可根据水面的大小开沟。一般水沟有 3 种类型:一是中央沟(又称主沟或潮沟),直通闸门,为进排水和出虾的主沟道,沟较宽亦较深。可视港塭大小,开宽 5～6 米、深 1～2 米的沟。二是边缘沟(又称环沟、大围沟),围绕港塭四周,与中心沟相通,沟宽 3～5 米,深 1～1.5 米左右。三是支沟,连接中央沟和边缘沟。此外, 北方有些地区,除上述水沟外,还开挖清水沟和横沟。清水沟与中央沟平行,宽而深;横沟与中央沟垂直相通,进中央沟的潮水,经过横沟流入清水沟,故水较清,为虾良好栖息场所。横沟除连接上述两沟外,还贯通其他各沟。一般说来,沟越多越深,可利用的水体越大,对于虾的生长有利。所挖各沟,皆要求沟底平整、中央沟要向闸门倾斜。

纳苗。纳苗比捕苗具有节省劳力、虾苗数量大和成活率高的优点。纳苗必须掌握时机,事前需做好汛期及水文观测工作。由于鱼、虾习性不同,纳苗有顺水纳苗和逆水纳苗两种方式。纳虾多采用顺水纳苗法,即待海区水位高于闸内水位10厘米左右时开闸,让海水急速流入,虾苗顺流而下进入港塭。在苗汛旺期,每逢大潮,便可获得大量虾苗。

纳苗时,为防鱼虾外逃,可在闸内安装"八字箔"或在闸门上安装袖子网;为防敌害,可利用对虾与害鱼在海区出现的季节差异,在害鱼大量出现的时间里,少纳苗或不纳苗,以减少害鱼混入的数量,确保对虾有一定产量。

养殖管理。在养殖期间,除每天巡视进行日常水文观测外,还需做好更换海水、施肥、防汛、防逃和防害等管理工作。港塭养虾,主要依靠自然繁殖的饵料,因此,水质应保持一定的肥沃程度。适当的施肥,可促使饵料生物大量繁殖,如果结合施肥再投一些饵料,则可提高产量。

要经常检查堤坝,尤其是闸门附近受潮水冲击较大,容易塌损,要加强维护工作,做好防洪、防台风的准备。清野除害是一项重要的工作。大面积纳苗养殖,鱼、虾混杂,不清野除害,产量很难保证。一些鱼,如鲈鱼、鲷鱼、马鲅鱼、鰕虎鱼、雷子鱼等,经常以虾为食。1尾10.7厘米的鲈鱼胃中,1次就出现25尾体长2厘米的对虾苗。由此可见,害鱼不除,其他增产措施也难以落实,产量无法提高。要清除害鱼,必须在纳苗时就进行分苗清野;在管理过程中,结合投饵,趁害鱼觅食之机,进行捕捉。平时亦可用钩钓、人摸等办法清除一些害鱼。刚纳进的虾苗,大都浮游于水面,害鸟常成群飞来觅食,如不轰赶,虾苗损失很大,可用放鞭炮等方式驱赶。此外,蟹类数量多时,也能酿成蟹害,亦须加以清除。

收获。港塭收虾,可在闸门上装网,开闸放水,让虾顺流而出进入网内。若水不易排尽,可使用拉网,把沟中的对虾赶到一处,用抄网捞取。在放水收虾有困难的港塭中,可用"下箔"的办法连续收虾。将苇箔的下端插入泥底,上端露出水面,利用对虾有沿壁觅食的习性,布成"迷魂阵",使虾进得去,出不来,最后集中一处,再用抄网捞取。一般晚上下箔,凌晨收虾。此外,还可在苇箔旁装上"密封子",它是一种由芦苇做成的心形柱状的笼子,开口在心形的凹处,虾沿着苇箔进入"密封子"后就不易出来,1天2次,定时收虾。使用上述这种方法,并不能一次将虾收尽,需连续数日作业,才能大致将虾收完。

池塘养殖:池塘面积小,养虾易于管理,能达到精养、高产的预期效果。

池塘类型与建池要求。养虾池塘可因地制宜,大小可由几百平方米到几公顷,可在滩地上建池,也可利用废弃盐田加以改造,或将港塭隔成一个个小池。池塘形式亦可多种多样,有单个的,也有并列成排的,但基本构造都一样,同样设有堤坝、闸门和水沟。单个的池塘可视水面大小,设1～2个闸门,并列成排的一组虾池中,除每池设一小闸外,还有进、排水闸门等,形成复式闸门,组成一个进水、排水系统。池塘的水沟有中央沟、支沟和环沟,如虾池过小,可不挖支沟和环沟。新建虾池的位置,应在地势较低、底质坚硬、水质肥沃、海水相对密度稳定、潮流畅通的地方。池底以泥沙质为宜。底质不适合,渗水严重,不能养虾。堤坝坚实牢固,要经得起潮水冲击。池底及沟底平整,逐渐向闸门倾斜。闸门坚固耐用。如果池塘周围为农田,要在池塘外围开挖排水沟,以防暴雨后雨水混着农药流进虾池。

虾苗的捕捞及运输。池塘养虾属于小面积精养类型,一般不采用纳苗方式,养殖用苗来自

2个方面：一是采捕天然虾苗，一是人工育苗。在目前还缺乏人工育苗条件的地方，可采取捕天然虾苗。①捕苗。虾苗汛期因种类、地区不同而有差异。中国对虾一般于5月底至6月初见苗，盛期在6月上中旬，苗期20～30天，旺发时间更短。因此，捕苗要及早做好准备，掌握苗情动态，不失时机地进行捕捞。捕苗工具因地而异，一般多用小型网具，如推网、定置网和小拉网等。使用定置网张捕虾苗，因装捞时间长，苗易死亡，小拉网捕的虾苗不理想，一般养殖虾苗多用推网捕获的。推网我国南北沿海都有使用。形似三角形，有大小2种：大推网用2根长竹竿交叉扎成X形，竹竿末端各装置1个便于滑行的"木脚"，网兜可用苎麻细线或尼龙丝编织，中间网目细密，越向边缘越疏。作业时1人1网，在1米左右的浅滩上推捕，推一段即起网。小推网的结构和作业方式与大推网相同，只是大小有差别，操作时比大推网灵活方便，但捕量不及大推网。捕获的虾苗，可放在竹编的密箩中暂养，上缚扎竹筒，使其浮于水中，再用绳子系在人体上，随人移动。②运输。捕获的虾苗或人工培育的虾苗，需通过运输才能到达养殖地点。运输方法有长途与短途、水运与陆运几种。几小时运程中途不需投饵。1天以上的运输，应投饵和换水。盛装虾苗的工具，有木桶、帆布桶或用塑料袋盛苗充氧，用人抬、肩挑或车、船运输。木桶装苗，应先盛水后装苗，水为桶高度的一半或3/5，便于途中水体动荡，增加氧气。装苗数量可视虾苗大小、天气状况和路程长短而定。苗大、路程长、气温高，虾苗宜少不宜多；虾苗较小、路程短、天气凉，密度可稍大一些。总之，运苗不能贪多，否则会适得其反。通常直径60厘米的木桶中，可装1～1.5厘米的虾苗5万～6万只。用塑料袋装虾苗时，先将袋中空气挤出，把袋平放于木板箱或硬纸盒内，将大漏斗插入袋口，注入少许新鲜海水，再将已计数的虾苗随水倒入袋中，在塑料袋鼓胀起来时，即可进行充氧。可用车轮内胎作简易的盛氧工具。充氧后，将袋口卷折，再用细线结扎，合上箱盖板，即可启运。在长40～50厘米、宽30～35厘米的塑料袋中，可装1～2厘米的虾苗0.6万～1万只。运输虾苗应尽量缩短运输时间，以提高虾苗成活率。运苗时间夜间比白天好，早晚运输比中午好，阴天比晴天好，气温低时比气温高时好。运输途中要注意气温及光照的变化，防止日晒、雨淋，事前做好遮阳、防雨准备。长途运输中应专人负责管理。

放苗前的准备。在放苗入池之前要检查、维修堤坝和闸门，做好清池、进水和繁殖饵料生物等工作。①清池。除去池中杂草、污物，使用鱼藤精、漂白粉、生石灰和茶麸等杀灭敌害生物。用含鱼藤酮2.5%的鱼藤精清池，药物用量少，药性消失快，换水后一般无残余毒性，清除害鱼的效果显著，使用较为普遍。如果适当增大用药量，亦可达到毒杀蟹类和其他有害生物的目的。清池之前把池水排干，暴晒数天，杀死一些有害生物。无法排干时，也应尽可能多排除一些积水，以节约用药量。清池应选择晴朗的天气，可提高药效。②进水。清池后1～2天就可进水。进水时必须在闸门上安装密网，以拦阻害鱼及其卵子进入池内。40～80目的密网用尼龙绢制作，为方形锥网，安置在闸框上，框口与锥形网口大小一致，可用木条将网口镶在框口上。启闸进水，闸板上升到方形网口的上方为止，水的流速不宜过急，以防80目方形锥网裂损，敌害混入。闸框与闸槽之间要密闭，发现漏水应及时采取措施。③繁殖饵料生物。饵料生物有卤虫、蜾蠃蜚、沙蚕和一些小型贝类。卤虫：又叫盐虫子或盐水丰年虫，其成体和幼体都是对虾苗的良好饵料。在环境适宜时，卤虫雌体产出的卵，在育卵囊内孵化为无节幼体，排放水中营自由生活，继续发育为成体；当环境不利时，它便产生一种带壳的休眠卵，即卤虫卵，它能长期保存并能随时进行孵化。在北方，卤虫卵每年大致在5月初孵化，6月开始在盐田大量出现，6月底可见当年产的第一批卤虫卵，最后一批成体可活到11月底或12月初，随着水温下降，不久即全部死亡，剩下卤虫卵过冬。降雨和水温显著下降，是促使卤虫产生休眠卵的主要原因。在自然环境中，卤虫在夏季产出的休眠卵，条件适宜时，当年夏秋即能孵化，而秋后产出的休眠卵，需度过漫长的冬季，到第二年春天暖和时才能孵化。为有效地提高孵化率，当年采取的卤虫卵，在孵化前，需要经过1次潮湿冰冻处理。将卤虫卵用海水浸透，置于－15℃～－25℃的条件下，经10～13天冷冻，然后取出晒干，即成为可长期保存的卤虫卵。在虾苗下池前，可在虾池中施以少量化肥或人尿，同时将上述的卤虫卵或事先孵化的无节幼体接种入池，尔后，随着幼体生长可视水色再适当施肥，促使幼体生长，到虾苗入池时，第一代卤虫已经长成，甚至繁育出第二代幼体，正适合幼虾摄食。亦可在放苗前7～10天，分批向池内投卵。分批的好处在于孵出的幼体大小参差不齐，既可延长幼虾摄食时间，也适于小个的幼虾摄食。蜾蠃蜚：是在泥表层生活的端足甲壳类，隐居于自己分泌形成的管子里，涨潮时出穴觅食，退潮时钻入穴中，常大量密集在泥底或沙泥底的河口或港湾里，是对虾的良好饵料。蜾蠃蜚对环境的适应能力很强，繁殖速度很快，适于引入虾池培养。在池塘清池、进水、施肥后，可在海滩上采集蜾蠃蜚，刮去烂泥后，将蜾蠃蜚投入池中。环境条件适宜，繁殖很快，4月中旬移入的蜾蠃蜚，4月26日检查，每平方米竟高达2.1万个，由此可见，在饵料生物培养中，移殖蜾蠃蜚是一项值得重视的工作。沙蚕：沙蚕大多在5月份产卵，繁殖能力很强，其幼体及成体都是养殖对虾的优良饵料，也适于向虾池中移殖，方法与移殖蜾蠃蜚相似，在灌水、施肥后，用抄网从港湾中捞取性成熟的沙蚕放入池中，让其产卵、繁育幼体，供幼虾摄取。

饵料生物的移殖培养效果，与施肥关系密切。适当的施肥，对促使饵料生物的大量繁殖，增加池塘中的饵料数量是有作用的，尤其是新建池塘，瘦水变肥，施肥效果更为显著。在虾池周围堆放猪栏粪肥，让肥水流入池中，水质由瘦渐肥，使端足类大量繁殖，收到良好效果。实践证明，幼虾摄食虾池中提前繁殖的饵料生物，生长速度很快，在每公顷放苗1.5万～2万只的密度条件下，仅1个半月，虾苗就能长到7～9厘米，显示出人工繁殖饵料生物的优越性。

放苗密度。可视水面大小、池塘条件、水质和饵料状况，以及虾苗大小来考虑放养密度，其中生物饵料种类和数量，直接影响到对虾的产量。饵料丰富、质量好，其他环境条件适宜，在精心管理下，合理密养可获高产；在各项条件均不理想的情况下，应适当减少放苗数量，不然会导致个体差异悬殊，成活率降低。目前以每公顷放养9万～15万只的居多。水面在0.6公顷以下，饵料充足、水质良好、便于精养管理的虾池中，每公顷放苗15万～22.5万只左右，目前可作为比较适合的放养密度。养殖对虾，环境条件固然重要，精心管理却是高产的基本措施。

养殖管理。主要工作包括投饵、换水、巡塘、观测和除害。①投饵。放苗半个月后，随着虾体增长和摄食量的增加，人工投饵逐步成为对虾生长所需饵料的主要来源。通常投喂小型贝类，如蓝蛤、寻氏短齿蛤等，也可投喂杂鱼蟹肉、小乌贼、蚕蛹、豆饼、花生饼、麦麸等，以及食品加工下脚料和人工混合饵料。一般认为，投喂动物性饵料优于植物性饵料，混合动物性饵料要比单一的动物性饵料要好，动、植物混合饵料，介于动物性饵料和植物性饵料之间。饵料在日落前投喂1次即可，考虑到对虾昼夜觅食，亦可早晨、傍晚各投1次。投饵有撒投和设置饵料台集中投喂两种方式。设置饵料台的好处是，便于检查摄食状况、及时清除残饵和观察对虾的活动与生长情况，亦可结合投饵发现和清除部分敌害生物。在面积较大的虾池中，为使虾均匀摄食，需将饵料分撒到虾池各处，并适当照顾对虾集中的地方，如池边、水沟和闸门处。投喂前，应将饵料切细捣碎。虾体长到7～8厘米时，随着幼虾绞碎小型薄壳贝类的能力增强，可投放一些活体的蓝蛤、寻氏肌蛤等。投饵数量可视残饵状况来考虑。如果上列投饵后，对虾活动、摄食正常，但残饵很多，说明投饵过剩，下次应当少投一些；若是上次所投饵料被吃尽，虾在游动觅食，可适当增大投饵量。②添换水：为保持池塘水位、调节水质、促使对虾蜕壳生长，可利用潮汐差向池内添换水，使对虾有一个良好的水环境。如果环境条件不适，池中出现异常水色，或含氧量过低，或残饵过多等情况，就需换水，尽可能多换一些；若情况一般，可采取添水的办法。在炎热的夏季，水质容易变坏，最好采取“小潮二三日，大潮必换水”的措施。在虾苗入池后不久，施肥结合投饵，如果水质并不污浊、含氧量正常、水温不高、水色正常，可不换水或适当添水即可，这样不使肥料流失，有利于饵料生物繁殖。如果上列情况不佳，还应采取换水措施。经常性换水，可促使对虾蜕壳生长，有条件还应适量注入一些淡水；换水后应注意投喂饵料。在添换水前，要严格检查闸门是否漏水、过滤网是否破损，以防对虾外逃，也防敌害生物混入池中。③巡池。在养殖期间，要密切注意池塘环境条件的变化，以防意外情况发生。因此，每天巡池是一项必不可少的工作，除了观察水色变化、虾的活动状况及饵料残留情况外，还要检查堤坝、闸门是否漏水和安全。巡池可在早晨、傍晚各进行 1 次，夏季天气多变，中午水温高，容易出问题时，也必须加强观察。水色是池塘中浮游生物种类和数量的反映。池塘中常见的水色为褐色、黄褐色、黄绿色和微绿色等，这些均属正常水色。如果池中出现异常水色，则应用显微镜检查，弄清是由何种生物所引起，对虾体有无危害。鱼腥藻大量繁殖时，水色会变为棕褐色，并有浓厚的鱼腥味，影响虾的生长，严重时会引起对虾大量死亡。因此，一旦水色不正常，就应及时换水。正常情况下，对虾常匍匐池底或沿着池边觅食，如不受惊，一般没有跳动现象，如果对虾跳动频繁，很可能是水中缺氧，亦可能是害鱼追逐，要分析原因，采取措施。要是对虾连续跳动很长时间，说明水质不良，要及时换水，以免造成损失。对虾也会因水质不适、营养不良，造成体质较弱、蜕不下壳的情况，此时对虾体色褐红，也有的体表布满附着生物，或者肠道弯曲，发现这类现象，就应从改善水质和满足饵料方面加以解决。④观测。为了解池塘环境条件变化和对虾的生长活动状况，需要每天定时测量水温、相对密度，视水质情况测定含氧量和定期测定虾的生长度。水温高达 39℃时，对虾就会死亡，低于 13℃时，对虾就很少在水面上活动，大多匍匐水底，在盛夏或晚秋更应注意测温工作。测温宜在早晨 5～6 点钟和下午2～3 点钟进行。对虾是广盐性虾类，适应盐度的能力随着生长发育而趋于增强，但在虾苗入池后不久，也要防止海水相对密度大幅度地突然变化，尤其在连续暴雨后，池内进入大量淡水，应及时排除一部分。正常情况下，池塘中的含氧量在每升 5 毫克以上，不致于发生缺氧现象。在天气多变的夏季、池塘水质较肥、池底有机物丰富、换水不及时的情况下，有可能缺氧出现泛池，尤其在清晨容易发生。要注意测定水中的含氧量，以便了解缺氧程度。缺氧时，虾向池壁或水面浮头。一般日出以后，水中含氧量会有所增高，虾逐渐恢复正常。但严重缺氧时，需采取搅拌池水或及时换水等措施。为了解对虾在池中的生长情况，要定期取样测定虾的体长和体重，可半个月或 1 个月测定 1 次。测量时也应观察肠胃的饱满程度，便于分析虾池环境条件是否适宜、饵料是否适合、投饵量是否合理，如果发现对虾生长快慢不一致、胃肠不饱、空胃比例大，或者肠道弯曲等现象，说明池中饵料状况不良，应及时调整投饵数量和适当更换饵料品种。⑤防害除害。要注意观察池中有无敌害生物，做好防害除害工作。添换水时要严密防止害鱼混入。害鱼不但消耗对虾的饵料，而且大量吞食对虾，蟹类也一样，尤其刚蜕壳的软壳虾，易受其害，另外，蟹在堤坝上钻洞凿穴，会造成基坝漏水，必须及时清除。池中的高等植物和丝状藻类也应不断清除。

出池。出池即收获，是养殖过程中的最后一个环节。对虾在饵料充足、水质适宜的条件下生长很快，4 个月左右，体长可达 12～16 厘米，就可收获。各地因气候条件差异，收获时间有早有迟，北方一般在 10 月上中旬，浙江一带通常在 10 月下旬至 11 月上旬。具体日期还需根据当地当时气候和水温情况来定，水温低了，对虾活动能力减弱，不易顺水流出，影响收虾效果。天气预报中如有寒流侵袭，应考虑提前出池。出池时在闸门上装置锥形网，放水出虾，剩余在沟中的对虾，可用网捕捉。

四十二、龙　虾

龙虾包括中国龙虾 *Panulirus stimpsoni* Holthuis 和锦绣龙虾 *Panulirus ornatus* (Fabricius)，别名龙虾。主要分布于浙江、福建、广东等沿海。全体入药。

【形态特征】 中国龙虾(图 1-105)，体长 200～300 毫米，头胸甲半圆柱状，有许多小棘，无额角，有 1 对展大的眼上棘。腹节的第二节至第四节有横沟，背面左右各有一具短毛的浅凹陷，无沟。尾节和尾肢宽大，形成发达的尾扇。背甲紫褐色或暗青色，上有许多很小的白色斑点。额板上有 2 对大棘和数对小棘，第一触角鞭部长于柄部，第二触角的鞭部甚长，柄部有粗刺。步足 5 对，末节简单，雌性第五对步足呈小螯状。

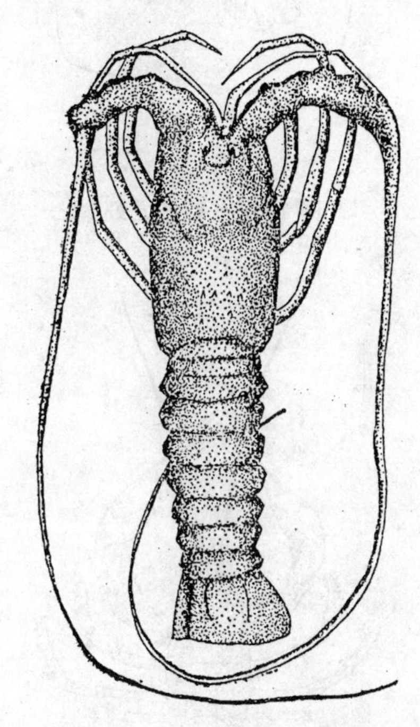
图 1-105　中国龙虾

锦绣龙虾(图 1-106，彩图 13)，是龙虾中最大的一种，体重可达 5 千克。腹部背甲无横沟，触角板具 2 对大棘，第二颚足外肢无鞭。头胸甲后缘的横沟宽度相等(中央特别宽)。步足棕紫色，有白色圆斑点。腹部无黄色横斑，头胸甲上有五彩花纹，非常美丽。

【生活习性】 中国龙虾栖于 5～10 米深的浅海岩礁间，善于在海底爬行，不善于游泳，行动迟缓，白昼潜伏，夜晚出来活动，寻找食物。锦绣龙虾生活于 10 米水深以内的海底石缝中，善于爬行，行动迟缓，不善于游泳。夏、秋两季抱卵，卵的数目很多，形体很小。初孵出的幼体头胸部宽大，腹部短小，经过数次蜕皮变成龙虾样子。经过一个游泳阶段，最后才定居在海底。

【采集与加工】 可用网捕捞。捕后取肉鲜用或晒干入药，将壳晒干，研末，供药用。

四十三、蝲　蛄

包括东北蝲蛄 *Cambaroides dauricus* (Pallas)，别名蝲蛄、东北螯虾；朝鲜蝲蛄 *Cambaroides similis* (Koelbel)，别名朝鲜螯虾。主要分布于松花江、鸭绿江、图们江、千山附近的水域及镜泊湖、辽宁等地。蝲蛄以胃内的磨石入药。

【形态特征】 东北蝲蛄(图 1-107)，雌性体长 70～84 毫米，头胸部略呈圆筒状，颈沟显著,后侧无刺。额角细长,呈锐三角形,长度约占头胸甲长度的1/3,表面凹陷,中央有一纵行隆脊。第二触角柄的末缘约抵额角末端。尾节呈钝三角形,末缘有刚毛,两侧有缺刻,缺刻中有2枚锯齿。尾肢呈蝶翅形,外肢分2节,内肢1节,末缘具刚毛。螯足壮大,可动指向外弯曲,不动指向内弯曲,腕节内缘中部具一锐刺,长节内侧具2行齿状刺。第二对胸足短,均有螯。第四至五对胸足无螯,指节呈尖锐的钩状,有稀疏刚毛。第四对胸足掌节下侧缘有2条刚毛丛。雄性的第一、二对腹肢变成交接器官,第一对呈短棒状,无分枝,中部前缘有1列细毛。第二对腹肢为双枝型,内肢粗,外肢细,呈分节鞭状。雌性第一、二对腹肢亦为双枝型,内肢较粗不分节,外肢细而分节,呈鞭状。

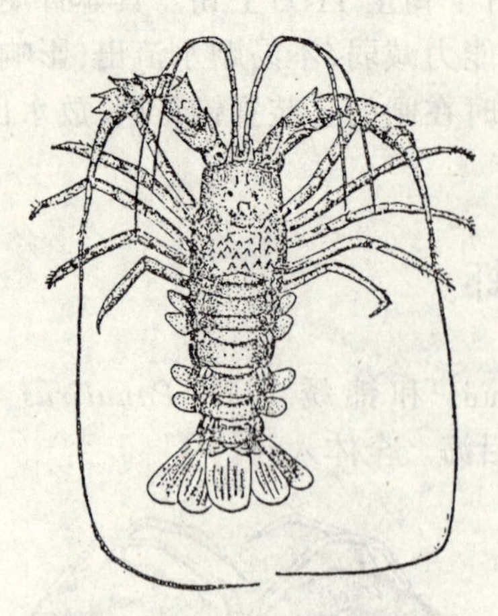

图 1-106　锦绣龙虾

朝鲜蝲蛄(图1-108),体较小,体长66.4～78.7毫米。额部较宽而平,呈三角形,中央无纵行隆脊。腹节的侧板钝圆。

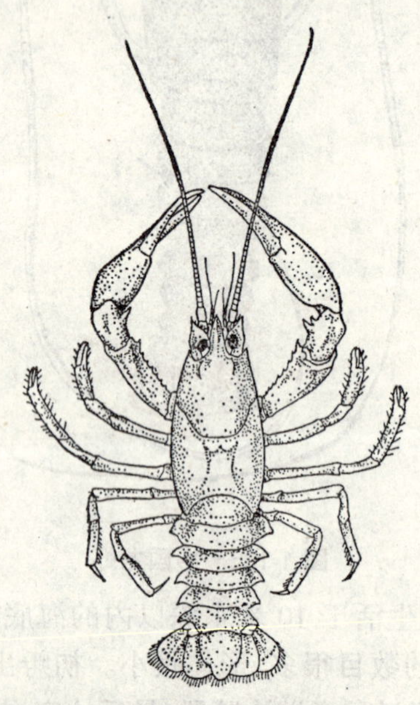

图 1-107　东北蝲蛄

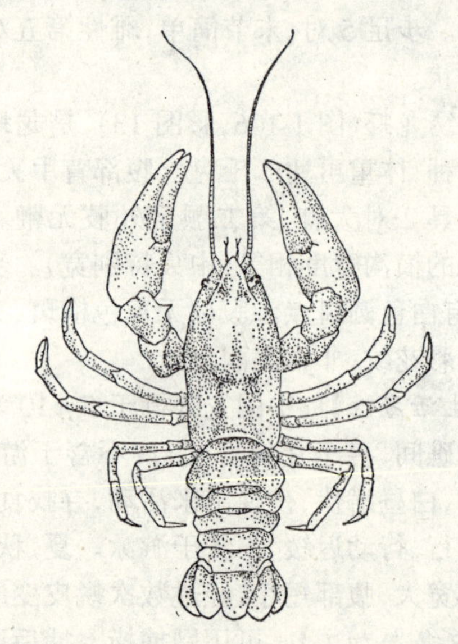

图 1-108　朝鲜蝲蛄

【生活习性】 生活于山溪或山地附近的河川、湖泊中。白昼藏于石下,黄昏后爬出洞外寻找食物。蝲蛄为杂食性,多以腐烂植物、藻类、软体动物、小型甲壳动物、水生昆虫及鱼类等为食物。9～10月份交配,翌年春季开始产卵,5月中下旬孵化成为幼体。幼体附于母体腹肢上生活一个时期,至体长达11～12毫米时才离开母体,进入水中独立生活。6月上旬是幼体入水的高峰期。

【采集与加工】 于5月中下旬、9月中旬至10月上旬2次蜕皮前10～15天捕捉。捕后将磨石(图1-109)取出,洗净,晒干备用。

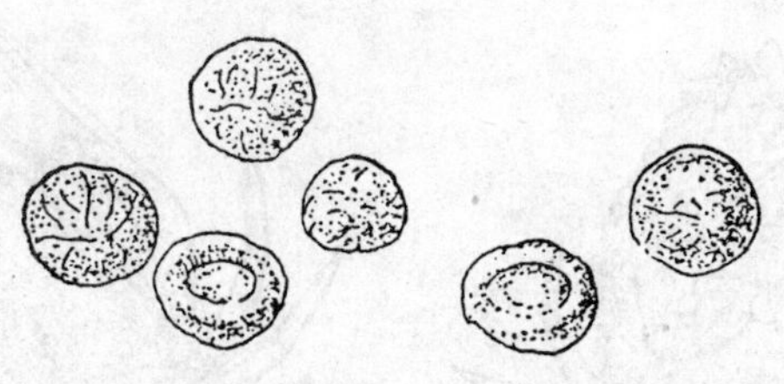

图 1-109　蝲蛄胃磨石

四十四、蟹

蟹包括公鸡馒头蟹 *Calappa gallus*（Herbst）；卷折馒头蟹 *Calappa lophos*（Herbst）；逍遥馒头蟹 *Calappa philargius*（Linnaeus）和羊毛绒球蟹 *Doclea ovis*（Herbst），别名毛蟹、甲指红。主要分布于我国东海、南海等沿海地区。蟹黄和壳入药。

【形态特征】　公鸡馒头蟹（图 1-110），头胸甲前窄后宽，长约 42 厘米，宽约 55 厘米；前半部有齿状突起，后半部具鳞片状突起。额部突出，前缘呈横切状，两侧稍内凹。眼窝背缘有 2 条缝。前侧缘外眼窝角及后面的 1 个齿呈疣状突起，其余的突起为较小的齿状。后侧缘呈扇形突出。前半部有 3 个大齿，后半部较长，具 3 个小齿，其边缘具颗粒。后缘两侧各具一低平的突起，边缘亦具颗粒。螯足不对称，长节外末缘突出呈隆脊状，具 4 个齿突，边缘具短毛，腕节外侧面具疣状突起。右掌较左掌厚大，两掌的外侧面均具疣状突起。背缘均具三角形齿。大螯 2 指内缘各具 2 个钝齿，小螯可动指内缘基部具 3～4 个小齿，不动指内缘具 8～9 个小齿。步足光滑，短小。雄性腹部退化呈窄条状，伏于头胸部下方，俗称为脐，分 5 节；雌性腹部较宽，分 7 节。两性腹部的尾节均呈长三角形。

卷折馒头蟹（图 1-111），体形似馒头。头胸甲盾状，高度隆起，长为 80 毫米左右，约等于宽度的 2/3，表面黄色，带棕红色斑，前部有光滑的块状突起，后部有颗粒状突起，中部有 2 条纵沟。额窄，有 2 齿。眼窝小。前侧缘呈锯齿状。后侧缘突出，各有 4 个不等大的锐齿，各齿间有一浓紫色的横纹。后缘有 7 个钝齿，齿缘具颗粒。沿边缘下面密生短绒毛。螯足强大，不对称，能完全遮蔽头胸甲的前方，长节的背缘具 4 个叶状突起，腕节以下各节有云状或虎斑状紫色斑纹，掌节的背缘具 6～7 个齿。步足较小而光滑。雄性腹部窄长，第三节最宽，第三至第五节融合，节缝仍可分辨，尾节呈三角形。雌性腹部明显地分为 7 节，尾节呈锐三角形。

逍遥馒头蟹（图 1-112），个体较小，长度为 50 毫米左右。头胸甲为盾状，长度约等于宽度的 2/3，表面甚隆，具 5 条纵列的疣状突起，侧面具软毛。额窄分 2 齿。眼窝壁具粗糙颗粒，眼窝背缘后面各有一半环状的紫色斑纹。前侧缘约有 12 个明显的锯齿，后缘及后侧缘共有 15 个三角形齿。螯足大，不对称，右螯较大。二螯足均靠近面部，长节短，背缘有 4 个具短毛的钝齿，腕节外缘各有一棕红大圆点，掌节背缘具 7 齿，两螯的指节形状不对称。步足细而短。雄性腹部第五节呈四方形，第六节长大于宽。雌性腹部第五节宽而短，第六节宽大于长。

羊毛绒球蟹（图 1-113），头胸甲呈圆球状，表面隆起，密生短绒毛，裸露时分区可辨，并有许多突起，沿中线、额区及胃区有 4 颗突起，心区有 2 颗突起，后者较突。肠区 1 颗似已退化。由前胃区向中鳃区斜行，1 列有 5～6 个突起。前侧缘具 2 个锐齿，后侧缘具 1 个钝齿。眼窝小，外眼窝齿锐，向内弯曲。额窄，向前伸出，分为 2 齿。螯足对称，长节密生绒毛，指节内缘具

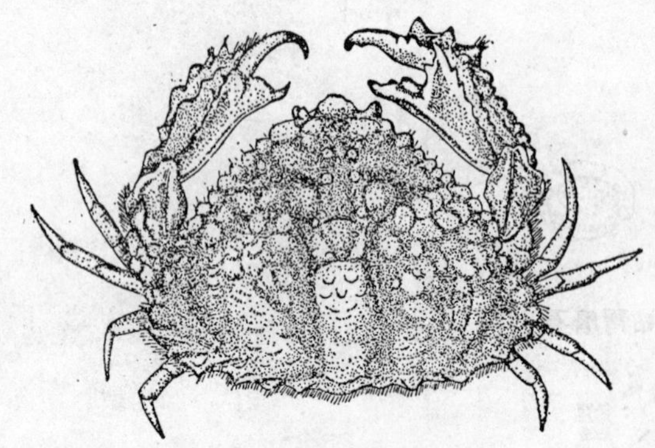

图 1-110 公鸡馒头蟹

图 1-111 卷折馒头蟹

细齿。步足圆柱形,除指节外均密生短绒毛。第一对步足的长度约为头胸甲长度的 2 倍。

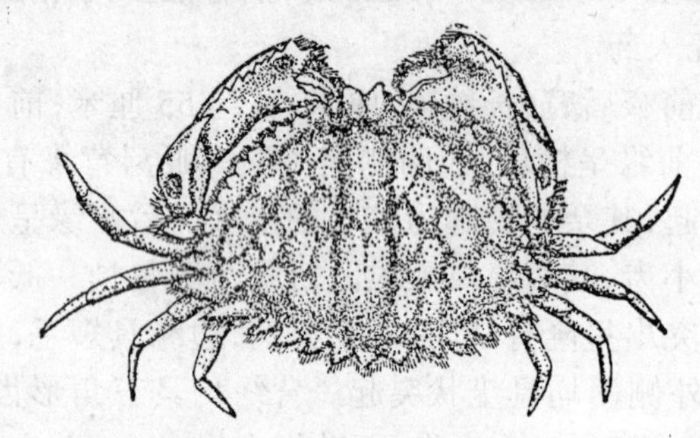

图 1-112 逍遥馒头蟹

图 1-113 羊毛绒球蟹

【生活习性】 生活于水深 20～100 米的沙底上。羊毛绒球蟹生活在河口的泥底或距海岸不远的泥滩或卵石滩上。

【采集与加工】 秋季在沙滩和岩岸石缝中捕捉,取蟹黄入药鲜用。除去肉和内脏,将壳洗净晒干入药。

四十五、溪 蟹

溪蟹 *Potamon denticulatum*(H. Milne-Edwards),别名锯齿溪蟹,分布于山东、河南、安徽、江苏、浙江、福建、江西、四川等地。全体入药。

【形态特征】 锯齿溪蟹(图 1-114),头胸甲宽度略大于长度,头胸甲长 25.8 毫米,宽 43.2 毫米。表面稍隆起,前半部具少数颗粒,后半部光滑。额区有 1 对隆起、具横行的皱襞。眼窝后部的隆起明显。中胃区与心区之间有明显的“H”形沟,侧胃区的后缘隆起,鳃区稍隆起,中部具 1 沟,斜向中胃区。额宽,向前方倾斜,前缘中间凹陷,表面有颗粒。眼窝背、腹缘及外眼窝齿的边缘均具细锯齿。外眼窝齿与前侧缘之间具 1 缺刻。前侧缘稍弯曲,具细齿。螯足不对称,长节的边缘有锯齿,背缘近末端处具 1 个小齿,腕节的内末角具 1 个锐刺,外侧面末缘具小齿数个,掌节胀大,指节光滑,两指内缘具不规则齿。第二对步足最长,长节背缘具皱缝,腕节前缘有小刺,前节的背腹缘均具小刺,指节周围具棘。

【生活习性】 栖息于河、湖、水田和山溪中,潜伏在石块下。

【采集与加工】 四季都可在溪、河石缝中捕捉。捕后除去肉和内脏,将壳洗净晒干备用。也可全蟹鲜用,或晒干入药。

图 1-114 锯齿溪蟹

四十六、螯 蟹

螯蟹包括中华绒螯蟹 *Eriocheir sinensis* H. Milne-Edwards,别名河蟹、毛蟹、大闸蟹、清水毛蟹、毛夹子和日本绒螯蟹 *Eriocheir japonicus* (de Haan)。主要分布于辽宁、河北、山东、江苏、浙江、福建、广东等沿海地区。干燥全体入药。

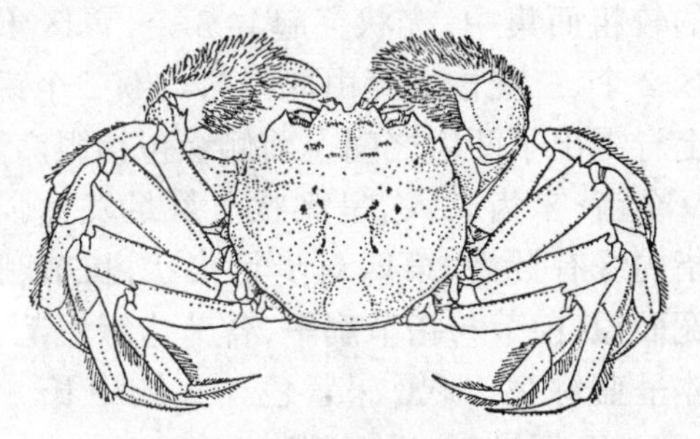

图 1-115 中华绒螯蟹

【形态特征】 中华绒螯蟹(图 1-115),头胸甲长 55 毫米,宽 61 毫米。呈圆方形,后半部宽于前半部。背面隆起,额及肝区凹陷,胃区前面有 6 个对称的突起,各具颗粒。胃区与心区分界明显,胃区周围有凹点。额缘及前侧各有 4 齿。眼窝上缘近中部处突出,呈三角形。前侧缘 4 个锐齿,末齿最小,并有一隆线,斜行于鳃区的外侧;后侧缘内方亦有一隆线。雄性的螯足比雌性的大,掌节与指节基部的内外面密生绒毛,腕节内末角具一锐刺。步足以最后 3 对较为扁平,腕节与前节的背缘各具刚毛,第四步足前节与指节基部的背缘与腹缘皆密生刚毛。雌性腹部呈圆形,雄性腹部呈三角形。

日本绒螯蟹(图 1-116),头胸甲的前半部较后半部窄,后半部较宽,表面与中华绒螯蟹颇近似。头胸甲长 56 毫米,宽 61 毫米。额宽约为头胸甲最宽处的 1/3,前缘具 4 个齿,居中的 2 齿较钝圆,两侧的较尖锐。额后部的突起亦不如中华绒螯蟹锋锐。眼窝背缘有 1 条缝,外眼窝角锐。前侧缘(连外眼窝角在内)共分 4 齿,末齿几乎仅留痕迹。螯足长节呈三棱形,内腹缘有刚毛,腕节内末角具 1 根棘,掌节有厚密的绒毛,并扩展到腕节末端至两指的基部,两指内缘的齿较钝。步足长节前缘具刚毛,腕节的前缘及前节的前后缘亦有棕色长刚毛,指节前、后缘有短刚毛。

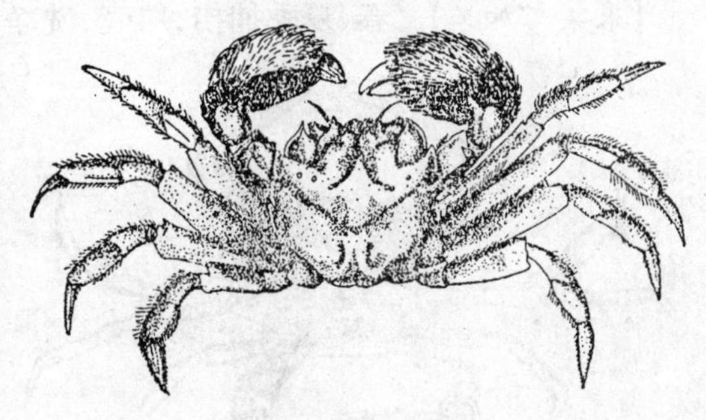

图 1-116 日本绒螯蟹

【生活习性】 中华绒螯蟹常穴居于江河、湖荡泥岸,昼匿夜出,以动物尸体或谷物、鱼、虾等为食。秋季常洄游到近海河口处产卵繁殖。母蟹抱卵在翌年 3~5 月间孵化。幼体经多次蜕皮变态，发育成为幼蟹，再溯江、河而上，在淡水中继续生长。近年来在河北、江苏、浙江已发展人工养殖，在江、河中投放大量蟹苗，秋季成熟。螯蟹繁殖季节，可以大量捕捉。

日本绒螯蟹生活于河流中，多在河口半咸水底层栖居。晚秋繁殖季节，大雨后的夜晚常成群由淡水水域向河口处迁移。

【采集与加工】 秋季螯蟹下游迁入海时，可沿湖、河用网拦捕，或摸蟹洞、用灯光诱捕。捕捉后，洗净沙土，将附肢、螯足和蟹体，以绳捆之，放铁桶内用热水烫死，取内脏和肉晒干供药用。蟹爪、蟹壳晒干备用。

四十七、梭 子 蟹

梭子蟹 *Portunus trituberculatus* (Miers)，别名三疣梭子蟹、蝤蛑、枪蟹。主要分布于辽东半岛、山东半岛、江苏、浙江、福建、广东沿海地区。干燥的全蟹和蟹壳入药。

图 1-117 三疣梭子蟹

【形态特征】 三疣梭子蟹（图 1-117），头胸甲呈梭形，稍隆起，表面有分散的颗粒，在鳃区的较粗而集中，疣状突起共 3 个，胃区 1 个，心区 2 个，三疣梭子蟹由此得名。额 2 个锐齿，口上脊露出于两齿之间。前侧缘包括眼窝齿共具 9 个齿，末齿长大，呈刺状。螯足发达强大，两指内缘有钝齿，第四对步足桨状，长节、腕节均宽而短，前节与指节扁平，各节边缘短毛。雄蟹体呈蓝绿色，雌蟹深紫色。头胸甲长 82 毫米，宽 149 毫米（包括侧刺）。

【生活习性】 生活于水深 10～30 米的泥沙质海底中，常隐藏在障碍物旁边或钻入沙下避敌。4 月至 7 月初为产卵季节。初期在河口可以捕获大量的抱卵母蟹。喜食动物尸体，亦常捕食小鱼及水草的嫩叶等。

【采集与加工】 春、夏季捕捞，取壳，洗净，晒干。全蟹洗净鲜用或取蟹黄鲜品入药。

四十八、青　蟹

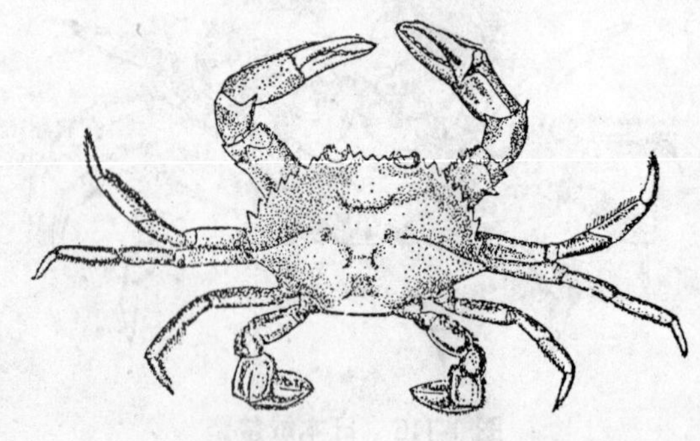

图 1-118 青　蟹

青蟹 *Scylla serrata* (Forskal)，别名锯缘青蟹、朝蟹、黹蟹。分布于我国广东、福建、台湾、浙江等沿海地区。全体入药。

【形态特征】 青蟹（图 1-118），头胸甲短而稍宽，一般长为 98 毫米，相当于宽度的 2/3。两侧无长棘，背面隆起而光滑，呈青绿色。胃区及心区间有明显的“H”形凹痕。胃区有 1 条细而中断的横行颗粒线，鳃区亦各有 1 条同样的横线。额有 4 个突出的三角形齿。眼窝背缘有 2 条缝，内缘较深。前侧缘有 9 个等大的三角形齿。螯足不对称，长节前缘有 3 个刺，腕节内末角具 1 个强刺，外末缘具 2 个钝齿，雄性成体掌节甚大，两指间的空隙大，内缘有一强大的钝齿。前 2 对步足指节的前后缘具刷状短毛,第四对步足前节与指节扁平,呈桨状,适于游泳。雄蟹腹部呈宽三角形,雌蟹腹部呈宽圆形。

【生活习性】 生活于温暖和盐度较低的浅海中。捕食刚蜕壳的软壳蟹、藻类及其他植物茎的碎片等。全年产卵,高峰期在 5~7 月份。成熟母蟹由河口或咸淡水到近海中产卵。孵出的幼蟹常随潮流到近岸或河口觅食。

【采集与加工】 四季可捕捉,随捕随用。鲜用或腌咸用均可。

四十九、日本蟳

日本蟳 *Charybdis japonica* (A. Milne-Edwards),别名红夹子、鬼脸儿。主要分布于辽宁、河北、山东、江苏、浙江、福建、广东等沿海地区。肉和全体入药。

【形态特征】 日本蟳(图 1-119),头胸甲长约 59.4 毫米,宽约 89.7 毫米。体呈横卵圆形,表面隆起。胃、鳃区有细横行颗粒隆起。额稍突,有 6 个锐齿,中间 2 齿较突。内眼窝齿比额齿大。前侧缘拱起,连外眼窝齿在内共具 6 个锐齿。螯足大,不甚对称,长节前缘具 3 根壮刺,基部的 1 根刺最小,腕节内末角具 1 根壮刺,外侧面具 3 根小刺,掌节厚,外、内面隆起,背面共有 5 个齿,掌节的外基角具 1 个齿,背面的 2 条隆脊上各具 2 个齿,两指较掌节长,表面有纵沟。步足各节背腹缘均具刚毛,游泳足的长节后缘近末端处有 1 根锐刺,前节与指节均扁平,呈桨状。雄蟹腹部呈三角形,雌蟹呈圆形。

图 1-119 日本蟳

【生活习性】 生活于低潮线处,栖息于有水草、泥沙的水底,或潜伏于石下。捕食鱼虾及软体动物。5~6 月份为产卵季节,此时渤海湾可以捕获大量抱卵母蟹。

【采集与加工】 在夏季用网捕捉,鲜用或晒干用。

五十、蝎子

蝎子 *Buthus martensi* Karsch,别名东亚钳蝎、全虫、茎尾虫。分布于我国北方各地,江苏、福建、台湾亦有分布。干燥全体入药。

【形态特征】 东亚钳蝎(彩图 14),成体长约 60 毫米。躯干(头胸部和前腹部)为绿褐色,尾(后腹部)为土黄色。头胸部背甲梯形。侧眼 3 对。胸板三角形。螯肢钳状,第三节末端有分叉的可动指,指上有齿。触肢钳状,掌节末端有上钳指和下钳指。第三、四对步足胫节有距,各步足跗节末端有 2 个爪和 1 个距。前腹部的背板上有 3 条隆脊线。生殖厣由 2 个半圆形甲片组成。栉状器有 16~25 个齿。后腹部的前 4 节各有 10 条隆脊线,第五节仅有 5 条,第五节之后为一袋状尾节,内有 1 对白色毒腺。毒针下方无距。

【生活习性】 蝎子对环境的适应能力较强,寿命 8 年左右,繁殖期约 5 年。年生活周期可分为生长期、填充期、休眠期和复苏期。生长期从清明(4 月 4 日或 5 日)至白露(9 月 7 日或 8

日),共150～160天。这时是营养生长和生殖生长的高峰期。填充期从秋分(9月23日或24日)至霜降(10月23日或24日),共40～50天。此时蝎子大量捕食,储备营养,准备冬眠。休眠期从立冬(11月7日或8日)至雨水(2月19日或20日),共120～130天。此期蝎子生长停顿,不吃不喝,处于休眠蛰伏状态。复苏期从惊蛰(3月5日或6日)至清明,共30～50天。此期蝎子开始出蛰活动。

蝎子有较固定的窝穴,喜群居,喜暗怕光,昼伏夜出,爱静不爱动,喜潮怕湿。在40℃～－5℃的温度条件下均能生存,生长发育的最适温度为25℃～39℃。温度超过41℃易脱水而死亡。蝎子活动场地的相对湿度以60%～70%为宜。蝎子喜欢在较弱的绿色光下活动,惧怕强光。

蝎子为肉食性动物,喜食蜘蛛、蜈蚣、蝗虫、蟋蟀、地鳖虫、蛞蝓、黄粉虫及米蛾和玉米螟幼虫,新鲜的猪肉、牛肉、鱼肉、蛙肉等也爱吃。成蝎3～5天捕食1次。若缺食、缺水,饲养密度过大,会引起相互残食。

成熟母蝎在5～6月份和8月份各发情1次。发情期与雄蝎交配。蝎子为卵胎生,孕期约10个半月。孕蝎常在安静的环境中栖息。母蝎1胎可产仔15～35只。初产小蝎趴在母背上不吃、不动,5天后第一次蜕皮,经过几天恢复便离开母体独立生活。在自然条件下,仔蝎约32个月、经6～7次蜕皮长成成蝎,在人工养殖条件下,经8～10个月便可发育为成蝎。

【采集与加工】 野生蝎子春夏秋3季均可捕捉。夜间用灯光诱捕,白天掀开石块、土堆捕捉。人工饲养的蝎子随时都可捕捉。捕到的蝎子可加工成咸全蝎或淡全蝎。先把蝎子放在清水中浸泡、洗净。然后在锅中按500克蝎子用盐150克,加水2.5升,待盐溶解后放入蝎子,加热煮开20～30分钟,捞出在通风处阴干,即为咸全蝎。淡全蝎的加工过程与咸全蝎相同,只是煮蝎子时不放盐。用全蝎泡酒可制成蝎子酒。蝎子还可烹制多种美味佳肴。

【养殖方法】 养蝎子可采用房养、池养、缸养、箱养、坑养、架养、地窖养等方法。不论采用哪种方法养殖,都应选用无农药及其他化学物品污染的场所,要有防逃设施,要设置蝎子栖息的窝室及饮水、捕食场所,养殖场地要干燥通风,若进行无冬眠饲养,还应有加温、保温设施。

引进种蝎最好在春末夏初进行,可以当年产仔,有利于提高繁殖速度。一般每1平方米蝎舍可放养2～3龄蝎子3 000只,4～5龄蝎子1 500只,6龄蝎子800只。

蝎子爱捕食鲜活动物饲料,可在蝎场用灯光诱集昆虫供蝎子捕食,或捕捉鼠妇,养殖蚯蚓、地鳖虫、黄粉虫投喂。投饲要定时定量,未吃完的饲料要随时扫除,保持食场清洁。水盘要放在固定的地方,盘内放些小石块、小段树枝等作垫物,便于蝎子吸水。

日常要注意调节蝎舍的温度和湿度。在生长期蝎场温度保持在25℃～29℃,相对湿度60%～70%。休眠期温度保持1℃～7℃,温度变化不要超过3℃～5℃,相对湿度保持在8%～12%。进行无冬眠饲养,则全年的温、湿度都应保持在最佳状态。

(参见金盾出版社出版的《人工养蝎技术》、《药用动物养殖与加工》、《蚯蚓养殖技术》、《药用地鳖虫养殖》、《黄粉虫养殖与利用》)。

五十一、蜘　蛛

蜘蛛包括大腹圆蛛 *Aranea ventricosa* (L. Koch);迷路草蛛 *Agelena labyrinthica* (Clerck),别名迷路漏斗网蛛、草蜘蛛;北壁钱 *Uroctea limbata* L. Koch,别名七星蛛。分布于

我国各地。干燥全体入药。

【形态特征】 大腹圆蛛(图 1-120,彩图 15),雌成蛛体长约 30 毫米,雄成蛛体长约 15 毫米,头胸部与腹部黑褐色。头胸部梨形,扁平,有小白毛。8 眼分聚于 3 眼丘上,前缘中央眼丘上有 4 眼,两侧眼丘各 2 眼。螯肢强壮,有 7 个小齿。步足强大、多刺,上有深色环带。腹部近圆形而较大,肩部隆起,背面中央有清晰的叶状斑带,沿中线有 8 对细小圆斑,其中以第二至第六对易见。腹面有 1 对白斑。生殖厣有黑色长舌状体。纺织器锥形。

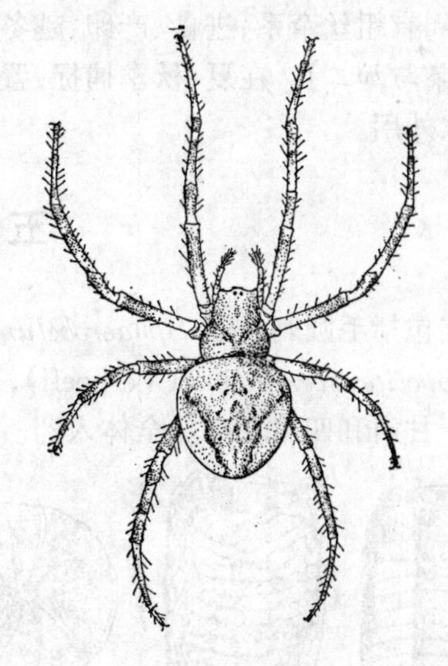

图 1-120 大腹圆蛛

迷路草蛛(图 1-121),成蛛体长约 5 毫米。头胸部浅灰褐色,腹部红褐色。头胸部梨形,扁平,背面自前至后有 2 条深褐色纵带纹。8 眼排成 2 行,前后列侧眼彼此贴近,而中眼相距较远。螯肢有 6 个齿。步足各节有黑色长毛,胫节有深色环带。腹部长圆形,柔软多茸毛。背面沿中线自前至后有 7 对"八"字形白斑。腹部 1 对褐色带纹。生殖厣后半部较厚。纺织器的后突为 2 节,较长,外观像 2 条小尾巴。

北壁钱(图 1-122),成蛛体长 8~14 毫米。头胸部黑褐色,腹部黑色。头胸部宽圆形。8 眼密集,排成 2 列。前列中眼稍大,黑色,其余 6 眼较小,皆白色。螯肢弱小,无齿。步足粗短,约等长。腹部呈瓜籽形,被覆浓密黑毛,背面中央有 4 个小黄点,周围有 7 个白斑(斑的大小、形状有差异,有的甚至很小,不易见),腹面有成行的小白点。纺织器后突长大,2 节。肛丘大,2 节,末节周围有 1 圈极浓密的黑色长毛。

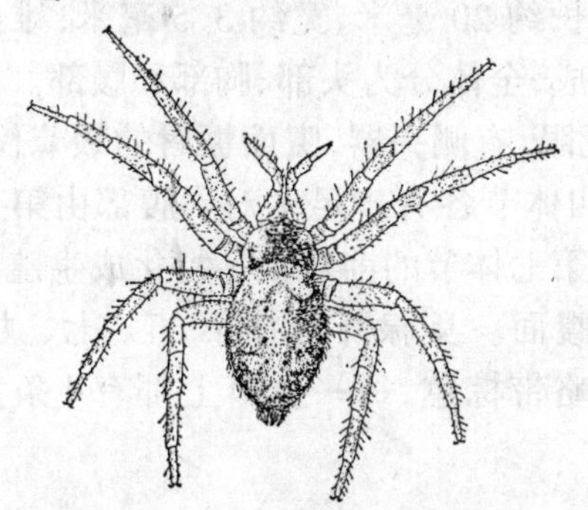

图 1-121 迷路草蛛

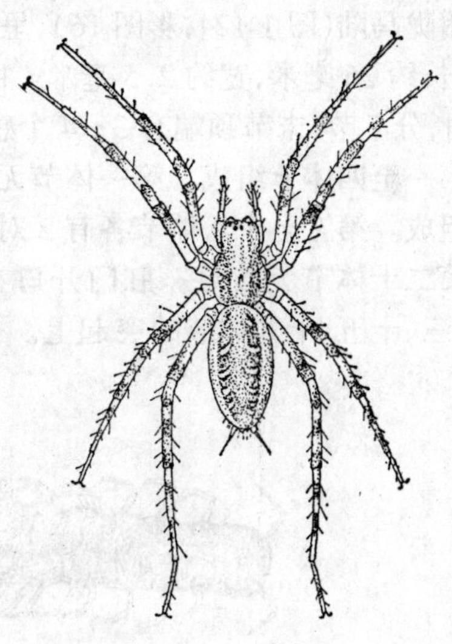

图 1-122 北壁钱

【生活习性】 大腹圆蛛多栖息于屋檐下和树间。张结大型车轮网。活动时期一般在 3~10 月份。多在黄昏时结网,网丝粗韧,富粘性。

迷路草蛛多栖息于草间、灌木的近地面处、土坎、墙角、篱笆、石隙等处。张结漏斗状网。它平时躲在网底的筒状巢口,待虫落在网上时,即迅速冲出捕食。9 月份左右性成熟,卵囊藏于树洞、墙缝或石隙中。

北壁钱多栖息于屋角、窗门角和壁上，张结圆形网茧，形如白色圆纸片，网茧直径 30～35 毫米，四周有粗丝牵系，进食、产卵、越冬均在其中。

【采集与加工】 在夏、秋季捕捉，置沸水中略煮，晒干或鲜用。网巢可生用或炒用。蜘蛛蜕壳研末外用。

五十二、马 陆

马陆包括毛圆刺马陆 *Sphaerobelum hirsutum* (Virhoeff)，别名滚山虫、山苏甲；宽跗陇马陆 *Kronopolites svenhedini* (Verhoeff)，别名摔子虫。毛圆刺马陆主要分布于广西；宽跗陇马陆分布于甘肃和四川北部。全体入药。

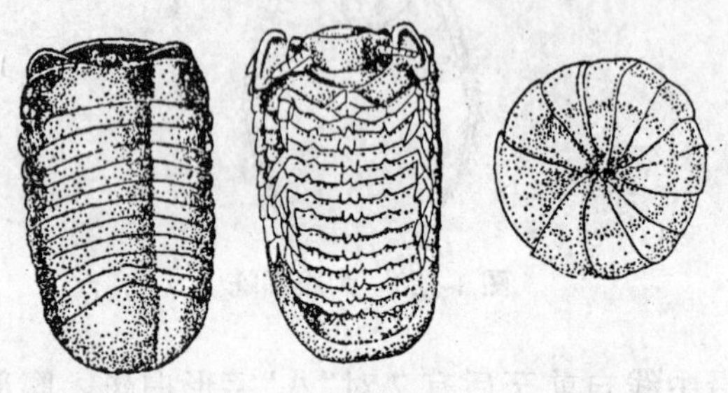

图 1-123 毛圆刺马陆

【形态特征】 毛圆刺马陆(图 1-123)，呈扁长形，体长 30～40 毫米，体宽 20 毫米左右。卷曲时略呈球形。体分头部和躯干部，胸、腹部区分不明显。头极小，呈三角形，在胸部的下方。头的前两侧有 1 对触角，分 8 节。触角基部后面有 2 只眼。头前部为额板，与上唇接连。上唇有 3 个齿，其后面为 1 对大颚，共组成咀嚼部分，无毒颚。躯干部有 13 个背板，第一片称颈板，在头的后面，极小。第二片称胸甲，巨大，代表第二体节；胸甲之后的 11 片背板中，前 2 片属于胸部，其余的 9 片属于腹部，最末片背板为尾板。雌性有 21 对步足，在胸部有 3 对，腹部 9 个体节上各有 2 对。雄性最后 2 对步足形成生殖肢。体多呈黑色、棕色，具光泽。每个背板前半部分色较浅，呈棕黄色，卷曲状态时呈黑色和棕色相间排列。

宽跗陇马陆(图 1-124，彩图 16)，呈圆柱形。雌性长约 20 毫米，宽约 3.5 毫米；雄性比雌性细小，长约 26 毫米，宽约 2.5 毫米。由 20 个体节组成，全体分为头部、胸部和腹部。头部有 1 对触角，分 7 节，末节顶端有 3～4 个感觉圆锥体。无眼，有侧头器，腹面颚唇的颏节仅 1 片。胸部由第一至四体节组成。第一体节无附肢，第二至四体节各有步足 1 对。腹部由第五至二十体节组成。第五至十八体节各有 2 对步足。惟雄性第七体节的前对步足特化成生殖肢。第十九至第二十体节无步足。肛门开口在最末体节的腹面。臭腺开口在第 五、七、九、十、十二、十三、十五、十九体节的突起上。全体呈褐色或略带棕色，每一体节上都有 1 条黄色横纹。

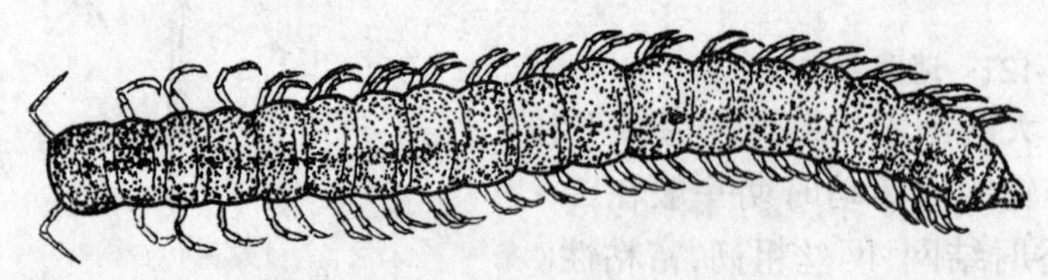

图 1-124 宽跗陇马陆

【生活习性】 毛圆刺马陆喜生活在阴暗潮湿处，有腐殖质的草丛中或树荫下，阴天及夜间活动,在夏季雨后十分活跃,四处爬行。7～8月份是交尾盛期。交尾时,雄性爬在雌性的背部,再翻转到雌性身体前半部的腹面,以生殖肢伸入雌性生殖孔内,输入精液。毛圆刺马陆9～10月份逐渐减少,冬季蛰居于较深的土层中,卷曲成环状。雌性于土中产卵,以身体环抱卵群。由卵至孵化发育为成体要经过7个幼虫期,每蜕皮1次,要增加若干个步足和体节,最后变为成体。

宽跗陇马陆生活在潮湿的树叶堆下或栖于石下洞穴中。遇惊扰时,立即卷曲成圆球形,随坡往下滚以避敌害。畏惧阳光,炎热时躲入阴凉处或钻入疏松泥土中1～2厘米处,遇雨爬向遮雨的地方隐蔽。冬天栖于地下冬眠。6月份,腹内有20多个大如小米的卵,呈淡黄色。

【采集与加工】 在6～8月份采收。采收后,将虫置瓦上焙干,或置烈日下晒干,或用60℃烘箱烘死,然后取出,再晒干,用竹刀刮足、去头,研末备用。

五十三、山　蛩

山蛩 *Spirobolus bungii* (Brandt),别名燕山蛩、约安巨马陆。分布于全国各地。全体入药。

【形态特征】 燕山蛩(图1-125,彩图17),体大,长约120毫米,宽约7毫米,触角长5毫米,末端有4个以上圆锥状感觉体。头鞘平滑,前中央有1条纵沟。触角基部后每边约有50个单眼,排成三角形,似复眼。体节板从颈板到肛节共计54片(雄性53片),表面光滑,圆形,自第六背板以后,每节侧面各有1对臭腺孔。第一体节缺步足,第二至第四节各有步足1对,自第五节起至肛节前,每节有步足2对,各步足具6节,末端有爪。肛门在两肛门瓣之间,上方有一背板,并不突出,下方为一小肛下板。生殖肢由第七节步足变成。胸板呈弱"V"形。躯干背面黑褐色,后缘淡褐色。颈板深褐色。步足黑褐色,最后1对色较浅。

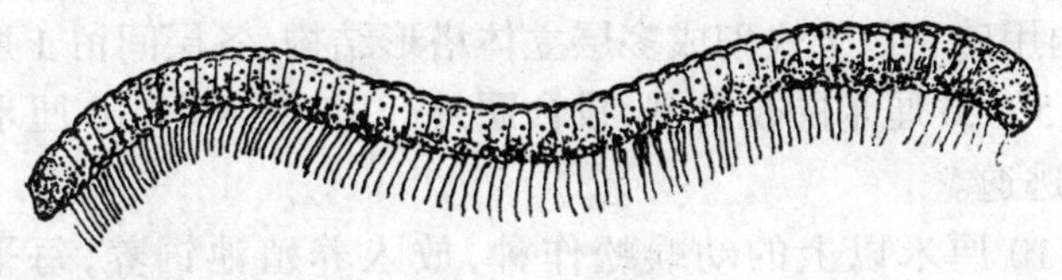

图1-125　燕山蛩

【生活习性】 多栖于阴湿处。食草根及腐殖质。触之则卷缩不动,并放出恶臭。

【采集与加工】 夏季捕捉,晒干或鲜用。

五十四、蜈　蚣

蜈蚣 *Scolopendra subspinipes mutilans* L. Koch,别名少棘蜈蚣、金头蜈蚣。分布于我国各地,陕西、河南、江苏等地较多。干燥全体入药。

【形态特征】 少棘蜈蚣(图1-126,彩图18),体长110～140毫米,有21个体节。第三、五、八、十、十二、十四、十六、十八、二十体节两侧各有1对气门。气门纵裂,呼吸腔有内、外瓣扇,分成外庭和内腔。头板和第一背板金黄色,末背板近黄褐色。胸板和步足均为淡黄色。背

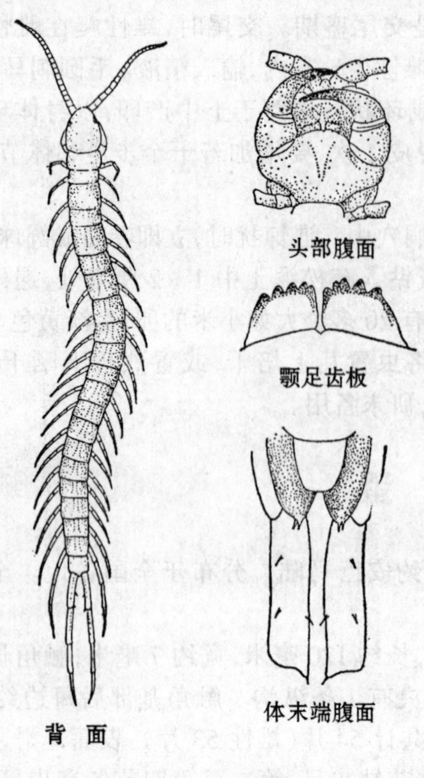

图 1-126　少棘蜈蚣

面自第四至第九体节起，有 2 条不显著的纵沟。第二、四、六、九、十一、十三、十五、十七、十九体节的背板较短。胸板纵沟在 2～9 体节间。头板前部两侧各有 4 个单眼，集成左右眼群。颚足内部有毒腺；颚足齿板前端具 5 个小齿，内侧 3 个小齿相互接近。步足 21 对。末步足最长，伸向后方，呈尾状；基侧板后端有 2 根尖棘；前腿节腹面外侧有 2 根棘，内侧有 1 根棘；背面内侧有 1～3 根棘。

【生活习性】 喜居于潮湿阴暗处，多栖息在腐木、石隙间和阴湿的草地中。性畏光，昼伏夜出，以捕食昆虫为主，其他小型动物亦为猎取对象。在 10 月份以后，天气转冷时钻入泥土中，潜伏于离地面 10～13 厘米深的土里越冬，惊蛰后随着天气转暖，出洞觅食。蜈蚣在春夏之间产卵，卵数在 15～35 个之间。卵椭圆形，长3～3.5 毫米。雌虫具有卷曲身体、环抱卵群孵化和保护幼蜈蚣的习性。幼蜈蚣与成蜈蚣的步足数量相同。雌雄两性肛生殖节异形。

【采集与加工】 夏季于雨后翻动石块或于房屋附近的砖石堆中捕捉。捉后用沸水烫死，用两头削尖的细竹签插入头、尾两部，借竹片弹力，使其伸直，置阳光下晒干。

【养殖方法】 养殖少棘蜈蚣可在向阳、通风、湿度较大、稍安静的地方建简易养殖池或立体养殖池养殖。池内用砖、石、土块砌成多层立体塔形结构，各层间留 1 厘米的缝隙，供蜈蚣栖息。池内壁四周设 15～20 厘米的投食圈，投食圈外开 15 厘米宽、10 厘米左右深的水沟，供蜈蚣饮水，并可防蜈蚣逃逸。

挑选体壮、体长 10 厘米以上的幼蜈蚣作种，放入养殖池饲养，每平方米栖息面积放养 200～500 条，雌雄按 10:2～3 搭配放养。蜈蚣的主要食料是蟋蟀、蝇类、蛾类、蛆虫、青虫、蜂类、白蚁、甲虫、蝗虫、蜻蜓、蜘蛛、蚯蚓、蜗牛等，也采食胡萝卜、苹果、植物嫩芽及煮熟的马铃薯和牛奶、面包等。饲喂可采用配合饲料。如动物性饲料 70%，煮熟的马铃薯 20%，青菜末或面包渣 10%，混合饲喂。也可用动物肉末 70%，鱼粉或蚕蛹粉 20%，青菜末 10%，混合饲喂。要注意防治绿僵菌病、胃肠炎、脱壳病。

饲养蜈蚣可参阅金盾出版社出版的《蜈蚣养殖技术》、《药用动物养殖与加工》等书。

注：本章部分墨线图仿《中国药用动物志》

第二章 昆 虫 类

一、衣 鱼

衣鱼包括毛衣鱼 *Ctenolepisma villosa*(Fabricius),别名衣鱼、银鱼、蛀书虫;衣鱼 *Lepisma saccharina* Linnaeus,别名白鱼、蟫鱼、石蛃、壁鱼。为广分布种,我国各地均有分布。以干燥全体入药。

【形态特征】 毛衣鱼(彩图 19),雄虫体长 8~13 毫米,梭形,黄褐色。背面密布灰白色鳞毛,腹面鳞毛色浅。头小,口器外露,向前下方伸出,触角长 11~16 毫米,成线状,由许多小节组成。胸部扁宽,前胸大于中、后胸,有 3 对发达的胸足,密布纤毛。腹部 11 节,向前向后依次变窄,末端有近似体长的尾须 1 对,腹面有腹足遗迹。尾须之间有 1 条长中须,并有 4 根伸出体外的针状毛。

雌性大于雄性,体长 10~15 毫米,体色亦稍深,其他部位与雄虫相近,只是腹部较雄性宽大,背面隆起,腹部末端的中尾须下方,有伸出体外的锥形产卵管。

衣鱼(彩图 20),成体长 10~13 毫米,体长而扁,全身被银灰色毛。头近半月形,触角细长,超过体长一半,咀嚼式口器。胸部宽扁,两侧有长毛,无翅,3 对胸足大小及形状相似,跗节 3 节,端部有爪。腹部可见完整的 10 节,第十一节特化成中尾丝,尾须出自第十节。

【生活习性】 毛衣鱼 1 年可发生多代,代数多少与当地的气温及生活环境、食物充足与否有关,一般情况下,室内平均温度高于 15℃时即开始活动,20℃~35℃时繁殖后代,低于 15℃时少活动或不活动。性喜黑暗、潮湿(过湿也影响其发育),长年不翻动的缝隙适宜于其生活。北方以老龄若虫过冬,发育缓慢。成虫交配后,产卵于仓储物品上,在食物上的卵粒分散,产于纸张或衣物上的多为集合的卵块。卵乳白色,仔细观察可见上面遗留有成虫的鳞毛,对卵有保护作用。衣鱼无明显变态,龄期难以区分。

衣鱼 1 年发生的世代各地有异:北京 2~3 年才完成 1 代,在热带地区 1 年完成 1 代。由于世代交错,不同龄期的衣鱼均可过冬。龄数及龄期随地区及环境的不同变化较大,一般都在 8 龄以上。成虫产卵于居住场所的缝隙中及各种物体上。衣鱼活动于树叶、石块、树干、潮湿的苔藓及湖、河两岸的杂物中,有时也在蚁穴中与蚁共居。在室内的灶旁和衣物中也可见到。

衣鱼为杂食性昆虫,以干鲜菜蔬、菌类、地衣、苔藓、厨房中的食用油料、饭菜残渣、浆糊、纸张、衣物及丝绸、皮毛等为食,尤其喜食毛料制品及老式线装绵纸书籍。

【采集与加工】 四季均可捕捉。为使药源不衰,应以捕捉 3 龄后的成体为主,保留幼龄及老熟若虫。采到后置于沸水中烫死,捞出控水晒干保存,用时研末入药。

【养殖方法】 衣鱼可以进行人工养殖,定期采捕。养殖时需先诱捕种苗。可利用其身体扁平,喜在缝隙中活动,以及贪食废旧衣服、纸张及油腻食品的特性,进行诱捕。选用竹绒、植物秸秆、棉纱为原料制作的纸张,裁剪成长 10 厘米、宽 4 厘米的纸条,用直径 1 厘米的圆棍,将纸卷贴成有底的纸筒。取干净玻璃罐头瓶,将纸筒有底的一端向下装入瓶中,每瓶装入 10~15 个,尽量挤紧。将少许糕点碎渣,拌上几滴香油,均匀地撒入每个纸筒中待用(图 2-1)。将诱

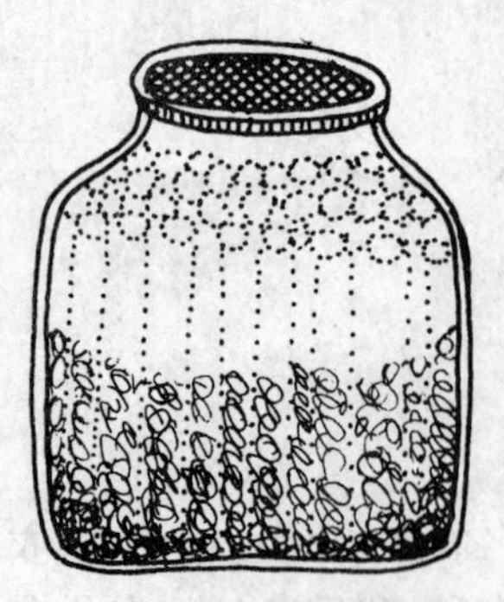
图 2-1　衣鱼诱捕瓶

捕瓶侧放于空闲房屋中的不经常翻动的杂物堆下，经3～5 天后，轻取玻璃瓶检查，如已有衣鱼潜入，可提出纸筒投入饲养器中。为尽快多诱种虫，可多做几个诱捕瓶，放入不同环境中，轮流采收。以春秋季诱捕效果较好。

由于衣鱼爬行速度快，行动敏捷，很小的缝隙也能通过，而且可在光滑的墙壁上快速爬行。因此，饲养器应选用直径 20 厘米、高 40 厘米的玻璃缸或相同体积的养鱼缸，缸内放入起支架作用的硬纸板，再放入粗糙的碎纸、棉布碎片作为栖息场所及食物。缸盖上用 80 目铜丝做成罩盖，再用 1 块略小于缸口的玻璃片压在纱盖上，避免衣鱼外逃。同一饲养缸中可放养 150～200 只。将饲养器置于黑暗处。

投食应先放入少许单一饲料，隔 3～5 天后，观察采食情况，并注意饲养器底部有无粪便，以便掌握衣鱼对食物的选择情况及取食量。

饲养衣鱼可用糕点碎渣、碎花生米、干馒头渣、拌有食糖的玉米面、少许干蛋黄粉等。为促进其发育，提高繁殖率，可放入少许肝粉。下述饲料配方可供试用：肝粉 5 克，麦片粉 5 克，酵母粉 1 克，食糖 0.5 克，蛋黄粉 2 克，琼脂汁 2 克，水 5 毫升。将上述原料混合，搅拌成稠糊状，摊晾在玻璃板上，用小刀切成豆粒大小的薄片，晒干后备用。每周投喂 2 次，无论采用哪种饲料喂养，都要做到一次投料少，投饲量要适宜，以投后吃完为准，防止剩余饲料变质发霉，散发异味污染衣鱼的生活环境。

饲养的衣鱼以体长在 10～13 毫米、体色呈灰白色时采收，可在 5 月份及 9 月份采收，留下体长未达到标准的继续饲养。

二、蜻　蜓

蜻蜓包括赤蜻 *Crocothemis servillia*（Drury），别名红蜻、红辣椒；夏赤卒 *Sympetrum darwinianum*（Selys），别名夏茜、赤衣卒；黄蜻 *Plantala flavescens*（Fabricius），别名黄衣、海蜻；大蜻蜓 *Anax parthenope julius* Selys，别名大蜻、绿蜻蜓、马大头、马郎。分布于华北、华东、华中、华南以及云南、贵州等地，为常见种类。成虫全体入药。

【形态特征】 赤蜻（彩图 21），成虫体长 40～48 毫米，翅长 31～38 毫米。雄、雌体色有差异，雄黄褐色，雌鲜红色。复眼棕褐色，较大，盖住头顶，两复眼中间接近。胸背有一纵脊，后端分为两叉，上面及两侧有密集的浅棕色细毛。腹部橙黄色，两侧向下倾斜，背中脊隆起，腹面纵脊深褐色，越向后色越深，至第八节后变为黑色。背部及腹部的纵脊上和两侧有黑色点及齿状刺。翅透明，基部橙黄色，脉纹黄褐色，前缘脉上有 2 排小齿，胫脉和臀脉上均有小刺形齿，亚缘脉上光滑，翅痣黄色，顶角色暗。雄肛附器及雌下生殖板如图 2-2。

夏赤卒（彩图 22），体长 33～39 毫米，翅长 28～33 毫米。雄性体红色，雌性黄色。复眼大，褐色，头顶黑褐色。胸部、背部黄色，有黑色纵脊，其下方分为两枝，背板及两侧有多条黑褐色斑。腹部黄褐色，背中央有黑褐色纵脊。翅透明，脉纹烟黑色，前缘脉上有 2 列黑色锯齿形刺，翅痣褐色，长方形，翅顶无褐斑，基部浅黄色。雄雌交合器如图 2-3。

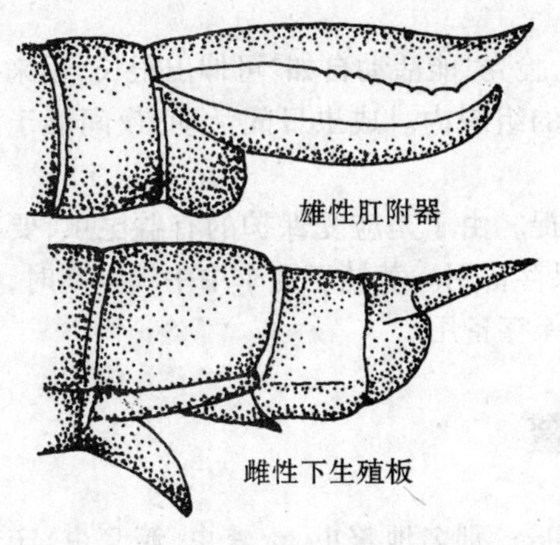

图 2-2　赤蜻肛附器及下生殖板

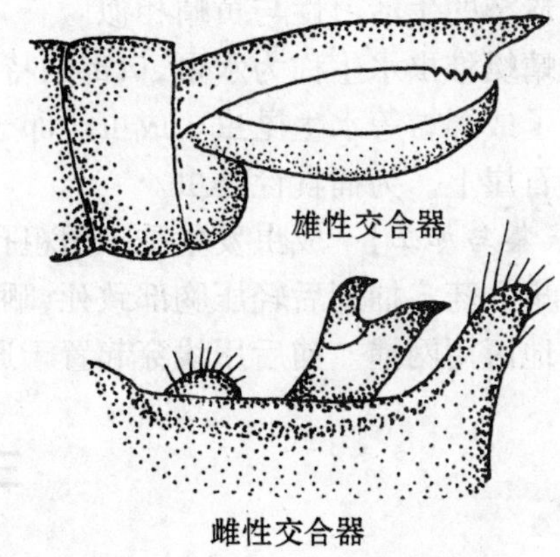

图 2-3　夏赤卒交合器

黄蜻(彩图 23),体长 38～43 毫米,翅长 38～41 毫米。身体浅黄色,头、胸背黄色,颈部及第一和第三侧缝上端及第二侧缝下端有褐色斑点;腹部黄褐色,第三至第十节背板中央有 1 块黑斑,第八和第九节的黑斑更为突出。翅透明,较宽大,基部浅黄色,翅脉黄褐色,翅痣黄色。其交合器如图 2-4。

大蜻蜓(彩图 24,25),体长 70～75 毫米,翅长 48～51 毫米。身体翠绿色,面部黄色,上唇前缘有一黑色横带,基部有 3 个黑点与基片相连。胸部淡绿色,脊突上方及腹面足的基部上方为棕色。腹部背面褐色,侧板黄色,背中线有明显的锯齿形脊,侧板及腹两侧各有锯齿形脊纹 1 条。翅膜质,透明,有黄色光泽,翅脉烟黑色,前缘及翅痣黄色。雄雌性肛附器如图 2-5。

【生活习性】　赤蜻 2～3 年完成 1 代,稚虫(不完全变态的水生昆虫幼期)多在湖泊、坑塘及小溪流等静水中生活,头部有匙状下唇,用来捕食水中的小生物。稚虫老熟后于 7～8 月间从水中爬上水草茎秆或岸边的石壁上,蜕皮、羽化为成虫。成虫经常栖息于多水地域及草木茂盛的沼泽中,经交配后产卵于水草多的水中。稚虫孵化后即停息于水草上。成虫为益虫,能捕食大量的小昆虫。

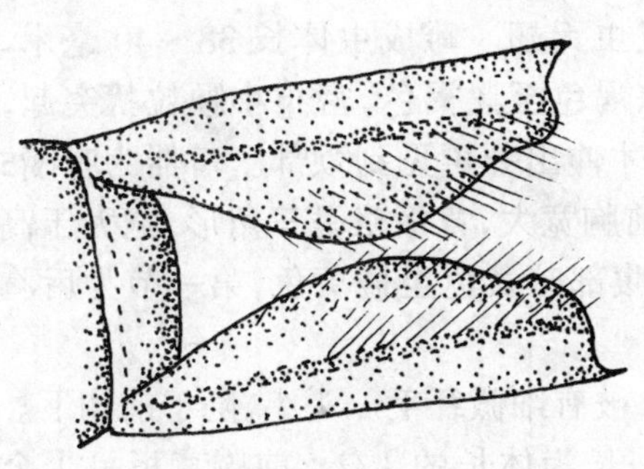

图 2-4　黄蜻交合器

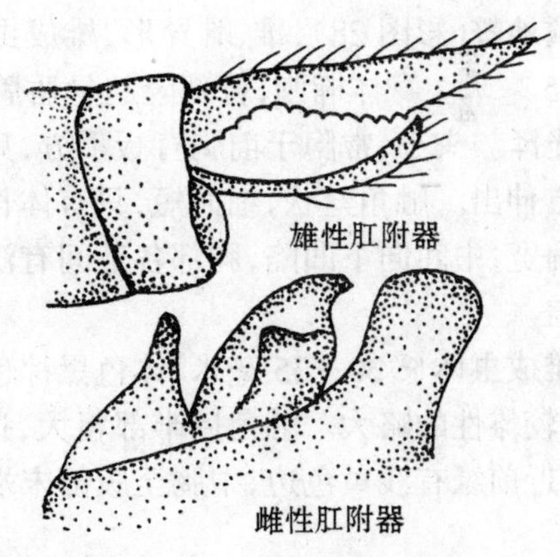

图 2-5　大蜻蜓雄雌性肛附器

黄蜻稚虫期生活于池塘、湖泊等静水中,以小水生生物为食,也捕食初孵化的幼鱼苗。需 2 年完成 1 代。老熟稚虫傍晚爬出水面,静栖于草茎、石块上蜕皮,变为成虫。成虫以活食为主,常捕食小昆虫,在产稻区捕食迁飞的飞虱、叶蝉、蚜虫。

夏赤卒的生活习性与黄蜻相似。

大蜻蜓稚虫水生称为水虿,口部的特殊构造称为脸壳,能活动自如,可伸出很长,用来捕食水中孑孓或蜉蝣等水生昆虫。成虫产卵于水生植物的组织内。成虫日间活动,夜间栖于灌木枝头或石崖上。为捕食性昆虫。

【采集与加工】 成虫发生季节用粗孔长柄网捕捉。由于是应受保护的有益昆虫,要有节制地采集入药。捕到后轻压胸部致死,晒干或烘干保存备用。黄蜻于夏季中午气温高时,在水域集中地区用网捕。捕后用线穿起置于通风处晾干保存备用。

三、地 鳖

地鳖包括中华真地鳖 *Eupolyphaga sinensis* Walker,别名地鳖虫、土鳖虫、簸箕虫,产于江苏、浙江的称苏土元;冀地鳖 *Polyphaga plancyi* Bolivar,别名锅盖虫,药用名称大土元;金边地鳖 *Opisthopatia orientalis* Bunn,别名赤边水蠊、东方片蠊、药用光蠊,药用名称金边土元。分布于北京、河北、山东、山西、陕西、甘肃、内蒙古、辽宁、新疆、江苏、上海、安徽、湖北、湖南、四川、贵州、青海等地。以全虫入药。

【形态特征】 中华真地鳖(彩图26,27),雌成虫无翅。体长30~35毫米。身体扁平,椭圆形,背部隆起似锅盖。背部赤褐色至黑褐色,稍有灰蓝色光泽,在不同生活环境中的个体颜色有差异,经干燥后的虫体色稍深,无光泽,腹部棕褐色。头小,隐于前胸下。前胸背板前狭后宽,近似三角形,中间有由微小刻点组成的花纹,中胸及后胸狭窄,两侧及外后角向下延伸。腹部9节,第一腹板被后胸背板所掩盖,中间只见少部分,第二至第七节宽狭近似,第八至第九节向内收缩,肛上板较扁,后缘直,中间部位有一小切口,腹部末端有较短的尾须1对。

雄成虫为有翅型。体长30~35毫米,宽15~20毫米。身体颜色比雌虫浅,呈淡褐色,体表无深蓝色光泽,被有纤毛。头略小于雌性,触角短粗。前胸背板色较深,宽大于长,前缘略呈弓形,翅2对,较发达,前翅革质,脉纹清楚,后翅膜质,半透明,脉纹黄褐色,平时折叠于前翅下;腹部末端上方有尾须1对,其下方有2根较短的尾刺。

冀地鳖(彩图28),雄、雌异形,雄成虫有翅,雌成虫无翅。雌成虫体长38~40毫米,体宽18~25毫米。身体椭圆,背部隆起呈盾牌形,全身棕褐色至黑褐色,密布小颗粒状突起,无明显的光泽。头小,常隐于前胸背板下方,只有取食时才伸出并可见到颈部。口器为咀嚼式,向前下方伸出。触角丝状,细而短,只有体长的1/2。前胸宽大,背板略呈三角形,宽大于高,中、后胸扁宽,中间向下凹陷,胸部各节间有浅色背线。腹部暗黄色至橘黄色,第一节为后胸背板所掩盖。

雄成虫体长30~35毫米,体色黑棕色至黑褐色,被有细微纤毛。头小,隐于前胸下。复眼肾形,较雌性的略大。触角后半部粗大,近端部纤细,长为体长的1/2。前胸背板呈半个大斗笠形,近前缘有浅黄色边,中胸至腹部末端为翅所掩盖,翅发达。前翅前缘的革质区较宽,翅脉较稀疏。

金边地鳖(彩图29),成虫雄、雌形态相似,均为无翅型。雄性成虫体长20~25毫米,体宽14~16毫米;雌性成虫体长35~40毫米,体宽16~20毫米。体态均为椭圆形,较扁平,体色紫褐色至棕黑色,体表有微小刻点,有光泽,雄性色稍浅,光泽强。头小,隐于前胸背板下。触角丝状,雄性比雌性粗犷,各节间也较分明。前胸宽大,约占胸部总长的1/2,背板呈前弧后直的半月形，前缘及侧缘有自前向后逐渐变窄的橘黄色镶边，故称为金边地鳖。背线色较深，接近背线后缘两侧各有一向内方弯曲的眉形纹。中胸及后胸的背板宽窄相近，两侧有鳞片状翅芽，背线棕黑色，两侧有波浪状斜纹。腹部第一背板绝大部分被后胸背板掩盖，第八节末端两侧的1对分节尾须外露，肛板后缘内凹，中间无明显的切口，这是与中华真地鳖明显区别之一。

【生活习性】 中华真地鳖在自然条件下，1.5～2年完成1个世代。以卵及不同龄期若虫和初羽化的雌性成虫过冬。在长江流域以南地区，每年4月上中旬气温回升到9℃～12℃时，开始活动，5月至10月中旬为活动高峰期，11月中下旬气温下降至15℃以下时即不甚活动，气温继续下降便潜入土层深处，停止活动，进入休眠状态。长江流域以北地区开始活动期延至5～6月间，7～8月份为活动盛期，9月下旬即陆续进入冬眠期。

经冬眠后的老熟雄性若虫，开始觅食后不久即蜕最后1次皮，变为有翅成虫，寻找雌性交配。雌虫经交配后7～10天开始产卵。卵粒包埋在1个肾形的革质鞘袋中。卵鞘袋长10毫米左右，初产的呈紫红色，略透明，48小时后变为棕褐色，表面有数条稍弯曲的纵沟，卵鞘袋内有呈双行交错排列着的卵6～26粒。初产出的卵鞘袋挂在腹部末端两块产卵瓣之间，3～6天后才脱下，埋于浅土或粘着于其他物体上，野外生活的则粘着在石块缝隙中。以后相隔5～10天再产卵鞘1个，每只雌虫一生可产卵鞘10余个。未经交配的雌虫也能产出鞘袋状卵块，但色浅、鞘薄，10余天后即干瘪，成为无效卵。6～9月份为成虫产卵旺季。气温在25℃左右时卵期为45天，气温30℃～35℃时，卵期可缩短到30天以下。6月下旬至7月中下旬为卵大量孵化阶段。在正常情况下，8月中旬前产的卵，当年10月间都能孵化；8月下旬至冬眠前产的卵即为越冬卵，其卵壳比夏卵厚，颜色深，这些卵要到翌年6月间才孵化。雄虫寿命短，经第一次交配后30余天即死亡。

自卵中初孵化出来的若虫，体外有1层透明薄膜包着，挣脱卵膜后呈乳白色，形似小臭虫，爬行敏捷，性情活泼，约24小时后，体色变为黄褐色，随着龄期的增长，体色逐渐加深，直到末龄时变为深褐色，并有紫黑色光泽。

在正常情况下，雄虫一生蜕皮7～9次，为8～10龄；雌虫一生蜕皮9～11次，即为10～12龄。无论雌性或雄性，在遇到不适宜的气候或环境，以及食料不充足时，都有增加或减少蜕皮次数的现象，因而龄期不稳定。初孵若虫经8～13天蜕第一次皮。蜕皮前先选择安静隐蔽处所，胸足伸开抓紧物体，不食不动，这段时间称为龄前期，经10～12小时，胸部背板中央的脱裂缝开启，先脱出头壳，尔后自旧皮中抽出前足，抓住体前物体，稍事休息，再借助于肌肉的收缩及身体的不间断颤动，将全部体躯蜕出旧壳。从进入龄前期至全身蜕出，需6～10小时。蜕皮的时间长短，与周围环境的湿度关系密切，湿度适宜或偏高则时间短，相反则时间偏长。初蜕过皮的虫体乳白色，经24小时后逐渐由浅变深，恢复到原来的颜色。以后各龄隔20～28天蜕皮1次。每龄间隔时间与食物的成分及是否充足有关。雄性全若虫期为270～320天，雌性的若虫期为500天左右。

冀地鳖的生活习性与中华真地鳖近似，但因其在村舍附近及室内较为常见，故以仓储物品及禽畜毛及粪便为食者多。

金边地鳖在所有分布地区完成1个世代，均需7～9个月。成虫或若虫都喜欢生活在野外荒凉潮湿的丘陵及田野，半山区的湖泊、池塘、小溪边缘的草根下以及冲积物、腐烂杂物、枯枝落叶中，倒卧的朽木下、树洞中和砖石、瓦片等堆积物中，都可见到。

成虫经交配后不久即产卵。卵从母体排出时，包在鞘形囊内，称为卵袋。袋长20毫米左右，拖挂于产卵瓣间。初产出的卵袋乳白色，尔后逐渐变为暗黄、黄褐色至棕褐色，经 8～12 小时才将卵袋脱开母体，附着于物体上(彩图 29)。经 20～30 天卵开始孵化。孵出时先用头部的冲力及身体的不断蠕动，使头伸出鞘袋，并撕破卵膜，即完成孵出过程。

幼龄若虫与成虫体态及颜色相近，但体色稍浅，背部稍隆起，1～2 龄前的若虫中后胸背板外缘无鳞片状翅芽，至 3 龄后才陆续出现，6 龄时就与成虫完全相同。此时前胸背板前缘及两侧的金黄色镶边已明显，活动习性及身体大小，已很难与成虫区别。

雄虫一生蜕皮 6～7 次，雌虫蜕皮 7～8 次。有时因环境变化或食料欠缺，也有增龄现象。生活环境过于干燥时，常蜕不下旧皮而窒息死亡。每蜕 1 次皮需要的时间依湿度大小而不同，一般情况下需 10～12 小时。蜕皮前、后各有不食不动的 6～8 小时蜕皮前期。

地鳖为杂食性。取食蔬菜叶片、根、茎、花及棉花、向日葵、芝麻、蚕豆、花生、南瓜、葫芦等作物的幼苗及幼果，杂草嫩芽，米、面、干鲜食品，厨房中的残渣剩饭等。喜食禽畜类的碎骨残渣、小动物未腐烂的尸体、禽畜及野生动物的干燥粪便等。

【采集与加工】 5～8月间捕捉。可利用地鳖夜出昼伏，喜暗畏光，喜食油腻、甜品、淀粉类食物特点，在其活动场所，设置捕捉器捕捉。捕后用开水烫死，晒干或烘干，也可用清水洗净后放盐水中煮过，捞出晒干或烘干备用。药材名土鳖虫或䗪虫。

【养殖方法】 养殖地鳖可依据规模的大小及目的设置养殖设备。常用器材有：①虫筛。用途是将不同龄期的若虫、成虫、卵鞘进行过筛分离。筛孔有 5 种规格：2 孔筛分离成虫，4 孔筛分离 7～8 龄若虫，6 孔筛分离卵鞘及虫粪，12 孔筛分离 1～2 龄若虫用；17 孔筛分离初龄若虫及清除寄生性天敌粉螨。②格式饲养坑及半地下饲养池。格式饲养坑是利用旧房屋、有顶及围墙的牲口棚和厕所等，在地下挖 6～7 厘米深左右、宽 70～100 厘米、长度不限的坑(根据饲养量及房舍内的实际情况而定)。将坑底整平夯实，四周砌抹水泥，在坑壁上方贴上 3～7 厘米宽的防止地鳖虫外逃的玻璃条。坑内用薄水泥板或玻璃隔成若干小格，各小格的大小要规范化，以便计算饲养不同龄期若虫的投放量和计算单位面积产量。坑内放入 20～27 厘米厚饲养土，坑口四周加严密的木质盖，并留有镶窗纱的通气孔。各分格中分别放入成虫或不同龄若虫(图 2-6)。分格饲养便于管理和喂食。由于这种饲养坑大部分在地表以下，冬季坑内温度高于地表，夏季低于地表，可使地鳖虫少受季节变化的影响，有利于其生长发育，并可提高成活

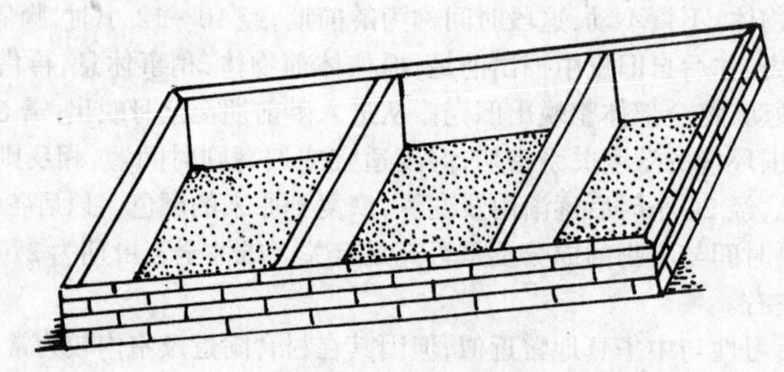

图 2-6　格式饲养池

率。半地下饲养池的结构与格式饲养坑近似，只是池的一半深度埋在地下，另一半高出地面，池内不再分格，池长 2 米，宽 1.5 米，池盖上除留有通气孔外，还要留有便于管理操作的双层窗纱门。半地下饲养池适于喂养成虫，进行大量繁殖。饲养土的配制方法：可用菜园土、垃圾土、沟

泥、沙、粘混合土，掺入适量(20%～30%)发酵过的鸡粪、猪粪、马粪、焦泥灰或砻糠灰。饲养土应质地疏松，营养丰富，干湿度适中，手攥能成团，松手能散开。这样的土质便于地鳖潜伏、钻进和爬出，并随意活动、觅食及交配。饲养土放入坑池以前，要经过阳光曝晒、灭菌、除虫，并过筛去除杂质及砖、石块。饲养池中铺土的厚度，不同虫龄或成虫、不同密度及不同季节有所区别：1～4龄若虫饲养土的厚度以7～10厘米、5～8龄虫16～20厘米、9～11龄虫和成虫20～26厘米为宜。同一池中，虫口密度大的，土应厚些，密度小的，则土浅些；夏季土薄些，冬季土厚些；饲养种虫要比饲养药用虫体土层厚些。

地鳖的饲料有3类：①植物性饲料。如麦麸、米糠、饼粕、粉渣、碎米、玉米等杂粮粉，炒熟溢出香味，摊开凉凉喂用。②动物性饲料。猪、牛、鸡、鸭、鱼等下脚料都可饲用，但不能腐败变质，以防地鳖得病死亡；有条件的可加工成骨肉粉，冷藏保存；蚯蚓、蟋蟀、蝗虫、飞蛾等小型昆虫，将其处死后直接投喂。③青饲料。是饲养地鳖必须搭配的食物。如青菜、包心菜、莴苣、苋菜以及芝麻、蚕豆、花生、白薯等的叶片，南瓜、丝瓜花及果实，均可饲喂；瓜果皮瓤及山芋等切块投喂，地鳖更为喜食。青饲料应保持新鲜、干净，不要用喷过农药的青饲料喂地鳖，防止中毒死亡。这些饲料可搭配喂养，夏秋高温季节，每天要加喂1～2次青饲料，以早晨投放为好，为增加营养，可喂些南瓜花和丝瓜花。

饲喂量在低温月份隔天喂1次，高温月份每天喂1～2次。喂食量的多少应与坑池中的地鳖密度相适应。每次喂食后应观察饲料余缺情况，以精料吃完、青料有余为宜。

地鳖蜕皮前后应少喂，蜕皮期间不喂。当发现饲养土表面有许多虫皮，或体色较浅的个体多时，说明大部分虫子已蜕皮，需大量食料，要恢复正常喂食。冬眠期可不喂食，但气候突然变暖，发现有地鳖出土活动时，也应适量撒点精饲料供其取食。

养殖地鳖应做好如下几项管理工作：①取卵及孵化。因地鳖群集饲养时有吃卵鞘现象，可将鞘袋移出，放在小型卵鞘孵化缸中(图2-7)，使其隔离孵化。取卵鞘时，先用2孔筛将成虫分离，再用6孔筛分出卵鞘来。每次分离卵鞘的时间相隔不宜太短，一般情况下，每15天左右取1次卵较为适宜。②去雄选优。雄虫不宜作为中药原料，雄虫过多，消耗饲料，占据饲养面积。在人工饲养条件下，只要有15%的健壮雄虫，就能完全满足群体饲养交配需要，不致影响卵受精及孵化。去雄在若虫生长发育到6龄后进行。雄、雌若虫的主要区别在于胸部第二、三

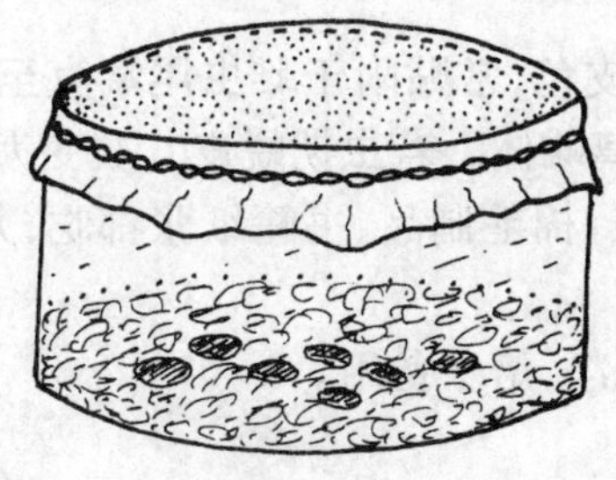

图2-7　卵鞘孵化缸

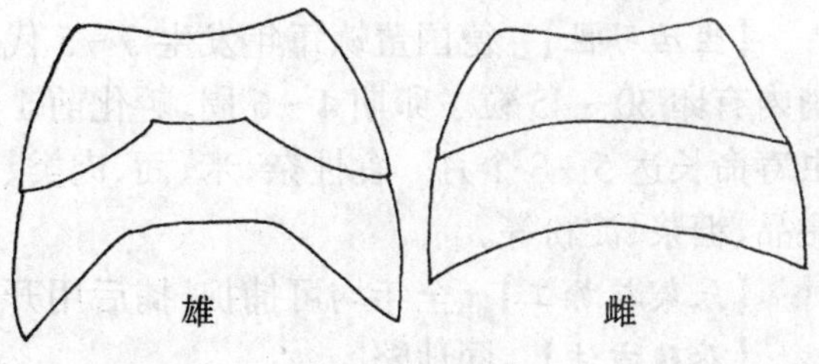

图2-8　地鳖若虫期雄雌性别示意

节背板的形状及其外缘后角的倾斜度，雄若虫的斜角大，雌的斜角小(图2-8)。去雄工作可与选优去劣同时进行。去雄时，将同一批孵化的及同龄中的健壮、体型大、色泽鲜艳、肢体齐全的雄性个体保留下来(发现雌虫有不健康的也要同时清除)。③分档饲养。将同龄期、个体大小接近的放在同一饲养池中喂养，使其发育程度基本上达到整齐划一，便于喂食、管理和采收。

一般可分为4个档次：即1～6龄档，7～8龄档，9～11龄档，成虫档。初饲养时，区别若虫的龄期比较困难，可依照虫体大小分档，如芝麻形（孵化后到1～2个月的若虫）、黄豆形（3～4个月的若虫）、蚕豆形（5～6个月的若虫）、拇指形（体大如拇指盖，即为成虫）。④温湿度调节。地鳖不同生长发育阶段所需适宜温度为：气温升高到9℃以上时，解除冬眠，开始出土活动；秋末气温降至10℃以下时，停止活动，进入冬眠期；温度保持在26℃左右时，卵期为40天左右，温度在30℃～32℃时，卵期为30天左右。各龄若虫及成虫的活动温度为15℃～35℃之间，最适温度为25℃～30℃。饲养室中最适宜湿度为75%～80%。调节温湿度，可用以下几种方法：当饲养环境达不到所需温度时，可用火炉等增高室内温度，或用电灯增加坑、池中的局部温度，为保持地鳖昼夜活动规律不变，可采用黑（用黑漆涂抹）、白两种不同颜色的灯泡，昼夜轮换使用。夏季坑池中的温度高于地鳖生活的适温时，可在室内地面洒水，加强室内及坑池中通风，安装抽排风扇，或在坑池中增加水盆、冰盘。气温持续偏高，有地鳖死亡时，应及时过筛，将老龄若虫或部分成虫筛出，经处理后作为药用，以降低坑池中的地鳖密度，并减少投食量。饲养场地或坑池中的湿度低于40%时，应采用喷雾、地面洒水或放置吸水海绵板、棉纤维织品等悬挂在坑池角落，使其散湿。坑池中的湿度超过85%时，应及时打开门窗和排风扇，加强通风。如室外大气湿度过高，则应在坑池中的角落处放置氯化钙木盒、生石灰木箱，以达到局部降湿的目的（参见金盾出版社出版的《药用地鳖虫养殖》）。

四、蟑　螂

蟑螂学名为德国蜚蠊 *Blatta germamnica* Linnaeus，别名偷油婆、黄贼、茶婆虫等。分布于我国各地。为世界广布种。全虫入药。

【形态特征】 成虫体长10～13毫米，翅长9.5～12毫米。体淡赤褐色，雄虫体狭长，雌虫体短宽，头小，常隐于胸板下方，触角接近与身体等长；前胸背板有2条黑色纵纹；前翅狭长，达腹部末端，质底坚硬，稍透明；后翅薄，无色透明，扇区纵脉淡褐色，横脉无色。雄虫腹部背板第七节特化，后缘中央有能分泌腺液的小三角孔1个，交尾时招引雌性吸吮。雄虫肛上板狭长如牛舌，雌虫则呈三角形；雄虫下生殖板左右不对称，左后缘凹陷处有2个小颗粒，即腹刺遗迹，雌虫的呈盾形，宽大，表面隆起呈半球状。

【生活习性】 德国蜚蠊每年发生3～5代。卵鞘栗皮色，常贴附于雌虫尾端直至孵化，每鞘内有卵30～45粒。卵期4～6周，孵化前1天卵鞘脱离雌体。若虫期蜕皮6次变为成虫，成虫寿命长达5～8个月。食性杂，米、面、肉类、蔬菜、糕点、棉毛制品、书籍纸张都吃，尤其喜食甜品、糖浆、淀粉等。

【采集与加工】 全年均可捕捉，捕后用开水烫死，洗净，焙干备用。

【养殖方法】 同地鳖。

五、白　蚁

白蚁包括家白蚁 *Coptotermer fomosanus* Shinraki 和黄胸散白蚁 *Reticulitermes speratus* (Kolbe)。分布于安徽、江苏、浙江、江西、湖北、湖南、福建、台湾、广东、海南、四川、广西及云南等地，家白蚁为广泛分布种。全体和蚁巢入药。

【形态特征】 家白蚁(彩图 30),有兵蚁、有翅成蚁及工蚁之分。兵蚁体长5.3～5.8 毫米。浅黄色,从背面观呈椭圆形。上颚黑褐色,呈镰刀形,前部弯向中线;上唇似舌形,前端尖而透明。触角 14～16 节,呈念珠状(图 2-9),前胸背板平坦,比头略狭,前后缘中央有缺刻。腹部乳白色。有翅成蚁体长 13.5～15 毫米。头背面棕黄色,复眼近圆形,单眼长圆形。触角念珠状,20 节,第二至第六节长度近相等,以后各节稍长。前胸背板前缘向后陷入,侧缘与后缘相连成半圆形,后缘中央向前凹入。前后翅的大小、结构相等。前翅鳞大于后翅鳞,翅面有密集纤毛。工蚁体长 5～5.4 毫米。头微黄,前部呈方形,后部圆形,最宽处在触角部位,后唇基稍隆起,长度只有宽度的 1/4。触角 15 节。前角背板前缘稍翘起;腹部长大于宽,不膨大。

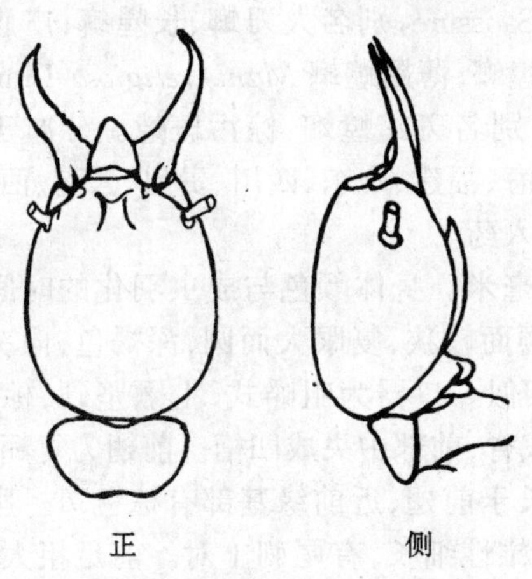

图 2-9 家白蚁头部

黄胸散白蚁(彩图 31,32,33),兵蚁体长 5.5～5.7 毫米。头黄褐色,触角黄褐色,15～17 节(图 2-10)。前胸背板前宽后狭,前缘稍上翘,中央具明显的缺刻,后缘近弧形;后胸背板狭于前胸背板,但宽于中胸背板。有翅成蚁体长9.2～10 毫米。头黑色,长圆形,后缘圆,两侧缘呈平行状。触角黄色至黄褐色,15～17 节。前胸背板黄色,长 0.5～0.52 毫米,宽 0.81～0.9 毫米,中央有较明显的凹陷槽。翅长 7.8～8.2 毫米。工蚁体长 4～5.1 毫米。头宽 1.1 毫米左右。前胸背板 0.5～0.72 毫米,前缘略翘起。周身乳白色,分布有均匀的短毛。

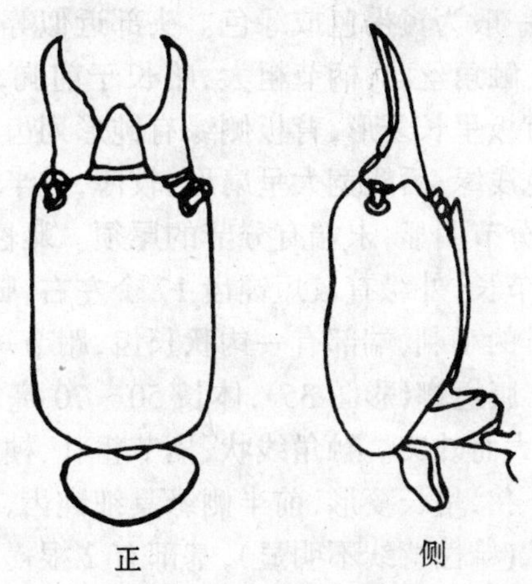

图 2-10 黄胸散白蚁头部

【生活习性】 家白蚁是群体生活种类,常造有较大的巢穴。一般栖居于林地、庭院及村舍附近的地下、树干内,或在建筑物的木材、墓地的棺木中。居室内长年不动的衣箱、书柜也常成为家白蚁的筑巢场所。在 6～7 月份的黄昏时刻,尤其是下雨前后的闷热天气,湿度高达 95%时,有翅型个体便出巢群飞,有时因强烈惊动也会引起群飞。经过群飞后的雌、雄蚁均脱去双翅,进行交配后,随即钻入树洞、木质建筑物的缝隙或下面筑巢。经 5～15 天,新蚁后开始产卵,初次产 1～4 粒,以后逐渐增加产卵量,卵期 24～32 天,群体不断扩大。

一个群体内的生殖个体,一般只有 1 对脱翅后的雄、雌蚁(即蚁王、蚁后)。蚁后个体大,体长可达 12.5～15.5 毫米。蚁后几乎终年产卵。但在个别巢中,也能见到补充生殖蚁,当原始蚁王、蚁后死亡后,补充生殖蚁能使群体继续生存。

黄胸散白蚁在村舍附近的房屋及木材堆、树墩下的近地面等处营巢。有翅成虫群飞,春雨后气温达到 20℃的晴天,气压急剧下降到 101 千帕时,在 12～14 时为盛飞期,有时可延长到 16 时左右。有翅成虫个体较少的群体,一般 1 次飞完。蚁群较大的经数天才飞完。

一般情况下，群内的补充生殖蚁数量较多，而且同一时期会有短翅、无翅及有翅形式的各种蚁态，其中以短翅补充生殖蚁最为常见。有翅成虫的幼蚁，在远离蚁后和蚁王时，或受到机械刺激及强烈震动时，就在短时间内，经 1 次蜕皮而转化为补充生殖蚁。黄胸散白蚁的卵期为 30～35 天，第一、二、三各龄的龄期平均为 12～14 天。

【采集与加工】 白蚁有着特殊的药用价值。采取成蚁处死后与蚁巢阴干保存。

六、螳 螂

螳螂包括中华螳螂 *Tenidera aridifolia sinensis* Saussure，别名大刀螂、长螳螂；广腹螳螂 *Hierodula patellifera* (Serville)，别名巨斧螳螂、二点螳螂；薄翅螳螂 *Manis religiosa* Linnaeus，别名透翅刀螂；小螳螂 *Statilia maculata* Thunberg，别名斑翅螳螂、棕污斑螳。分布于黑龙江、辽宁、河北、北京、山西、山东、陕西、江苏、浙江、上海、福建、广东、四川、贵州、云南、西藏、新疆、广西、海南、台湾等地。干燥成虫及雌虫所产卵块入药。

【形态特征】 中华螳螂(彩图 34)，体长 80～95 毫米。身体颜色与成虫羽化的时间长短有关，一般为黄褐色或绿色。头部近似等边三角形，颜面较狭，复眼大而圆，深褐色，向头两侧突起。触角丝状，柄节粗大，略长于前胸，其余各节相似。口器为咀嚼式，上颚坚硬，棕黑色。前胸背板呈长菱形，背板侧缘有钝形列齿，背线隆起成脊，前部中央成凹槽。前翅为复翅，翅前缘区色浅绿；后翅宽大呈扇形，较薄，为半透明状，略长于前翅，近前缘基部有棕色斑。腹部黄褐色，分节明显，末端有分节的尾须。雌性腹部膨大，雄性细长，有尾刺 1 对。前足粗大，镰刀状，基节长，外缘有较短钝齿 17 个左右，腿节外缘有 4 个较长的刺，刺的端部黑褐色，胫节内侧有成排的小刺，端部有一钩状长齿，跗节短小，分成 5 节，端部有爪，无中垫(图 2-11)。

广腹螳螂(彩图 35)，体长 50～70 毫米。身体绿色至紫褐色。头三角形，复眼卵圆形，深褐色，大而外突。触角线状，柄节粗壮，梗节次之，鞭节细长，略长于前胸背板。前胸背板宽大，上宽下狭，呈长菱形，前半侧缘具细钝齿，前 1/3 部分中央凹陷成槽状，后半部背线细，稍隆起成脊状(雄性背线不明显)，基部有 2 根褐色横带；中、后胸背板等长，中央部各具纵隆线。前翅淡绿色或稍呈褐色，在前缘中部稍上方各有一椭圆形白色斑，周围镶有污黄色边；后翅与前翅长短相同，呈宽大扇形，透明状。雌虫腹部粗大，分节明显，呈黄褐色，末端尾须细小；雄性第九腹板两侧及尾端有黑色小齿，并有短而尖的腹刺 1 对。前足腿节粗壮，略短于前胸背板，内侧有较长的黑褐色小刺，中、后足的腿节上具有小刺(图 2-11)。

薄翅螳螂(彩图 36)，雄性体长 34～45 毫米，雌性体长 49～63 毫米。身体淡绿色或褐绿色。头部呈三角形，中间稍凹平。复眼褐色，圆形，向两侧突出。触角丝状，雄性长而扁粗，雌性细而短。雄性前胸背板狭长，中部膨大，为前胸板宽的 3 倍以上，前半侧缘有钝形小齿。腹部细长，体节黄褐色、明显，雄性亚生殖板宽大于长。前翅雄性淡褐色，较薄，雌性较厚而色深，前缘区革质带狭小，浅绿色；后翅宽大呈扇形，停息时折叠于前翅下，其长度略超出前翅。前足基节内侧有一椭圆形黑色斑纹，斑中央色浅(彩图 37)，腿节爪沟位于中部，中间有刺 4 根；后足腿节无端刺，胫节中央内侧有暗黄色圆斑(图 2-11)。

小螳螂体型较小，雄虫体长 40～45 毫米，雌虫体长 43～50 毫米。体灰褐色至棕褐色，全身有大小、深浅不一的黑褐色斑纹。头较大、触角细长。前胸背板细，与腹部近等长，侧缘较光滑。腹板及前足基节后方具黑色横带，腹部细，长筒形，背面淡黄色，有褐斑。前翅细长，有赤褐色至深褐色斑；后翅扇形，暗褐色，静止时折叠于前翅下，末端不外露。前足腿节基部内侧及胫节内侧中央，各有一黑色斑纹，胫节外侧具有成排的刺7～8根(图2-11)。

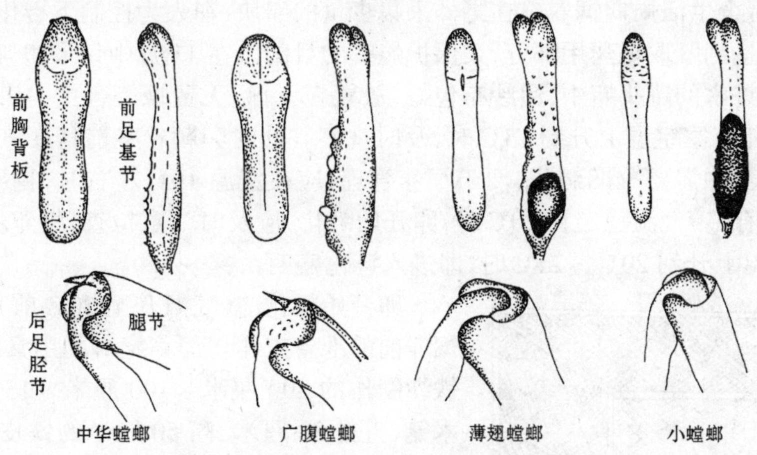

图2-11　四种螳螂前胸背板、前足基节内侧及后足腿节与胫节交界处的形状和构造

【生活习性】　几种螳螂的生活周期均在1年内完成。一生中经过卵、若虫、成虫3个发育阶段，属于不完全变态类的渐进变态。若虫期蜕皮7～11次，经8～12龄后达成虫期(同一种也可因环境影响或食物的多寡，而有增龄或减龄的现象)。

每年7月中旬，螳螂陆续进入成虫期，于8月下旬经雌雄交配(彩图38)，雌虫选择树木枝干或墙壁、篱笆、石块、石缝中产卵。产卵时先分泌蛋白物质凝固为一层较坚硬的外壳，覆盖在卵块外面，形成卵鞘。1只雌螳螂所产卵鞘的多少、大小以及鞘内卵粒的多少，依种类而有差异，一般可产1～4个卵鞘。每产完1个卵鞘需2～4小时。1个卵鞘内有卵40～300粒。初产的卵鞘为白色或乳白色，较柔软，经5～10小时后即变为土黄色或黄褐色，也有的变为黑褐色(彩图39,40)。由于卵鞘有大小、长宽、圆扁以及颜色的不同，故有夷帽、野狐狸鼻涕、止尿狗等民间俗名。各种螳螂均以卵鞘保护卵细胞度过寒冬。翌年6月初，越冬卵开始孵化，一直延续到7月上旬。卵孵化时间的早晚除与当年的温度、湿度有关外，还与产卵处所接受光照的强度和时间长短有关。

卵在鞘内发育为若虫后，借身体的蠕动和卵壳的张力，从孵化孔挣脱卵膜孵化出膜(彩图41)，并借助于第十腹板上分泌的胶质细丝，将卵壳及虫体粘连，有时可连成10余只的长串。螳螂若虫有互相残食的现象。

每年7～10月份为成虫发生期。一般雄性成虫成熟期较雌性早10余天。若虫羽化为成虫后经10～15天就可进行交配，交配时间2～4小时。

螳螂为捕食性昆虫(肉食性)，小型昆虫都可被螳螂捕食，尤以蝇、蚊、蝗、螽蜥若虫、蛾蝶类的卵、幼虫、裸露的蛹、成虫都是其适宜的猎捕物，蝉、飞蝗等大型昆虫，也是其捕食对象。

【采集与加工】　秋末冬初采集未产卵的雌性成虫，处死后烘干保存于干燥处备用。卵鞘从深秋至春季采集。采后除去杂质，放蒸笼内蒸30～40分钟，杀死虫卵，晒干或烤干。采于桑树上的品质较佳。药材名桑螵蛸。

【养殖方法】　自野外采集5龄以后若虫，放置于为其设计的、与自然生态环境相似的笼具中，给予适宜的食料，使其生长发育为成虫后进行采收；或使其交配产卵，收集卵块供药用。这种饲养方法时间短，投资小，见效快。但由于螳螂是农林害虫的天敌，对消灭田间害虫起着很好的作用，大量捕捉田间若虫，会破坏自然生态平衡，故不宜提倡。

较好的方法是进行全生活周期饲养。在野外采集少量的卵块，在人为控制下孵化为若虫，通过合理饲养与保护，达到既取得药用部分，又保护螳螂的目的。在11月中旬采卵，将卵鞘连同树枝剪下，插入有少许水的罐头瓶中，用纱布包好，放置在无鼠、无蜚蠊等害虫的房中，室温以0℃～5℃为宜。翌年春季室温上升到15℃时，及时观察。此时卵鞘较冬前稍膨胀，表示鞘内的卵粒胚胎开始发育(如需要分期孵化，便于饲养管理，应在室温10℃左右时，将卵鞘放于5℃～10℃的冰箱中保存)。气温稳定在20℃时，卵开始孵化，应及时注意检查，将卵块移到饲养笼中(图2-12)。气温上升到20℃～25℃时，即进入孵化盛期。

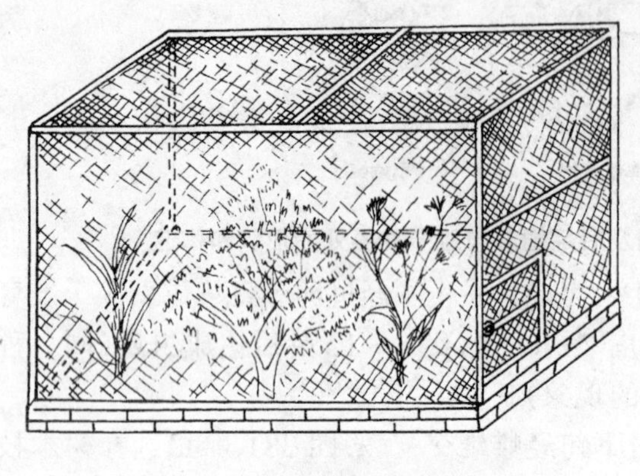

图2-12　螳螂饲养笼

卵开始孵化前(气温升至20℃前)，应做好饲养前的准备工作。饲养螳螂的用具有：20孔铁纱制作的200厘米×100厘米×150厘米的木笼，直径30厘米、高50厘米的铁皮框纱罩。选择能防涝、通风的多年生灌木丛作放置笼具的场所。

螳螂喜欢捕食活虫，应准备活虫饲料，如蚜虫和家蝇。蚜虫繁殖力极强，易饲养。可预先在花盆或小型塑料薄膜阳畦中，种植十字花科植物，待出苗后，接种上菜缢管蚜，让其繁殖待用。家蝇可用人工配制的饲料大量饲养。也可喂人工配制的饲料。3龄后的螳螂若虫食量较大，只靠有限的活饲料很难满足其生长发育的需要。葛德成等(1986)报道了较为成功的人工饲料配方。①将250毫升清水(最好是蒸馏水)倒入容器中，以少量水，将5克酵母片捣碎放入水中溶解。然后把50克鸡蛋黄，20克蜂蜜、20克蔗糖，倒入水中，充分搅拌均匀后，放入锅中蒸沸，冷却后备用。②将清水130毫升倒入容器中，以少量水将3克琼脂煮溶。把40克搅拌好的鲜鸡蛋，20克蚜虫粉(蚜虫晒干或烘干后研磨成粉)，10克蜂蜜，同时倒入水中，经充分搅拌，再与溶解后的琼脂浆混合拌均匀，一同倒入锅中煮沸，即刻倒入清洁容器中，冷却后备用。③将100克鲜猪肝(其他动物肝也可)洗净，切碎，剁烂成糊状，加入蔗糖20克，拌匀备用(此方应随配随用)。④50毫升清水加3克琼脂煮溶。将20克蚜虫粉，5克黄豆粉，1克碎酵母粉，拌匀后倒入水中，再加入40克猪肝浆混匀，最后将溶好的琼脂倒入，充分搅拌，隔水蒸沸至熟，冷却后备用。所用容器、加工刀具都应经消毒处理。配好的饲料经冷却后，可放入冰箱内短时间保存，按需取用。如大量饲养，最好根据用量隔日配制。

螳螂卵块将孵化时，即可将卵鞘移至笼中。大笼每平方米可投放50个左右，也可先将1个有效卵块用铁夹固定在灌木枝干上，同时将有蚜虫的植物移入，并在笼顶上放竹帘或苇箔等遮盖物，一般要做到晴揭雨遮，早晚揭、中午遮。初孵的小螳螂若虫，经10余小时后即开始取食。3龄前若虫体弱小，投入的人工饲料应调成糊状，用小棍涂在灌木枝干上或悬挂涂有饲料的布条。一次投料要少，随时观察吃食情况并逐步补充饲料量。

若虫发育到3龄后，可投入蒸制成块状的人工饲料。饲料置于小纸筒中固定在笼壁或枝条上，螳螂容易发现并方便取食处。要经常检查，剔除残食，更换新料。此时，还应及时投放蝇类等较大的活饲料，避免个体间互相残杀。到深秋便可收取成虫和卵鞘供药用。

七、蝗　虫

蝗虫包括异色剑角蝗 *Acrida cineria* Thunberg，别名尖头蚂蚱、扁担钩、中华蚱蜢；短额负蝗 *Atractomorpho sinensis* I.Bolivar；飞蝗 *Locusta migatoria manilensis*（Meyen），别名蝗虫、蚂蚱；云斑车蝗 *Gastrimargus marmoratus*（Thunb.），别名沙拉车、红腿沙啦；棉蝗 *Chondracris rosea rosea*（De Geer），俗名大青蝗、蹬山倒；中华稻蝗 *Oxya chinesis*（Thunberg），别名稻蝗、土蚂蚱；黄脊竹蝗 *Ceraeri kiangsu* Tsai，别名竹草蜢、竹蝗、竹蚂蚱。分布于河北、山东、河南、山西、陕西、安徽、江苏、浙江、江西、福建、湖北、湖南、台湾、广东、海南、广西、四川、贵州、云南等地。鲜品入药或干燥全虫入药。

【形态特征】 异色剑角蝗（彩图42），雄虫体长35～49毫米，翅长30～36毫米；雌虫体长55～80毫米，翅长47～65毫米。头顶尖，长度大于前胸背板，颜面向后倾斜，脊明显，两脊间有明显的纵沟。触角剑状，褐色。前胸背板较宽，中隆脊及侧隆脊明显，几乎相平行，前缘弧形，后缘锐角形，顶端尖，侧片平；中胸腹板侧叶间中隔狭，后胸腹板侧叶分离较宽（图2-13）。体色青色至枯草色，有淡红色纵条。后翅淡绿，半透明，脉纹色稍深。足绿色，有的个体有淡红色晕斑。

短额负蝗（彩图43），雄虫体长19～22毫米，前翅长19～24毫米；雌虫体长28～34毫米，前翅长22～30毫米。体色草绿色至黄绿色，秋末随着植物色素的退化，负蝗的体色可呈褐绿色，并布有病斑状褐色散点。体型细长。头呈短锥形，短于前胸背板；颜面向后倾斜与头顶形成锐角，上面有隆起的纵沟。触角较短，呈剑状。前胸背板平，中隆线细，侧隆线不明显，3条横沟明显。中胸腹板侧叶间隔宽，最宽处为长度的1.3倍多，但雄性的近乎相等（图2-13）。前翅长，超出后足腿节顶端部分约为全翅长的1/3，粉褐色；后翅略短于前翅，基部玫瑰色，近端呈半透明。

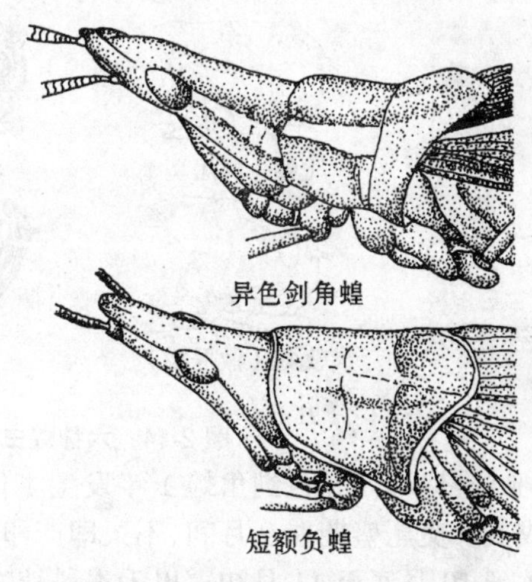

图2-13　异色剑角蝗与短额负蝗的头部和前胸背板

飞蝗（彩图44,45,46），体长35～50毫米，绿色或黄绿色。头顶短宽，钝圆，略向前倾斜，前端与颜面间有明显的中隆线，颜面直。触角丝状，浅黄色，复眼大，隆起，椭圆形。前胸背板前狭后宽，中隆线明显，侧观呈弧形隆起（散居型），中隆线不明显，侧观平直（群居型），（图2-14）。腹部灰黄色，节间膜色稍深，侧面各节气门清楚呈烟黑色。前、后翅发达，长度超过后足胫节的一半。前翅褐色，有光泽，有许多细碎而不规则的暗斑；后翅浅黄色，透明，脉纹色稍深。

云斑车蝗（彩图47），雄虫体长25～32毫米，前翅长24～32毫米；雌虫体长36～50毫米，前翅长36～46毫米。身体黄褐色或暗色，有大理石状斑纹。前胸背板前缘褐色，侧片中部有黄褐色大斑，间杂有黑色斑点（图2-14）。前翅前缘褐绿色，其余部分色淡，密布云状暗色斑；

后翅基部鲜红色,中部有暗色横纹。

棉蝗(彩图 48),雄虫体长 44～56 毫米,前翅长 43～45 毫米;雌虫体长 62～80 毫米,前翅长 50～70 毫米。身体黄绿色,头顶中央及前胸背板沿中隆线向后至前翅臀脉区域,具橘红色纵条。头部较大,颜面向后倾斜,中单眼下方的纵沟明显,两侧近平行。触角丝状,长度超过前胸背板后缘。前胸背板上密布黄色小颗粒,中隆线较高,侧面观上缘近弧形,并被 3 条横沟割断,后缘呈直角。前胸腹板长圆锥形,向后方倾斜,直达中胸腹前缘(图 2-14)。中胸腹板侧叶长大于宽,后缘后角呈直角,侧叶间中隔较窄。后胸腹板侧叶的端部雄性呈毗连状,而雌性则彼此分开。前、后翅接近后足胫节的中部。

中华稻蝗(彩图 49),雄虫体长 15～33 毫米,前翅长 10～25 毫米,雌虫体长 19～40 毫米,前翅长 12～32 毫米。体色以黄绿色为主,也有褐绿或绿色的。头大,颜面略向后上倾斜,有较宽的隆起,两侧缘近平行,有明显的纵沟;头顶短宽。触角丝状,长度超过前胸背板后缘。前胸背板宽而平,中隆线明显,有 3 条明显的横沟,后横沟位于中部之后(图 2-14)。前胸腹板突呈锥状,端部尖。前翅长,接近后足胫节中部。

黄脊竹蝗雄虫体长 28～31 毫米,前翅长 23～28 毫米;雌虫体长 34～40 毫米,前翅长29～35 毫米。身体绿色至黄绿色,头部背线具狭窄的淡黄色纵条。前胸背板中隆线上有黄色纵纹,背板的前方直,后缘呈钝角,上面的 3 条纵沟明显,后横沟位于中位(图 2-14)。前翅发达,长度超过后足腿节之长,后翅短于前翅,呈透明状,乳黄色。

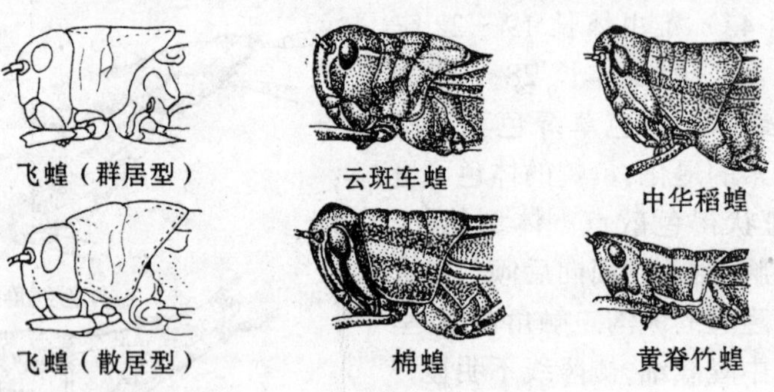

图 2-14　六种蝗虫的头、胸部构造及斑纹形状

【生活习性】 异色剑角蝗 1 年发生 1 代,以卵过冬,翌年 5 月上旬开始孵化,8 月上旬羽化为成虫。交尾盛期在 9 月间,不久即产卵于 2～5 厘米深处的土中,卵外有卵囊。成虫寿命可延续到 10 月底至 11 月初。以禾本科植物为食。

短额负蝗 1 年发生 1～3 代,各地均以土中 1 厘米深的囊袋状卵块过冬。翌年 5 月下旬开始孵化。初孵蝗蝻粉绿色,有群集危害习性,蜕过 1 次皮后则逐渐分散,体色也变为草绿色。共蜕皮 4 次,计 5 龄。8 月下旬至 9 月下旬为交配期,交配时间较长,可达 24 小时以上。大部分在 10 月中旬死亡。1 只雌虫一般产卵 1～2 块,每块 25～40 粒不等。主要以禾本科、豆科、旋花科及麻类、烟草、菜蔬、棉及桑、柳、茶、柑橘、乌桕、樟、竹等植物为食。

飞蝗在长江以北 1 年发生 2 代,长江以南 1 年发生 3 代,广东、海南、广西 1 年发生 4 代。各地均以地下的卵囊过冬。越冬卵于 4 月下旬孵化,若虫期(彩图 46),有群栖习性,大发生时,能抱团游水渡河迁移。成虫善跳跃,大发生时可作远距离迁飞。雌蝗产卵时喜选择阳光直射的湖岸、田埂、路边、河边及洪涝区退水不久的滩地上。以芦苇、玉米、高粱、小麦等禾本科植物为食,大发生时也危害花生、大豆及水稻。

云斑车蝗在分布地区1年发生1代,以卵块在地下深15～25毫米的土中过冬,翌年5月中旬蝗蝻孵化钻出地面,经4次蜕皮后于8月初羽化为成虫。以水稻、甘蔗以及禾本科杂草为食,亦危害大豆、绿豆、花生等作物。

棉蝗在黄河流域1年发生1代,长江流域及其以南地区有2代现象。以卵在土中过冬,翌年6月间越冬卵开始孵化。初孵化的若虫头及胸部粗壮,腹部窄,体色淡黄绿色,只有很小翅芽。8月间羽化为成虫,身体上各部位的红色才显现出来。主要以棉、甘蔗、竹、水稻、甘薯及木本植物中的洋槐、木豆、柑橘、茶、木麻黄等为食。

中华稻蝗1年发生1代,各地均以卵在稻田埂、堤岸边及稻田附近荒地的地下2厘米深处过冬,翌年5月下旬孵化,8月中旬羽化为成虫,交配后不久即产卵。刚孵出的若虫色黄绿,弹跳力强,成虫虽有翅也不善于远距离飞翔。白天栖息于作物的叶背下,夜间活动及取食。以水稻、高粱、玉米、小麦、芦苇及其他禾本科植物为食。

黄脊竹蝗1年发生1代,以产于土中的囊袋形卵块过冬,翌年4～5月间孵化。卵的孵化期与海拔高度有关,每升高1 000米,孵化期后延2～4天。若虫期有群栖及迁移习性,3龄前常群集于小竹丛及杂草丛中取食,3龄后则迁移至大竹林中。若虫经5龄后羽化为成虫,8月下旬交配产卵。产卵地点多选择在向阳、地面光秃、土质较松软的山腰及山嘴上。以毛竹、淡竹、矮竹及水稻、玉米、棕榈为食,种群数量暴发时也危害豆、瓜、花生等植物。

【采集与加工】 药用鲜品或干燥全体。夏季大发生时捕捉,鲜用或开水烫死,烘干备用,以秋季孕卵期的雌虫品质最佳。

【养殖方法】 在饲养环境中,只要温、湿度适宜,食物充足,蝗虫则无明显的冬眠,可终年繁殖。夏季可就地取材,设置防逃设备,避免迁逃,即可获得大量虫体。冬季则可在室内设置的虫笼、木箱中饲养。

在野外饲养,可选禾本科杂草丛生,地势稍高,阳光充足地段,四周围纱网,将孵化的蝗蝻放入即可。食料缺少时,及时补充,可适量投入麦麸、饼粕等。笼罩的大小可视需要而定。

八、蟋　蟀

蟋蟀包括斗蟋 *Velarificorus micado* (Saussure),别名姬蟋、促织、蛐蛐;长颚蟋 *Velarificurus sspersus* Walkder,别名瘪嘴、小呠、秋虫、夜鸣虫;大扁头蟋 *Loxoblemmus doenitzi* Stein,别名棺头蟋、棺材头;油葫芦 *Gryllus testaceus* Walker;南方油葫芦 *Gryllus mitratus* Walker。主要分布于北起辽宁、经华北、华中至东南沿海,西南至四川、贵州等地。干燥成虫入药。

【形态特征】 斗蟋(彩图50),雄性体长13～16毫米,雌性体长14～19毫米。身体黑褐色,头黑有光泽,后部有3对粗大的橙黄色纵纹,纵纹前方无横纹相连,颜面平直不凹陷,大颚中等长,3个单眼,呈三角形排列,中间1个位于额脊上(图2-15)。触角细长,线状,超过体长。雄性前翅长,达腹部末端,雌性前翅短,仅达腹部中央;两性后翅都不发达。斗蟋发育成熟时,雄性背上的发音镜趋于完善,开始鸣叫;雌性腹部末端拖着1根矛形产卵管,更为明显。因而可将同种蟋蟀分为二尾(腹部末端只有1对尾须的雄虫)和三尾(除有1对尾须外,中间还有1根产卵管的雌虫)。

长颚蟋(彩图51),雄性体长13～16毫米,雌性体长14～18毫米。身体黑褐色,有光泽,有黄色嫩毛；后头部有3对淡褐色纵纹，前方互相连接成横纹。雄性面部下陷，使比前胸背板还长的颚片更为突出，从前方正面看很像猴脸。两个侧单眼间的浅色黄纹中央不凹入（图2-15）。触角线状，细长，约为体长的1.5倍。前胸背板宽大于长，淡色，有黑褐色斑纹，背中线黑褐色稍向下陷，前缘较直，后缘中部稍向后方隆起。雌性身体略大于雄性，颚短，有明显的产卵管。

大扁头蟋（彩图52），雄性体长15～20毫米。头顶向前伸出，前缘呈弧形，黑色，边缘稍后方有橙黄色至赤褐色横带1条，颜面栗壳色至黑色，呈扁平状，向后下方倾斜；颜面中央有一黄色斑，中单眼位于其中，颜面两侧向外突出，形成上宽下狭的三角形，从正面看很像土葬用的棺材头（图2-15）。前胸背板宽大于长，侧板前缘长，后缘短，下缘倾斜，并有一黄斑。前翅长度达腹部末端，翅上的音镜呈四方形，内无横脉，只有2～3根斜脉，侧区棕黑色，前下角及下缘色淡。后翅有时脱落，仅留有痕迹。胸足黄褐色，有黑褐色斑点。

雌性体长16～22毫米，头顶稍向前突，并向两侧伸展成耳形，颜面倾斜度也小于雄性。前翅长度不达腹部末端。腹部末端的产卵管呈矛形，长度短于后足的腿节。

油葫芦（彩图53），雄性体长19～22毫米，雌性体长20～24毫米。身体背面黄褐色至黑褐色，有光泽，腹面色较浅。头顶黑色，复眼内缘、头顶及两颊区黄褐色，从头的背面看，复眼接近处有不显著的黄色月牙形横纹2条（图2-15），前胸背板黑褐色。雄性前翅淡褐色至黑褐色，长17毫米，接近尾端，音镜长方形，前脉稍弯曲，内有弧形横脉将镜膜分为2室，翅端网状区较长；后翅发达，略长于腹部末端。中胸背板后缘内陷。后足褐色，较粗壮，胫节背面有6对较长的刺，并有6根距，内侧距长，外侧距相当于中足跗节的长度。雌虫前翅长达腹部末端，后翅较长，常伸出腹部一段，经交配飞翔后，有的个体后翅易脱落；产卵管细长，长于后足腿节，端部呈矛头形。

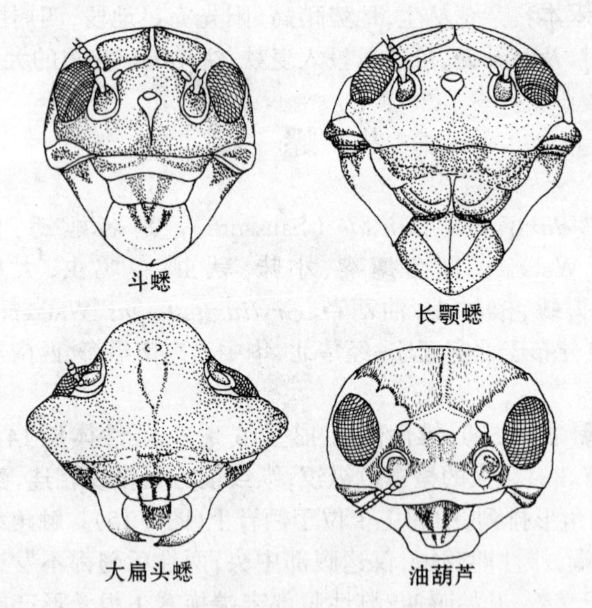

图2-15　四种蟋蟀头部构造与区别

南方油葫芦（彩图54），雄性体长18～20毫米，雌性体长20～22毫米。头大，顶部黑色，复眼周围及颜面部橙黄色，头冠在两复眼间有“八”字形浅黄色斜纹。前胸背板黑色，隐约可见1对倒“八”字形深褐色斑，于中线两侧各半，侧片上半部深色，前下角橙黄色；中胸腹板后缘中央有一小切口。雄性前翅黑色，有光泽，长达尾端，音镜略呈长方形，前脉近乎直线，镜内有弧形横脉将音镜分为2室。雌虫前翅只达腹端，后翅发达，伸出腹端如长尾，有的个体于交尾后即脱落；产卵管矛头形，长于后足。

【生活习性】 斗蟋在北方每年发生1代，南方有发生2代的。成虫经交配后，产卵于砂砾、碎石堆缝隙中及草丛间10～15毫米深的土中，卵粒分散不成块状。翌年6月间孵化为若虫。若虫期蜕皮5次，计6龄。7月间为若虫发育盛期，8月中旬即见有成虫。斗蟋主要生活于村舍、场院、地头、田埂、沟渠以及生长茂盛覆盖密集的田园中。由于各发育阶段都接近土壤生活，发育为成虫后更喜在砖、石、土块下挖洞栖息。斗蟋的食性复杂，喜取食多种植物的嫩芽、幼根，尤其嗜食花生、豆类、芝麻及辣椒的嫩茎和幼果，也取食其他昆虫的残肢、旧皮或未腐的尸体。

长颚蟋在北方每年发生1代，长江以南有2代的。成虫交配后产卵于田埂、土坡及砖、石、瓦块下的土中，深度可达15毫米。卵在土壤中借助地表遮盖物的保护过冬，翌年5～6月间孵出若虫，6～7月间为各龄若虫期，8月末成虫盛发。成虫和若虫在潮湿的豆田、菜园及杂草丛生的田边、地头处的隐蔽物下做穴栖息。为杂食性昆虫，特别喜欢蚕食豆类和薯类的嫩叶及幼茎。在适生地区常与斗蟋混生，各居1穴，互不干扰。长颚蟋颚长，活动不灵活，互斗能力较差。

大扁头蟋每年发生1代，在北京地区8月份为成虫盛发期，9月上旬为盛鸣和雄、雌交配期，9月中下旬为产卵盛期，至10月底仍可听到鸣叫声。雌虫喜选择较干旱的荒坡、丘陵上的草丛根部土中以及田埂裂缝中产卵。过冬卵翌年6月中旬开始孵化。若虫期蜕皮5～6次，计6～7龄。若虫和成虫均喜欢栖息于砖、石块下及田园周边的垃圾堆下，菜园、苗圃中的遮盖物下和旱田的裂缝中。为杂食性，以各种作物的嫩穗、果荚及裸露在地表的幼根、嫩茎为食。

油葫芦在北京地区每年发生1代。越冬卵于5月间开始孵化。因卵所在的地点不同，孵化时间有差异。产于隐蔽地点或草丛深处的，可延缓至6月中旬孵化。若虫期在正常情况下蜕皮5次，计6龄，在食物不足或特殊的不良条件下，也有7龄现象(彩图55)。若虫经历25～35天羽化为成虫。成虫交配后约经15天，雌虫即在草较多的向阳田埂、坟地、乱岗、丘陵或杂草边缘的土中产卵。卵产于土层深度约20毫米处，1只雌虫可产卵80～100粒。食性较杂，采食芝麻、花生、棉花、豆类的叶片及幼果、荞麦、十字花科蔬菜、瓜类幼苗、白薯、马铃薯的嫩叶和幼茎，并取食禾本科农作物的幼苗、嫩穗，特别喜欢取食带有香甜气味的食品。大发生时有飞入室内咬坏衣物、食品的报道。

南方油葫芦在北京地区每年发生1代，产卵于地下2厘米深的土层中过冬，喜在杂草多、向阳田埂及荒废田野中产卵。1只雌虫可产卵100余粒。成虫寿命140余天，成虫、若虫日间隐藏于砖石及土块下或杂草间，夜间觅食及交尾、产卵。为广食性昆虫，能取食多种植物的叶、茎、根、种实，密度大时，甚至侵入家室，咬毁衣物、食品。

【采集与加工】 干燥成虫全体入药。在秋季采集未经交配的雄虫或交配后未产卵的雌虫用开水烫死，晒干或烘干备用。

【养殖方法】 蟋蟀有不同程度的互相残杀习性，因此，在小范围内难以集群饲养。在1平方米面积内，如饲料充足，生态条件适宜，可养活50只左右的成虫。在人工控制下，成活率仅为野外的40%～50%。

在人工控制下,为达到采收蟋蟀成虫作中药材的目的,应采用大笼饲养。大笼用金属或木材作支架,以铁窗纱做围罩,长、宽、高不限,面积越大,容纳量越多,并可提高成活率。一般10米×5米×2米的大笼,可养活3000～5000只,由若虫发育到成虫。笼内种植大豆、花生、玉米等作物,供作自然饲料。

蟋蟀若虫期跳跃能力很强,到达成虫期更为活跃,且各发育阶段都有钻缝、筑穴、隐蔽的能力,因此,采集较大数量的种蟋实在不易。应利用成虫期的向光和趋食的习性诱捕。在成虫发生期,选择蟋蟀喜栖息的环境,将20瓦黑光灯或100瓦以上的碘化银灯泡,用支架悬挂。地面挖1个直径25～30厘米、深35～40厘米的土坑,将大口径广口瓶放入,再做1个上口直径与坑口相同,下口略小于瓶口的铁皮漏斗,置于瓶上,瓶内装入少许炒熟的麦麸、饼粕作为诱饵,再放些豆类或蔬菜枝叶作隔离物。傍晚后开放光源,即可诱来大量成虫,先是绕灯飞舞,不久即落地,在光源照射范围内爬行,当嗅到诱饵的香味时,即奔向漏斗,跌入瓶中。然后再将诱捕的蟋蟀移到饲养笼中喂养,每笼可投放雄、雌各100只。除依靠笼内种植的饲料外,还可酌情投入麦麸、饼粕及蔬菜等补充饲料。不久,成虫交配后,即产卵于地下。笼内的植物秸秆枯死后,不要拔出,作为地面的遮盖物,以利于卵度过寒冬。翌年气温上升到20℃左右时,即见有大量的小若虫出土。

笼中饲养蟋蟀,单纯利用笼中天然饲料远远满足不了大量蟋蟀的需要,应采集其喜食植物投入,并投入麦麸、饼粕等精饲料。人工饲料配方有:①干酵母5%,玉米粉20%,肝粉5%,脱脂奶粉15%,大豆粉20%,粗麦粉35%。②干酵母5%,玉米粉25%,肝粉5%,脱脂奶粉15%,大豆粉20%,粗麦粉30%。③干酵母10%,玉米粉15%,脱脂奶粉15%,大豆粉20%,粗麦粉30%,鱼粉10%。④干酵母10%,玉米粉20%,脱脂奶粉15%,大豆粉30%,粗麦粉25%。将配料搅拌均匀,研细,铺撒在木板上饲喂。1次不要投放太多,以全部吃完为宜。配方①的饲养效果较好。饲养温度以25℃左右为宜。

如1天光照15小时,若虫发育期会缩短。自然光照时间不够时,应加灯光补充。

饲养笼下缘1米外,要构筑宽、深各20厘米以上的水槽,注入清水,防止蚂蚁等天敌侵入。气候过于干旱时,早晚适当喷些水,使饲养笼内的地表湿度保持在75%～80%。阴雨天不影响蟋蟀正常生活,但在喂食板上方要加遮盖物,青饲料可少放或不放。如笼中地面积水1小时可造成蟋蟀死亡。雨后曝晒,对蟋蟀不利,特别是影响其蜕皮,应及时投入一些植物枝叶或青饲料遮阳防晒。成虫大量羽化后,要赶在交配产卵前(留足种虫)及时采收。可在笼内挂灯,下面放四壁光滑的水盆,待成虫趋光飞转,跌入水盆,即用笊篱捞出。

九、螽　蟖

螽蟖包括蝈蝈 *Gampsaocleis gratiosa* Watenwyl,别名聒聒儿、豆聒聒、叫蝈蝈;织螽蟖 *Mecopoda elongata* Linnaeus,别名叫姑姑、纺织娘、络纬蟖、络丝娘。主要分布于辽宁、内蒙古、河北、山东、河南、山西、陕西、江苏、湖北、浙江、江西、福建、广东、广西等地。干燥成虫入药。

【形态特征】　蝈蝈(彩图56),体色鲜绿色或绿色,雄性体长34～45毫米,雌性体长45～53毫米,产卵管长30～35毫米。头部较大,近平直,复眼隆起,呈椭圆形。触角丝状,长度超过身体总长的1/5。前胸背板发达,呈盾形,盖住中胸及后胸。雌性前翅只达腹部第二节,脉纹色深;雄性前翅较长,达腹部1/2或2/3,有明显的音镜。前中足较短,前足胫节基部有长条形听器。

织螽蟖(彩图 57),身体绿色或褐绿色,长 50～60 毫米。头短偏宽,顶部的褶纹处呈褐色,复眼椭圆形,褐色,位于触角窝的侧后方。触角细长,超出翅端。前胸背板褐绿色,前缘直,后缘弧形,上有较大的刻点及微细纤毛。前足及中足等长。前足胫节近基部有长卵形槽形听器。前翅为体长的 2 倍,近革质,脉纹粗,近前缘有纵列的赭色斑。雄性下生殖板末端有近似三角形缺刻;雌性产卵管呈马刀形,略短于体长。

【生活习性】 蝈蝈在全国各地均 1 年发生 1 代,以卵在土中 25 毫米深处过冬,翌年 4 月下旬孵化为若虫。经 5 龄后于 6～7 月间羽化为成虫,雄虫开始鸣叫。8 月下旬至 9 月上旬开始交配产卵,每只雌虫可产卵 100～150 粒。越冬卵如不被鸟兽抢食,孵化率可高达 90%。为兼食性昆虫,喜食花生、大豆及禾本科植物的鲜嫩种实以及蔬菜等嫩芽,也捕食蚜虫等小型昆虫及卵,还嚼食动物粪便中未消化物及昆虫尸体。

织螽蟖 1 年发生 1 代,在海南有发生 2 代的。以卵在植物组织中过冬,翌年 5 月间孵化,经 4 次蜕皮,于 8 月下旬化为成虫。成虫与若虫的区别仅在于翅芽小,雌性产卵管随龄期而逐渐延长。成虫静止时左翅折叠于右翅上。有翅但不善飞翔,只有在为觅食迁移或受惊时才展翅飞翔。主要食害桑科植物嫩芽及杨、柳科植物,也取食菠萝鳞果嫩皮。

【采集与加工】 秋季捕捉,用开水烫死或用酒醉死,晒干,除去杂质,去头、足及翅,备用,以孕卵雌性更佳。

【养殖方法】 可参照蝗虫的养殖方法。螽蟖有互相残食习性,在同一容器中饲养数量要少些。

十、蝼 蛄

蝼蛄包括华北蝼蛄 *Gryllotalpa unispina* Saussure,别名地狗、拉拉蛄、大蝼蛄、北京蝼蛄;非洲蝼蛄 *Gryllotalpa africana* Palisot et Beauvois,别名小蝼蛄、土狗、地蛄、地蝲蛄。分布于东北、华北、华东、华中、西南、西北各地。干燥成虫入药。

【形态特征】 华北蝼蛄(彩图 58),雄性体长 39～45 毫米,头小狭长,宽 5.5 毫米。雌性体长 42～45 毫米,身体椭圆形,黄褐色至黑褐色,腹面色略浅。头宽 8～9 毫米。触角短小多节,丝状,复眼卵形。前胸宽大,隆起成盾形。前翅黄褐色,较短,平置于背上,脉纹黑褐色。后翅大,膜质,透明,浅黄色,静止时纵褶呈筒状,隐于前翅下。前足发达,转节有一粗大的距,指向前方;胫节扁宽,末端有 4 个黑色尖齿;跗节 3 节,基部有 2 个大齿。中后足短小,后足腿节膨大,胫节中部背侧内缘有 1 个刺状距或消失(图 2-16)。腹部近似圆筒形,末端有黄褐色分节的尾须 2 根。雄虫能发出鸣叫声,但发音镜不完善,仅以分脉及斜脉为界,形成长三角形室,端网区也小。

非洲蝼蛄(彩图 59),雄性体长 29～31 毫米,雌性体长 31～33 毫米,体型小于华北蝼蛄。身体茶褐色,前宽后窄近纺锤形。头圆形。前胸背板后部宽于前方,后缘突起。前翅短,仅达腹部背面的 1/2;后翅膜质,较长,卷成尾毛状伸出腹部末端。前足短,很坚硬,腿节端部变狭,跗节较扁,边缘有齿,致使前足呈铲状,适于掘土,中足较小,后足腿节膨大,胫节背侧内缘有大棘状大刺 3～4 个(图 2-16)。

【生活习性】 华北蝼蛄生活期较长,在北京、河南、安徽等地需要 3 年完成 1 个世代,终生

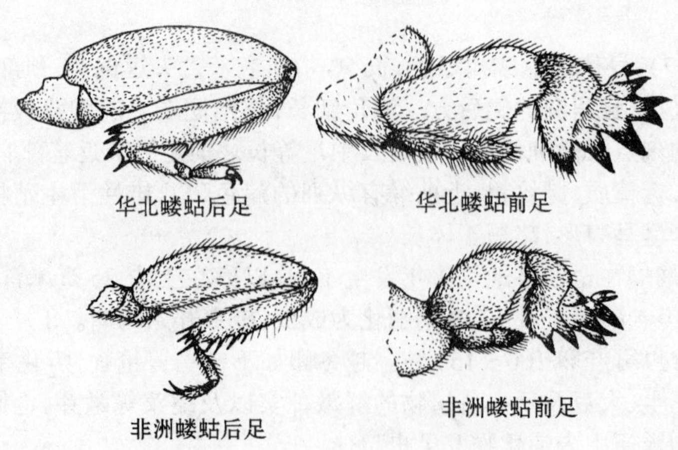

图 2-16　华北蝼蛄与非洲蝼蛄前、后足的区别

可达13龄之多。成虫或老熟若虫均在土内过冬。越冬时在土层的深度各地不同,而都在冻土层以下,地下水水位以上,一般深可达1～6米。翌年气温回升的3～4月间(黄、淮、海地区),越冬虫开始活动,4～5月间为活动盛期,多生活于轻盐碱地向阳干燥的地埂等处,并用前足开掘活动隧道。6～7月间为产卵盛期,将卵产在地下15～30厘米深的卵室内。1个雌虫可产卵100～800粒,卵期10～35天。以当年8～9龄若虫过冬,翌年则以12～13龄若虫过冬,第三年老熟若虫羽化为成虫后过冬。过冬后的成虫在第四年6月份产卵。由于世代及各龄期发育阶段参差不齐,因此,同一时期可见到不同发育阶段的虫态。主要为害期为4～11月份。成虫有较强的趋光性。华北蝼蛄食性较杂,主要取食作物的幼苗、嫩根及地下茎块。

非洲蝼蛄生活周期短,在北方2年可完成1个世代。大部分以蜕过3次皮的4龄若虫过冬,翌年再经过1～2次蜕皮后进入成虫期,故为6～7龄。成虫或若虫均喜生活在潮湿的池塘或沟渠边的土壤中,南方稻田垄埂是其主要栖息场所。为杂食性,大体与华北蝼蛄相同,在南方常成为秧田的主要害虫。

【采集与加工】　以干燥的成体入药,体大的若虫也可入药。于夏、秋间捕捉,可用灯光诱捕。捕后速用开水烫死,晒干或烘干,拣净杂质,除去翅、足,备用。也有记载将活虫埋入石灰中焙干备用的。

【养殖方法】　群体饲养蝼蛄,以长300厘米、宽200厘米、深200厘米以上的大饲养池为好。池的四壁用砖砌成,以水泥抹平,下部填100厘米厚的壤土,稍压实,为其创造深入越冬或挖室产卵、育儿的环境,再填入20厘米厚含农家肥或腐殖质的湿润疏松的土壤。这样的土质能适应蝼蛄"刨湿不刨干"、"刨松不刨硬"的习性。表面撒上1层发酵后的马粪、碎麦秆、谷糠等,作为活动和保护层,以供成虫、若虫潜入,挖掘隧道,觅食,寻偶交配或躲避天敌的侵袭,再在上面松散地放上1层长麦秸、玉米芯、稻草等,作为遮荫、保湿用。池口罩上铁窗纱盖子,防止成虫逃逸。

饲养池建好后,便可到野外采收种虫。其采集方法有:一是利用蝼蛄成虫期的趋光性诱捕。于天黑后到村舍附近的场院,靠近渠边、地头的荒坡、乱岗等半砂壤土的地方,点灯诱捕。二是用蝼蛄的趋味性诱捕,可用直径20～25厘米、高30厘米的圆塑料桶,相同或略小些的大罐头瓶,于桶底放1层马粪,并掺合一些炒香的饼粕或煮熟的谷子,作为诱饵。将桶或瓶埋在蝼蛄经常活动的地方,桶口与地面平齐,在上面搭上些松散的树枝、作物秸秆等遮盖物。天黑时放好,天亮后取出。诱捕成虫时间以日平均气温在15.4℃～27℃,蝼蛄成虫活动盛期为佳。凡诱捕到的成虫,均要进行选优检查,身体上有寄生螨(在身体腹面的头、胸节间,胸足的基节处),肢体残缺,体瘦腹小,体色灰暗无光泽,身上金黄色纤毛受到严重磨损,毛梢不尖者为劣品,均应淘汰。

诱来的成虫应分池饲养,这是因为华北蝼蛄的生活周期需3年左右,而非洲蝼蛄只需1年便完成1个世代。每池的放养数量以每平方米10对为好,这是根据2种蝼蛄每只雌虫的产卵量均在300粒左右以及饲养过程中死亡率在30%以上考虑的。

人工饲养蝼蛄的天然青饲料有麦苗、谷苗、玉米及高粱嫩叶、瓜果皮等,但1次投入量要少。投食时间以傍晚蝼蛄开始潜出地表活动时为好,次日检查取食情况,以吃完为好,如有余也应拣出。精料以煮熟晾干的谷粒及炒熟的饼粕、麦麸、花生碎壳等为好。每隔2～3天投入1次。投放量的多少,要通过观察来掌握。为投食方便和减少食物霉烂,可加工成人工饲料块。其成分及制作方法如下:干麦苗或禾本科青苗粉5 000克,麦麸(炒香)500克,饼粕粉(炒香)1 000克,干酵母50克,清水1.5升。将上述饲料搅拌成稠糊状,在案板上压成薄片,用刀切成1厘米见方的方块,晒干保存。喂时应用木棒压碎至米粒大小,以呈小颗粒而不出粉为好。喂养合成饲料时,也应配以青菜、青草等含水量高的鲜饲料,以补充水分。

饲养池中的温、湿度调控,要求不太严格,蝼蛄是土栖性昆虫,其所在环境的温、湿度变化幅度比大气环境要小得多,而且通过在土壤中的上下移动,随时可找到比较适宜于生活的温、湿条件。而最适宜的土层平均温度依次为:5厘米深,15.4℃～23.1℃;10厘米深,16.5℃～26.1℃;20厘米深,14.9℃～24℃。气温低只是略为影响生育,过高则影响取食。气温高时,可在饲养池周围洒水降温。越冬阶段来临,气温降至10℃左右时,可在池内及其周围堆放秸秆保温。

药用成虫的采收时间不固定,这是因两种蝼蛄的发生、产卵、孵化、个体的龄期长短及发育阶段极不整齐。一年四季均有成虫出现,而以春、秋季节数量较大。因此,在每次投放饲料时都应轻拨池中覆盖物,见有成虫即可捉出。每年春季(华北蝼蛄隔年1次)用大孔筛清理20厘米厚的腐殖土,清理出成虫,并进行选优去劣,将土质中的不洁物筛出,检查饲养情况及蝼蛄的密度,如发现土质中因虫粪过多而结块,或有寄生螨及植食螨时,则应将此层土更换。

十一、白蜡虫

白蜡虫 *Ericerus peia* Chavannes,分布于陕西、江苏、浙江、福建、湖北、湖南、江西、四川、贵州、广东、海南、广西、云南等地。分泌的白色蜡质入药。

【形态特征】 白蜡虫雌体呈半球形,长约1.5毫米,宽约1.3毫米。腹面膜质,背面隆起,呈一蚌状的介壳形,通体淡粉褐色,并散生大小不同的浅色点。将要产卵的雌虫体呈圆球形,长约10毫米,体背光滑,褐红色,无翅。雄性体小,较嫩软,长约2毫米,体宽0.2毫米。头、胸部紫褐色。前翅长约2.5毫米,膜质,近透明,脉纹2条;后翅退化成钩状平衡棒。腹部末端有长锥形外生殖器,白色蜡丝1对,长达3毫米以上(图2-17)。

【生活习性】 1年发生1代,以受精雌成虫在寄生枝条上过冬,翌年3～4月间产卵。卵产于雌体腹下,多达数百至万粒,卵4～6月间开始孵化,孵化期雌性卵早于雄性卵。若虫出壳

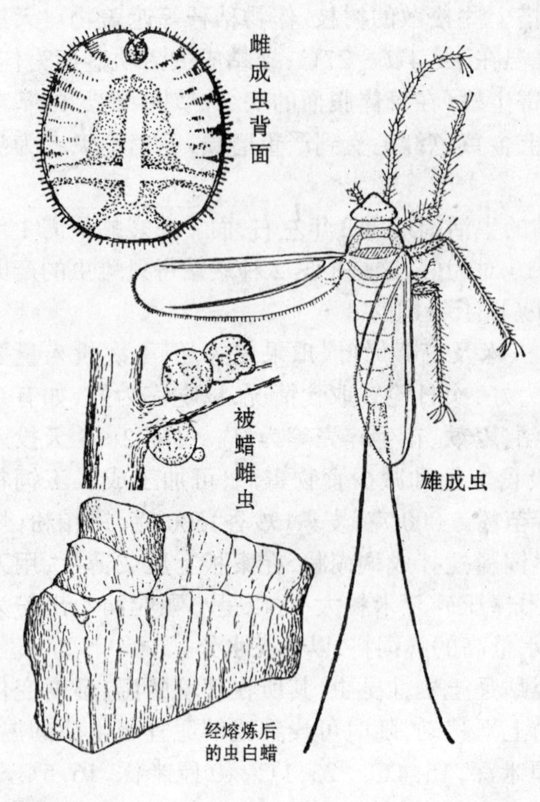

图 2-17 白蜡虫

后，转移至寄主叶片上固着，雄虫避光，雌虫喜生活于向阳叶面。1 龄雌虫经取食 1 个月后，体表分泌白色蜡粉，蜕皮成 2 龄虫，迁移至枝条上固着取食，直至7～8 月间，2 次蜕皮变为成虫。雄性 1 龄若虫生活于叶面，不久即分泌蜡丝，经 1 周后蜕皮进入 2 龄，离开叶片在枝干上固着取食，并开始大量分泌蜡丝，经 10 余天虫体即被白色的厚蜡层包裹。当蜡层加厚至6～7 毫米时，常使密集的群体相互连结成蜡条(即虫白蜡)，8～9 月间再蜕第二次皮后进入“前蛹期”，4天左右化为蛹，9～10 月间羽化为成虫。这时蜡层上出现小孔，成虫尾端的蜡丝由小孔伸出，不久虫体也从孔中退出，在晴朗高温天气，飞翔或爬行寻找雌性交配，不久即终结生命。受精雌虫过冬后于春季分泌蜜液，体色也随之变为红褐色，体内卵成熟待产。寄主植物为女贞、小蜡树、小叶女贞、瓦山蜡树、白蜡树、大叶白蜡树、小叶白蜡树、蜡子树、水蜡树，以女贞及白蜡树上产蜡量高，质量好。

【采集与加工】 8～9 月间采收蜡质。清晨将包有蜡质的枝条割下，放入开水中煮至虫体及杂质下沉，蜡质浮起，待冷凝后取出蜡，再加热过滤，即成半透明块状虫蜡，药材称虫白蜡。优质虫白蜡，体轻质硬稍脆，切开断面可见针状结晶或显小颗粒，有微臭味。不溶于水、醚及氯仿，可溶于苯及石油醚，熔点在 80℃～83℃，以色白、质硬、致密、无气泡者为佳。

十二、紫胶蚧

紫胶蚧 *Laccifer lacca* Kerr，别名紫胶虫、胶蚧。分泌的紫红色胶质入药。主要分布于广东、广西、四川、贵州、云南等地。

【形态特征】 紫胶蚧(彩图 60)，雄、雌形态各异。雌性体呈囊形，紫色，常隐于胶质中，体长 4.3 毫米，宽 2.6 毫米，头部由口针和喙组成口器，前方和后方都有口突 1 对；触角、复眼及足均退化，虫体固着在寄主植物上便不能再移动，只有口针插入植物组织内吸食汁液生活；肩部有气门沟，沟顶上的蜡片位于臂孔之上，沟内有蜡粉及被掩盖着的气门；背部有背刺突，其上方有 1 根角质状背刺。腹部第七节上有阴门，末节肛门孔及环肛上有刚毛 10 根。雄虫分为有翅型和无翅型：有翅型体长 1 毫米，头、胸、腹分节明显，紫红色，头上的口器消失，触角分为 9 节，前翅发达，膜质，只有分为两叉的简单翅脉，腹部 8 节，端有锥形阴茎鞘及 2 根弯曲的白色蜡丝。无翅型，除无翅外，其余形态与有翅型相似。

【生活习性】 在我国为春秋 2 型。第一代幼虫自 6 月上旬至 7 月下旬，经历 1 个月的生活期变为成虫，成虫历期 3 个月左右，开始出现第二代成虫。第二代幼虫于 10 月份出现，不久即进入过冬阶段,翌年3月又进入成虫期,历时5个月。此时第一代雄虫卵也出现,孵化后经1次蜕皮不久即化为蛹。雄性成虫于7月下旬出现,并与雌虫交配,不久雄虫死亡。雌虫产下的卵孵化出幼虫后,到处爬行,寻找适宜寄主,如在几天内找不到寄主即死亡,找到寄主的则固定下来,用口器取食树液而生活。幼虫有较强的群栖性,一段枝条上常有数百只幼虫聚集在一起。幼虫在开始取食时,即开始分泌胶质。随着虫体增加,泌胶增多,至完全覆盖住虫体。到达成虫期分泌的胶可连成胶梗。同时还自蜡腺中排出蜡质。雄虫幼虫经3龄进入预蛹期,再蜕皮进入蛹期不久即羽化为成虫。雌幼虫经4龄即进入成虫阶段。最适宜寄主植物有牛肋巴、秧青、泡火绳、三叶豆等。

【采集与加工】 7~8月间采收带有紫色的枝条,取胶弃枝,悬挂于通风干燥处,到不再结块备用,药材名紫草茸。胶棒呈半圆柱形,长4~10厘米,紫褐色,表面高低不平,有细皱及小孔隙,质硬脆,折断可见平行排列的虫形窝,细看内有虫尸者为真品。

【养殖方法】 只要在气候适宜的环境下,经人工管理,适时放种虫,加强寄主植物的施肥、灌溉、松土、修枝等措施,及时收胶(蜡),便可取得较高的产量。我国自然生胶、蜡足以满足药材用量,无须特殊养殖。可结合经济林的种植规划,开垦紫胶生产林区,做到计划生产管理,以增加产量。

种植紫胶蚧寄主植物,应选择冬季有较长日照时间的地区,以利紫胶蚧过冬。放种前要先选择适宜放种林相,并准备好运输及放养工具。在自然界选择的紫胶虫种,要选虫体发育成熟、外被胶层厚的群体。可用悬挂或捆扎方法,将种虫放到寄主植物上,使初孵幼虫自由游散。放种时应在无风雨晴天的上午进行,严防风吹刮落,影响定置率。株放种量与树龄及其生长势有关。一般树干胸径5厘米的,可放种虫100克;胸径在33厘米以上,可放种虫1 000克。放后3天检查着虫率,如达不到要求密度,应及时补放。

十三、蝉

蝉包括蚱蝉 *Cryptotympana pustulata* (Fabricius),别名黑蚱、知了、蚱等;蟪蛄 *Platypleura kaempferi* (Fabricius),别名小蝉、花翅蝉;鸣蝉 *Oncotympana maculaticollis* Motschulsky,别名蛁蟟;红蝉 *Huechys sanguinea* De Geer,别名红娘虫、红娘子等;短翅红蝉 *Huechys thoracica* Distant,别名突胸红蝉;褐翅红蝉 *Huechys philiamata* (Fabricius),别名褐衣红娘子;蒙古寒蝉 *Meimuna mongolica* (Distant),别名伏了、寒知了;草蝉 *Moongania kebes* Walker,别名草吱吱、小蝉。主要分布于北京、河北、河南、山东、陕西、江苏、安徽、浙江、江西、湖南、福建、台湾、广东、海南、四川、云南、贵州、内蒙古等地。短翅红蝉目前只知分布于云南、广西南部。鸣蝉主要分布于北方山地。以干燥成体及若虫蜕下的壳和干燥若虫带有寄生菌子实体的个体入药。

【形态特征】 蚱蝉(彩图61),雄性体长44~48毫米,雌性体长38~44毫米。体黑色,有光泽,体表被金色绒毛。头大,头比中胸背板基部稍宽,头的前缘及额顶各有1块黄褐色斑。复眼灰褐色。触角短小,鬃状(或刚毛状)。刺吸式口器。头部中央及颊上方有红黄色斑纹(图2-18)。前胸背板比中胸背板短,中胸背板宽大,长宽几乎相等,中央黄褐色,"X"形隆起红褐色,非常明显。前后翅膜质,基部黑色,脉纹隆起,前翅大、后翅小。蝉体腹面黑色,腹部各节侧缘黄褐色。雄性腹部第一节两侧有发音器官(图2-19)。背面和腹面各有1对瓣状片(背瓣和腹瓣)盖在上面。背瓣完全盖住发音器,酱褐色;腹瓣大,舌状,末端圆,边缘红褐色。雌性无发音器，在同一位置上有听器，产卵器甚发达(图 2-19，彩图 62)。

蟪蛄(彩图 63)，体长 20～22 毫米，体小型，短阔。头及前胸背板和中胸背板皆为暗绿色，有时呈黄褐色，斑纹黑色。刺吸式口器。触角刚毛状。头前端平截，稍宽于中胸背板(图 2-18)。前胸两侧叶突出，背中央有 1 条纵带，前后端扩大呈菱形；中胸前缘有 2 对倒圆锥形斑纹，靠外侧的 1 对较大，中间的 1 对小；从"X"形隆起中央向前有 1 块菱形斑。腹部各节黑色，后缘暗绿色(图 2-20)。前翅前缘突出，翅面布满深浅不一的黑褐色云斑，只有少数无色部分，呈半透明或透明状。

鸣蝉体长 35～38 毫米，体粗壮，中等大小。体色暗绿有黑色斑纹。头与中胸背板基部等宽(图 2-18)。前胸背板短于中胸背板，其后侧角扩张成叶状，有 2 条斑纹；中央有 1 个浅凹陷和 2 条纵带。中胸背板前缘有 1 块小"W"形斑，两侧各有 1 块大斑，"X"形隆起前有 1 对小斑。背瓣完全盖住发声器(图 2-19)，腹瓣横阔，左右腹瓣内侧有一点重叠(图 2-20)，前翅透明，脉纹黄褐色；后翅无色透明。

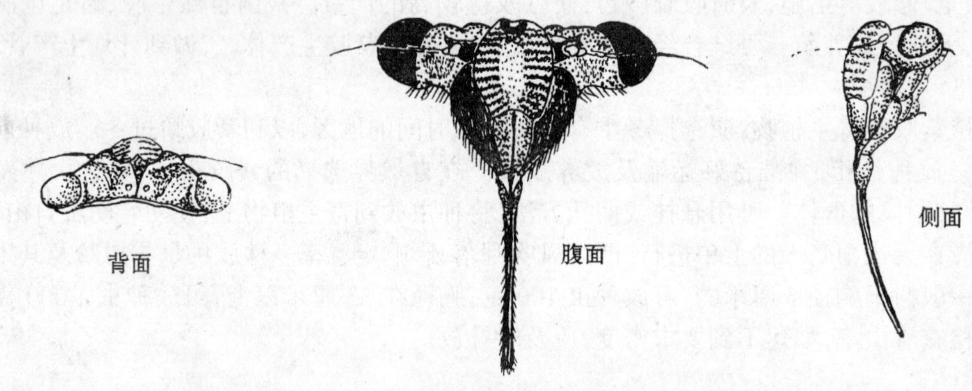

图 2-18　蝉的头部构造

红蝉体长约 21 毫米，体狭长，为蝉科中的小型种类。头与前胸背板等宽，黑色，具光泽，唇基朱红色。额与单眼鲜红色。触角刚毛状，暗红色(图 2-18)。中胸背板暗红色，纵沟内侧、"X"形隆起和翅后板黑色。腹部第一节为暗黑色，其他各节皆为红色(图 2-19，图 2-20)。前翅及翅脉均为暗黑色，后翅透明，基部色暗。本种成虫作中药用。

短翅红蝉与红蝉体型大小均相似，其区别在于前胸背板中央有一凸形突起，中胸中央及两侧各有一朱红色肾形斑，外侧斑中间有隐约线形纹。前翅暗褐色，不透明，翅脉烟黑色较明显；后翅色稍淡，翅脉深灰色。腹部较宽，第一、二节背板色深，两侧有暗斑(图 2-19，图 2-20)。

褐翅红蝉体黑色，间有朱红色，有光泽，体长 19～22 毫米，翅长 25～31 毫米。头黑色，复眼褐色(图 2-18)。胸部黑色，中胸背板两侧各有一较大的朱红色块。腹部朱红色，基部宽，渐向末端变窄，雌性产卵管深褐色(图 2-19，图 2-20)。前翅灰褐色，基部色稍深，后翅半透明，翅脉烟黑色。

蒙古寒蝉(彩图 64)，体暗绿，有黑色光泽。雄性体长 30～32 毫米，翅长 40～44 毫米；雌性体长 28～31 毫米，翅长 40～42 毫米。头短，宽与中胸背板基部相等(图 2-18)。前胸背板短，中区有 2 条纵纹，内片及侧沟上有黑纹。中胸背板中央有三叉形斑纹，斑的侧臂宽，前缘有 2 个楔形斑。前翅透明，前缘基部脉纹褐色，向外延伸呈黄褐色，近顶的横脉上有暗斑；后翅完全透明。

草蝉(彩图 65),体短宽,绿色,被黄色细毛,体长 19~21 毫米。头锥形,向前伸出,宽度窄于中胸背板(图 2-18)。前胸背前窄后宽,后角略外突,内片两侧有黑色纵带,中间连成"U"字形;中胸背板前缘有楔形纹 4 个。腹部两端细,中部宽,背中部呈脊形隆起,各节有成对的黑斑(图 2-20)。前翅膜薄,呈透明状,基部琥珀色,脉纹绿色;后翅全透明。

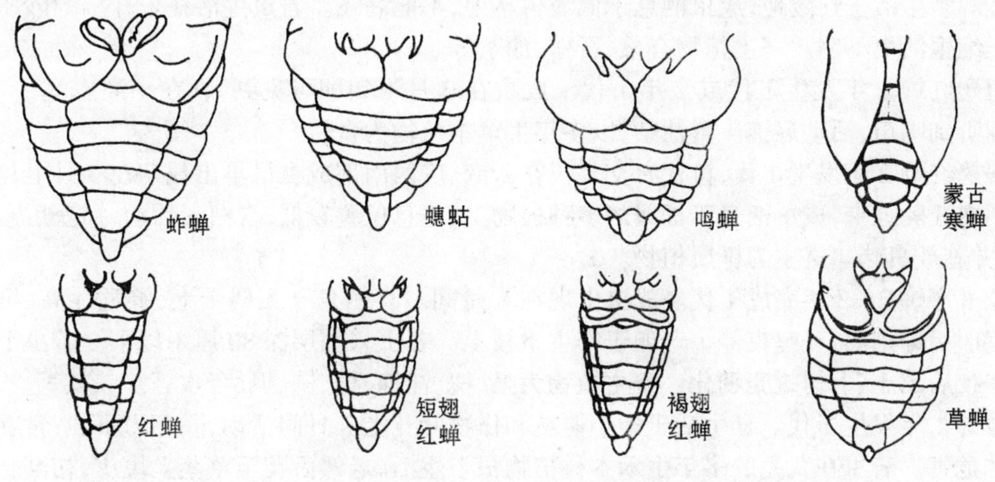

图 2-19　八种雄性蝉的发声器官

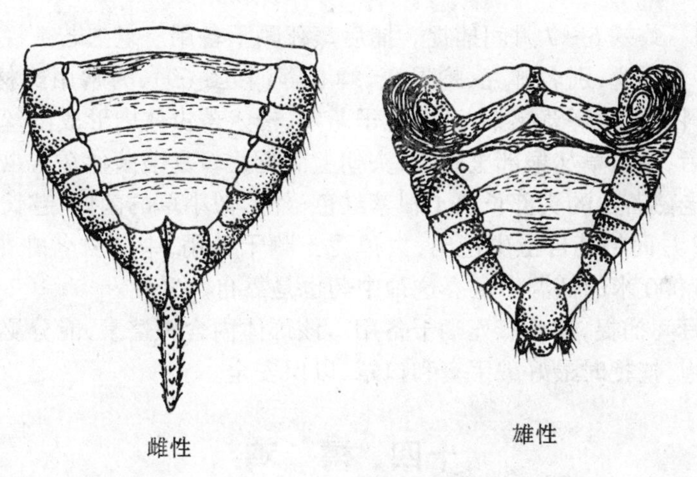

图 2-20　蝉的腹部构造

【生活习性】　蚱蝉成虫生活在杨、柳、榆、槐、苹果、桃、李、梨等树上(彩图 66),以其刺吸式口器吸吮树木汁液而生活。蚱蝉 12~13 年完成 1 代。其卵产于树枝内,其若虫于土中越冬。越冬卵于翌年春孵化,小若虫出世后,潜入土中,吸食树木根部汁液,冬季钻入深层土中越冬,寒冬过后向上迁移到树根附近进行取食活动,在土中生活 12~13 年。待发育到老熟若虫后,于 6~8 月间从土中钻出(彩图 67),爬上树干,以爪及前足的刺固着在树皮上,蜕皮羽化为成虫(彩图 68)。

蟪蛄成虫于 5~6 月间出现。成虫产卵于寄主树木的嫩枝条组织里,卵孵化出的小若虫钻入土中营造洞穴生活多年，以刺吸树木根中的汁液为生。若虫生长发育到老熟时，便从地下洞穴中钻出，爬上树干，蜕最后1次皮而变为成虫。成虫取食苹果、梨、梅、桃、李、核桃、柑橘、桑等多种果木的汁液。若虫在未出土前，若被一种虫草属的真菌感染，则生成蝉花。

鸣蝉成虫每年7～8月间出现，生活在山区，叫声呈喔喔喔喔哇，反复地鸣叫，在城市听不到它们的叫声。以苹果、桃、李、梨、桑等树的汁液为食。

红蝉多生活于丘陵地，成虫栖息于低矮树丛中，不能高飞。若虫生活在未开垦的砂质土壤中。详细生活史不明。寄主植物有桑、石榴、油茶等。

短翅红蝉1年发生1代或2年1代。成虫在3月下旬即可见到，喜在小灌木丛中活动。晴天即听到鸣声，活动迟钝。食性杂，以多年生草本植物为食。

褐翅红蝉2年发生1代，世代有交叉。在云南、广西南部成虫最早出现期在3月上旬。大都生活在丘陵地带，成虫栖息于栎属的多种植物上，停息位置较低，喜白天活动，捕获后有假死现象，并施放臭味。寄主为栎属植物。

蒙古寒蝉2～3年完成1代。成虫出现在8月间。喜栖息于大树干上，警觉性高，雄虫在一处鸣叫后即逃离，日鸣夜停。产卵于寄主嫩枝上。若虫入土层深80厘米以下。若虫羽化前多在午夜后出土，上树蜕壳羽化。寄主植物为桑、槐、洋槐、杨、柳、枫、合欢等。

草蝉1年发生1代。喜生活于矮小树丛和作物叶背上。日间活动，飞翔力不强，常在短距离转株危害。若虫在荒芜的多年生禾本科植物根下生活，老熟后爬至草茎上蜕皮，初羽化的成虫乳白色，不久即变为淡绿色至绿色。寄主植物为甘蔗、水稻、莸草、黄豆、豇豆以及桑、柿、茶、柑橘等植物。

【采集与加工】 蚱蝉6～7月间捕捉。捕后蒸死晒干备用。老熟若虫蜕下来的壳，除净泥土，晒干备用，药材名蝉蜕，别名蝉壳、蝉退壳、蝉衣等(彩图69)，为常用药材。蟪蛄的若虫在未出土前，被麦角科真菌大蝉草感染，真菌孢子萌发，侵入若虫体内形成菌丝，吸取蝉若虫体内的营养，若虫生病后，钻入草丛根部土表下，头朝上而死亡。真菌菌丝在若虫体内繁殖生长，到翌年5～6月间从老熟若虫的头部长出1根紫红色、外形似小草的菌体，越长越多，顶端膨大而充满子囊壳。6～8月间将其自土中挖出，去掉泥土晒干备用，中药材名蝉花。主产于四川和西藏海拔3 000～4 000米的低温山区。这种中药也是靠自然采集。

红蝉在6～8月间捕捉，捕后蒸死晒干备用。该蝉体内含斑蝥素，能分泌毒液，碰到皮肤有刺激性，能引起发泡，捕捉时最好戴手套和口罩，以保安全。

十四、樗　鸡

樗鸡 *Lycorma delicatula* White，别名灰蝉、樗蝉、灰花蛾、斑衣蜡蝉。主要分布于陕西、四川、浙江、江苏、河南、北京、河北、山东、广东、台湾等地。以干燥成体入药。

【形态特征】 樗鸡(彩图70)，雄性体长14～17毫米，雌性体长18～22毫米。体隆起，通常体色美丽。额与颊间有隆堤，达于唇基。头小，头顶前方与额相连接处呈锐角。触角在复眼下方，鲜红色。刺吸式口器(图2-21)。前胸背板淡褐色，中央具1条隆起线；小盾片三角形，暗褐色，较大。前翅基部约2/3淡褐色，有黑色斑点20余个；端部1/3黑色，脉纹白色。后翅膜质，扇状，基部多半红色，有黑色斑6～7个，翅中有倒三角形的白色区，翅端及脉纹黑色。成虫体、翅外表常有粉状白蜡，腹部背面更多。大若虫体长13毫米，体宽约6毫米，体背淡红色，翅芽明显(彩图 71)。

【生活习性】 樗鸡在陕西关中地区 1 年发生 1 代,以卵越冬。4 月中旬陆续孵化出若虫,蜕皮 4 次,共 5 龄(彩图 71),6 月中旬变为成虫,8 月中旬开始交配产卵,一直到 10 月下旬。成虫寿命 4 个月。卵产在树干的向阳面(彩图 72)。产于臭椿树上的卵,孵化率达 80%左右;产于榆、槐树上的卵,孵化率极低,只有 2%~3%。樗鸡是最喜栖息在臭椿树干上,以其刺吸式口器插入植物组织深处,被刺的伤口,常流出树汁,引诱蜜蜂及蝇类舐食,有时还会诱发煤烟病,影响树木生长。除臭椿外,还可危害香椿、刺槐、苦楝、榆、栎、女贞、银杏、葡萄、合欢、杨、黄杨、桃、李、海棠等多种树木。发生与气候的关系:如果 8~9 月份雨量多,湿度大,温度低,雨季过后,很快就将进入冬季,可使樗鸡成虫寿命缩短,甚至还未产卵就死亡,从而使翌年数量下降;若秋季雨少,对樗鸡的生长繁殖有利,但对树木极易造成灾害。

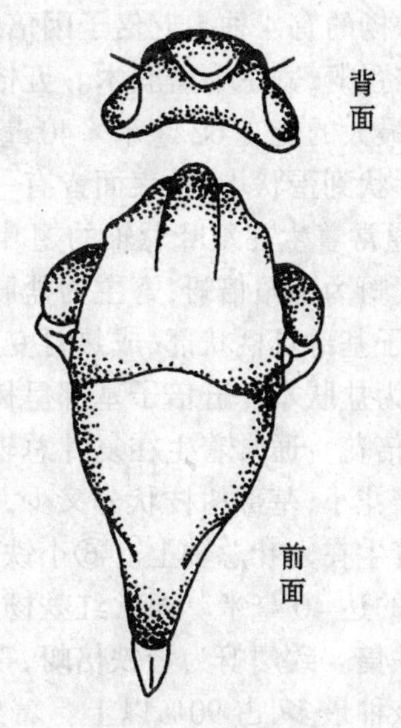

图 2-21 樗鸡头部

【采集与加工】 6~8 月间可在椿树、银杏、葡萄等植物上用网捕捉,捕后用开水烫死,快速捞出,晒干,保存于通风干燥处备用。以秋季产卵前的成虫为佳。

【养殖方法】 由于樗鸡 1 年内发生的世代少,生活周期长,最喜食的寄主范围窄,成虫适应特殊气候条件的能力差,因而自然环境中的数量较少,应以野外采收与保护性饲养相结合。

饲养时,先应将樗鸡最为喜食的 3 年生以上的椿树移植到便于管理的地点,剪掉 2 米以上的树冠,使其由乔木型变为低矮的灌木型,便于网笼扣罩。用高 2.5 米,四周各为 2 米的铁窗纱及木框做笼,笼的一面留有便于管理人员出入的小门。于秋末冬初,从其产卵寄主的老树干上寻找初产下的卵块,连同树干老皮刮下(不会损伤树势),保存于纸盒内,放在 10℃左右的空房中。翌年早春,在纸盒外洒些清水,提高小生态环境的湿度,以利于卵内胚胎发育。卵的孵化期,略晚于椿树的发芽期。此时可将纸盒外穿上几个 5 毫米小孔,用铁丝将纸盒悬挂在用笼罩的椿树枝杈上,孵化出的小若虫即自行迁移到寄主上取食。樗鸡的若虫期喜隐蔽于叶背主脉附近栖息及刺吸寄主汁液。蜕皮前后短时间不食不动,此时则无避敌及抵制自然灾害的能力,特别是暴风雨天气,会造成大批死亡,因此,应在笼顶或常受季风侵袭的一面,设置遮挡物加以保护。天气过于干燥,也会妨碍正常蜕皮,应在地面泼水,以提高小生态环境中的湿度。羽化为成虫后,体外白粉状蜡质增多,这是防止体内水分过多蒸发和空气中湿度过高以及预防天敌的保护层。此时应保持成虫安静的生活环境,因受干扰后,过度飞、跳会使蜡粉脱落,失去自身保护能力,影响正常生活及交配产卵,易形成大量早死现象。至 6~8 月间捕捉供药用。

十五、五 倍 子

五倍子系倍蚜科昆虫在盐肤木、红麸杨和青麸杨等叶片上寄生形成的膨大虫瘿(彩图

73)。据蔡邦华、唐觉记载,已发现我国五倍子的致瘿蚜有9种,其中寄生于盐肤木的有5种,寄生于红麸杨的有4种。五倍子因倍蚜种类、寄主和寄生部位不同,形状各不相同。①倍蛋。致瘿蚜为倍蛋蚜,寄主为盐肤木。五倍子外形似鸡蛋,故名倍蛋。通常着生在小叶的侧脉上,大小不等,最大的能有62毫米×40毫米。②角倍。致瘿蚜为角倍蚜,寄主为盐肤木。五倍子外形从爪牙状到蛋状均有,表面皆有一些尖角状突起,故名角倍。最大的五倍子为117毫米×65毫米。通常着生在复叶总轴的翅叶上。盐肤木上以角倍为主,占总产量的90%以上。③圆角倍。致瘿蚜为圆角倍蚜,寄主为盐肤木。五倍子外形似角倍,较角倍小,其角状突起比角倍要钝,五倍子基部具柄状部,成熟时变成淡黄色,成熟爆裂期比角倍早。④倍花。致瘿蚜为倍花蚜,寄主为盐肤木。五倍子基部呈树枝状分叉,每一分叉到顶端呈不规则拳头状膨大,外形似花,故称倍花。通常着生在复叶总轴基部。⑤红倍花。致瘿蚜为红倍花蚜,寄主为盐肤木。五倍子较倍花小,基部树枝状分叉少,分枝顶端扁而膨大,外形如花,成熟时呈玫瑰红色,故称红倍花。着生在复叶总轴上。⑥小铁刺。致瘿蚜为小铁刺蚜,寄主为红麸杨。五倍子形如枣而小,最长的达40毫米。通常红麸杨上所结的五倍子较坚密,故又称铁倍。着生于小叶主脉上。⑦蛋铁倍。致瘿蚜为蛋铁倍蚜,寄主为红麸杨。五倍子形似蛋,故名蛋铁倍。红麸杨上的五倍子以该种最多,占90%以上。着生在小叶侧脉上。⑧枣铁倍。致瘿蚜为枣铁倍蚜,寄主为红麸杨。五倍子长形,端部略细,外形如枣,故名枣铁倍。着生在小叶侧脉或主脉上。⑨铁倍花。致瘿蚜为铁倍花蚜,寄主为红麸杨。五倍子似菊花,分枝少而长,端部少角状突起,分枝似蟹爪状。着生在复叶总轴上。此种五倍子产量少。

以上所介绍的五倍子中,以盐肤木所结的角倍较多。四川、贵州、云南、湖南、湖北、陕西、河南等地是主产区。红麸杨所结的五倍子,以蛋铁倍和铁倍为多,俗称肚倍。主产区为四川、贵州、云南、湖南、湖北等地。青麸杨所结的五倍子,以枣铁倍和蛋铁倍为多,俗称肚倍。分布于河南、湖北、陕西等地。我国商品五倍子,主要是盐肤木上的角倍和红麸杨上的肚倍两大类。

角倍蚜 *Schlechtendalia chinensis*(Bell),别名倍蚜、五倍子蚜、百虫仓、角棓蚜。

【形态特征】 角倍蚜成虫分有翅型和无翅型2种。有翅孤雌蚜体呈灰黑色,体长约2.1毫米,体宽约0.74毫米。头部背面有横网纹,触角5节。翅2对,前翅大,后翅小,膜质,透明;前翅脉纹4条,中脉分叉,脉纹黑粗,翅痣长大,呈镰刀形,伸达翅顶端;后翅具2条斜脉。腹部光滑,体背有蜡片,无腹管。尾片光滑,馒头状,有1对短硬刚毛。无翅型蚜雄性成虫体绿色,雌性褐色,口器退化(图2-22)。

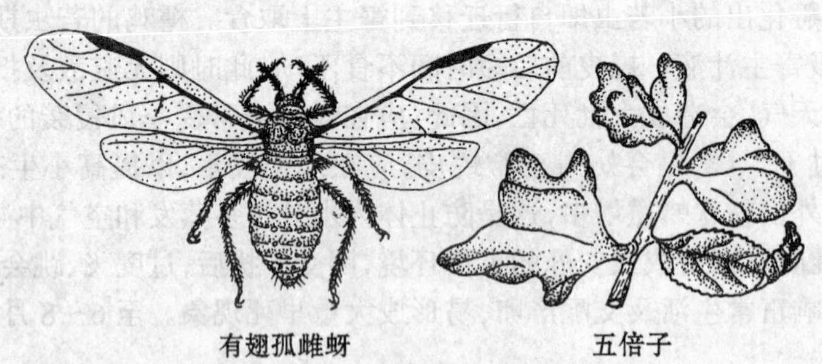

图2-22 角倍蚜和五倍子

【生活习性】 角倍蚜一年发生6代,以若蚜在提灯藓上越冬。翌年春天,越冬若蚜羽化为有翅春季迁移蚜(有翅胎生雌蚜)后,从蜡球内爬出,停栖在提灯藓上,待气温升高后,离开提灯藓，在树丛间徐徐飞翔，在1天之中，以12～16时为最活跃，阴雨天很少迁飞，盛飞期约1周。后迁移到夏季寄主盐肤木上，在盐肤木的叶芽上产生有性的雌、雄无翅蚜，栖息在树干裂缝隐蔽处。雄蚜淡绿色，蜕皮3次；雌蚜淡褐色，蜕皮4次。经4～8天，有性蚜发育为成蚜后，进行交配，交配后雄蚜很快死亡，雌蚜经18～25天产卵，孵化为干母（无翅孤雌蚜）。1只雌蚜只产卵1粒。此时正当盐肤木早春萌发嫩叶之时。卵孵化后，初龄干母即爬到寄主复叶总轴前后小叶上取食，随着角倍蚜的不断取食和刺激，隆起处继续向上以及相向增长，将初龄干母包围起来，形成虫瘿（五倍子的雏型）。1只干母只形成1个雏型五倍子。

干母在虫瘿内生长发育，变成虫后，便在瘿内繁殖干雌世代。在6～8月份连续孤雌卵胎生方式繁殖干雌3代。世代的繁衍，五倍子内虫口数量增多，五倍子的生长也由慢而快，至7月底第二代干雌出现，虫口量较第一代增加很多，五倍子增长开始加快。8月底第三代干雌出现，虫口急剧增多，五倍子增长更快。9月份继续增长，至10月上旬或下旬便成熟爆裂。当五倍子成熟时，内部的第三代干雌蚜已羽化为有翅秋季迁移蚜。1个中型五倍子内，有角倍蚜5 000～6 000只；大型的五倍子内，有蚜虫7 000～8 000只，甚至近万只。

五倍子爆裂后，角倍蚜就迁飞到冬寄主提灯藓上繁殖若虫越冬。1只秋季迁移蚜，一般繁殖20～30只若蚜。若蚜在冬寄主的嫩茎或根际栖息取食。若蚜可根据干湿情况，在寄主根际和上部移动，定栖后如无干扰，则不再移动。若蚜从体表分泌白色蜡质，作为防寒保护之用，随着温度下降，蜡质分泌增多，最后成为1个白色蜡球包围身体，从而可以安全度过寒冬。

【采集与加工】 五倍子主要为角倍。药材为五倍子的干燥而坚硬的外壳。于每年5～10月间，虫瘿由青色、黄色转为紫红色，而未开裂前采集。采集时最好连同瘿柄同时采下，速用开水煮杀瘿内倍蚜，待虫瘿表面由红变棕黄色至灰色时捞出，晒干备用。

【养殖方法】 生产五倍子的主要工作是培育角倍蚜及其寄主植物盐肤木。盐肤木分布较广，受自然条件的局限性也较小，容易培育。角倍蚜的越冬寄主提灯藓，只分布于比较阴湿和地下水源充足的地区。因此，在选择基地时，应注意有提灯藓分布的地方，而且具备生长良好的环境。

盐肤木的种子通常在11月间成熟，成熟后种皮为褐色，采后置于阴凉通风处，以防发霉。一般3月份播种，播种前应处理种子，用40℃～45℃温水将草木灰调成糊状，用以擦洗种子和除去蜡质，或用80℃热水浸种24小时，再将种子与草木灰拌匀摊放，上面盖草，每天浇1次水，等发芽后再撒播于苗床上。待幼苗出土后，苗高15～20厘米时，除草、间苗各1次，7～8月份再除草1次，并追施氮肥或农家肥1次，使其生长健壮。将可出圃的苗木于当年11月至翌年3月前定植在基地上，按1.5米×1.5米的株行距挖穴栽植，摘除顶芽，以防徒长，使树型矮化，以便采摘和管理。

适合角倍蚜寄生的提灯藓有3种，即皱叶提灯藓（浙江）、尖叶提灯藓（贵州、广西）和圆叶提灯藓（湖南）。其可用孢子繁殖和营养繁殖2种方法。3～5月份和9～11月份为繁殖的最适季节。

在10月间五倍子爆裂前半个月采回，放入木筒、缸等容器中保湿，一层松针、一层五倍子交互放置，上口加盖。每天定时检查五倍子爆裂情况，将已爆裂的放入塑料袋内，并用纸或其他物品遮光，上口套1个空袋，角倍蚜出来后有向上爬飞的习性，也可利用其趋光性向上爬入空袋内，扎好袋口放在阴暗处3～7天，等到角倍蚜开始出现卵胎生若虫时，将其倒在玻璃板上或瓷盘内，用柔软的干毛笔再将其扫在提灯藓上接种。初生若蚜虫体微小，在提灯藓上最怕与水滴接触,更怕受雨水浸淋,可遮盖一些稻草保护,待若蚜体表分泌白蜡层后,即可揭去稻草。

五倍子在爆裂前仍在继续生长,采收过早将影响产量。据测定,秋季迁移蚜羽化飞出前采收,五倍子的鞣质含量最高,因此,在五倍子成熟爆裂前1~2周采收为好。五倍子爆裂时间因各地气候不同而异。为了掌握五倍子爆裂日期,可从10月上旬起,每天解剖几个五倍子,如内部若蚜已现翅芽,腹部为橙黄色,一般在10~15天后爆裂,就可采收。如五倍子内具翅芽的若蚜腹部已变为淡墨绿色时,一般5天左右即可羽化,要抓紧采收。角倍蚜在五倍子外生活期长达半年之久,在自然界的死亡率很高,繁殖力低。为了丰产,最好在树上保留一些体大的五倍子做种用,让其自然成熟爆裂,秋季迁移蚜可飞到冬寄主提灯藓上繁殖后代过冬,能增加角倍蚜越冬基数,促使翌年产量增加。当年树上五倍子较少时,应多留一些五倍子做种。

十六、蝽

蝽包括九香虫 *Aspongopus* (*Coridius*) *chinensis* Dallas,别名瓜黑蝽、黑兜虫、屁板虫、屁巴虫等;小皱蝽 *Cyclopelta parva* Distana,别名小九香虫、皱疤蝽;荔枝蝽 *Tessaratoma papillosa* Drury,别名臭屁虫、石柜、金背虫、甘佩;稻绿蝽 *Nezara viridula smaragdula* Fabricius,别名稻臭板子。主要分布于内蒙古、辽宁、吉林、山东、江西、安徽、江苏、浙江、湖南、湖北、贵州、甘肃、青海、四川、云南、广东、广西、福建、海南、台湾等地。以干燥成虫入药。

【形态特征】 九香虫体长16.5~19毫米,体宽9~10.5毫米。体背腹扁平,呈卵圆形,体紫黑色或黑褐色,稍有铜色光泽,体表密布刻点。头小,略呈三角形,边缘上翘,喙较短,刺吸式口器。前胸背板表面密布小刻点,杂有黑皱纹,前方两侧各有一相当大的"眉形区",小盾片大(图2-23)。翅2对,前翅为半鞘翅,棕红色。腹部腹面侧缘区各节黄黑相间,黄色部分通常狭于黑色部分。本种成虫入药,称九香虫。

小皱蝽体黑褐色,无光泽。体卵圆形,长12~15毫米,宽6~10毫米。头小。前胸背板后半部及小盾片上有很多横向细皱纹,故称小皱蝽。小盾片三角形,前缘中央有1个红黄色小点,有时末端也有1个小黄点,盖着腹部第四节,其基缘中央常有黄褐色或红褐色小斑(图2-23)。腹部背面红褐色,两侧缘各节中央有红褐色横斑,腹面为红褐色。5龄(末龄、老熟若虫)体长12~14毫米,头宽1.7~2毫米。前胸背板有两个半圆形的相对称的褐色花纹,小盾片三角形,边缘色深。

荔枝蝽(彩图74),体椭圆,棕黄色,有赭色光泽。体长20~30毫米,宽10~17毫米。头短小,近三角形。前胸背板前半向下倾斜,前角尖,后方中部隆起,侧缘中部外突呈钝圆;小盾片基部宽,下方延长呈舌状。前胸背板及小盾片上均有密集的刻点(图2-23)。前翅膜质,长达腹部末端之外,侧缘似锯齿形。前胸腹板内陷,中胸腹板中央呈楔状隆起,后胸腹板近三角形稍隆起,前角尖并向前伸出,长可达中腹板之上,有较尖的侧角及凹圆形的后缘。

稻绿蝽(彩图75),体长11~17毫米,宽6~9毫米。体色鲜绿至青绿色。头小,近三角形。前胸背板有狭小黄边,侧角圆,向外稍突出(图2-23)。小盾片长三角形,末端狭而圆,长度超出腹部中央,基缘有黄白色小点3个。前翅略长于腹部末端,革质部无斑点。腹部腹面淡绿色至黄绿色,有深色斑。

【生活习性】 九香虫在江南一年发生1代,以成虫在瓜棚的竹筒内、草屋的杉皮下、石块下和枯枝落叶中越冬。翌年5月中下旬开始活动,6月中旬至8月上旬产卵,7月中旬至8月

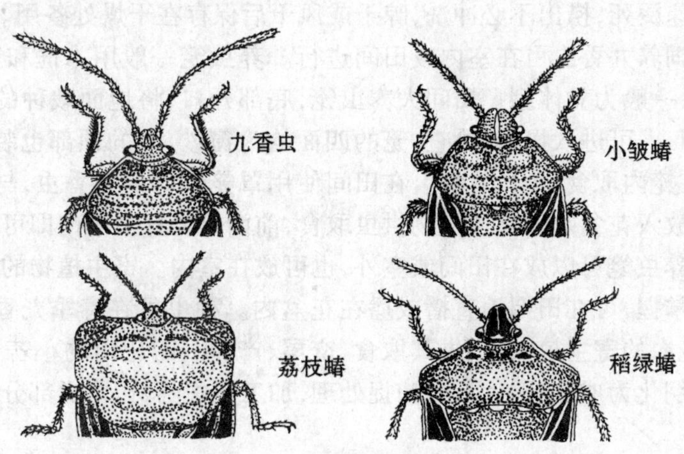

图 2-23　四种蝽的前胸背板

中旬成虫相继死亡。若虫在6月底至8月中旬孵化，8月中旬至10月上旬羽化为成虫，10月上旬开始越冬。成虫卵产于近土表的瓜蔓基部下面，多为单行排列，偶有2～3行排列，每次产卵24～36粒，多为24粒。寄主植物有南瓜、冬瓜、丝瓜等瓜类。成虫和若虫群集于瓜蔓上刺吸汁液。初孵若虫多在蔓破裂处和腋芽上聚集，老龄若虫和成虫多群集在瓜蔓基部、卷须，栖息于卷褶的黄色枯叶内。

小皱蝽一年发生1代，以成虫在枯枝落叶下、石块下、土缝中越冬。在江西南昌，越冬成虫于3月下旬至4月上中旬开始活动，5月中旬至7月上旬产卵。卵于6月上旬至7月中旬末孵化。若虫共5龄，历期55天左右，于7月底至9月下旬初羽化为成虫。10月上旬前后成虫陆续离开寄主，寻找越冬地点，翌年于6月上旬开始交尾。交尾后第二天雌虫开始产卵，产卵前在枝条上来回爬行，用产卵器在枝条上不停地探索产卵部位，每产下1粒卵后，用后足将卵摆正，并用腹端尾部将卵压紧，使卵排列整齐紧密。一生产卵多次，每次产下的卵数量不等(2～3粒)，1只雌虫一生可产卵42～219粒。卵多产在2～7毫米粗的枝条下，纵向排列成行，或绕枝半圈至一圈。卵经2～3周孵化为若虫。初孵若虫少数为黑褐色，多数为淡红色。食性与取食习性同成虫。小皱蝽的寄主植物主要是刺槐，其次为紫穗槐、胡枝子、葛条、芸豆、豆角和扁豆等，也有危害西瓜和南瓜的。

荔枝蝽一年发生1代，以成虫在寄主的伤疤或枝杈处或树下的草丛、落叶堆中过冬。翌年3月间越冬成虫开始活动，产卵期很长，自4月至9月下旬均见有所产的卵块，每块卵粒多达10个以上。早产的卵于4月间开始孵化，若虫有群居性。寄主植物主要为荔枝、龙眼、柑橘及梅、梨、桃、橄榄，大发生时也危害香蕉。

稻绿蝽在江浙北部为1年发生1代，在四川、江西、贵州为3代，在广东、海南、广西、云南为4～5代。以成虫在草丛、土缝、茂密的灌木林间过冬。越冬成虫于4月初气温在10℃左右时开始活动，5～6月间产卵，卵期10～15天。10月下旬至11月中旬开始越冬。卵多产于寄主叶片、嫩茎和果实上，有多粒聚集成卵块状，每一块有卵数十粒至150余粒不等。若虫及成虫均有小群体生活习性。寄主为水稻、麦类、大豆、花生、芝麻、柴胡，在蔷薇科植物上也常见到。

【采集与加工】　药用为干燥全成虫。于早春越冬成虫开始活动时，或秋季集中越冬时捕捉。捕后用开水迅速烫死,捞出不必冲洗,晾干或风干后保存在干燥处备用。

【养殖方法】 饲养九香虫可在室内或田间进行。养虫笼一般用木框和窗纱制成,规格大小可根据需要制作,一般为立体型。田间大养虫笼,底部开口,将地面栽种的寄主植物(瓜类)罩在笼内;前面开门,人可进入操作、检查,笼的四面均为窗纱,笼的顶部也装窗纱。然后将种虫放入笼内,使其在笼内取食、生长发育。在田间使用罩笼饲养的九香虫,与在自然界生活的一样。小型纱笼可放入花盆栽的寄主植物供虫取食,前面只要开个小门即可,可从门伸进手进行操作。这种小型养虫笼可以放在田间或室外,也可放在室内。寄主植物的种植时间,可根据当地种植时间灵活掌握,可在田园地直播或播在花盆内。种虫可在春季九香虫越冬地采集成虫,然后放进养虫笼内的寄主植物上,供其取食、交尾、产卵。孵化出的小若虫,继续爬在瓜苗上取食,生长发育,羽化为成虫后,大部分捕捉处理,加工成中药材,留少部分越冬做种虫。

十七、水 黾

水黾 *Rhagadotarsus kraepelini* (Breddin),别名买油郎、水打花、水上漂。主要分布于北京、河北、山东、山西、河南、湖北、安徽,特别是福建、江西、广东、海南、广西、云南、台湾等地的河流、湖泊中分布密度很大。以干燥全体入药。

【形态特征】 水黾(彩图 76),为小型水生昆虫,身体近黑褐色,有蓝白色带有光泽的斑纹。体长仅 3~5 毫米,中、后足较长,常超出身体的 1~2 倍。头部明显,复眼大,呈半球形突起。胸部宽大,占去身体的 1/4。翅膜质,长度超出腹部末端,脉纹简单。腹部近灰白色,有褐色斑,腹端呈锥形,逐渐变细。

【生活习性】 在广东 1 年发生 5~6 代,以成虫在水域的草丛及浮叶下过冬。由于年发生世代交替,若虫与成虫常同时出现于春、秋两季。成虫多在中午高温时交配。若虫期蜕皮 4 次,计 5 龄,在水面漂浮时即把老皮蜕下。若虫期时间的长短与气候关系密切,一般为 30~50 天。成虫和若虫在水面游动时常用前足推动水面漂浮物,诱集其他小昆虫前来停息,借机捕获。以小型蝇类、飞虱、蚜虫等在飞翔过程中跌落在水面时即被其捕捉为食,也捕食浮游的鱼花。

【采集与加工】 药用为干燥全虫。夏季盛发期用纱网在浅水泡子、池塘中捕捉后,置开水中烫死,捞出控水,晒干备用。

十八、蚁 蛉

蚁蛉包括蚁蛉 *Myrmeleon formicarius* Linnaeus,别名砂猴、砂混、缩缩虫、蚁狮;黄足蚁蛉 *Magenomyia micans*(Mac lachlan),别名砂狗、砂挼儿;中华蚁蛉 *Euroleon sinicus*(Navas),别名蚁狮、地牯牛、砂猴、退退虫(以上别名均指幼虫)。主要分布于河北、山西、山东、河南、陕西、福建、台湾、广东、海南、广西、江西、湖南、四川、云南等地。以幼虫干、鲜品入药。

【形态特征】 蚁蛉(彩图 77),身体细长,形似蜻蜓。头宽大于长,触角短,棒形,复眼大,向外突出。身体灰褐色,胸背有斜“十”字形纹,腹部细长,可见 8 节,背中线明显。前翅长36~39 毫米,薄而透明,有不规则的灰褐色斑,脉纹网状密集;翅痣处前缘不加宽,无横脉相连。

黄足蚁蛉(彩图 78),成虫体长 30~32 毫米,翅长 35~37 毫米。头宽大于前胸,呈黑色,复眼大，半球形，头顶有2块黄斑。触角棒状，黑黄两色相间。前胸黄色，背面有较宽的褐色纵带2条；中、后胸黑色，明显宽大于前胸。翅透明，有蓝紫色光泽；后翅与前翅的大小、脉纹相似，翅脉黄色，周缘有黄色毛。腹部被黄色毛，各体节前小后粗，节间膜色稍深。

中华蚁蛉(彩图79)，成虫体长25～33毫米，翅长达26～34毫米。头部黄色，两触角之间的头顶上有6个黑斑，中间有2个以上中沟为界隔离开。胸部黑褐色，前胸背板上有3条黄色纵纹，近前缘有2个黄点；中、后胸黑褐色。翅透明，脉烟黑色，并有褐色小点10余个，翅痣呈污黄色；后翅形状及脉纹与前翅近同，只是褐色斑纹较少。

【生活习性】 蚁蛉完成1个世代要2～3年。世代的长短与食料多少有密切关系。幼虫食物充足生长快，蜕皮次数少；食物缺乏生长慢，有增龄现象。老熟幼虫在砂土中吐丝，缀沙粒作圆茧，在茧中化蛹，蛹乳黄色。成虫日间栖于草丛、林间，晚间活动。肉食性，多以小型昆虫活体为食。

黄足蚁蛉在广东及广西3月间成虫开始羽化。幼虫习性与蚁蛉相似，假死性强。成虫、幼虫均捕食小型昆虫，尤以幼虫捕食凶猛。

中华蚁蛉幼虫喜生活在较干燥的砂土中，做漏斗形坑穴。一般2年完成1代，以幼虫在土内的丝茧中过冬，6月上旬为成虫盛发期。幼虫构筑捕食陷阱地点多选择山地悬崖斜面下，屋檐、墙角及大树根基附近蚂蚁经常出没之处。主要取食蚂蚁，也兼食其他小型昆虫。

【采集与加工】 秋季寻坑挖捕老龄幼虫，用开水烫杀，捞出晾干，保存在通风干燥处备用。药用部分为幼虫干、鲜品。

十九、蝠　蛾

蝠蛾包括虫草蝠蛾 *Hepialus armoricanus* Oberthur，别名虫草蝙蝠蛾；湖南棒蝠蛾 *Hapialus hunanensis* Chu et Wang；阿尔泰蝠蛾 *Hepialus altaicola* Wang；人支蝠蛾 *Hepialus renzhiensis* Yang et Al。药材名为冬虫夏草。目前已知虫草蝠蛾分布于西藏、四川、云南、青海及甘肃等地海拔4 500米雪线以上的草甸。湖南棒蝠蛾分布于湖南、江西、陕西、四川等地。阿尔泰蝠蛾分布于新疆阿尔泰山、甘肃酒泉。人支蝠蛾主要分布于滇西北德钦县的人支雪山。

【形态特征】 虫草蝠蛾(彩图80)，成虫雄虫翅长37～42毫米，雌虫翅长40～45毫米；雄体长14～19毫米，雌体长15～20毫米。体黄褐色，胸部背面色稍深，体表有较长的灰黄色长毛，雄蛾毛较雌蛾长。前翅前缘深褐色，有银白色散斑，中室部位有一灰色三角形斑，上面有不规则的黑色斑，中横线为1条断续的白色宽带，外横线灰黄色，缘线灰白，各翅脉间隙处有不规则的黑点，后缘内侧有一半圆形黑褐色纹，环心白色；后翅棕褐色，三角形，翅上斑变化较大，雌性一般色暗淡，黑斑明显，雄性色鲜艳，有些个体有铜绿色光泽。幼虫头部构造如图2-24。

虫草蝠蛾老熟幼虫(彩图81)，体长39～45毫米，最宽处5～6毫米。头部棕褐色，宽3.8～4.3毫米，额高与冠缝等长；上唇缺切浅而小，约有上唇高的1/10，前缘弯曲(图2-24)；上颚具5齿，一齿较大，在颚的内侧，二三齿等长，无明显的臼齿；第一单眼稍大，第二、四、六单眼与第一、二、五单眼各排成1行。身体乳白色至污白色，圆筒形，各体节有深色毛基片。前胸背板乳黄色，骨化不明显。胸部第一节不分小节，第二和第三节各分为3小节。胸足腿节长于其他节。腹部第一至第八节各分为5小节，第九和第十节各分为2小节。气门新月形，气门筛黄褐色，围气门片棕黄色。腹足5对，趾钩圆形，多达7～8行。臀足趾钩肾形。

湖南棒蝠蛾成虫翅长 19～21 毫米，体长 17～19 毫米。身体灰褐色，胸部背面色稍深，腹部各节间环呈灰黑色。前翅黄褐色至锈红色，无明显的斑纹，脉纹色稍深；后翅鳞片稀薄，翅膜灰色，脉纹棕色。幼虫头部构造如图 2-24。

阿尔泰蝠蛾雄蛾体长 12～15 毫米，翅长 13～15 毫米；雌蛾体长 15～18 毫米，翅长 20～22 毫米。身体棕黄色，头棕褐色，触角赭黄色。胸部背面色稍浅，腹部各节间有棕色环形纹。前翅棕黄偏赭色，有较淡的浅色纹及银白色斑；后翅中部棕色，外围棕黄，雌性比雄性体色暗。幼虫头部构造如图 2-24。

人支蝠蛾雄蛾体长 12～14 毫米，翅长 15～18 毫米；雌蛾体长 12～15 毫米，翅长 16～19 毫米。头部灰褐色，胸背灰褐色，腹部色稍深。前翅锈红色，上有剑状纹及环形纹；后翅呈灰褐色。幼虫头部构造如图 2-24。

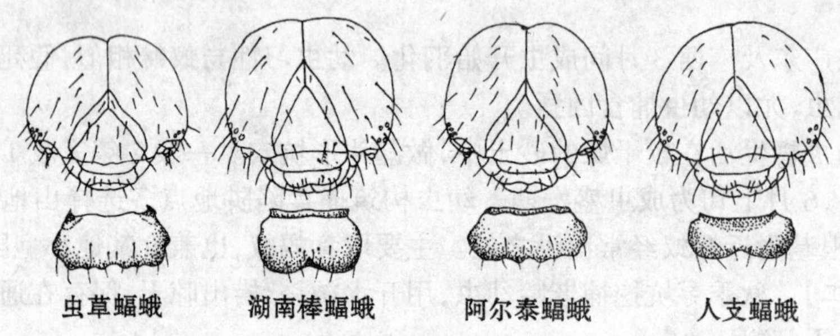

图 2-24　4 种蝠蛾头部及上唇形状

【生活习性】　虫草蝠蛾在 3 500～4 000 米高山草甸 2 年完成 1 代。在产地的土中一年四季都能挖到幼虫，说明幼虫期有重叠现象。幼虫一生蜕皮 5 次，计 6 龄，但在条件不适宜或食料短缺的情况下有增加或减少龄期的现象。每年的发蛾期（四川康定）在 6 月中旬至 7 月上旬，前后可延续 25～28 天。成虫寿命较短，自蛹中羽化后仅半小时即展开双翅，寻找异性交配。交配后 1～2 小时产卵，最长产卵前期为 3 天左右。雌虫寿命 4～5 天，雄虫 3 天左右。虫草蝠蛾幼虫主要以蓼科植物珠芽蓼的地下块茎为食。

湖南棒蝠蛾在湖南郴州一带 2 年完成 1 代，以幼虫在 30～40 厘米深的丝织隧道中过冬，越冬幼虫大多为 4 龄以上。翌年开始活动时蜕去越冬前的老皮，经过一段时间的活动，进入老熟阶段（彩图 82），此时也是被虫草菌感染的高峰期。未受感染的幼虫于 4 月下旬化蛹，蛹期 21～28 天，5 月上旬成虫羽化，不久即交配产卵，完成 1 个世代。主要以油茶、茶、山茶的根系为食，也取食茶林地面及混杂于土壤中的腐烂枯叶，有时也取食山毛榉科石槠的地表根系。

阿尔泰蝠蛾主要以野生牡丹的地下根为食。

人支蝠蛾在发生地的自然温度下，3 年完成 1 个世代，因而世代重叠，以 3 龄后的幼虫越冬数量大，少量以老熟幼虫过冬。越冬幼虫于当地表土冻层融化时运动到表土下 2～3 厘米深时，即头上尾下不食不动，进入预蛹期，约经 12 天左右化蛹。蛹期 30～50 天，于 6 月中下旬羽化为成虫。羽化后的第二天即进入交配产卵期，成虫寿命仅 5～8 天。主要以蓼科的珠芽蓼为食。

【采集与加工】　采集蝠蛾幼虫被冬虫夏草菌寄生后，形成的带有菌座的虫体，即冬虫夏草药材（彩图 83，84）。一般在夏至前后雪尚未融化、子座露于雪面易于寻找时采收。将冬虫夏草从土中挖起，除去泥土及膜皮晒干。也可对已晒干的冬虫夏草洒些黄酒，使其变软，整平拉直，捆成小把，烘干，即为名贵中药材冬虫夏草。

【养殖方法】 有关如何人工培养冬虫夏草的问题，到目前为止，尚无完全在人工控制条件下饲养成功的范例。因为“冬虫夏草”由虫到草，必须经过一段较特殊的生活过程才能完成，何况虫草蝙蛾是生活在高海拔、低气压的高寒草甸的昆虫，要做到在人为条件下批量养殖（特别是在低海拔地区）难度较大。目前所报道的人工养殖冬虫夏草成功的也只是将幼虫挖掘出来，集中在原自然环境中寄主密度较高的地点放养，经人工接种虫草菌后，获得的冬虫夏草。这种饲养方法，只能称为半人工饲养，而且技术复杂，在此不再详细介绍，可参阅金盾出版社出版的《虫草人工栽培技术》。

二十、螟　蛾

螟蛾包括条螟 *Proceras venosatum*（Walker），别名高粱钻心虫、高粱条螟；玉米螟（欧洲玉米螟）*Pyrausta nubilaois*（Hubern），别名玉米钻心虫、箭秆虫。主要分布于黑龙江、吉林、辽宁、河北、山东、河南、江苏、浙江、山西、陕西、江苏、江西、安徽、四川、湖北、湖南、福建、台湾、广东等地。新鲜或干燥后的幼虫或蛹入药。

【形态特征】 条螟（彩图 85），成虫翅长 13～16 毫米，雌性大于雄性。头圆，白色至乳黄色，下唇须长，白色，伸向头的前方。胸部及翅基片浅黄色至褐色，有深褐色斑点。前翅褐色，脉间浅灰黄色，形成纵条纹，前翅中室有一小黑点，外缘有排成 1 列的 7 个小黑点。后翅雄、雌有别，雄性灰黄色，雌性灰白色。

老熟幼虫（彩图 86），体长 20～30 毫米。初孵时呈乳白色，后逐渐变为黄白色。夏型幼虫各体节背面有 4 个黑褐色斑，呈正方形排列，前 2 个椭圆形，后 2 个近长方形。末代老熟幼虫过冬前蜕 1 次皮后，身上的斑点即消失，背面有 4 条紫褐色纵线，腹面纯白色，这时的幼虫形态称为冬型。幼虫腹部第二节构造如图 2-25。

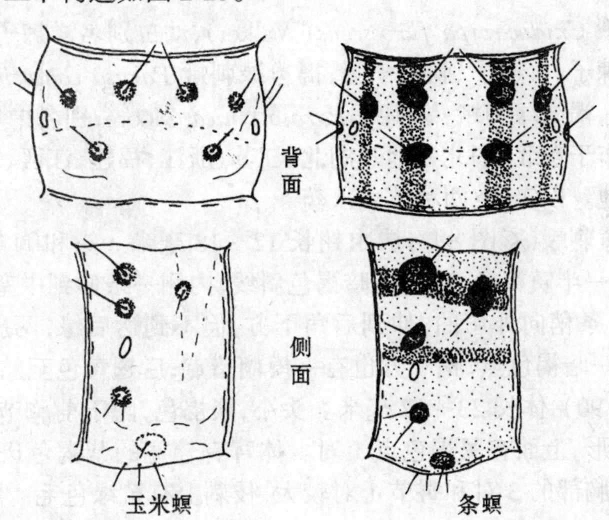

图 2-25　玉米螟与条螟幼虫腹部第二节的斑形状

玉米螟（欧洲玉米螟）（彩图 87），成虫翅长 13～18 毫米。头、胸及前翅黄褐色，胸部背板色偏浅。前翅内横线暗褐色，呈波浪纹，翅内侧黄褐色，基部褐色；外横线暗褐色，边缘不整齐，外侧黄褐色，再向外有与外缘平行的浅黄褐色区。雌蛾体粗壮，体色偏黄，雄蛾体稍瘦，体色偏黄褐。

老熟幼虫(彩图 88)，体长 25 毫米左右，背部色斑变化大，有浅褐、深褐、灰黄等色。头褐色或红褐色。背上有粒状突，其上有毛刺，纵贯背中线，亚背线色稍浅。不同世代幼虫身体上的色与斑线有变化，一般是世代多者色偏浅。腹部第二节构造如图 2-25。

蛹呈纺锤形，长 16～19 毫米。初蛹淡黄色，渐变为褐色，腹部末端有臀棘 5～8 个，呈钩状。

【生活习性】 条螟 1 年发生 1～3 代，以老熟幼虫在寄主茎秆中过冬，翌年春季化蛹，羽化，不久即交配。产卵前期平均为 2 天。卵多产于叶背主脉两侧，每雌蛾产卵 25～450 粒，平均为 320 粒，卵呈"人"字形排列的块状，卵期 5～6 天。寄主植物为高粱、玉米、甘蔗、粟、薏苡及麻等。

玉米螟 1 年发生的世代因各地气候不同而有很大差异，从北到南，从西到东，代数逐渐增加。北纬 45°以北及黑龙江，1 年发生 1 代；北纬 40°～45°间，包括吉林、辽宁、河北北部及内蒙古的大部分地区，1 年发生 2 代；长江以北的河北、河南、山东、山西、陕西及江苏、安徽、四川、湖北、湖南，1 年发生 3 代；浙江、江西等地，1 年发生 4 代；广西及台湾，1 年发生 5～6 代。成虫羽化 1～2 天后产卵。卵多产于 50 毫米以上植株的叶背部中脉两侧。1 只雌虫可产卵 400 粒左右。不同世代均在秸秆及穗轴中越夏或越冬。越冬幼虫在原蛀洞中化蛹。寄主植物主要是玉米、高粱、谷子、麻类、棉花、向日葵和苍耳等。

【采集与加工】 利用其冬季集中在秫秸(高粱秆)中过冬习性，劈开外表呈紫红色，节间有蛀孔的秫秸，取出幼虫或蛹鲜用，或用开水烫死后晒干或烘干后备用。

二十一、刺 蛾

刺蛾包括黄刺蛾 *Cnidocampa fiavescens*(Walker)，幼虫别名洋辣子、毛八角、刺毛虫、天浆子、痒辣子、红背刺辣子、火辣子、刺刚子等；褐边绿刺蛾 *Parasa consocia* Walker，别名青刺蛾、梨青刺蛾、大绿刺蛾、褐缘绿刺蛾；绿刺蛾 *Parasa sinica* Moore，别名中华青刺蛾、中国绿刺蛾、苹绿刺蛾。主要分布于东北、华北各地及湖北、江苏、浙江、福建、江西、四川、贵州、云南、海南、广东、广西、台湾等地。以实、空两种茧壳入药。

【形态特征】 黄刺蛾(彩图 89)，成虫翅长 12～18 毫米。头和胸背为黄色，腹背黄褐色。前翅内一半黄色，外一半黄褐色，有 2 条暗褐色斜线，内侧一条伸到中室下角，成为翅上两种颜色的分界线，外侧一条稍向外弯曲，伸到后角下方，但不到达后缘，两斜线在顶角处汇合成倒"V"字形，中室端有一暗褐色点，稍下方也有一模糊暗点；后翅黄色至赭褐色。

老熟幼虫(彩图 90)，体长 23～27 毫米。头小，淡褐色，隐于前胸节背板下方。胸部宽大，黄绿色，前胸盾半月形，上面有黑褐色点 1 对。体背有较宽的紫褐色斑，斑外衬有蓝色边。各体节有 2 对枝状刺，胸部的 3 对和臀节 1 对较大，枝刺上有黄绿色毛。腹部末节背面有 4 个褐色小斑，体侧各节有瘤状突。

茧(彩图 91)，椭圆形，长 12～14 毫米。质地坚硬，灰白色，上有数条褐色曲纵纹，形似雀蛋，古称石雀瓮。一般都紧贴于树枝干上，以枝杈处较多。

褐边绿刺蛾(彩图 92)，成虫翅长 12～20 毫米。头及胸部背面绿色，胸背中央有一红褐色背线；腹部浅黄色。前翅绿色，基部有红褐色斑，外缘有浅黄色宽带，带内有红褐色雾状点；后翅浅黄色，脉纹及臀角处色偏深。

老熟幼虫（彩图 93），体长 25～28 毫米。头小，黄褐色，缩于前胸下。体色黄绿，体型近长方形。前胸两侧有黑色刺突 1 对。背线蓝色，各腹节上计有 10 对刺突，气门下方有 8 对刺突。

茧近圆形，长 13～15 毫米，土褐色至棕褐色，形似羊粪球，外表光滑或有丝织物，常在寄主附近的靠近地面的老树皮缝、石块缝隙中堆集，多则数十粒。

绿刺蛾（彩图 94），成虫翅长 12～14 毫米。头顶及胸部背面绿色，腹部灰褐色，末端灰黄色。前翅绿色，基斑和外缘为暗灰褐色，内缘在二脉上呈弯曲的齿状；后翅灰褐色，臀角部位稍带灰黄色。

老熟幼虫（彩图 95），体长 16～20 毫米。身体黄绿色，前胸盾有黑点，背线由蓝绿色双行点组成，侧线灰黄色，各体节有灰黄色肉质刺瘤 1 对。

茧椭圆形，灰白色，较扁，常三五只聚集于枝杈处或老树皮缝隙中，茧壳较坚硬，长 10～12 毫米。

【生活习性】 黄刺蛾在东北及黄河流域 1 年发生 1 代（跨年度），长江流域 1 年发生 2 代。再往南则又是跨年度完成 1 代，这与夏季高温干旱有关。在高温低湿地区，则有部分第一代茧中的老熟幼虫有滞育现象。各虫态发育期长短不同，因地区而异。卵期一般为 5～9 天。幼虫期蜕皮 6 次，计 7 龄，全期 22～30 天；越冬代幼虫期长达 8 个月以上。蛹期 15～19 天。成虫寿命 5～10 天。黄刺蛾幼虫食性较杂，寄主主要有梨、苹果、桃、杏、李、梅、海棠、山楂、沙果、枇杷、柑橘、石榴、板栗、柿、核桃等，其次是枫杨、榆、白杨、柳、油桐、梧桐、桑、茶、油茶等。

褐边绿刺蛾在辽宁、北京、山东 1 年发生 1 代；在江西南昌以 1 代为主，偏南有发生 2 代的；在江苏无锡、湖南长沙为 2 代。越冬幼虫于翌年 4 月下旬化蛹。蛹期 10～15 天，羽化为成虫。8 月下旬至 9 月上旬 2 代幼虫也近老熟，结茧过冬。除与黄刺蛾寄主相同外，尚有白蜡树、紫荆、刺槐、冬青、枳椇、悬铃木等植物。

绿刺蛾 1 年发生 1～2 代，均以老熟幼虫在茧中过冬。1 代区（北京）越冬幼虫 5 月下旬化蛹，6 月中下旬羽化；2 代区（江西）越冬幼虫 4 月下旬化蛹，5 月中旬至 6 月中旬羽化，2 代成虫于 8 月上中旬出现。成虫产卵于叶背，成块状，呈鱼鳞形排列，每块 30～50 粒不等。除与黄刺蛾寄主相同外，尚有枣、乌桕、喜树、枫杨、黄檀、刀豆、算盘子、紫藤、栀子、刺槐等。

【采集与加工】 药用部分主要为含石灰质的茧壳，或与茧壳中未羽化前的鲜蛹（天浆子）共用。茧壳外部完整，属于尚未羽化的实茧，则称为天浆子；茧壳上部有一圆洞，是成虫羽化后的空壳，则称为雀瓮。有时茧壳一侧出现绿豆粒大的小圆洞，则是青蜂寄生后的空壳，属于劣品，药效较差。于 9 月间采收。因外壳含大量石灰质，虽较硬，但用力捏则易碎，最好连同小枝条（不影响绿化情况下）剪下，实体用开水速烫至死，晾干。实、空两种茧壳最好分别置于容器中，保存在通风干燥处备用。

【养殖方法】 如以取得中药材为主要饲养目的，以群集饲养最为适宜。用 5 年生以上盆栽石榴、酸枣树等枝杈较多、叶片茂盛、黄刺蛾幼虫所喜食的植物用纱网笼罩住，防止天敌侵入，每盆可饲养 200 只以上。

种采集可在成虫盛发期到果园或植物茂盛的园林中，在靠近白色墙壁（或自挂白色幕布）前用灯光诱集成虫，放入预先设置的盆栽植物罩笼中饲养。采集时要注意保持虫体完整。放入罩笼中的成虫，经 24 小时后，即交配产卵。一般自野外采来的雌虫，大部分都已经交配过。

3天后检查叶片背后的产卵量，或10天后检查幼虫孵化情况，同时拣出地上的死成虫，防止蚂蚁侵入觅食。如幼虫数量超过盆栽植物的可能供食量(每条幼虫一生按食20个叶片计算)，待幼虫蜕过2次皮后适当去除一些。要想在1个笼罩中多养些，应在幼虫蜕过3次皮，食量大增时，自野外采些同样植物的小枝条，插于有水的广口瓶中，挂在笼中树冠枝杈上作为补充饲料。幼虫老熟在枝条上结茧后，约过20余天，待茧的颜色呈粉色、褐色条纹极为明显时，即可采摘，鲜用。如用干茧或保存备用，等天气变冷，树叶脱落后再采也可。

笼中植物要注意浇水，并施以淡肥，促使新生枝叶萌发，防止因叶片被吃光，植株不能进行光合作用而凋萎死亡。

二十二、蓑 蛾

蓑蛾包括大蓑蛾 *Clania preyeri* (Leech)，别名避债蛾、袋蛾、大巢蓑蛾；洋槐蓑蛾 *Eurukuttarus nigraplaga* Wileman，别名黑肩蓑蛾、口袋虫、蓑衣虫。主要分布于辽宁、内蒙古、北京、河北、河南、山东、山西、江苏、安徽、福建、湖北、湖南、四川、广东、广西、云南、台湾等地。以成虫及幼虫的干燥体入药。

【形态特征】 大蓑蛾雄蛾翅长35～44毫米，雌蛾体长28～36毫米。雄体褐色，有浅色纵纹。前翅红褐色，有棕色及黑色斑纹，在中室外侧有2个透明斑；后翅黑褐色，中部红褐色。雌蛾无翅，体肥大，淡黄色或乳白色，胸部中央有褐色隆脊状背线。

老熟幼虫(雌)体长30～35毫米，棕褐色，前胸盾板黄色，间杂有棕褐色斑纹。腹部较胸部色深，亚背部有黑褐色斑点。幼期在枯叶和小枝条用丝织缀连成的袋(彩图96)中生活，取食时头及胸足外露。袋长50～60毫米。

洋槐蓑蛾(彩图97)，雄蛾翅长20～25毫米，雌蛾体长10～15毫米。雄蛾头及前胸灰白色，后胸及腹部黑色，间杂有白色毛，腹部腹面淡褐色。前翅及后翅基部为烟黑色，其余部分呈透明状。雌性成虫无翅。

老熟幼虫体长20～22毫米，体色乳白，头部灰褐，有不规则的棕黑色斑纹；胸部各节有5条较宽的浅褐色纵纹，腹部的各线均为黄色，各节背部有棕黑色斑2对。

【生活习性】 大蓑蛾1年发生1～2代，以老熟幼虫在丝织的蓑囊中过冬，越冬幼虫于翌年4月中旬至5月上旬开始化蛹，5月中旬羽化。卵成堆地产在雌虫囊内蛹壳的底部。幼虫食性较杂，主要危害茶、油茶、枫杨、刺槐、樟、桑、柑橘、枇杷、栎、李、梨、柿、苹果、沙果、葡萄、石榴、龙眼及咖啡等，有时也取食甘蔗、大豆、棉花。

洋槐蓑蛾1年发生1代(北京)。雄性于9月间羽化后即寻找雌性交配，交配后即死亡。越冬雌蛹腹中的卵于翌年4～5月间孵化，孵化后即用上颚及前足穿破雌蛹腹壁，从蓑袋下方的开口处爬出，聚集在蓑袋表面。待大部分卵孵化后，即吐丝下垂，随风飘荡，扩散到树叶或其他枝条上。先是吐丝作囊裹住身体，再开始取食，并随着食量的增加不停地修补和扩建蓑囊。幼虫耐饥力很强，常因虫口密度大和食量多，将树叶吃光只留有叶脉时，便用丝封闭袋口垂挂在枝条上，待树木第二次发芽时又开始取食。主要寄主植物为洋槐、黄刺梅、榆、杨、丁香、柿、苹果、桃、李、杏、枸杞、云杉、侧柏等。

【采集与加工】 成虫含蛋白质、肽类、氨基酸及脂类，采收保存成虫及幼虫的干燥体以供药用。

【养殖方法】 饲养工作并不复杂,先将寄主植物种植在花盆中,再将采来的种虫(幼虫),放到寄主植物上。幼虫老熟后便将袋口封闭,不再伸出头来取食,待其越冬化蛹,羽化为成虫交配产卵。如想打破其越冬休眠或滞育期,则应放入5℃左右的低温环境中1个月,然后转移到20℃~25℃的室内15天左右,再移入30℃左右的恒温箱中,10天左右即化蛹,此时应放在有寄主植物的养虫笼中。雄虫羽化后,即寻找不出袋的无翅雌虫交配。卵在母体蛹壳内孵化后,顺袋底部的孵化孔爬出,找到寄主叶片后,便吐丝织袋,隐藏在袋中生活。1只雌虫可产卵800~1 000粒。作为中药材使用,可根据所需,考虑饲养规模。如饲养量大,也可考虑用塑料棚,罩住所取食的灌木丛群集饲养,定时通风、浇水,避免天敌侵入。

二十三、蚕 蛾

蚕蛾包括家蚕蛾 *Bombyx mori* Linnaeus,别名桑蚕、白蚕;野蚕蛾 *Theophila mandarina* Moore,别名花蚕;柞蚕蛾 *Antheraea pernyi* Geurin-Meneville;樗蚕蛾 *Philosamia cynthia* (Drurvy),别名臭椿大蚕蛾;蓖麻蚕蛾 *Philosamia cynthia ricini*(Donorvan)。幼虫被白僵菌感染后而致死的干燥带有菌丝的尸体、蚕蛹(指鲜蛹)及蚕的幼虫吃桑叶后排泄的粪便等入药,药名分别为白僵蚕、原蚕沙。家蚕蛾在全国各地都有家养,尤以四川、浙江、江苏等地为盛。野蚕主要分布于辽宁、河北、山东、山西、陕西、河南、湖北、湖南、四川、江西、浙江、台湾、甘肃、青海等地。柞蚕分布于黑龙江、吉林、辽宁、北京、河北、河南、山西、陕西、上海、江苏、安徽、四川、贵州、云南等地。樗蚕为全国性广布种。蓖麻蚕原产于印度,现有许多国家引种,我国大部分地区有饲养。

【形态特征】 家蚕蛾(彩图98,99),成虫(蛾)前翅长20~25毫米,体翅灰白色,身体粗壮。前翅顶角外突呈钝圆形,其下方内切,各横线色稍暗,端线及脉纹灰褐色;后翅较前翅色浅,边缘鳞稍长。腹部背中央有成丛的白色长毛。

老熟的幼虫(彩图100)体长62~73毫米,头黄褐色,体白色,略透出体内消化系统的蓝绿色,各体节间稍见灰褐色。气门灰色,围气门片褐色。

蛹(彩图101)长20~23毫米,最宽处9~11毫米,呈纺锤形。雄蛹小于雌蛹,色偏深。初化的蛹黄褐色,随着时间的延长,逐渐由黄色转为棕褐色,蛹在茧内体外被一薄层蜡质粉末。

野蚕蛾(彩图102)成虫翅长16~23毫米,体翅暗灰褐色。前翅顶角外突,下方内陷;内线及外线深棕褐色,中部有较大的深棕色斑;后翅呈灰褐色至棕灰色,中部有深色宽横带,后缘中央有一棕黑色新月形斑,斑的外围白色。雄蛾比雌蛾颜色深,身上的线纹及斑很明显,中室端有肾形纹。

老熟幼虫(彩图103),体长35~45毫米。头暗褐色,身体黄褐色。前胸节较小,中、后胸节明显膨大;中胸背板的背线两侧有斜黑纹及眼形斑;后胸背面褐色,两侧有月牙形黑斑。腹部各节有不规则的黑色波状纵纹,第八节上有向下方弯曲的黄褐色尾角。

茧长23~30毫米,初结的茧淡黄色,日久即呈灰白色。

蛹长21~27毫米,初蛹黄褐色,后变为棕色,将羽化前呈棕赭色。

柞蚕蛾(彩图104),成虫翅长55~76毫米,体长30~40毫米。头部小,复眼大,触角羽状至栉齿状。体翅黄褐色,肩板及前胸前缘呈紫褐色。前翅前缘紫褐色,顶角外突,较尖,内线白色,外线黄褐色,亚端线紫褐色,中室端有较大的透明眼形斑,斑外镶有白边及黑色、紫红色条状轮廓;后翅上除眼斑外围的黑色边更为明显外,其余部分的颜色及线纹与前翅相似。雄蛾体型稍小,色偏深,光泽强,触角栉齿长。

老熟幼虫(彩图105),体长60~70毫米。头较小,褐绿色,体黄绿色,背中线稍隆起,亚背线、气门上线及气门下线上有瘤形突起,气门上方有1条浅黄色宽线,自腹部第一节斜伸向第八节。臀板较发达,外缘白色。3龄前幼虫头淡褐绿色,气门上方有银斑,尤以腹部的第二和第三节较明显。

蛹长35~40毫米,最宽处16~19毫米。初蛹黄褐色,2天后呈赭褐色,梭形。头小,顶端钝圆,触角3对,胸、足及前翅都可见到,位于胸部腹面两侧。前翅下方可见4~9节。雌性第八腹节腹面正中线处有1条纵裂沟为生殖孔,雄蛹第九节有一脐状小点为肛孔。

樗蚕蛾(彩图106),成虫体长26~30毫米,翅长63~66毫米。头部四周及颈板前缘、前胸后缘及腹部背线、侧线和腹部末端为粉白色,其他部位为青褐色。前翅顶角钝圆,略向外突出,内侧有一黑色圆斑,其上方有弧形白色纹,内线及外线白色,有棕褐色边缘,中室端部有较大的新月形半透明斑,斑的前缘色较深,后缘呈黄色;后翅的色彩、斑纹与前翅近似,只是顶角内侧无黑色斑及弧形白纹。

老熟幼虫(彩图107),体长55~60毫米;体形粗壮,青绿色,被有白色蜡质粉,各体节上有一显著的树枝形刺,亚背线上的刺比其他两排大。胸足及腹足基部有黑色斑点。幼龄幼虫淡黄色,有黑色斑点,中龄后全体被白色蜡质粉,体色青绿。

蓖麻蚕蛾(彩图108)成虫翅长95~110毫米。身体棕褐色。肩板四周有白色缘毛,胸背棕褐色,腹部各体节间有呈环形的白色茸毛。前翅内线在中室附近回折到翅基后缘,外线白色,端线灰黑色,达顶角下方时向内呈大弧形圈,外线与端线间有较宽的褐色横带。

老熟幼虫体长60~70毫米,头黄色,身体蓝绿色,表面被有白色蜡粉,各体节上的亚背线、气门上线及气门下线部位各有粉绿色树枝形刺,亚背线上的一排端部钝,并有分枝,气门上下部位有稀疏的黑点。

蛹长19~25毫米,初蛹乳黄色,24小时后呈赤褐色,一般情况下雄蛹比雌蛹色深。

茧梭形,长60~63毫米,黄褐色,在室内上蔟的茧外部洁净,乳白色,在野外采到的茧常与寄主叶片缀连,色泽污黄。

【生活习性】 家蚕现已人工饲养,一般为1年发生春秋2代,经人工催卵,可增加到3代,甚至更多世代。幼虫蜕皮4次,5个龄期。幼虫达到老熟时,体内丝腺体形成,即上蔟结茧,吐尽体内丝后,即脱去幼虫期的最后1次皮,化为蛹。蛹期12~16天,羽化为蛾。蛾经交配后即产下灰褐色卵粒。每雌蛾可产卵300余粒。各地均以卵态过冬。家蚕主要取食桑叶,缺桑地区也用榆叶、莴苣菜喂养,但吐丝量明显减少。

野蚕1年发生2代(北京)至4代(江西、浙江),各地均以卵态度过冬天。越冬卵于当地桑树返青萌芽期为孵化期。初龄幼虫黑色,间杂有白色斑,形状很似鸟粪,3龄后的斑色与老熟幼虫相同。老熟幼虫喜选择主枝干及老叶片上吐丝结茧。结茧后的预蛹期2天。各代蛹期为18~23天。成虫羽化后即交配,并产卵于叶片背面(越冬卵产于枝条近端部),每处有数粒至上百粒,呈疏散平铺的重叠状卵块。寄主植物主要为桑,也在桑科构树上采到,但数量极少。

柞蚕每年发生2代。以蛹在丝茧中过冬。翌年4~5月间羽化,不久即交配产卵。卵呈散开的块状,多产于寄主枝干上或叶片背后,每块少则数十粒,多者达200余粒。卵期12~15天。幼虫期蜕皮4次,计5龄。全幼虫期常依气候而改变,最短的约35天,一般为50天。蛹期长短不一,不休眠蛹(第一代)在温度23℃～25℃、湿度75%的环境中约为20天;休眠蛹(越冬蛹)在-5℃的温度下可达120天之久。主要寄主植物有柞、栎、胡桃、樟树、山楂。

樗蚕在全国各地均1年发生2代,以蛹在茧中度过冬天,于翌年5月间羽化为成虫,不久即交配产卵。卵期10余天,全幼虫期为24～30天。第一代蛹期40～58天,第二代越冬蛹期长5～6个月。成虫寿命为7～10天。寄主植物为臭椿、乌桕、冬青、含笑、樟、黄栎、喜树、盐肤木、核桃、悬铃木、泡桐等。

【采集与加工】 白僵蚕:收集自然病虫体或用白僵菌人工感染幼虫致死的虫体,埋入石灰中,将水分吸干后,晒干或烘干。僵蛹:取鲜蛹,经人工撒白僵菌粉感染致死后,放入石灰中吸去水分后晒干或将蛹烘干,破碎,接种上白僵菌液,在25℃～28℃下培养2～3天,再经浅盘裸露培养5～7天,即为僵蛹,灭菌烘干备用。蚕沙:在饲养幼蚕过程中,随时收集,过筛去杂晒干(以3龄后的粪为佳)。蚕蜕:收集家蚕幼虫蜕下的皮,晒干备用。蚕茧:幼虫结茧化蛹后,剪茧除蛹,晒干。蚕退纸:将蚕卵孵化的卵壳收拣干净,备用。蚕蛹:缫丝后,取蚕蛹,晒干备用。原蚕蛾:收取雄蚕蛾,用开水烫死,晒干备用。以上中药材都应保存在防潮、防虫、防鼠害的容器中,放置于通风透气的环境中保存。

早在3000年前,我国劳动人民已把野蚕驯化为家养,成为现今的家蚕。有关家蚕的饲养方法已普及,从略。

二十四、凤　蝶

凤蝶包括黄凤蝶 *Papilio machaon* Linnaeus,俗名金凤蝶、胡萝卜凤蝶;橘凤蝶 *Papilio xuthus* (Linnaeus),别名花椒凤蝶、凤子蝶、燕尾蝶、橘狗(指幼虫)。分布遍及全国各地。为我国广布种,东南沿海及华南各地虫量较多。以干燥老熟幼虫入药。

【形态特征】 黄凤蝶(彩图109),为大型蝶类,成虫翅长60～100毫米,体长17～21毫米。身体黄色,有金属色光泽,腹部有黑色背线。翅的底色鲜黄,外缘及翅脉两侧有黑色镶边,前翅亚外缘带及翅基部黑色;后翅的亚外缘带宽,缀有蓝色鳞斑,臀角处有1块红褐色斑;臀角向外延伸,形成黑色尾状角。

幼虫(彩图110),初龄时体灰黑色,有白斑,极似鸟粪,蜕过2次皮达到3龄时则以绿色为主;老熟幼虫体长48～52毫米。老熟幼虫随后化蛹(彩图111)。

橘凤蝶(彩图112),成虫体长18～30毫米,翅长30～55毫米。身体黄绿色,背面有较宽的黑色纵带,腹部各节间有灰褐色环形纹。翅浅黄色或暗黄色,有较规律的黑色纹及斑点。前翅中室有4条黄色纵纹,前缘及外缘黑边较宽,脉纹部位呈黑色带;后翅内半脉纹黑色,各脉间有黄色大斑,外半黑色域宽,有青蓝色月牙形黄斑,臀角外侧向外延伸成较长尾突。

幼虫(彩图113,114),老熟时体长38～42毫米,绿色至黄绿色,头部色偏浅。第一胸节背面有1对橙黄色翻缩腺,可自由伸缩,第三节背板上有横皱纹。腹部各节背板后缘有深绿色斑。

【生活习性】 黄凤蝶发生世代因地而异,高寒区1年发生2代,黄河以南可达3～4代。各地均以蛹态过冬,翌年5月羽化,成虫经交配后,产卵于寄主新生叶梢,初龄幼虫有取食卵壳习性;幼虫取食叶片及花蕾,严重时也取食果实。寄主植物以茴香、胡萝卜、芹菜为主。

橘凤蝶1年发生2～3代。各地均以蛹(彩图115)在寄主上或附近的物体上过冬。翌年3

月下旬羽化为幼虫。寄主植物为花椒、野花椒、柑橘类、黄菠椤等。

【采集与加工】 新鲜或干燥的老熟幼虫入药，蛹的药效与幼虫相似，但以前期为佳。成虫也可入药。夏季在寄主植物上采收，用酒醉杀后，焙干研粉备用。

【养殖方法】 参见弄蝶。

二十五、白粉蝶

白粉蝶 *Pieris rapae*（Linnaeus），别名菜白蝶、菜粉蝶、菜青虫（幼虫）、白蝴蝶。分布于东北、华北、华东、华南、华中，四川和台湾数量较多。成虫入药。

【形态特征】 白粉蝶（彩图 116），雄蝶粉白色，体长 15～18 毫米，翅长 17～26 毫米。前翅长三角形，顶角锐，翅面纯白，三角区有 1 个较大的三角形黑斑，外缘白色，中室下方有 2 个黑斑，支翅呈椭圆形，白色有一黑斑。雌性体型略大于雄性，翅面浅灰黄色，翅上的斑纹色较浓，中室下方有 1 条灰褐色纵纹，沿后缘伸向翅基。老熟幼虫体青绿色，体长 28～34 毫米。腹面色浅，背面密布小黑点，上生细毛，背线淡黄色，气门筛黑色，沿气门线有黄色斑点。

【生活习性】 年发生世代随气候变化而变化。在华北 1 年发生 4～5 代，在江苏多达 7 代，在浙江杭州 8 代。各地均以蛹过冬。翌年 3 月下旬即见成虫。幼虫蜕皮 4 次，计 5 龄。成虫产卵于寄主叶片正面。1 只雌蝶可产卵 200～300 粒。以白菜、菜花、圆白菜、萝卜等含有芥子油的植物叶片为食。

【采集与加工】 夏、秋发生盛期用网在寄主田捕捉，或于早晨气温偏低、植物上有露水时用手捕捉。用线穿翅后置通风处保存。

二十六、香蕉弄蝶

香蕉弄蝶 *Erionota thorax*（Linnaeus），别名蕉包虫、芭蕉卷叶蝶。主要分布于福建、广东、海南、江西、湖南、广西、台湾等地。幼虫及成虫入药。

【形态特征】 香蕉弄蝶体褐色或茶褐色，体长 29～34 毫米，翅长 32～42 毫米。前翅黑褐色，中室端及其下方有 2 个不规则的长方形黄斑，两斑外侧有一菱形小斑；后翅棕黄色，基部被有较长的鳞毛，中部至外缘间色偏深。老熟幼虫体长 50～55 毫米，头黑色，体外被有较厚的白色蜡粉，胸部第一、二节偏细，呈颈形，自第三、四节后逐渐增大，各体节具有皱褶状小节，被有乳黄色纤毛（图 2-26）。

【生活习性】 在福建、广东、海南 1 年发生 4 代，广西 2～3 代，各地世代有交错。以老熟幼虫在寄主叶卷中过冬，翌年春季化蛹。第一代成虫于 5 月间出现，成虫日间活动，飞翔力强，散产卵于蕉叶上。幼虫孵化后，咬断叶片横面，吐丝缀合叶缘，由外至里呈卷筒形，幼虫隐于其中，伸出头来嚼食卷筒周边的叶片。老熟幼虫即在原卷中吐丝封闭筒口，蜕皮化蛹。蛹的周围具有不成茧的丝网，并布满蜡粉。寄主植物为香蕉、芭蕉。

【采集与加工】 发生季节剥开叶筒，取出幼虫。日间用网在蕉园及其附近的花卉上捕捉成虫，霪雨连绵时在蕉叶下用手捏捉较易。将幼虫及成虫置瓦片上焙干，研末，保存于不易受潮、生虫的瓦罐中备用。

【养殖方法】 可采用较大规模的自然景观诱集种蝶养殖。将弄蝶最喜食的植物移植到适

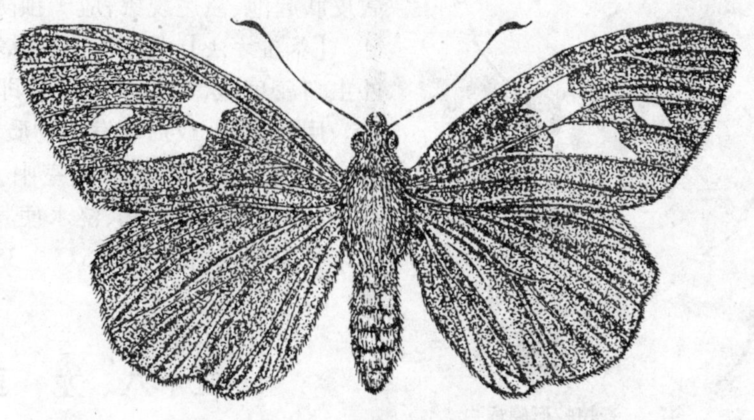

图 2-26　香蕉弄蝶

宜的生长环境范围内，诱来成虫集中产卵繁殖，尔后捕捉成虫和幼虫供药用。此种方法简单、省工，获利期长。缺点是难以控制天敌侵袭和寄生。也可采用较小规模的人工控制笼养。将弄蝶所食的植物枝条，插入有水的广口瓶中，放在用铁纱网镶嵌的木框笼中，把自野外采来的弄蝶卵、不同龄期幼虫、蛹，置于植物上。此法一般都能成活，并继续发育生长到所需药用阶段。只要经常更换瓶中水和植物枝条，也能连续不断繁衍后代。

二十七、隐 翅 虫

隐翅虫包括黄胸青腰虫 *Paederus idea* Lew1s，别名疯蚂蚁、多毛隐翅虫；青翅蚁形隐翅虫 *Paederus fuscipes* Curtis，别名蚁形螯虫、举尾隐翅虫。黄胸青腰虫为广布种，在我国各地均有分布，以东南沿海各地分布较多。全虫入药。

【形态特征】　黄胸青腰虫（彩图 117），成虫体长 6 毫米左右。头黑色，有稀疏的刻点；复眼较大，椭圆形。触角鞭状，11 节，棕色至赭色。前胸背板棕黄色，后胸棕色，两翅鞘较短，呈黑色，仅盖住腹部第一节前缘，中缝明显。后翅膜质，灰棕色，折叠隐藏于前翅下，故名隐翅虫。腹部棕红色，自第五节起开始变窄呈锥形，黑色，第六节末端有 1 对黑色尾须及深色长毛（图 2-27）。

青翅蚁形隐翅虫成虫体长 6～7 毫米。头近扁圆形，宽大于长，有稀疏的浅刻点。触角丝状，10～11 节，橙黄色至暗褐色。前胸背板略窄于后头部，长大于宽，中部拱起，有橙红色光泽。后胸腹板呈黑色，有蓝色光泽。翅鞘蓝黑色，两鞘翅合拢，中缝窄，前缘圆，后端平截。腹部 13 节，前 6 节为翅鞘掩盖，中部 4 节黄褐色，末端 2 节及尾突为黑色，雄虫第八节腹板后缘中央有较深切入（图 2-27）。

【生活习性】　黄胸青腰虫年发生世代不详，但同一生活场所常见成虫、幼虫同时存在，说明世代有重叠。常见于田园苗圃，及边沟的腐烂物质中，石块及朽木下、粪堆内，性喜潮湿，傍晚成群活动，绕污物堆飞翔。以腐烂瓜果、粪便、菌类、动物尸体及多种腐败物质为食。

青翅蚁形隐翅虫也为多食性昆虫，以腐烂植物为主，也取食花粉、菌类及捕食稻飞虱、叶蝉、蚜虫、稻纵卷叶螟卵、初龄幼虫。

【采集与加工】　秋季用网捕捉，直接装入瓶中闷死后晒干保存。此虫有毒，用手接触有刺

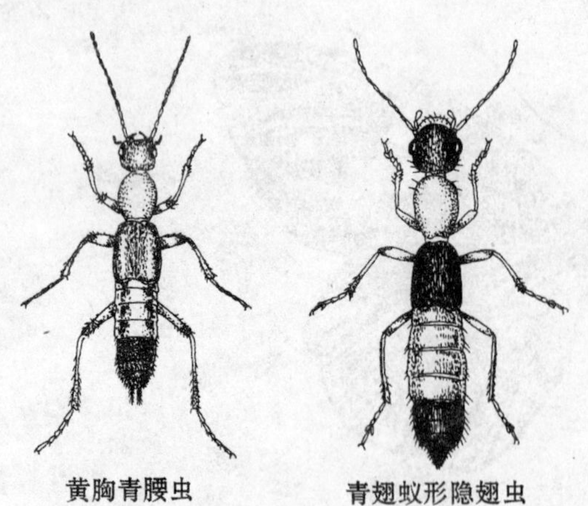

图 2-27　二种隐翅虫的外部形态及斑纹特点

激皮肤起泡、溃烂现象，应予预防。

【养殖方法】　隐翅虫多为多食性昆虫，野外虫口密度较大，用捕网收集即可满足医药用量。用作商品，或提取发泡物质，也可用温室养殖。只要将圈肥堆集在温室中，混入铡碎的稻草、麦秸等易腐烂植物，浇水使其腐熟。自野外采来种虫接入，在室温 25℃～35℃内可全年繁殖。

二十八、龙　虱

龙虱包括三星龙虱 *Cybister tripunctatus* Gschwendtn，别名东方龙虱、水龟子、泽劳、水鳖虫、射尿虫；黄边大龙虱 *Cybister japonicus* Sharp，别名黄缘龙虱；黄边宽龙虱 *Cybister limbatus* Fabr，别名黄肩龙虱。主要分布于黑龙江、吉林、辽宁、北京、河北、内蒙古、宁夏、甘肃、山西、山东、河南、上海、江苏、浙江、湖北、湖南、福建、台湾、江西、广东、海南、广西、四川、贵州、云南等地。为广泛分布种。干燥成虫入药。中药广东名称为水虫。

【形态特征】　三星龙虱（彩图 118），成虫雌性体长 24～28 毫米，雄性体长约 26 毫米。体长圆形，黑褐色，有光泽。头部扁平，中央稍隆起，两侧有凹陷。前胸背板宽大于长，有细纵沟。身体背面（鞘翅）墨绿色，鞘翅上有点状线 3 行，有时不明显，外缘有较宽的黄边（图 2-29）。腹面黑色、棕色或棕黄色。雄虫与雌虫相似，光泽度更强，更为明显的性征是雄性的前足跗节基部 3 节膨大成盘状，是交配时抱拢雌性的特殊构造。

幼虫体长 30～50 毫米。体圆柱形，灰黑色，头略圆，上颚发达而无齿，形状如镰刀，是捕捉食物的利器。胸部 3 节，足细长；腹部 8 节，后 3 节两侧有长毛，端节上有带毛的尾须 2 根（图 2-28）。

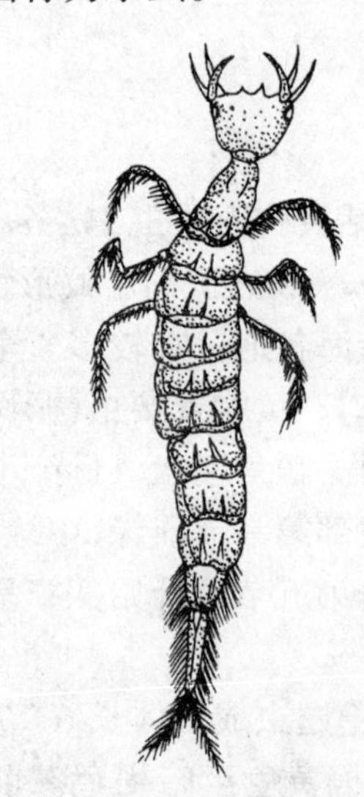

图 2-28　三星龙虱幼虫

黄边大龙虱（彩图 119），成虫体长 35～40 毫米。身体构造及习性极似三星龙虱。前胸及鞘翅两侧的黄边中间夹有一黑色条纹。雌性鞘翅上除端部及靠近中缝处外，均布满沟状刻纹（图 2-29）。

黄边宽龙虱（彩图 120），成虫体长 30～36 毫米。身体构造、生活习性很似三星龙虱。身体两侧的黄边色偏深，呈黄褐色，特别是鞘翅肩角与胸部接触处，明显加宽（图 2-29）。

【生活习性】　成虫和幼虫都为水栖性，生活于草多的池沼、水沟等淡水水域。幼虫老熟后即钻入水边较干的泥土中，做个土室，不久即蜕去幼虫态皮，变成乳白色的裸蛹。蛹期约半个

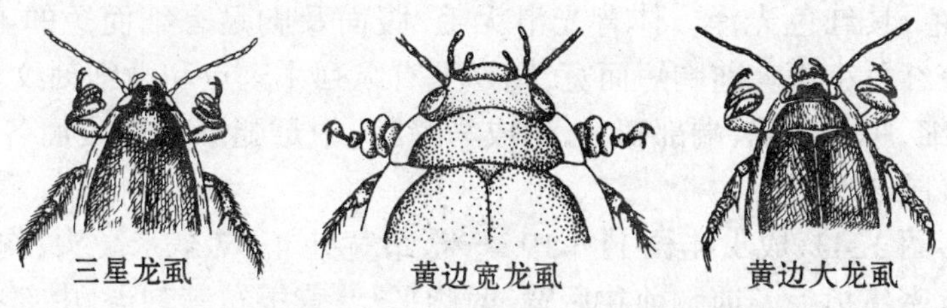

图 2-29 龙虱成虫体背前半部形态比较

月。成虫羽化后，雄性追逐雌性，并爬到雌虫背上用前足吸盘吸附于背上，进行交配。雌虫产卵于水草茎秆组织中。成虫腹背有贮气囊(图 2-30)及气门，便于潜入水中。一般 1～2 年完成 1 代，世代重叠现象严重，因而自 7 月至 8 月下旬均见有成虫。成虫、幼虫均为肉食性，可捕食水中小动物，并能捕食鱼苗。

【采集与加工】 7 月上旬至 9 月中旬，都可用网在水草多的坑、池、塘、水沟中捕捞。成虫盛发期，在夜间用灯光诱集，省工省时，效果极佳。用灯诱捕常有多种甲虫飞来，应按上述形态特征挑选。捕后用开水烫死，晒干，或用 40℃干燥箱烘干，保存备用。中药名广东称为水虫。以前东南沿海一带，曾将龙虱作土鳖虫入药，有时还与九香虫混用，三者绝非一虫，功用相差甚远，应慎重。

前足上的吸盘

鞘翅下的气囊

图 2-30 龙虱雄虫前上的吸盘及鞘翅下的气囊

二十九、芫 菁

芫菁包括黑芫菁 *Epicauta megalocephala* Gebl，别名豆黑芫菁、大头豆芫菁；中华豆芫菁 *Epicauta chinensis* Laporte，别名中国芫菁；绿芫菁 *Lytta caraganae* Pallas，别名青虫、青娘子、相思虫；眼斑芫菁 *Mylabris cichorii* Linnaeus；地胆 *Meloe coarctatus* Motschulsky，别名土斑蝥、短翅斑蝥虫。主要分布于辽宁、吉林、黑龙江、内蒙古、宁夏、甘肃、北京、河北、河南、山东、山西、陕西、江苏、安徽、湖北、浙江、江西、福建、台湾、广东、海南、广西及云南等地。干燥全虫入药。

【形态特征】 黑芫菁(彩图 121)，成虫体长 8～14 毫米，最宽处 3～3.8 毫米。身体黑色，头部额中央有一红色小纵斑，有些个体在头的后方两侧各有 1 个不明显的较小红色斑点。前翅黑色，两鞘翅中缝及各个翅鞘上均有 1 条白色纵纹，侧缘及端缘镶有白色缘毛；有些个体的白色中缝及缘毛消失，鞘翅末端的半月形浅色边较宽(图 2-31)。

中华豆芫菁(彩图 122)，成虫体长 14～15 毫米，最宽处 4～4.5 毫米。头黑色，后方两侧及额中央各有 1 块红斑。身体黑色，前胸长大于宽。鞘翅侧缘、端缘及中缝均镶有白毛组成的边，中缝边狭于侧缘边。各腹节后缘有白色节间环。前足的腿节和胫节背面有密集的灰色短毛，中后足的灰毛较稀。雄虫前足第一跗节基半部细，内侧凹入，端部膨大；而雌性无此特征(图 2-31)。

绿芫菁(彩图 123)，成虫体长 11.5～17 毫米，最宽处 3～5.5 毫米。身体蓝绿色，有金属光泽。鞘翅紫铜色，具红色光泽。体背光滑无毛，腹面及胸足有细而短的毛。头部有稀疏刻点，额中央有一橙红色小斑。前胸短而宽，鞘翅上有纵列小刻点和微细刻纹。雄虫前足及中足的第一跗节基部细，腹面内陷，端部膨大，形成马蹄状；中足腿节基部腹面各有1根尖齿，是与雌虫的主要区别(图2-31)。

眼斑芫菁(彩图124)，成虫体长11～19毫米，最宽处4～7毫米。头、胸部及身体腹面、胸足均为黑色，被有密集黑毛。前胸前狭后宽，两侧平行，背板布满刻点，中部有圆形洼坑。鞘翅黑色，基部各有1个圆形黄斑，两侧相对如眼状，故得眼斑芫菁之名。雄性腹部末端后缘呈弧形，雌性后缘平直，是两性的主要区别(图2-31)。

地胆成虫体长18～23毫米，最宽处6～8毫米。全身黑蓝色，有紫色光泽。头部宽于前胸。胸背板狭长，两端稍细，椭圆形，两侧平行。鞘翅短，只达腹部第四节末端；翅面多纵皱，有很细小的刻点。腹部两鞘翅中间可见第二节以下全部裸露。雄性腹部末节短而钝圆，雌性稍长而光(图2-31)。

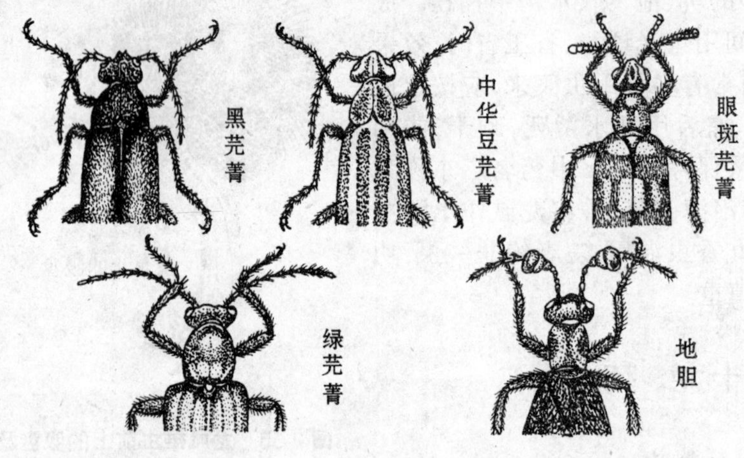

图2-31　黑芫菁、中华豆芫菁、眼斑芫菁、绿芫菁、地胆身体前半部构造及斑纹形态

【生活习性】　黑芫菁1年发生1代或隔年发生1代，以假蛹过冬，其变态与生活习性与中华豆芫菁相似，可作参考。以食豆科植物为主，也危害马铃薯及艾蒿。

中华豆芫菁成虫为植食性(幼虫为肉食性)，主要取食甜菜、马铃薯、玉米、向日葵、苜蓿等的叶片、蕾及幼果，其幼虫各发育阶段的虫态见图2-32。

绿芫菁成虫为植食性(幼虫为肉食性)，主要危害大豆、花生、苜蓿、刺槐、紫穗槐、黄芪、锦鸡儿的叶片、蕾、花等。

眼斑芫菁成虫主要取食瓜类、豆类、番茄及蔷薇科植物的叶片、蕾、花和幼果。幼虫在地下生活，觅食其他昆虫卵块。

地胆成虫取食豆科、茄科、牡荆、伞形花科植物，也见取食草食家畜粪便及腐殖质。

以上几种芫菁的生物学习性相似，均为过变态类昆虫，1年发生1代(幼虫跨年度)。幼虫期6～7龄，以假蛹或老龄幼虫过冬。多生活于半山区、丘陵地带、黄泛区及荒漠草甸及各种蝗虫较多的区域。其生活行为方面还有以下共性：①假死性。芫菁科昆虫的成虫，都有不同程度的假死性，受到惊扰，特别是取食时受到惊扰，即四肢卷缩，抱拢在腹下，坠落地面不动，周围

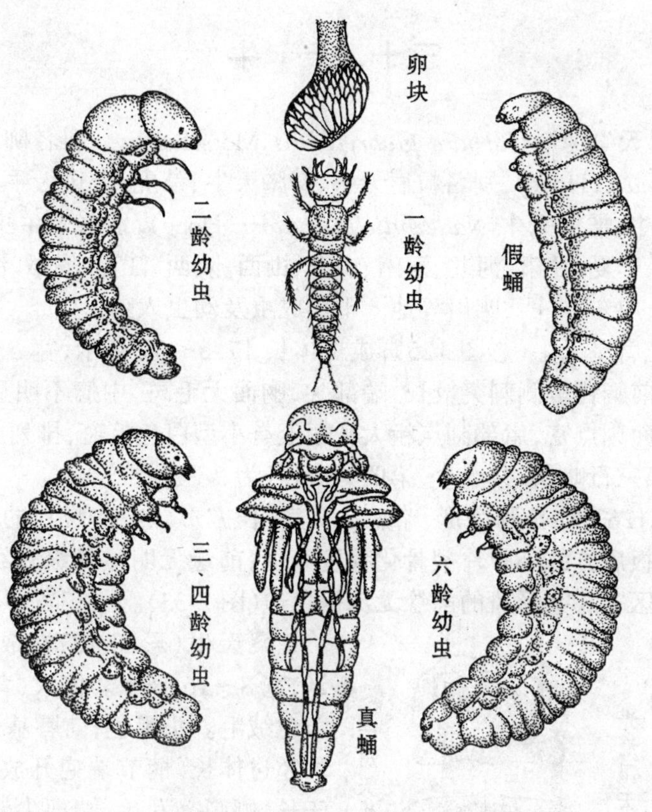

图 2-32　中华豆芫菁幼期不同发育阶段的虫态

平静后则伸展四肢，或爬或飞。②群集性。芫菁科昆虫羽化为成虫后不久，有结群活动的习性，多则百余只，少则十几只，雄雌混群觅食。到交配结束后，即各奔东西（特别是雌性），选择适宜场所，产卵在地下。卵成块状。雄虫寿命短于雌性，交配后不久即死去。③自卫性。此科种类，受到侵袭或捕捉时，有口吐绿色粘液、排泄粪便或腿节间分泌出黄色液滴（斑蝥素），液滴接触人或动物的皮肤后，有发泡致痛作用，因而鸟、兽、人等常避而远之。④夜食性。常以傍晚、晚间、清晨为取食高峰；阳光高照或气温过高的中午前后，则隐于叶背、草丛中栖息。被吃剩的残缺切口叶片边缘，不久即变黑。⑤群迁性。一处食物被吃得叶少枝残时，便活动迅速，互相碰撞，不久即展翅群飞（长翅型），迁移到寄主茂盛之处取食。

【采集与加工】　药用部分为各种芫菁加工后的干燥全虫。夏秋季在芫菁成虫大发生时，于清晨露水消失前，趁翅湿不利于起飞时，戴橡胶手套捕捉，或用捕虫网捕捉。捕后放入白布口袋中（内放些植物枝条，防止互相咬伤）带回，将其倒入容器中，用开水快速烫死，捞出晾干或烘干（温度不能超过 40℃，防止药物成分挥发）。如条件许可，最好用速冻法处死，晾干备用。加工处理后的干燥全虫，要密封保存，严防受潮发霉变质，并防虫蛀。

由于芫菁属于过变态昆虫，1 龄幼虫有很强烈的互相残食习性，一个寄主室中，只能容纳 1 个幼虫生存，才能满足它的全幼期食物需要。如有几只同时进入同一寄居室中，也要展开一场争食格斗，一处胜者只有 1 只。雌虫虽产卵百余粒，但生存率极低。因此，小范围饲养，很难羽化出大量成虫供药用。以野外采集芫菁成虫作药用最为理想。

三十、天　牛

天牛包括光肩星天牛 *Anoplophora glabripennis* Motschulsky，别名柳星天牛、白星天牛；桑天牛 *Apriona germari*（Hope），别名粒肩天牛、麻胸天牛、桑虎；云斑天牛 *Batocera horsfieldi*（Hope），别名白条天牛；橘褐天牛 *Nadezhdiella cantori*（Hope），别名牵牛虫，朽木牛儿。主要分布于辽宁、内蒙古、宁夏、甘肃、河北、河南、山东、山西、陕西、江苏、安徽、浙江、湖南、湖北、江西、福建、海南、台湾、广东、广西、四川等地。干燥成虫及幼虫入药。

【形态特征】　光肩星天牛（彩图 125），成虫体长 17.5～39 毫米，宽 5.5～12 毫米。体黑色，略有金属光泽。前胸背板侧刺突较长，端部尖，胸面无毛斑，中瘤不明显。鞘翅基部光滑，不具颗粒状突起，表面刻点密，肩部刻点粗大。翅上有小型白色毛斑，排列成不规则的 5 横行，第一、二行各 4 个，第三行略斜，共 5 个，第四、五行各为 2～3 个。

老熟幼虫（彩图 126），体长圆筒形，略扁。头扁，长方形。中前腹片的中部两侧无明显的卵形颗粒斑；前胸腹板后方的小腹片褶骨化程度不强，前缘无明显的纵脊纹，前胸背板前缘的飞鸟形纹不明显，后区“凸”字形斑的前缘无深褐色边（图 2-33）。

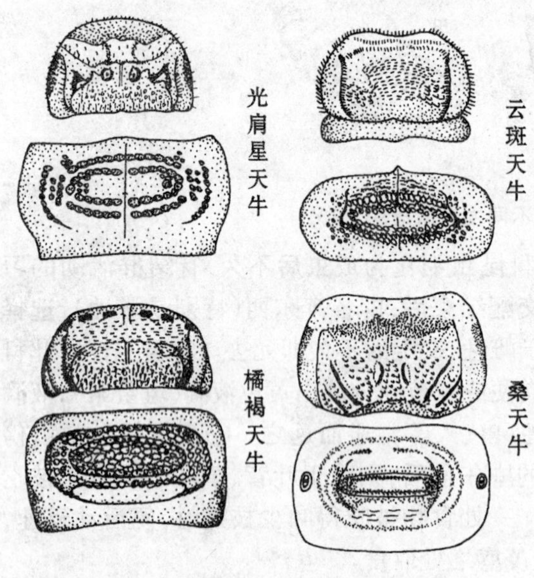

图 2-33　光肩星天牛、云斑天牛、橘褐天牛、桑天牛幼虫前胸背板及腹部第三节背步泡突形态

桑天牛（彩图 127），成虫体长 26～51 毫米，宽 8～16 毫米。体大，背面灰黑色，密被棕黄色绒毛。头黑色，前唇基棕红色。雄、雌触角均超过体长，柄节端疤开放式。前胸背板宽大于长，侧刺突发达，端部尖锐；胸部背面有横皱纹，侧刺突基部和侧片上都有黑色的乳形突起。鞘翅长形，端缘向下斜切，中缝及侧缘、端缘有青灰色狭边。

老熟幼虫体长约 76 毫米。头部淡黄褐色，胸腹部为乳白色至乳黄色；前胸背板宽达 13 毫米。骨化区近方形，表面有 4 条纵沟，沟间有点状粗刻点；腹部背步泡突扁圆，上有两横沟（图 2-33）。腹气门椭圆形，气门片黄褐色；肛门成一横裂。

云斑天牛（彩图 128），成虫体长 33～63 毫米。身体黑色或黑褐色，头宽大于长。前胸背板中央有对称的肾形白色毛斑，盘区平坦，两侧刺突稍向后方弯曲，后胸外端角各有 1 个白色圆斑。身体腹面两侧各有 1 条白色间断状纵线。鞘翅黑褐色至黑色，上有不规则的白斑，一般排成 2～3 纵行。翅基部的稍下方有较大范围的密集瘤状颗粒，翅端外角向内斜切，缝角直，呈刺状。

幼虫前胸背板及腹部第三节背步泡突形态见图 2-33。

橘褐天牛（彩图 129），成虫体长 26～50 毫米，最宽处 10～13 毫米。身体灰黄色至黑色。头部长宽近相等，中央有较深纵沟。前胸宽大于长，两侧有刺突，背板上有密集、不规则的瘤状皱褶，沿后缘的 2 条横沟间隔宽，形成似两条纵脊。鞘翅肩部隆起，两侧平行，向下逐渐变窄，端缘呈斜切状，内端角尖；全翅面有密而小的刻点。

幼虫前胸背板及腹部第三节背步泡突形态见图 2-33。

【生活习性】 光肩星天牛 1 年发生的世代因地区而不同，北京 2 年(跨 3 年)完成 1 代，长江以南为 1 年 1 代，以老熟幼虫在木质部蛀道中过冬，也有少数以中等大小幼虫在树皮下过冬。由于幼虫蛀木生活，各虫态的发生期不整齐，一般情况下老熟幼虫于 4 月中下旬咬筑蛹室，4 月底 5 月初化蛹。成虫羽化盛期在 6 月份，羽化不久即交配产卵，每只雌虫可产卵 26～32 粒。成虫产卵部位随着树木直径大小的变化而变化。树胸径在 4 厘米以下的，卵多集中产在距地面 1 米以下处；胸径 6～8 厘米的，多集中产在 1～1.5 米处；胸径 10～14 厘米的，则多集中产在 1.5～2 米处；在成年树上，卵产在距地面 50 厘米到 4 米处。卵期 10～16 天。卵在自然环境中的孵化率：产于幼树薄皮层中的可达 66.7%，产于树干下部粗糙老皮层中的，仅为 40%左右。幼虫孵出后，先在树皮下蛀 3～5 厘米的横向隧道，再向四周扩展取食。幼虫期为 11 个月。蛹期 11～15 天。成虫寿命 25 天左右。寄主主要有河柳、垂柳、龙须柳等及苹果、梨、李、樱桃、樱花、榆、唐槭等。杨柳混交林植株被害率可高达 80%以上，一般也在 15%左右。

桑天牛 2～3 年完成 1 代(跨 3 年)，以一、二年生幼虫在被害枝干蛀道中过冬。幼虫经 2 个冬季后，第三年 4～5 月份化蛹，蛹期 26～29 天，6 月底至 7 月中旬大量羽化为成虫。成虫羽化后，常在蛹室内静伏 5～7 天，自羽化孔钻出至死亡，寿命长约 40 天。寄主植物主要为桑、白杨、柑橘、柞树、花红、刺槐、柳、榆、枸杞、朴树、枫杨、苹果、枇杷、梨、樱、桃、沙果、无花果等。

云斑天牛年发生世代各地有变异，浙江 2～3 年完成 1 代，江西南昌 2 年完成 1 代。各地均以幼虫过冬，5 月份见蛹，6 月份见成虫。寄主植物以桑、板栗、油桐、泡桐、乌桕为主，也危害女贞、栎树、无花果、苹果、梨等。

橘褐天牛在长江以南约 3 年完成 1 代。在发生地区以一、二年幼虫在蛀道中过冬，幼虫龄期较长，可蜕皮 15 次以上。因此，化蛹时期、羽化时间极不规律。成虫产卵于树干裂缝或伤疤处，以近主干交叉处较多；卵散产，1 处仅 1 粒。寄主植物为柑橘、柚、橙、金橘等多种芸香科植物。

【采集与加工】 药用部分为天牛的干燥成虫和幼虫。6～7 月间为天牛成虫盛发期，可到桑园及杂木林间的树冠上采集。采后及时用开水烫死后，捞出晾干备用。幼虫于冬季在寄主植物中捕捉，捕后用酒醉死，晒干或烘干。药材名为桑蠹虫。

【养殖方法】 由于天牛类的生活周期长，往往不易饲养。无特殊需要，一般不进行饲养。

三十一、粪堆粪金龟

粪堆粪金龟 *Geotrupidae stercorarius* Linnaeus，别名食粪金龟、粪球虫、屎克螂。主要分布于黑龙江、吉林、辽宁、内蒙古、宁夏、山东、山西、北京、河北、河南、陕西、青海等地。以干燥成虫入药。

【形态特征】 粪堆粪金龟(彩图 130)，成虫体长 15.5～22 毫米，最宽处 9.8～12 毫米。身体长椭圆形。背面隆起呈拱形，黑色，有浅铜绿色和紫铜色光泽。腹部密被较长绒毛，铜绿色闪光更强。头小，有时缩于前胸下。前胸背板宽大于长，中央有不连续的纵刻点，四周有深而大的刻点，其余部分较光滑；周围有上翘的边框，前缘边框高；前侧角钝，后侧角呈弧圆形。小盾片呈三角形。雌虫胫节下方有锯齿形纵脊，并有向两端伸出的毛丛。鞘翅两侧下折，将腹部包住,上有深刻点及沟间带 13 条。臀板端有时外露。

幼虫头宽约 5.3 毫米,长约 3.2 毫米,冠缝长,延伸至额区;冠缝与两额缝交接处及其终止处,有 3 个明显的凹坑。腹部分为 8 节,自第三节后各节逐渐膨大,第三、四、五节各分为 3 小节;肛上叶扩展,向下延伸,与肛下叶连合将肛孔包围;肛孔小,呈单孔形(图 2-34)。蛹乳白色至黄褐色,附肢裸露可见。

【生活习性】 1 年完成 1 代(跨年度),以老熟幼虫在地下土茧中过冬,翌年 5 月间化蛹。蛹期 20 余天。幼虫期蜕皮 2 次,计 3 龄,一般 1～2 龄期较短,20～30 天,3 龄期较长。成虫喜以牛、马粪为食,特别是较稀的牛粪更有引趋性,人粪堆上也常见到。常在新鲜粪下面垂直挖洞,一般洞深 5～20 厘米,每摊较大的粪下,可有洞十至数十个。成虫将粪搓揉成粪条,塞入洞中,产卵在粪上,一洞一卵,幼虫孵化后,洞中的粪便恰好是幼虫一生的食料。幼虫老熟后,将排泄物混以口吐的粘液,做个较紧硬的土室,蜕去幼虫形态的皮,变成只有一层透明薄膜包着的裸蛹。主要以家畜粪便为食,有时也取食人粪,不危害作物。

三十二、蜣　螂

蜣螂包括神农蜣螂 *Catharsius molossus*(Linnaeus),别名蜣螂、蜣螂虫、屎克螂、独角牛、推粪虫;臭蜣螂 *Copris ochus* (Motschulsky),别名屎克螂、小独角仙、臭屎蛋。主要分布于黑龙江、吉林、辽宁、内蒙古、宁夏、北京、河北、河南、山东、山西、上海、江苏、安徽、浙江、湖北、江西、湖南、福建、台湾、广东、海南、广西、贵州、四川、云南、西藏等地。干燥成虫入药。

【形态特征】 神农蜣螂(彩图 131),成虫体长 23.7～40 毫米,最宽处 17～23 毫米。体大,短宽,黑色或黑褐色。头较大,密布鳞片状横刻纹,雄性唇基后中部有 1 个发达的向后弯的角突;雌性头面中部隆起,上端部有横脊。雄体前胸背板有高而尖的横脊,脊的中间向前伸出,两侧向前延伸呈强大的齿状突;雌体前胸背板简单,仅在近前缘有 1 道较平缓的横脊。鞘翅上有 7 条较细的纵线。臀板大,有圆而深的刻点。

幼虫头宽 5.8～6.9 毫米,长 3.6～3.9 毫米。两侧外突呈栗黄色,冠缝长,延伸至额区,略超过头长的 1/2,前额缝短,伸达触角基部。身体乳白稍褐,呈驼背形,共 11 节。背板两侧有明显的角状骨化突。臀节腹面覆毛区有排列不规则、较短的锥状刺毛。肛上叶向上及两侧展开,上方中部内凹,肛下叶呈 4 叶状突(图 2-34)。

臭蜣螂(彩图 132),成虫体长 20～27 毫米,最宽处 12～16 毫米。身体深棕色至黑色,背部显著拱起,腹面被棕褐色绒毛。头宽大于长,雄性头上有 1 个较长的角状突;雌性头上有 1 个无角突,但额前方有马鞍形横隆起,两侧呈小齿状。前胸背板宽大,雄性隆起较高,有 1 对向前伸的角状突,下方陡直光滑,两侧有凹坑;雌性仅前方中段有一斜坡,上有弧形小横脊。鞘翅上刻点沟浅,间隔带不隆起。臀板三角形,刻点较密。

幼虫头宽 4.7 毫米左右,长约 3.2 毫米。有较长的前顶毛,冠缝较长,两侧凹陷,额缝长达触角基部。身体乳白色至黄褐色,拱形。胸背板两侧有骨化较强的角形突起。腹部第三、四、五节肥大,臀节腹面有稀疏的散生毛。肛上叶向上扩展,近三角形,并向肛下叶两侧延伸,肛下叶呈 4 个叶状突(图 2-34)。

【生活习性】 神农蜣螂 1～2 年完成 1 代(世代不整齐,重叠代较多)。以老熟幼虫过冬,翌年春天化蛹,蛹期 20 天左右,5～9 月份均见成虫。幼虫期蜕皮 2 次,计 3 龄。成虫常将畜

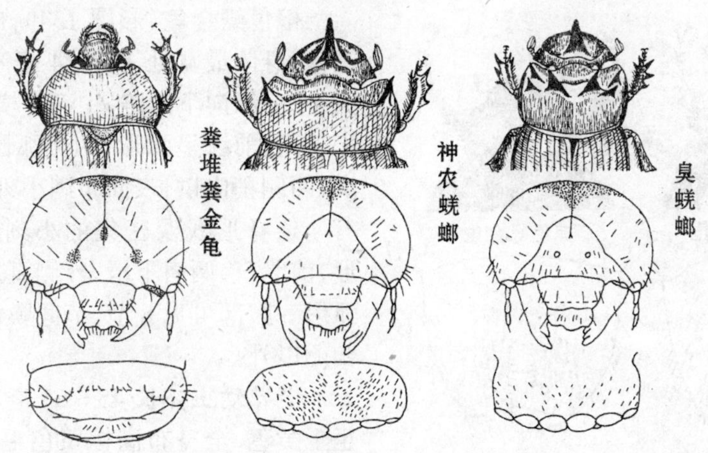

图 2-34　粪堆粪金龟、神农蜣螂、臭蜣螂头及胸部以及老熟幼虫头部和尾端腹面形态

粪(特别是生粪)堆搓成球状,在地面推滚,沾土并压实,选择适当地点挖约60厘米深的垂直土洞,将粪球埋入洞中。产在粪球中的卵孵化后,即以粪球作食物。幼期的生长发育、蜕皮、化蛹、羽化均在粪球中完成。成虫、幼虫均以人、畜粪便为食。

臭蜣螂与神农蜣螂近似。成虫、幼虫均为粪食性,幼期发育生长阶段均在土室内进行,并以粪球为食。

【采集与加工】　药用部分为干燥成虫,以雄性全虫为佳。夏秋季在盛发期,利用其趋光性诱捕成虫,或在路旁、草地的牛粪堆下(先铲去粪,见地面有洞孔处)挖掘。采到成虫后,按形态特征分开,清水洗净,开水速烫死,捞出控水,晒干或炭火烘干,或放入40℃烘箱内烘干,干燥后贮于防虫防鼠、干燥通风处保存备用。

【养殖方法】　粪堆粪金龟和蜣螂的饲养较困难。饲养不如到野外捕捉采集方便。所以,一般不进行养殖。

三十三、鳃 金 龟

鳃金龟包括华北大黑鳃金龟 *Holotrichia oblita*(Faldermann),别名(幼虫)白地蚕、土蚕、弯腰虫;棕色鳃金龟 *Holotrichia sauter* (Moser),别名棕色金龟子、华南大黑鳃金龟。分布于内蒙古、北京、河北、河南、山东、山西、陕西、甘肃、湖北等地。干燥老熟幼虫(蛴螬)入药。

【形态特征】　华北大黑鳃金龟(彩图 133),成虫体长 17～21 毫米,最宽处 8.4～10.5 毫米。体长椭圆形,赭褐色至棕褐色。头部明显窄于前胸,布满小刻点。前胸背板前缘有毛及刻点,后缘向下方弯曲,侧缘中部刻点最大。小盾片近半圆形。鞘翅上有几条隆起的暗纹。腹部末端隆起的臀板在鞘翅后方可见,第五腹板中部后方有近三角形的凹坑。

幼虫头长 3.9～4.1 毫米,最宽处 5.1～5.5 毫米,黄褐色,体呈"C"字形,白色至乳白色。头部每侧有 3 根前顶毛,其中冠缝旁 2 根、额缝旁 1 根。腹部第七、八、九节背面,除前后两横列针状长毛外,均仅有极少几根针状毛及短而扁的刺状毛。臀节腹面缺少刺毛列,多数为扁钩状刚毛,长度相似,前缘及两侧毛短,排列不规则。肛孔三裂状,纵裂约等于横裂的 1/4(图 2-35)。

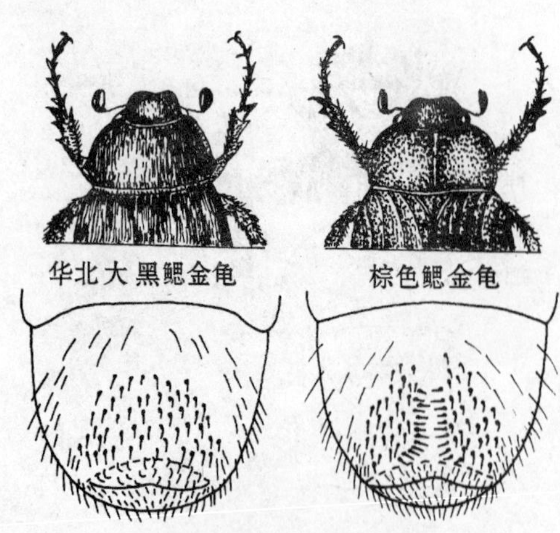

图 2-35　华北大黑鳃金龟、棕色鳃金龟头部构造及幼虫臀节形态

棕色鳃金龟(彩图 134),成虫体长 23～25 毫米,身体最宽处 12～14 毫米。身体棕褐色。头小,前缘向下凹陷,中部有横沟。前胸背板宽大于高,前缘呈弧形,两侧弧圆,后缘中部稍外突,两侧稍内拱,表面布满小刻点。每个鞘翅上有 4 条脊形线及密集的小刻点。小盾片三角形,前缘直,两肩下滑,外侧直并向内折,后缘角弧形。腹部可见 8 节,节间膜色稍浅,末端伸出鞘翅以外。

老熟幼虫体长 45～65 毫米,幼龄时乳白色至土黄色,全身布满棕黄色毛,背部更为密集。第十腹板上的刚毛端部呈钩状,中间有成排的刺。肛门三裂状(图 2-35)。

【生活习性】　华北大黑鳃金龟一般情况下,2 年完成 1 代,以幼虫和成虫隔年交替过冬。第一年以幼虫过冬,翌年继续危害,羽化为成虫后不出土,留在土中越冬,至翌年出土。在长江流域成虫出土从 3 月中旬一直延续到 7 月中旬。成虫卵产于浅土层中,卵期约 15 天。6 月中旬即在土中见到当年孵化的幼虫,8 月上旬进入 2 龄,少数达 3 龄。成虫和幼虫均为植食性。食性杂(多食性),可取食 29 种以上的植物,尤喜食花生、大豆、红麻、苜蓿、甜菜、玉米、榆树、花椒等的嫩叶。夏秋季节,幼虫喜食大豆、花生、甜菜等多种植物的根、块茎、块根等;秋收复种后,继续取食秋播麦苗及根系。

棕色鳃金龟 5 年完成 2 代,多数地区以幼虫过冬,最后 1 年以羽化后的成虫过冬。因而冬季可在土壤中采到多种虫态。越冬的成虫翌年 3 月出土活动、交配,4 月下旬为产卵盛期,卵多产在疏松的土质中,卵期约 15 天左右。老熟幼虫作土室化蛹。食性较杂,危害多种农、林作物,尤以桑、梨、苹果、杏、榆受害最为严重。

【采集与加工】　药用部分为老熟后的干燥幼虫。夏季翻地时拣拾。收集后洗净,用开水迅速烫死,晒干或在 40℃ 烤箱中烘干,放置于防潮、防虫、通风的容器中保存备用。

【养殖方法】　作为开发药材饲养,应以较大的饲养坑为主。一般以 300 厘米长、200 厘米宽、50 厘米深的地下坑为好,用砖砌壁,上口用木材做成高 150 厘米,宽、长与坑相同的大纱罩,一面设置供人员出入的纱门。坑内填满饲养土,稍高于坑周围地面,防止雨水内灌。坑内种植马铃薯等块根植物。也可用高出地面与地下坑同样大小,底部无特殊结构,周围用砖灰砌成的饲养池(图 2-36)。

饲养大黑鳃金龟,池中用土以偏粘性的菜园土为好,由于蛴螬(金龟幼虫)的体壁较薄,缺少保持体内水分的蜡质层,因而对土壤中的含水量要求较严格。过干则影响蜕皮或在活动时擦伤表皮而死亡,过湿又会使土壤空间密度缩小,影响正常呼吸,而使其不能活动及取食。一般土壤含水量应在 15%～20%。如土壤中湿度不够,可在地表适量喷水,以土表稍湿为度,或覆盖杂草及菜叶调剂。土湿可用木铲翻松表土通风去湿。蛴螬对于土壤温度的要求不十分严格,一般在 1℃～2℃ 的土温中便能安全过冬,14℃～22℃ 最适宜其生长,夏季不超过 27℃ 便能安全度过。一般来说坑养或池养温度较稳定,土壤中温度的变化较缓慢。

自野外挖来的幼虫或灯诱来的成虫,应按雄、雌 1:1 之比饲养在直径 30 厘米、高 20 厘米铺有浅土的纱盖木箱中，喂以精、青饲料培育种虫。如见到雌虫大部分潜入浅土中，即进入产卵盛期，此时不宜再翻饲养土。成虫产卵在5～10 厘米深处。

图 2-36 鳃金龟饲养池及罩笼

蛴螬食性较广，坑养、池养中密度过高时(1 平方米可养 200～300 只)，坑中栽种的作物不能满足其取食需要，应及时添加补充饲料，如马铃薯块、甘薯片、碎玉米粒、麦粒、黄豆粒、豆饼、豆渣等，同时加入菜叶、芝麻叶、豆叶、甘薯叶等青饲料。因蛴螬有钻出土面的能力，补充饲料撒在土表即可。一次投饲要少，隔日检查，如已吃尽可再添加，如有余，可隔几天再投。一般春秋多投，夏季少投，冬季不投。

自野外采来的蛴螬，应按体型大小分级，投入不同坑池中饲养。只要有黄豆粒大，进入 2 龄时，即可群养。刚从卵中孵出来的幼虫，或刚蜕完皮的幼虫，体质软弱，要尽量少翻动。经 10～15 天后，挖开局部土检查，若看到大部分幼虫色泽暗淡，身体收缩，弯曲度小，尾节部分透过表皮看不到有深色粪便，已少动不食，并在身体周围有压土筑室现象时，即为蜕皮前兆，就不必再翻动了。如蛴螬头大体瘦，且弯曲度大，即为已蜕完皮，应加大投食量，特别是青饲料。蛴螬的取食量以 3 龄虫最大，约占全幼虫期的 75% 以上。

成虫已产过卵的坑池，应用木板将表土刮平并轻压。幼虫自卵中孵出后，先吃掉卵壳，再经过 1～2 天后的生长发育过程，体表较密的黄色纤毛明显可见。初龄幼虫夜间到土表作轻微活动并取食，日间又潜入浅土中，此时在平坦的土面上即显出爬行和腹部拖拉过的痕迹，这说明卵已接近孵化末期。早孵幼虫急需寻找食物，及时供给初孵幼虫以丰富的食料。如得不到饲料，几天后就消瘦死亡，发现消瘦后再投入饲料，幼虫已无力取食。

大部分食植性金龟子，为 1 年半至 2 年完成 1 代，多以 3 龄幼虫过冬。因此在夏末秋初就应将饲养土过筛，取出适宜药用的蛴螬。将留种的虫体放入较小坑池，分开饲养管理。

三十四、铜绿丽金龟

铜绿丽金龟 *Anomala corpulente* Motschusky，别名青金龟子、铜绿金龟子。分布于北起吉林，南达广东，东到沿海各地，西至甘肃、青海，而以黄河、淮河流域为最多。干燥幼虫(蛴螬)入药。

【形态特征】 铜绿丽金龟(彩图 135)，成虫体长 17～23 毫米，身体最宽处 8～13 毫米。头大，铜绿色。前胸背板大，侧缘近弧形，前侧角尖并向前伸出，前缘边框有角质饰边。小盾片半月形。鞘翅色较体色淡，泛铜黄色光泽，上面密布刻点，背面有纵肋 2 条，边缘有黄色膜质饰边。身体腹面乳黄色或黄褐色。

老熟幼虫头宽 4.5～5.2 毫米，体长约 37 毫米。臀节背板上无骨化环，腹面有成列的长针形刺毛，每列 13～16 根，前方钩状毛较大。肛孔横列(图 2-37)。

【生活习性】 1 年发生 1 代，以 3 龄后不同龄期幼虫深入土层 30 厘米处越冬。翌年 5 月中下旬越冬幼虫化蛹。成虫期在 5 月下旬至 6 月上旬。成虫潜入 60 毫米的疏松土中产卵(以

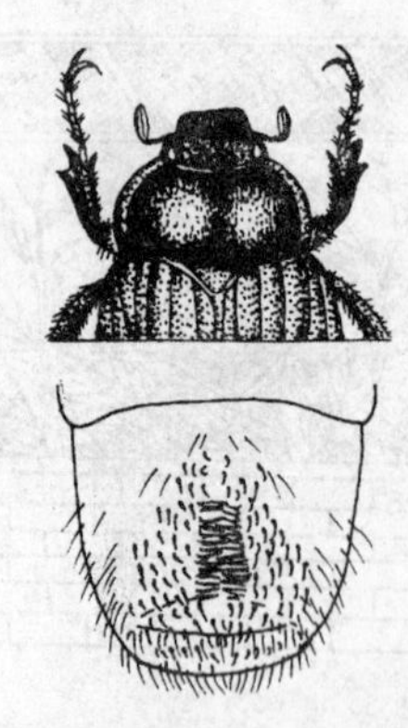

图 2-37 铜绿丽金龟的头部及幼虫臀节腹面形态

豆田为多)。卵一般散产。成虫日间潜伏于土中,黄昏时出土活动、交配,日出前又返回土中。有趋光和短时间的假死性。成虫取食苹果、梨、海棠、柿、核桃、葡萄、杨、柳、榆、枫杨等植物。幼虫危害麦、大豆、花生、苜蓿、马铃薯、芋头、甘薯及果、木幼苗根系。

【采集与加工】 方法同华北大黑鳃金龟。药用部分为干燥幼虫(蛴螬),也可鲜用。

三十五、白星花金龟

白星花金龟 *Liocola brevitarsis* Lewis,别名致虫、鸡粪咀、白纹铜花金龟、铜克螂、瞎撞子。干燥幼虫入药。为我国广布种。

【形态特征】 白星花金龟(彩图 136),成虫体长 18～25 毫米,身体最宽处 9～13 毫米。体表光滑,有光泽,古铜色或青铜色,并有不规则的由白色绒毛组成的斑纹。头部宽大于高,唇基宽,上有粗大刻点。前胸背板宽大于长,两侧圆滑,近弧形,后角宽而钝,盘区刻点稀而小,上有 2～3 对排列不规则的白绒毛斑。小盾片长三角形,顶角钝,基角上有稀疏的小刻点。鞘翅宽大,近长方形,上布满粗大刻点,尤以肩突内及外侧刻纹更密集。翅上的白绒纹斑多呈横向波浪形,尤以中后部更为明显。腹部光滑,两侧有大刻纹,臀板短宽,有皱纹及黄茸毛(图 2-38)。

老熟幼虫头宽 4.5～4.7 毫米,体长 39～42 毫米。头小,黄褐色,胸足发达,被有褐色长毛。臀节腹面无钩形刚毛,刺毛列由端部较钝的扁刺形毛组成,各列 14～20 根不等,两列间近平行。肛乳孔横裂。

【生活习性】 在分布区均为 1 年发生 1 代。以幼虫过冬,翌年 5～6 月间化蛹,经 25 天左右的蛹期羽化为成虫。成虫不久即交配产卵。卵产于腐殖质丰富的土中。幼虫在土中活动的深度在 10～20 厘米之间。成虫有趋光性,喜选择枝干伤疤处、成熟果实及玉米花穗上取食。主要为害梨、桃、苹果、葡萄、李、枇杷、樱桃、麻栎、苦槠、榆、桑及玉米、高粱、禾本科作物及豆类、薯类等。

【采集与加工】 药用干燥幼虫,采收加工方法与华北大黑鳃金龟相同。

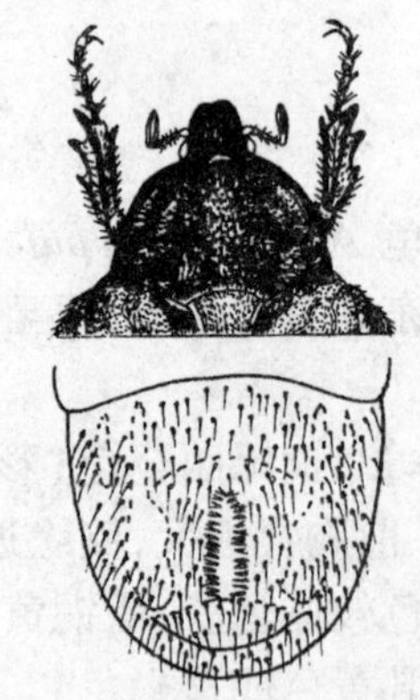

图 2-38 白星花金龟的头胸部构造及幼虫臀节腹面形态

三十六、独角犀金龟

其包括独角犀金龟 *Allomyrina dichotomus*(Linnaeus),别名双叉犀金龟、独角仙、独角蜣螂虫;黑金龟 *Alissonotum tmpressicolle* (Arrow),别名黑金龟子、蔗龟、突背蔗龟。分布北自吉林,南至广东及东南沿海各地,西达四川、云南、贵州。为广布种。成虫全身入药。

【形态特征】 独角犀金龟(彩图137),成虫体长35～60毫米,最宽处16～30毫米。两性形态差异较大。雄性体红棕色,有光泽,头上有1个粗壮的双分叉角突,分叉处渐向后上方弯曲,前胸背板明显隆起,表面刻纹细小而密集,中央有短而粗、端部似燕尾形分叉的角突。雌性体深褐色至黑褐色,体表被密集茸毛,额头顶部隆起,上有3个小丘形突,以中间1个更突出;前胸背板上的刻纹粗糙似皱褶,无角形突,中央前半部有"Y"形凹纹。两性的共同点是小唇基前缘侧端有齿形突,前胸背板边框完整。小盾片短宽呈三角形,有明显的中沟缝。翅鞘肩角外突,端突明显。腹部节间有皱纹及金黄色列毛,臀板短宽,两侧具毛及刻点。

幼虫头部及臀部腹面的形态见图2-39。

黑金龟成虫体长15～18毫米。头小,黑色,宽度约为前胸前板的1/3,前窄后宽,近三角形,基部为黑色,前部为褐色;头顶有不规则的颗粒状突起,中部2个较大。前胸背板宽大于长,前缘两侧向前上方伸出呈角状,后缘中央及两后角外突,外缘弧形,表面有密集的小刻点。翅鞘黑色,有金属光泽,上有由小刻点组成的深棕色纵纹10条。翅鞘前缘较直,两肩稍下斜,外缘直,后缘向内呈弧形,极似锹形。腹部腹面棕黑色,可见6节,末端稍裸露。

幼虫乳白色,头部赭黄色,足黄褐色,全身被黄褐色毛,尤以足上毛更密而长(图2-39)。

【生活习性】 独角犀金龟世代不详。成虫隐栖于倒木堆中,夜间出来活动,取食及寻找异性交配,产卵于腐殖质及朽木中。幼虫生活在朽木及潮湿的木屑堆、碎木垃圾堆中,老熟后在原生活环境作土与木屑混合的茧室中化蛹。成虫主要取食桑、榆、无花果等植物的嫩枝,也取食瓜类的花器。

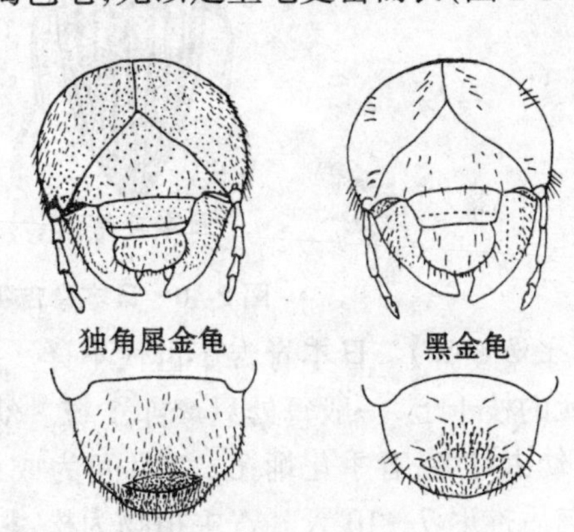

图2-39 独角犀金龟与黑金龟幼虫头部及臀部腹面形态

黑金龟属于偏南方种类,在广东1年发生1代。以幼虫过冬,翌年3月进入蛹期,成虫4月开始羽化出土,进入蔗田为害,8月为产卵盛期,9月大批幼虫出现。在广东、广西、海南主要危害甘蔗,也取食其他禾本科植物,以及腐殖质、粪肥等。

【采集与加工】 参考臭蜣螂。药用部分为干燥后的成虫全身,以雄虫为佳。

三十七、吉丁虫

吉丁虫包括日本脊吉丁 *Chalcophora japonica* (Gory),别名日本吉丁、铜色条纹吉丁;六星铜吉丁 *Chaysobothris affinis* Fabricius,别名六星吉丁、梨吉丁。日本脊吉丁主要分布于江苏、浙江、福建、安徽、江西、湖北、湖南、广西等地。六星铜吉丁为偏北方种类,分布于黑龙江、辽宁、内蒙古、河北、山西、山东、陕西、宁夏、甘肃、新疆、青海等地。成虫酒浸泡液入药。

【形态特征】 日本脊吉丁(彩图138),成虫体长约34毫米。身体长条状,中部变细,近似纺锤形,黑色,有金铜色条纹。头近三角形,宽大于长,头顶中央有深沟,两侧有刻点及不规则的直沟,沟内密生浅黄色短毛。前胸背板近方形,中央有较粗的黑色中脊,后缘中部向下突出。

鞘翅黑色，上有5条不规则、较光滑的纵隆线，各条隆线间有金黄色刻点。鞘翅缝缘中部内斜，后端呈锯齿形(图2-40)。

幼虫体长约60毫米，乳白色至乳黄色，头部黄褐色。头小，胸部膨大，腹部背板有较坚硬的疤痕，节间膜多皱褶。

六星铜吉丁(彩图139)，成虫体长13～15毫米。身体黑色，有紫铜色光泽。头近三角形，宽大于长，头顶中央稍内凹，复眼肾形，隆起。胸部背板较平坦，前后缘均较直。鞘翅上各有3个金黄色暗斑，斑呈圆形，各翅上有3条不明显的隆脊，脊间较光滑(图2-40)。

幼虫体长15～19毫米。头部黑色，前胸明显膨大，近椭圆形，后方有3条分歧的纵沟，中胸及后胸窄小，约与腹部等宽，腹部呈圆筒形，末节稍膨大，臀板色深，较坚硬。

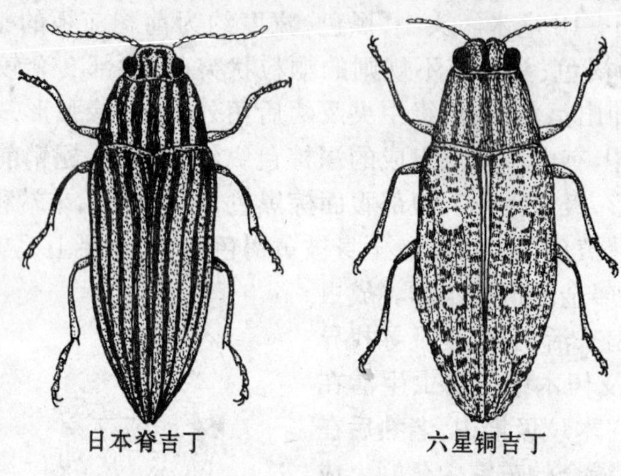

图2-40 日本脊吉丁、六星铜吉丁成虫的外部形态

【生活习性】 日本脊吉丁世代不详。成虫产卵于树皮缝隙中，最喜欢选择衰老或枯萎以及初死的枝干上，一般每处只产卵1粒。幼虫孵化后，先蛀入韧皮下，不久即穿孔于木质部危害，以幼虫过冬，春季化蛹，6～7月间为成虫盛发期。一般在阴雨天气较多的年份，各发育阶段都向后推迟7～10天。寄主植物为松、杉。

六星铜吉丁1年发生1代。以幼虫过冬，化蛹前蛀入木质部作蛹室化蛹。翌年化蛹，成虫7月中旬羽化。卵散产于树干偏下部的皮层内。幼虫孵化后蛀入韧皮内取食。

寄主植物为栎、梨、桃、枣、苹果、樱桃、杨、唐槭、五角枫等。

【采集与加工】 于7月份采集成虫，于寄主林中摇动树干，将落地的假死虫拾起，装入瓶中；也可在发生季节在马尾松林中寻找捕捉。将成虫浸泡在75%酒精中，每100毫升浸泡10只，半个月后使用浸液。

【养殖方法】 由于吉丁虫具有产卵分散、幼虫蛀入树皮下生活、1年发生世代少等特点。因此，人工养殖困难较多。医用虫体数量有限，可在发生季节采集，或结合保护树木措施，向护林员和果农收购，既满足了药材用量又兼治了害虫。

三十八、象　虫

象虫包括直锥象虫 *Cyrtotruchelus longimanus*(Fabricius)，别名竹象甲、竹笋蛆(幼虫)、蛀竹；一字象虫 *Otidognatus davidi*(Fimaire)，别名竹筒象虫、尖嘴竹猴。主要分布于江苏、浙江、安徽、福建、江西、湖北、湖南、陕西、四川、广西、云南等地。成虫及幼虫全虫入药。

【形态特征】 直锥象虫成虫体长18～34毫米，最宽处9～14毫米。身体两端窄。中部宽，似菱形，褐色至赭褐色。头小，半球形，黑色，背面有密集的刻点；喙粗壮，较直，短于前胸，基部粗，中部细，端部又增宽，似扁锥形。雄、雌喙有别，雄性喙端部背面两侧有2排小瘤状突，雌性无瘤突，两侧有呈直角的棱，中隆线不明显。前胸盾形，前缘变窄，后缘有窄隆线，基部中央有1个不规则的黑点。小盾片三角形，黑色。后胸前侧片宽，两侧平行。鞘翅的基部、肩角及中缝端为黑色，有纵行线纹，行间有不明显的小刻点(图2-41)。

幼虫体色乳白，有淡黄色光泽，头黄褐色，胸足不见，各体节有横皱纹多个，密布乳黄色茸毛。

一字象虫成虫体长17～18毫米，最宽处8～9毫米。身体红褐色，呈菱形。头小，半球形，有小刻点，喙细长呈黑色。雄虫喙较短而直，前部多半扁宽，背面有3行小瘤形突；雌虫喙长较弯曲，端部两侧有不明显的棱角。前胸背板前窄后宽，呈盾形，背面拱起，上面有圆形刻点，中线中段缺少。小盾片长腰三角形，黑色。鞘翅宽于前胸，长大于宽，表面1～5行纹呈细沟状，6～7行纹呈线形，各纹下列有黑色斑及短带(图2-41)。臀板外露，端部尖，中隆线及其两侧有黑色纵纹。

幼虫头污黄色，身体乳白色，各节有皱褶状小节多个，上被微黄色纤毛。胸足退化，只见疤痕。臀板色偏深，较光滑。

【生活习性】 直锥象虫在华南各地1年发生1代。以初羽化的成虫在蛹茧中过冬，翌年5月下旬成虫破茧出土。由于成虫寿命长，每年5～10月间都可采到成虫。寄主植物为青皮竹、粉单竹。

一字象虫在分布地区1年完成1代，以成虫在地下土室中过冬。成虫取食竹子幼笋，将笋梢蛀成小孔，产卵其中，幼虫孵化后蛀食笋肉。老龄幼虫随折断的嫩竹及空笋落地，钻入地下8～15毫米深处，筑土室化蛹。寄主植物为毛竹、刚竹、桂竹和淡竹。

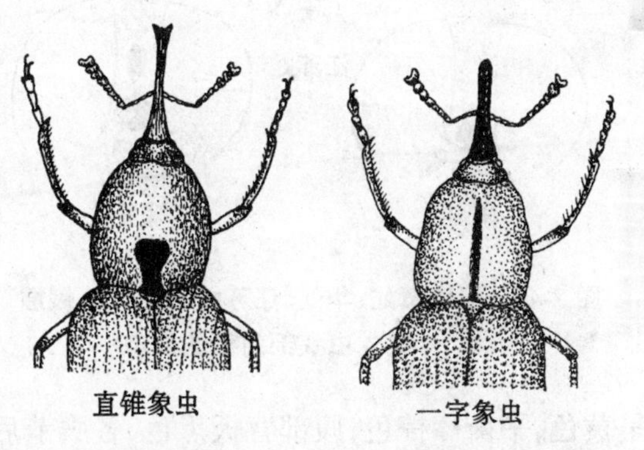

图2-41 直锥象虫与一字象虫身体前半部的形态

【采集与加工】 药用部分为成虫及幼虫全虫。利用成虫有取食竹子嫩梢及受惊即假死落地的习性，在成虫盛发期于竹林中震动当年生竹秆，成虫落地时迅速拣拾，用开水烫死，捞出晒干备用。剥开有伤疤或倒折的幼竹，取出幼虫，浸于白酒中备用。

这两种象虫在产竹区较易采到，故无养殖必要。

三十九、虻

虻包括双斑黄虻 *Atylotus bivittateinus* Takahasi，别名双斑华虻、复带虻；华虻 *Tabanus mandarinus* Schiner，别名中华虻、白斑虻、灰虻；江苏虻 *Tabanus kiangsuensis* Krolber；佛光虻 *Tabanus budda* Portschinsky，别名布虻；峨眉虻 *Tabanus omeishanenesis* Xu，别名峨眉山虻、虻

虫。主要分布于黑龙江、吉林、辽宁、内蒙古、宁夏、北京、河北、山西、山东、河南、上海、江苏、浙江、湖南、四川、陕西、贵州、福建、江西、广东、海南等地。以干燥成虫入药。

【形态特征】 双斑黄虻(彩图 140),雌成虫体长 13～17 毫米,体黄色;头部前额灰黄色,两胛距离较远,颚须浅黄色(图 2-42)。胸部背板及小盾片黑灰色,无条纹,翅透明,脉纹黄色,后翅演化成的平衡棒为黄色。足的颜色变化较大,多为黄色,有灰、黑色段;腹部污黄,第一至三节背板两侧有大块黄斑,腹板灰色,两侧有时也见黄斑。雄成虫体长 11～12 毫米;唇基浅灰色,具淡黄色毛,胸部灰色,腋瓣上金黄色毛稍长于雌性,腹部背板两侧上的大块橙色斑比雌性更明显。

华虻(彩图 141),雌成虫体长 16～18 毫米;身体灰黑,头上前额灰黄色,高为宽的 4 倍;基胛卵圆形,棕黄色,两侧与复眼分离(图 2-42);颚胸部背板灰色,有黑色纵带 5 条,直达后缘;翅透明,脉纹棕色,平衡棒呈黄色;腹部短宽,末端钝圆,背板 1～6 节中央有 1 排三角形白斑,两侧嵌有斜方形浅色斑;腹板浅灰色,中央有灰色条纹,端部有浅黄色窄带。雄成虫体长 17～20 毫米;复眼上半部 2/3 的小眼面大于下半部;腹部呈钝圆形,有的个体背板第一节两侧有浅棕色斑,第二节两侧的斑白色,大而明显。其他结构、色斑与雌性相同。

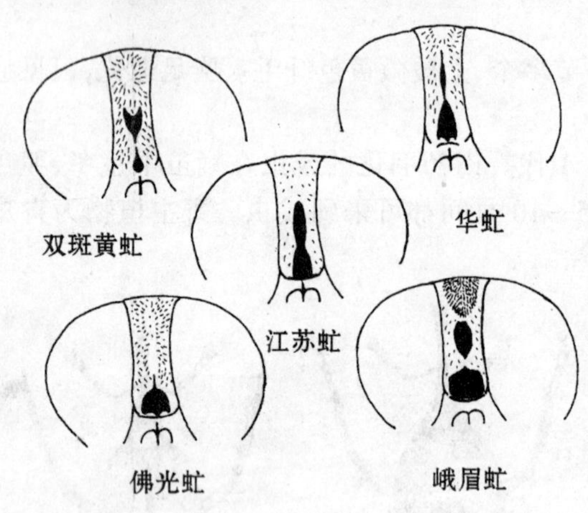

图 2-42 双斑黄虻、华虻、江苏虻、佛光虻、蛾眉虻成虫头部前额的形态

江苏虻(彩图 142),雌成虫体长 12～15 毫米;前额灰黄色,胛深棕色,颚须浅黄色,长约为宽的 3.5 倍(图 2-42),胸部背板黑色,有灰色纵纹 5 条,翅透明,脉纹棕色。平衡棒棕色。腹部黑灰色,背板中央有灰白色三角形斑,两侧嵌斜方形斑,各节后缘有灰白色横带;腹板灰色,有的个体第二、三节呈棕红色。雄成虫体长 12～14 毫米;头部复眼上半部 2/3 小眼面显著大于下半部;腹部末端细而尖,有的个体第二、三节背板棕红色明显,其他构造及色斑与雌虫相同。

佛光虻雌成虫体长 21～24 毫米;前额宽,有黄色粉斑,高为基部宽的 3 倍(图 2-42);胸部背板黑色,覆盖有黄褐色粉,上有 2 条灰黄色纵纹;前翅基部棕黄,翅膜透明,翅脉棕色,前缘室呈黄色,平衡棒棕色;腹部背板黑色,各腹节后缘有由黄色毛形成的横带,第一至第三节上的横带较窄。雄成虫复眼上半部 2/3 小眼面大于下半部,小盾片前半部呈橙色,其余部分与雌虫相同。

峨眉虻(彩图 143),雌虻体长 20～25 毫米;头黑色,额黄色,顶宽略大于基宽,额瘤长圆形,接近亚额,中瘤为额瘤的延续,稍超出额高之半(图 2-42);胸部灰黑色,具盾片及 5 条灰黄色纵纹;翅膜浅棕色,半透明,平衡棒棕黑色,腋瓣黑色;腹部棕黑色至黑色,第一至第六节背板后缘有黄色横带,第二至第六节背中线两侧呈淡黄色。本种的主要特征为口毛呈黑色。为山区常见种。

【生活习性】 虻的生活习性十分复杂,这里只作一般性介绍。虻 1 年发生 1 代(也有 2 代的)。因不同种类成虫出现时间有交替,自 5 月底到 8 月底均见有成虫活动,盛期为 6 月下旬至 7 月下旬。虻喜在高温强光下的白天活动,晴天的中午最活跃,喜飞翔,速度快,时速可高达

50公里，池边、水旁常见其踪迹。有些种类也喜傍晚活动。雌成虫有时也吸食花蜜，而主要是吸血。口器有很强的螫刺能力，能将牛、马、骡、驴、鹿和骆驼的坚实皮肤刺穿，吸吮其血液，有时也攻击其他动物与人。雄虫不吸血，交配后不久即死亡。雌虫产卵于水田、沼泽及池塘沿岸的植物叶片上，有时也产于岸边的岩石或土地上。卵期7～14天，孵化为幼虫后即潜入水底或岸边泥土中。幼虫期6个月以上，因幼虫的龄期难以测定，最少4龄，多者可达13龄，雄虫的龄期比雌虫少。幼虫纺锤形，前尖后圆，前端有1个尖而小的锥状头，身体乳白色，共分11节，末节上有一呼吸管。无明显的足（称有头无足型），身体靠体节收缩及体环的蠕动前后移动。

幼虫为肉食性，常以水中的软体动物及小型甲壳动物为食，同种间还能互相残食。幼虫老熟后，潜入较干燥的浅土层做一简易土室化蛹，约经10余天羽化为成虫。成虫期一般为20天至2个月不等。

【采集与加工】 药用部分为干燥雌性成虫，药材名虻虫。以经过交配、未经产卵的个体为佳。可在夏季成虫发生盛期，到牛棚、马圈及其附近，或正在叮咬牲畜时，用纱网捕捉。成虫初自蛹中羽化或产卵阶段，在水田、池塘岸边也较集中，也可捕捉。用牲畜干血粉诱捕成虫，也有收获。采到的雌成虫（同种间雌雄区别在于：雄虫为接眼式，即2个复眼的上半部紧靠在一起；雌虫为离眼式，2个复眼中间分开），应及时用开水烫死，迅速捞出控水，晒干，或用40℃左右的低温箱烘干，保存在干燥、防虫处备用。

【养殖方法】 从中药验方中看，虻的用量不大，一般内服方剂仅用1～3克。因此，野外采集已能满足需求，无须养殖，且捕捉虻有防止虻类传播牲畜疾病之效，人也可免受其螫叮之苦。

四十、大金头蝇

大金头蝇 *Chrysomyia megacephala*（Fabricius），别名大头金蝇、红头蝇、绿豆蝇、金头丽蝇。主要分布于黑龙江、吉林、辽宁、内蒙古、宁夏、甘肃、陕西、山西、北京、河北、山东、河南、安徽、上海、江苏、浙江、四川、湖北、湖南、江西、云南、贵州、福建、台湾、广西、广东、海南等地。以干燥老熟幼虫入药。中药名五谷虫。

【形态特征】 大金头蝇（彩图144），成虫体长8～11毫米。头部宽，顶部黑色；复眼大，占去头部的多半部分，深红色。额中条纹褐色，雌性两复眼距离远，雄性两复眼接近相连，二者界限清楚。胸、腹部绿色偏蓝，有紫色光泽。前胸气门黑色，中胸气门浅褐色。第一腹节及第二、三腹节后缘黑色。

老熟幼虫体长11～15毫米（伸缩性极强）。身体蛆形，乳白色，前端尖，末端截平，共分14节。头部1节，很小，似锥状，无眼。口孔为一纵裂缝，开口于腹面，常露在外的为口钩。胸部3节，自第一节开始向后逐节变细，第三节只有腹部最宽处的2/3，在第一节的两侧，有由气门室和指状突构成的扇状气门。腹部10节，平时只能见到8节，第一至第七节相似，体侧后方有侧板，表面有由小刺排列的环，具有伪足的作用。

蛹呈桶状，为围蛹，即蛹壳为第三龄幼虫皮收缩而成，蛹的颜色先由白逐渐变深，最后成为栗褐色。

【生活习性】 大金头蝇在室温18℃～26℃，相对湿度50%～80%的条件下，完成1个世代仅需14天。由于世代重叠，年世代难以计算。幼虫一生蜕皮2次，计3龄。1龄1天，2龄2～3天，3龄4天，蛹期7天。成蝇以6～8月份为盛发期。成虫一般喜欢在室外活动，室内也常见到，喜食有甜味的腐败瓜果，更贪食新鲜粪便及腥臭物质。幼虫主要孳生在稀人粪、垃圾、腐败物质中，取食粪便及腐烂物质。也有在牛、马骨堆及腐败的动物尸体中生活的。幼虫老熟后潜入厕所及粪坑附近的土表下化蛹，以蛹过冬。越冬蛹在土中深度可达 10 厘米左右。

【采集与加工】 药用部分为干燥老熟幼虫。于秋季天气稍凉爽时，自稀粪坑中用网捞出，装入布袋，在清洁的流水中冲洗干净，至粪渣及杂物全部洗除干净后，连同布袋投入沸水中，烫死后即提出，摊开晾干或在 40℃ 的干燥箱中烘干，降温后装在布袋或纸盒中置于通风、防潮、防虫蛀、防鼠处，保存备用。

四十一、大华丽蜾蠃

大华丽蜾蠃 *Eumenes petiolata* (Fabricius)，别名南方蜾蠃、黄丽蜾蠃。主要分布于广东、海南、广西、云南、福建等地。成虫全体入药。

【形态特征】 大华丽蜾蠃(彩图 145)，雌虫体长 24～26 毫米，头黄色，高大于宽，正面观似三角形。胸部椭圆形，前胸背板基部平截，黄色并有黑斑及刻点；中胸背板椭圆，前部黄色，中间有黑色细纵脊，后部黑色。前小盾片矩形，前大部分为暗褐，后部为黑色；后小盾片宽大于长，呈黑色。胸、腹节由基部向端部向下倾斜度较大，中间有纵沟，端部两侧的角状突明显。腹部第一节由基部向端部逐渐变粗，呈柄状，两侧瘤明显，暗褐色，腹板末端尖，黄色，中部隆起处色深。雄成虫体型小于雌性，体长 22～24 毫米。腹部第四节以后各腹板两侧有圆形黑斑 1 个，2 节背板基部全黑色或变为 2 个棕色侧斑(图 2-43)。

图 2-43 大华丽蜾蠃成虫背面斑纹形态

【生活习性】 世代不整齐。日间活动飞翔，肉食性，以捕捉小型昆虫为食，尤以小型鳞翅目幼虫为最喜食，并作为育儿饲料。雌蜾蠃将要产卵时便开始衔泥建巢，有的巢筑为单室，也有的筑多室外加保护罩的泥巢，有的在竹管内做巢。一般 1 室产下 1 粒卵，将卵的一端粘着在室壁上，产下卵后，便在自然界捕捉昆虫幼虫，经蜇刺麻醉后携回室内贮存，1 室中少者七八条，多者可达二三十条，食物塞满育儿室后，即用泥将巢口封死，再建室产卵，重复上述过程。室中的卵孵化后，即取食室中幼虫。蜾蠃幼虫经过蜕皮、老熟化蛹的全变态过程，然后咬破巢室，飞离巢址，又开始下一代的生活。可捕食多种昆虫幼虫，而以鳞翅目小型幼虫为主。

【采集与加工】 药用干燥成虫全体，药材名蠮螉，夏季盛发期捕捉，烫死后晒干，保存在通风、无虫、干燥处备用。也可用烫死后的成虫放入锅内加黄米微火同炒，至米黄、虫干取出，研末保存备用。

【养殖方法】 可参考胡蜂养殖方法，但引种及过冬保种较困难，而且此蜾蠃有不占旧巢习性，人工模拟其巢引诱居住是否可行，还要探讨。

四十二、胡　蜂

胡蜂包括黑尾胡蜂 *Vespa tropica ducalis* Smith，别名热带胡蜂；斑胡蜂 *Vespa mandarinia* Smith，别名金环胡蜂、穴胡蜂、牛角蜂；大胡蜂 *Vespa magnifica*（Smith）。主要分布于黑龙江、吉林、辽宁、河北、山东、湖南、浙江、四川、江西、福建、台湾、广东、海南、贵州、广西、云南、西藏等地。蜂巢及全成虫入药。

【形态特征】　黑尾胡蜂（彩图 146），雌蜂体长 24～36 毫米。头橘黄色，有稀而浅的刻点，宽略窄于胸。前胸背板棕色，呈截状；中胸背板黑色，前缘有刻点组成的细线，中央两侧各有 1 块棕色条形斑，中后胸背板全黑色。小盾片棕黄色，端部下斜。并胸腹节黑色，后方色稍浅。翅半透明，膜质，呈棕色。腹部第一节前半部红褐色，后半部及第二、三节后面呈黄色，第一、二节中部有黑纹，第二节黑纹中间断开，第三节前缘及第四、六节为黑色（图 2-44）。雄蜂体型大小及色斑，大致与雌蜂相同，明显的差别在于胸部棕色斑多些，各足基节外侧呈棕色。

斑胡蜂（彩图 147），雌蜂体长 30～40 毫米，全身大部分为橘黄色。头部窄于胸部。前胸背板黑色，前缘中央突出，两侧黄色，中胸背板黑褐色。小盾片黑褐色至黑色，后小盾片黑褐色，有的个体两侧各有一点状棕色斑。翅基片棕色。腹部背板棕黄色与黑褐色相间，第六节的背腹板为橙黄色，第一至第五腹板黑褐色，其中第二至第五节的端部有棕色窄带，各节表皮较光滑，被棕色毛（图 2-44）。雄蜂体长 32～35 毫米，除体表棕色毛较密并有棕色斑外，其余部分均近似雌蜂。

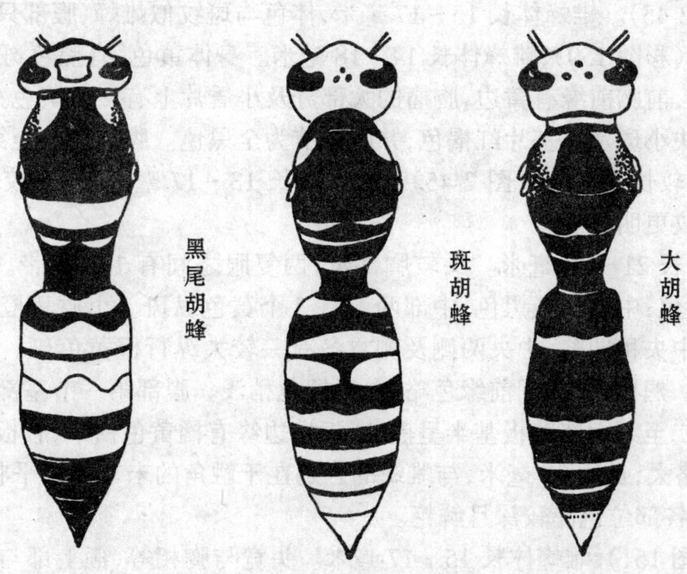

图 2-44　黑尾胡蜂、斑胡蜂、大胡蜂成虫斑纹形态

大胡蜂（彩图 148），雌虫体长 25～35 毫米。头棕色，两复眼间的头顶处隆起。前胸背板两侧及中胸背板前方有 2 个褐色斑；小盾片和后小盾片隆起，长方形，中部有陷沟，小盾片向下。翅褐色。腹部光滑，圆筒形，第一至第四节后缘黄色，第六节全为黄色（图 2-44）。有时胸部呈黄棕色，有时呈棕赭色，体毛多为黄白色或金黄色。职蜂体小，雄蜂体态似雌蜂，但腹部为

7节。

【生活习性】 参阅马蜂的生活习性。

【采集与加工】 药用部分为蜂巢(蜂房)及干燥成虫。采后晾干,存放于防虫蛀器皿中保存备用。

【养殖方法】 参阅马蜂养殖方法。

四十三、马　蜂

马蜂科 Polistidae 又名长脚蜂科,因其飞翔时6足伸出,呈下垂状而得此科名。我国古称为露蜂,因其巢裸露于树木枝条或屋檐下,又称露蜂房。本科特征与胡蜂科近似,体躯较纤细,腹柄短,腹部呈纺锤形,后翅有臀叶(胡蜂科缺),足细长,可与之区别。

马蜂包括中华马蜂 *Polistes chinensis* Fabricius,别名华黄蜂;黄星长脚马蜂 *Polistes mandarinus* Sassuer,别名柑马蜂、大黄蜂、黄星长脚黄蜂;约马蜂 *Polistes jokahamae* Radoszkowski,别名长脚黄蜂、黄蜂;台湾马蜂 *Polistes formosana* Sonan,别名台湾黄蜂。分布于黑龙江、吉林、辽宁、河北、山东、江苏、浙江、福建、江西、广东、台湾、广西、湖南、四川、贵州等地。干燥蜂房入药。

【形态特征】 中华马蜂(彩图149),雌蜂体长14~18毫米。头宽窄于胸部。前胸背板前缘中部及后缘为黄色,中胸背板黑色,后胸侧板黑色,上下各有1块黑斑。小盾片黄色,有棕色斑纹,后小盾片基部黄色,端部呈棕色,纵带侧有黄斑。腹板棕色,端缘黄色,第三至第六节背板及腹板黑色(图2-45)。雄蜂体长15~17毫米,体色与斑纹似雌蜂,腹部只见第七节。

黄星长脚马蜂(彩图150),雌蜂体长14~18毫米。身体黄色,有黑色斑纹。头黑色,稍窄于前胸。胸部黑色,前胸前缘有黄边,胸瘤的大部分及小盾片上有2个黄色大斑;中胸黑色,无斑纹;后胸上的2块小斑及翅基片红褐色,并胸腹节为全黑色。腹部第一至第五节后缘及第六节为橙黄色。胸足较长,赭黄色(图2-45)。雄蜂体长13~17毫米,体色较雌蜂鲜艳,光泽亦强,身体各部位斑纹更明显。

约马蜂雌蜂体长21~25毫米。头较胸部宽,两复眼之间有1条黑带。前胸背板前缘切状,肩角明显,橙黄色;中胸背板黑色,中部两侧有2个黄色纵斑。小盾片橙黄色,呈矩形。并胸腹节斜向下方,中央稍凹陷,中央两侧及侧方各有一较大纵行橙黄色斑。后胸侧板较窄,黑色,翅基片橙黄色。翅棕色,前翅前缘色略深,后翅色稍浅。腹部第一节基部半黑色,近基部两侧各有一黄斑,第二至第六节背板基半呈黑色,近端边缘有橘黄色横带,腹板色斑近似背板(图2-45)。雄蜂体型略大,长约25毫米,与雌蜂的区别在于触角的末节呈扁平状,唇基扁平,腹部7节,末节长而尖;各部位色泽较深且鲜艳。

台湾马蜂(彩图151),雌蜂体长15~17毫米。头宽与胸相等,额上部与颅顶部呈橙色,下部与颊部为黄色。胸部黄色,各骨片缝呈黑色,中胸背中央及并胸腹节两侧为黑色。前翅前缘色略深。腹部第一节背板基部、第二节背板及腹板基部为黑色,其余各节背板及腹板均为黄色(图2-45)。雄蜂的体色斑纹都与雌蜂相似,腹部为7节。为捕食性蜂类。

【生活习性】 成虫喜营巢于灌木丛中的茎或枝条上,巢型不大,一般为单层,偶尔见有双层的。先由雌蜂营巢后,逐渐繁殖至几十只到百来只小群。11月间成虫迁到居室中或屋檐下的缝隙中过冬,翌年4月间开始活动取食。为捕食性种类,以捕食鳞翅目幼虫为主。

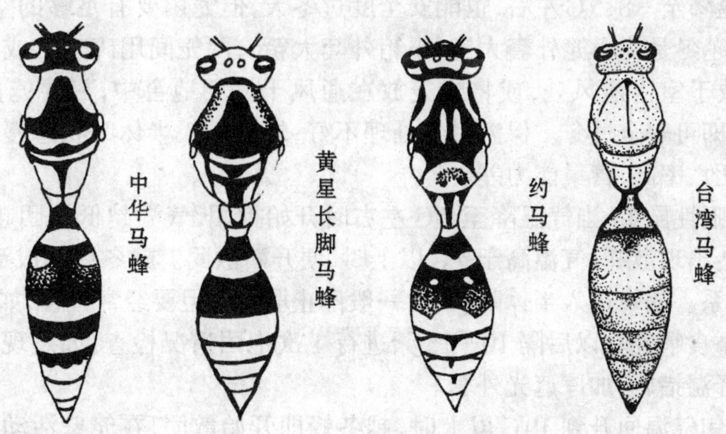

图 2-45 中华马蜂、黄星长脚马蜂、约马蜂、台湾马蜂成虫背面斑纹形态

胡蜂和马蜂因种类不同，可 1 年发生 1～3 代。因世代有重叠，在巢上很难分清成蜂是哪一代的。以受精雌蜂过冬。当气温降至 17℃时开始离巢，至 12℃以下时，大多在 10 月上中旬即全部离开原巢，迁飞到石洞、村舍空房及其附近的牲畜棚内的墙缝、土缝，场院的柴草、作物秸秆堆内抱团过冬。翌年春季气温回升至 14℃时，即开始散团活动，称为出蛰。至 4 月中下旬气温达到 17℃以上时，开始离群，并选择有利地点筑巢产卵。巢的雏形及少量巢室由雌蜂建造，以后由不断繁殖的职蜂向四周扩展增大。巢似伞形，半开放式，每巢可由数十至百余个巢室组成。

胡蜂巢多为木质，如朽木、树皮等，巢型较大，常筑巢于破旧房檐、木结构桥梁下，也有筑于土穴、树洞及树冠枝条上的。巢形半圆或椭圆，四周封闭，只留有进出通道。巢内结构为塔层式。建于土穴或树洞中的，冬季有不离巢现象，如洞中仍有容量，翌年则在旧巢上继续扩大巢体。

【采集与加工】 胡蜂和马蜂用作药材的为干燥蜂巢，中药名称为露蜂房（彩图 152）。秋后蜂群离巢后即可采收。以当年新巢为佳，因老巢常遭多种蛀食昆虫寄生，而使巢体破损，失去药用价值。采回的蜂巢尽快晒干，将巢室中的死蜂倒出，整体或切段放于干燥处保存，马蜂的幼虫亦入药，药材名大黄蜂子。

【养殖方法】 饲养马蜂、胡蜂的关键技术是冬季保护雌种蜂（雄蜂冬前即全部死亡）安全度过冬季，春季引导其早筑巢、多筑巢。

于 9 月底至 10 月初，胡蜂开始脱离旧巢，迁移到隐蔽场所，群集过冬，此时是收集群蜂的适宜时期。夜间趁蜂群不活动时，用捕虫网收集，置于用铁纱或木制的蜂笼中，33 厘米见方的蜂笼可放入 300～500 只。将蜂笼用黑布遮光，放在干燥、通风、不受干扰的室中，使其安全进入冬眠状态，减少其体内营养的消耗，以免造成死亡。为避免蜂群脱巢后不易寻找，也可提前于 9 月中旬在原巢上收集。后放入笼式箱中，在笼底投放熟透的苹果、桃和青菜。中午气温高时，在阳光下晒 3～4 小时，使其活动并取食，这样虽推迟了半冬眠期，由于增补了营养，仍能安全过冬。

马蜂、胡蜂在人工控制下越冬可采用低温越冬和保温越冬两种方法。低温越冬可将胡蜂放入蜂笼（或蜂箱）内，外用厚黑纸或黑布作遮光套，挂在无鼠害和无其他天敌的通风、无干扰的房中，即使气温降至 -8.5℃左右，也能安全度过冬天，但笼内要有足够的空间，而且要保持笼内干燥。保温越冬是将小笼外套大笼(小箱外套大箱)，两笼间用碎麦秸或棉花等保温材料填充，并将蜂笼放于室内避风处，或将蜂笼放在通风干燥的地窖中，只要笼内温度能保持在4℃～10℃之间，即可安全过冬。保温过冬处理不好，蜂群进入半休眠状态慢，散蜂多，体内能量消耗多，冬后死亡率高，营巢能力差。

胡蜂为半冬眠性昆虫，当气温降至 5℃左右时开始抱团，气温越低抱团越紧，气温稍高则抱团松散，外层会出现散蜂；气温高于 7℃以上时，便开始散团。越冬后的成活率高低，与抱团好坏有着密切关系。胡蜂进入半休眠状态，一般停止取食。但要经常检查，如笼底无新鲜粪便排出，则不需再添食喂养。以后隔 10～15 天进行 1 次抱团情况检查，如发现有散蜂在团外爬动，应及时采取降温措施，加厚遮光外套。

翌年 3 月上旬气温回升到 10℃以上时，越冬蜂即开始散团，在笼壁活动。此时应立即投放苹果、糖蜜、糖拌馍等饲料(最好能提前培育蝇类成虫，或喂以鲜猪肝等肉类饲料)进行人工喂养。早春气温变化无常，应注意保护，喂养到 4 月中旬，笼内蜂振翅活动一段时间后，才可放蜂出笼，置于蜂棚中。蜂棚的大小视采收的蜂巢多少而定。蜂棚可利用大型玻璃温室、大型厂房，如准备长期营业性饲养，可建造专用育蜂棚(图 2-46)。蜂棚是用铁、木做支架，铁窗纱做围网，面积在 100 平方米左右，高约 2 米。棚内种植棉花、大豆、玉米等易于接入昆虫生存的作物。棚的一面留有管理人员出入的纱门。棚中要悬挂盛蜜水、水果、瓜皮等饲料的小盘，使蜂能自由活动和取食。

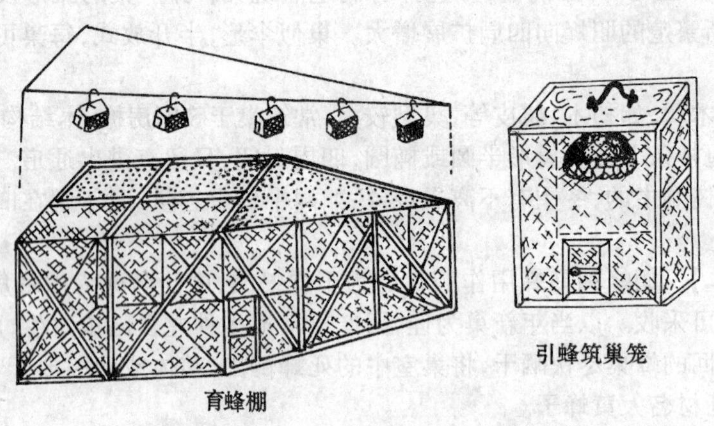

图 2-46　马蜂和胡蜂的饲养设备

气温稳定在 17℃以上时，蜂即进入寻找筑巢产卵的阶段，应随时观察，见有蜂在棚顶及四周纱网上时飞时停，要及时将蜂笼挂在棚顶各处。由于育蜂棚中人工设置的蜂笼是遮光、避雨、挡风的适宜筑巢地点，蜂便很自然地飞入笼中筑巢，此时的蜂称为后蜂(即母后之意)。后蜂经过短暂的适应，即在笼顶清理巢基。这时饲料盘中应添加糖、蜜成分，便于蜂用来建造牢固的巢柄。巢柄建成，便连续建造巢室，也要在蜂棚内放上些腐朽木材，棚壁纱网上挂些废纸条(以糊窗的绵纸或草纸最好)，供蜂取用。第一个巢室建好后，后蜂便在巢室近底部侧壁上产下 1 粒带有短柄的蜂卵，边建巢边产卵，并经常将头钻入巢室内，探测卵的发育情况，直到卵粒依次孵出幼虫。随着巢体不断扩大，幼蜂不断增加，后蜂的工作量也在加大，此时要特别注意供应饲料。第一代幼虫经蛹期羽化为成虫后，扩大蜂巢面积及增加巢室的工作则由它们(均为雌蜂)承担,原来的那只后蜂仅负有产卵的责任。此时的蜂巢上已有了很多的卵、幼虫及蜂蛹,成蜂便会因恋巢而不再弃巢飞离。如蜂棚中饲料不足,可将棚的向阳一面的窗纱上半部掀开,使成蜂出棚觅食。

经过约 5 个月的饲养管理后,蜂笼(箱)中的巢型一般可达到直径 10 厘米以上,成蜂百余只。天气渐冷,雌蜂停止产卵,蜂巢室内的蛹将羽化完时,即可将笼门关闭,防止成蜂离巢,并将蜂笼收回。利用夜间蜂群安静时,将蜂笼倒放,待蜂群爬向上方离开蜂巢时,便可摘取蜂房,去除尚未羽化的残蛹,挂在通风干燥、无虫、无鼠处晾干,备作药用。

蜂群旺盛时,还可提取蜂毒,其药用价值更加昂贵。

四十四、蜜　蜂

蜜蜂包括中华蜜蜂 *Apis cerana* Fabricius,别名东方蜜蜂、中蜂;意大利蜂 *Apis mellifera* Linnaeus,别名意蜂、西方蜜蜂。分布于全国各地。蜜蜂所酿造的蜂蜜及其分泌物、建巢物质入药。

【形态特征】　中华蜜蜂(彩图 153),雄蜂体长 12~15 毫米。体黑色,全身被黑褐色毛,并间杂有白色毛。复眼大,在头顶上方,两眼接近。

蜂王体长 13~16 毫米,腹部暗褐色,各节间黄色,或腹部黑色,各体节深黑色。

工蜂体长 11~13 毫米,全身被黄褐色毛。唇基中央隆起,有三角形红色斑(图 2-47)。胸部小盾片隆起,呈黄色。胸足橙黄色,后足胫节三角形,扁平无距,跗节宽而扁平。前翅浅褐色,有 3 个亚缘室。腹部第三、四节杏黄色,第五、六节色较深,各节上有黑色环形带。

意大利蜂(彩图 154),雄蜂体长 14~16 毫米,蜂王体长 16~17 毫米,工蜂体长 12~13 毫米。意蜂的外部形态与中华蜜蜂大致相同,只是体型稍大,主要区别在于唇基片为黑色,也没有红斑;后翅中脉不分叉(图 2-47)。

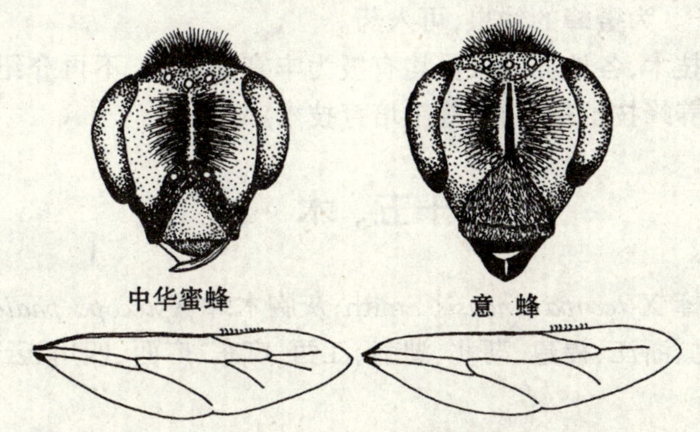

图 2-47　中华蜜蜂和意蜂工蜂头部及后翅脉纹形态

【生活习性】　中华蜜蜂雄蜂、蜂王、工蜂生活于同一巢中,以 1 个群体为一生存单元,生活中的"劳动"分工极为明确。蜂王专司生育产卵;雄蜂专司交配,交配后即完成一生的使命而死亡;工蜂为性不发育的雄蜂,专司筑巢、采蜜、酿蜜、喂育幼虫、清洁巢室和调节巢内温、湿度。

工蜂筑好巢后,蜂王即将腹部伸入,产 1 粒卵,经 3~4 天孵化出 1 只幼虫。幼虫经工蜂喂养 4~5 天,即进入老熟期,工蜂即用筑巢材料将巢室口封闭,再经 11~12 天的预蛹期及蛹期,羽化为成蜂，用大颚咬破巢室封口而出巢。中华蜜蜂群体能充分利用生理功能和职能上的分工，形成耐热、抗寒和抗病等能力。

意大利蜂生活习性与中华蜜蜂相同。

【采集与加工】 蜜蜂的多种产品可以入药，需分别采集加工。

蜂蜜：当大部分蜂脾已贮满蜜，巢室已有1/4封口，为最佳取蜜期。可用离心法取出原蜜，经过滤去杂，即可供食用。再经加工精制即得药用蜂蜜。

蜂毒：又名蜜蜂毒素。目前多采用电刺激取毒。将取毒器置于蜂箱出入口处，当蜜蜂通过箱口时，触及电网，因受到电的刺激，就蜇刺取毒器下方的蜡纸，将蜂毒排于蜡纸上。蜂拔出蜇针后，身体不受影响，并能继续工作。收集到一定量的毒素时取下蜡纸，用注射用水洗下蜂毒液，制成注射剂或再经离心干燥备用。

王浆：又名蜂乳、王乳、蜂皇浆、乳浆等。是工蜂咽腺分泌的用于喂蜂王幼虫的特殊营养物质。在人工蜂杯中移入蜂王幼虫后的48～72小时内，应及时检查，如发现蜂杯已被工蜂改建成王台（略高于其他巢室），而且王台内的幼虫也已长大，便可用镊子取出蜂王幼虫，再用牛角或竹制小匙（切忌用金属匙），轻轻挖出王浆，放入经洗净消毒的有色小玻璃瓶中密闭保存。为避免高温、光照及空气氧化，应置于4℃以下的黑暗处。

蜂蜡：又名蜜蜡。是蜜蜂的分泌物。取蜡时，先将取过蜜的蜂巢放入开水中，熔化后除去泡沫及杂质，趁热过滤，使其自然冷却，将浮于水面的蜡层取出，即为黄蜡；再经熬炼、脱色等加工后，即为白蜡，入模成型备用。蜂蜡质地较硬，但手搓即软化，可塑性强，只能溶于有机溶剂中。

蜂胶：是工蜂分泌的一种粘性物质，用来弥补箱内缝隙，涂抹蜂房，封闭箱内异物。可在检查蜂群时，用刮刀在箱壁收集，趁软捏团，用蜡纸包严防硬，放阴凉处保存备用。

蜂房：又名蜂脾、蜂巢。鲜用可随时采割。干用可于秋季采收，烧至存性研末，装瓶密闭备用。

蜜蜂子：又称蜂子。为蜜蜂的幼虫，可入药。

有关蜜蜂的饲养技术，各地养蜂人员均有极为丰富的经验，不再介绍，可参阅金盾出版社出版的《养蜂技术》、《养蜂技术指导》、《蜂王培育技术》等书。

四十五、木　蜂

木蜂包括中华木蜂 *Xylocopa sinensis* Smith；灰胸木蜂 *Xylocopa phalothorax* (Lepeletier)。主要分布于辽宁、河北、浙江、福建、湖北、湖南、江西、广东、广西、四川、云南等地。成虫全体入药。

【形态特征】 中华木蜂（彩图155），雌成蜂体长25～26毫米，雄成蜂体长24～25毫米。雌体以黑色为主。头宽稍大于长，额脊明显。中胸有明显的中盾沟，小盾片后缘及腹部第一节背板前呈垂直状斜向下方，无脊形隆起；胸部被有长而密的黄色毛。各胸足胫节及跗节被黑色毛；后足胫节基板顶部分叉，不尖锐，有较长黑毛覆盖。翅褐色，有紫色光泽，顶角处色较深。腹部各节背板上的刻纹深，第一、二、三背板两侧有较密的黄色长毛。雄成蜂除体型略小外，与雌蜂的主要区别在于体被黄色长毛，唇基中央、端缘、上颚基部及额上都有黄斑，胸足胫节及跗节均有黄色至黄褐色毛。

灰胸木蜂(彩图156),雄成蜂体长23～25毫米,雌成蜂体长21～23毫米。体黑色,头部除颅顶外均有较密集的刻点。中胸背板中央光滑,有光泽,中盾片可见。后足胫基板不显著。翅膜质,有紫色光泽,前翅有3个亚缘室。腹部各节背板及足均被黑色毛,尤以第五、六节上的毛更长。

【生活习性】 中华木蜂喜在桃、向日葵、长春花、大丽花、海棠上采粉。灰胸木蜂喜在芝麻、荆条、丝瓜、野茄子、龙葵上采粉。

【采集与加工】 成蜂全体入药,以雌蜂较佳。夏秋捕捉,用开水烫死,晒干,置于通风防虫处备用。

四十六、蚂　蚁

蚂蚁是所有蚂蚁种类的简称。目前作药用的多为体型大、巢群个体多、易捕捉的。包括大黑木工蚁 *Camponotus japonicus* Mayr,别名日本弓背蚁;黄蚂蚁 *Dorylus orientalis* Westwood,别名东方矛蚁;黄猄蚁 *Oecophylla smaragdina* Fabricius,别名红树蚁、黄柑蚁、织叶蚁;双齿多刺蚁 *Polyrhochis dives* Smith;鼎突多刺蚁 *Polyrhochis vicina* Roger,别名黑刺蚁;红蚂蚁 *Tetramorium btcarinatum* (Fabricius),别名竹筒蚁。分布于福建、江西、湖南、广东、海南、广西、贵州、四川、云南等地。以蚁体入药。

【形态特征】 大黑木工蚁(彩图157),雌蚁体长15.4～15.9毫米,头小,有短而稀疏的竖毛。中胸发达,并胸腹节斜面长为背面的3倍。腹柄结宽,后腹部粗大,有较稀而直立的短毛。其余部分与工蚁相同。

雄蚁体长9.66～9.68毫米。头及单眼、复眼似雌蚁,上颚窄,有2个齿,后腹细长。其余部分与工蚁相同。

工蚁体长相差较大,体长7.36～13.8毫米,分为大、中、小3个类型,体均为黑色,有些个体的颊前部、唇基、上颚和足呈红色。上颚有5齿,触角距唇基较远。头及并胸腹节上有稀疏的黄色斜生毛,并胸腹节背面呈长弓形,腹柄节似鳞片形,顶部圆。后胸腹部密生斜生毛间混杂有倒伏毛(图2-48)。

黄蚂蚁的工蚁分为大小两种体型。小型的体长2.5～3毫米,身体呈蜜黄色,后头不凹陷,额部无中纵沟,结节为圆形;大型的体长5～6毫米,身体栗褐色,头部近长方形,长大于宽。头及胸部有刻点。胸部近似长方形,前胸与中胸间有隘缝。腹部扁平,颜色浅于头部,腹部长是胸及腹柄之和(图2-48)。

雄蚁体型较大,体长17～23毫米,黄褐色。头部宽大于高,近似横形。胸部发达,近似球形,背部隆起,结节近方形,其上方突出。

黄猄蚁(彩图158),雌蚁体长15～18毫米。形似工蚁,头宽大。并胸腹节粗壮,中胸背板发达,腹柄结短,体色青黄。

雄蚁体长6～7毫米。头小,上颚窄,起咀嚼作用的边齿不明显,触角13节。体棕色,密被红褐色纤毛。

工蚁常见有大小两种体型,小者体长7～8毫米,大者可达9.5～11毫米。体色多为锈红色,也可见有橙红色的,有较弱的光泽,全身有纤毛。头大而宽,下颚须短,上颚长,咀嚼边宽,端齿弯曲,触角着生部位距唇基后缘较远。并胸腹节长,背板圆球状,前胸背板前半部细,呈颈状,中胸缩短,侧观呈马鞍形。足细长,善于奔走(图 2-48))。

双齿多刺蚁(彩图 159),雌蚁体长 8.62～9.77 毫米。头小,有单眼 3 个,唇基前缘中央凹入。前胸背板上的刺短,并胸腹节上的刺比工蚁稍短,其余部位很似工蚁。

雄蚁体长 5.8～6.5 毫米,头小于雌蚁,单眼及复眼大于雌蚁,触角 13 节,脊相距较窄。并胸腹节及腹柄结不具刺或突起,其余部位似工蚁。

工蚁体长 5.28～6.3 毫米。体黑色或黑褐色。头宽于前胸背板。前胸背板前侧角及并胸腹节背板上各有 2 个直立的长刺。前胸背板刺向前外方伸出,端部略下弯。并胸腹节背板刺直立,向两侧分开,端部下弯。腹柄结顶部两侧角各具一弯向后腹部的长刺,刺之间有 2～3 个小齿,是本种的主要特征。后腹部短,全身密被浅黄色纤毛(图 2-48)。

鼎突多刺蚁(彩图 160),工蚁体长 4～5 毫米。全身黑色,被有密集的赭黄色贴体毛。头短而宽,表面有细皱褶,两颊外突,唇基中央有脊突,前缘外突。胸部圆,背板隆起,前胸刺向前外方下弯,呈弧形钩;后胸刺向后方直伸,端部不弯曲。腹柄结高,前方扁成截面状,后方突出,左侧角及右侧角各具 1 根随体形而弯曲的刺,左右刺之间有 3 个钝齿,1 前 2 后成鼎形排列,故名鼎突多刺蚁(图 2-48)。

红蚂蚁工蚁体长 3～3.5 毫米。头锈红色,呈矩形,后缘明显,头顶有纵行细纹,纹间有网形纹。胸部赭红,腹部赭褐色,自胸部向后各体节颜色依次变淡,腹部后缘黄色(图 2-48)。

雄蚁体型小,雌蚁体长可达 5～55 毫米。

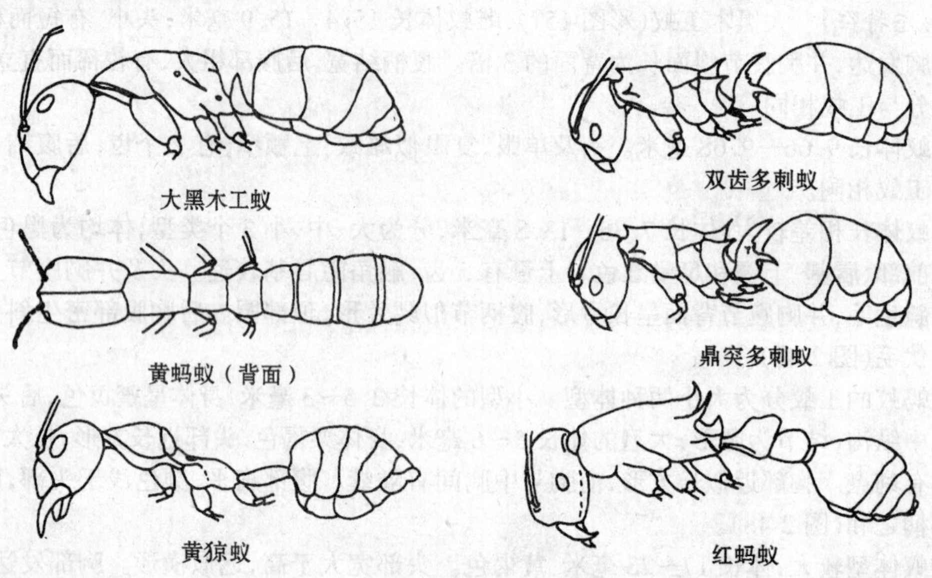

图 2-48　六种蚂蚁胸、腹部形态

【生活习性】　大黑木工蚁在地下 36～104 厘米深处筑巢。巢口周围有用土粒或蚁粪堆成的火山口形或中间尖的土冢。巢中春夏秋三季均有卵、幼虫(茧)、蛹、成虫,冬季则缺少卵和蛹态。秋季产生有性蚁度过冬天。越冬后春末夏初有性蚁出洞婚飞,交配后雄蚁不久即死亡,雌蚁脱翅后选择场所筑巢,繁殖新的蚁群。婚飞、交配、脱翅、筑巢等活动,一般是在雨后的闷热天气进行,在 2 天时间内完成。此蚁喜在地表裸露、土质松软的环境中营巢。大黑木工蚁年发生世代的多少目前尚不十分清楚,工蚁的寿命可长达 1～2 年,同一巢中常有世代重叠现象。

在发生地区，正常气温条件下，卵期 16～19 天，幼虫期 10～28 天，预蛹期 6～7 天，蛹期为 14～19 天。此蚁为植、肉食性类，常以多种同翅目昆虫的排泄物、植物腺体分泌物及伤疤外液为液体饮料，可猎食小型节肢动物，特别是鳞翅目昆虫。

黄蚂蚁为植食性蚁类，常在田埂、地边、草根或石块下营巢，雨天后洞口常见有丘状细土堆。主要以马铃薯、花生的地下茎块，以及柑橘、椰树、菜蔬和菊科植物的根为食。雄蚁常于雨前气温高、气压低的条件下出巢飞舞，有较强的向光性。

黄猄蚁在枝叶茂密的树上筑巢(彩图 161)。巢由幼蚁吐丝将树叶连缀而成，故有织叶蚁之称。小巢为椭圆形，直径只有 6～10 厘米；大巢为圆形，直径可达 30 厘米以上。巢的外壁紧密，呈灰褐色，只留有几个供工蚁出入的口。一巢中有不同虫态的个体 3 000～8 000 个。在巢周围的枝叶枯萎或巢受损、老巢中的群体过大时，则迁移到他处另建新巢。由于在黄猄蚁分布范围内无明显的冬季低温现象，因此，同巢中四季均有完整的群体结构，世代重叠。主要为日间活动，夜间也有分散活动的现象，但行动缓慢，且不远离巢体。气温 20℃以上的晴天外出频繁，气温越高越活跃。气温低于 13℃时活动缓慢。树冠较大或经搭桥串树，取得足够食物时，一般在树上活动；食物不足时，也常顺树干下树，到数十米外觅食，活动路线很有规律，捕获猎物后，即群力拖回巢中，很少就地分食。为杂食性，以同翅目昆虫的分泌物及小型节肢动物的各虫态为食，成为多种害虫的天敌。

双齿多刺蚁多筑巢于树上，筑巢材料为树叶、杂草等，由丝状物或胶状液粘连筑成。少数筑巢于地面草丛间、石块下。巢呈椭圆形，大小差别很大。一般巢长 10～40 厘米、宽 7～20 厘米。每个巢内可容纳数千至四、五万只不同发育阶段的个体。当同一巢中个体数量达到一定程度或巢体大到树冠枝条不能承受时，会自行分巢，1 个蚁巢 1 年可分出 7～9 个新巢。夏季暴雨常使巢穴受损，筑巢活动在雨后最为频繁，工蚁成群结队寻找筑巢材料。在正常情况下，卵期为 15～17 天，幼虫期 23～25 天，蛹期(包括预蛹期)为 13～15 天。完成 1 个世代需时 50～60 天，时间长短取决于幼蚁受工蚁饲养程度(主要是食物来源及气候条件)。为肉、植兼食种类，喜食蚜虫、蚧虫分泌的蜜露(即其排泄粪便)及植物腺体分泌的甜质物，也捕食小型节肢动物的残弱体，多种食叶害虫、鳞翅目小龄幼虫等。我国南方各地可控制松毛虫幼虫危害。

鼎突多刺蚁为肉食性蚁类，主要捕食鳞翅目幼虫、缨翅目若虫或鳞翅目昆虫的小型蛹。筑巢于灌木丛或杂草根部，巢为不规则的圆球形，由泥土及腐殖质混以排泄物及唾液建造。一巢中群体有 500～1 000 只个体。

红蚂蚁为肉食性蚁类，捕食鳞翅目小型蛾类幼虫，如甘蔗二点螟、小卷蛾、大螟、高粱条螟、小造桥虫等的幼虫。在各分布区的自然条件下，即使冬季气温达 9℃左右时，也能正常活动，温度高的夏秋季能日夜活动。在福建除 1～2 月份停止产卵外，其余时间均可产卵繁衍后代，4～10 月份为繁殖盛期。

【采集与加工】 可利用蚂蚁喜钻入筒卷中觅食习性，设置芦竹筒、竹筒、蔗叶卷鞘，内放喜食的鳞翅目小幼虫作诱饵，在其群集取食时，快速震入盛水瓶中，至其窒息死亡后捞出，晾干保存。

蚂蚁体内含有蚁酸，蛋白质含量达 40%～67%，人体必需氨基酸、维生素和微量元素含量丰富。蚂蚁含锌量高，是治疗类风湿关节炎的首选药物。

【养殖方法】 蚂蚁作为中药材，与其他中药配伍使用，用量较少，只要合理采收，生活在自然界中的群体，即能满足需要。若要制成蚂蚁产品出售，则需求量大，单靠野外采捕，难于满足需要，应采取措施，予以增殖。

其增殖途径应是加强保护，合理采捕，开展人工饲养，扩大种群。

蚂蚁是群集而居的昆虫，恋巢性很强。多数种类筑巢于地下，且食性杂，一般是植、肉兼食，在一般气候条件下无明显的休眠或滞育现象，只要提供适宜的生存条件和活动范围（地栖性种类），人工饲养比较容易。

可根据蚂蚁的特性，设置饲养池。饲养池的大小，可依据饲养种类及所要求的群体个体数量而定。一般1平方米大小、地下深1米、地上50厘米的饲养池，可饲养5 000～10 000只个体的种群。池壁的三面用砖砌灰抹，一面用木板遮挡，以便于调节池内的温、湿度。池底用土填实，内放较粗树干几段或半朽的树墩1个。树墩周围填砂壤腐殖土。

饲养池备好后，采收种蚁放入池中。如从外地引进种蚁，应先做试验性饲养。池中放入种蚁后，要覆盖1层枯叶、碎草，上填腐殖土，深度达到1米即可。由于种蚁群中有同巢的卵、幼虫、蛹等，成蚁为了护幼，便不再弃巢外逃。待蚁群安静下来，工蚁便很快造室定居。3～5天后见有工蚁在土面活动，便可用木板制作的浅盘，投入少许动、植物性熟食残渣试喂，如食物衔完，再加大投食量，并配以人工饲料喂养，可加快蚁群繁殖。

人工饲料配方（据敬一兵等所著《虫草》119页）为：琼脂5克，蜂蜜62毫升，鸡蛋1个，维生素混合物249毫克，微量元素混合物122.6毫克，对羟基苯甲酸甲酯0.064克，对羟基苯甲酸丙酯0.016克，水500毫升。配量可根据需要按比例增减。先将琼脂溶于250毫升沸水中，置室温下冷却，其余成分与另250毫升水混合后经充分搅拌均匀，并在搅拌中徐徐加入琼脂液，分装于培养皿中，待凝固后切成10毫米的方块。喂食时将料块置于小盘中，放在养蚁池中构筑的洞口附近。

在饲养过程中，应经常观察池中湿度变化情况，以土表日干夜湿为适宜，如夜间表土已干燥，应顺池边洒些清水。雨天加盖防雨罩，避免雨水灌池。有性蚁婚飞阶段应加纱罩，防止大量生殖蚁外逃。采收应在婚飞前进行。将池壁木板一面挖开，把池内3/5的覆土掏出，过筛，取成蚁置于60℃水中迅速处死（水温过高，蚁酸等药用成分会大量挥发，降低有效成分），晾干备用。及时将原土回填压实。

第三章　鱼　类

一、日本七鳃鳗

日本七鳃鳗 *Lampetra japonica* (Martens)，别名七星鱼、七星子鱼。分布于黑龙江。盐制干品入药。

【形态特征】　日本七鳃鳗(彩图 162)，体长 380～540 毫米。全体灰褐色或灰黄色。体鳗形，光滑无鳞，前部亚圆筒形，后部侧扁。无胸鳍、腹鳍、臀鳍。背鳍 2 个。眼后有排成 1 列的 7 个鳃孔，因此叫七鳃鳗，又加眼共 8 个孔，故又叫八目鳗。

【生活习性】　秋季由海洋进入江河，翌年 5～6 月份产卵繁殖。仔鳗出生后回海水中生长，经 4 年开始变态为成鳗。成鳗营寄生生活，以上下唇齿刺入其他鱼类的皮肤，同时注入口腔腺液，以防血液凝固，吸食寄主血肉。生长慢。性成熟迟，通常 6 龄性成熟。产卵时雄鳗用吸盘状的口吸附于雌鱼的头部，颤动躯体进行交配。

【采集与加工】　用鱼网捕。鳗肉含有很高的蛋白质、脂肪及多种维生素，被誉为滋补强身的佳品，制成盐制干品入药。

二、扁头哈那鲨

扁头哈那鲨 *Notorhynchus platycephalus* (Tenore)，别名哈那鲨、七鳃鲨。分布于东海及黄海。以鱼鳍、胚胎和肝等入药。

【形态特征】　扁头哈那鲨(彩图 163)，成鱼体长 2～3 米。体黄褐色，具不规则黑色斑纹。体延长，前部较粗大，后部渐细小，头宽扁，尾狭长。眼长圆形，无瞬膜，眼间隔宽平。颌齿侧扁。鳃孔 7 个。背鳍 1 个，后位，起点与腹鳍相对。臀鳍小于背鳍。胸鳍较大。腹鳍与背鳍等大。尾鳍甚长，下叶前部突出，后部有一缺刻。

【生活习性】　为近海底层鱼类，性凶猛。以小鱼及甲壳类动物为主要食物。卵胎生，每胎产仔 80 余尾。

【采集与加工】　取鱼鳍、胚胎，晒干备用，用时焙黄研末服用。肝内营养丰富，可洗净炖食，或提炼制成鱼肝油及鱼肝油制剂。鱼肉亦供药用。

三、条纹斑竹鲨

条纹斑竹鲨 *Chiloscyllium plagiosum* (Bennett)，别名狗鲨、犬鲨。分布于东海和南海。以鱼肉、肝和油入药。

【形态特征】　条纹斑竹鲨(彩图 164)，大者体长 1 米左右。体深棕色，背侧面具 12～13 条暗色横纹，横纹中及边缘有白色斑。头上、体侧和鳍上有不规则细小黑斑。体延长，前部稍宽扁，后部细狭。尾细长。头长，稍平扁；背面正中具一纵行皮嵴。吻颇长。眼长椭圆形，无瞬膜。鼻孔下侧位，有鼻口沟。口平横，腹位，口宽大于前吻长。齿细小。喷水孔小，圆形。背鳍2个，大小相等。臀鳍低平，接近尾鳍下叶。胸鳍宽大。腹鳍长方形。尾鳍狭长，上叶较狭，尾端圆形。

【生活习性】 栖息在浅海底多贝类及海藻生长的岩礁环境中，显示保护色。行动不活泼，食底栖多毛类、虾、蟹、底栖鱼类、贝类等。卵生。

【采集与加工】 鲜鱼肉洗净煮熟服用。鱼油涂患处。心洗净，鲜用，皮、骨、鳍干制备用。

【养殖方法】 可采用海水鱼常用的饲养方法养殖。饲养工作要点是：建池、供水、投食和管理。

用硅胶（俗称玻璃胶）粘制的玻璃箱和瓷砖砌的鱼池养殖条纹竹斑鲨。

供水在离海近处，用无污染的海水；离海远处用人工配制的海水。

人工配制海水的方法是：①底部过滤。池（箱）底层先铺好环形或蛇形管（为无毒、无味、抗腐蚀的塑料管），管上有向下的细小洞，洞大小以透水不进沙为宜，对角或一侧设2个立管，末端各连1个潜水泵作过滤用。底管上面铺上7～8厘米珊瑚沙。②晾水。池（箱）铺好沙后放入自来水2/3，蒸馏水1/3，硬度以234～270毫克/升（以碳酸钙计）为宜，水放到池（箱）正常位置，放置3～5天。③用杀菌药消毒。消毒3～4天后，再放人工盐将水相对密度调到1.022（盐度16.5‰）。④上部过滤。用过滤棉、活性炭、麦饭石等物质，放在另一个与饲养池（箱）相连的过滤池（箱）底部，底部连接过滤管，用潜水泵将饲养池（箱）中海水吸到过滤池（箱）中过滤，后再流回饲养池。

海水鱼食物多种多样，主要有鱼、虾、蚤类及人工配合饵料，鲨鱼为肉食性动物，以投喂小黄鱼、鲱鱼、带鱼为主。每天1次，定时定量。

饲养管理要注意以下几点：①海水鱼对灯光要求不严，一般以中等光照明即可。②经常检查饲养池（箱）的水温及酸碱度、硬度、亚硝酸盐含量是否正常，如有异常要及时调到正常范围。维护池过滤器正常运转。③经常观察鱼的摄食状况及体色与活动状况。④饲养海水鱼不需经常换水，一般半年左右换水1次。换水时换去总水量的1/5，换水的同时吸去珊瑚沙中的污物，尔后补充温度、相对密度相同的人工配制海水。⑤过滤池及过滤棉、活性炭等要经常消毒、清洗。⑥要做好鱼病防治工作，危害最大的是感染病原微生物、原生动物及寄生虫所引起的鱼病。发病多在夏、秋季。为了防止鱼病的发生和蔓延，必须在鱼病发生季节，对饲养池、过滤池等进行清洗，并用漂白粉、高锰酸钾等消毒。发现病鱼应隔离，并用孔雀石绿、亚甲基蓝、呋喃西林及硫酸铜、硫酸亚铁合剂浸洗病鱼。

四、鲸　鲨

鲸鲨 *Rhincodon typus* Smith，别名大鲨鱼。分布于我国沿海。以肉、脊椎骨、胆、鳍、肝等入药。

【形态特征】 鲸鲨（彩图165），最大体长可达20米。体灰褐色、赤褐色或青褐色，有许多白色或黄色斑点及横纹。体修长，粗大，前部平扁。头宽扁、圆钝。尾细小。眼小，无瞬膜。鼻孔宽大，在口内开口，具鼻瓣。口宽大。齿细小。喷水孔圆形。鳃孔5个，宽大，鳃弓具角质鳃耙。背鳍2个。臀鳍小，与第二背鳍同形。胸鳍刀形。腹鳍与臀鳍同等大。尾鳍叉形，上叶比下叶约长2倍。

【生活习性】 为大洋性大鲨鱼，群游至水面，有时也到近海游弋。大量取食漂游生物，如甲壳动物、软体动物及小鱼。性和善，对人无危害。卵生，卵壳椭圆形，长300毫米，宽140毫米，高90毫米，为现知最大的鱼卵。

【采集与加工】 将脊椎骨洗净晒干或冷冻保存，用时炖服。取胆洗净，用酒熏干，用时将干品磨成粉，外涂用。鱼鳍洗净，炖食用。剥皮，晒干，备用。肝用于提取鱼肝油。肉鲜用。

五、梅花鲨

梅花鲨 *Halaelurus burgeri*（Muller et Henle ）。分布于东海、南海及黄海。以鱼皮入药。

【形态特征】 梅花鲨（彩图166），体长364～469毫米。体黄褐色，具暗色横条和褐色斑点，似梅花排列，故名梅花鲨。体细长，前部较平扁，后部稍侧扁。头短而宽扁。尾细小。吻短。眼狭长，下眼睑上部分化为瞬膜。鼻孔大，斜裂，前鼻瓣圆形，袋盖状突出，不伸到上颌。口宽大，唇褶短，只存在口隅处。齿细小。喷水孔小。鳃孔小，5个。背鳍2个。臀鳍小于第二背鳍。胸鳍中等大，扇状。腹鳍稍大。尾鳍颇小。尾椎轴不向上翘，上叶发达，尾端圆形。

【生活习性】 为暖水性近海底栖小型鲨鱼类。卵生，为卵生和卵胎生之间的中间类型。

【采集与加工】 剥制鱼皮洗净晒干，放干燥处，用时炖食用。

六、灰星鲨

灰星鲨 *Mustelus griseus* Pietschmann，别名布鲨、灰鲨。分布于东海、南海，黄海稀见。以肉、胚胎入药。

【形态特征】 灰星鲨（彩图167），体长约1米。体背侧面灰褐色，腹面白色，各鳍紫褐色，后缘较浅，体无白色斑点。体细而修长，亚圆筒形。头平扁，中等长，尾细长。吻中等长，三角形。眼椭圆形，瞬膜平横，外露。鼻孔宽大。口颇小，三角形。上唇褶粗大，短于或等于下唇褶。齿细小而多，铺石状排列。鳃孔5个，狭小。背鳍2个。臀鳍小。胸鳍中等大，外面钝尖，后缘凹入。腹鳍小于第二背鳍，位于两背鳍前半部下方。尾鳍短小，尾端钝尖。

【生活习性】 为暖水性近海底层鱼类，以小型甲壳动物、软体动物及小型鱼类为主要食物。胎生，每胎可产10余条仔鱼。

【采集与加工】 肉洗净炒后食用。胎洗净，炖熟食用，或焙黄、研末，用酒或米汤冲服。

另有分布于黄海、东海的白斑星鲨 *M. manazo* Bleeker 也可入药。

七、阔口真鲨

阔口真鲨 *Carcharhinus latistomus* Fang et Wang，别名鲨鱼、青鲨。分布于黄海、东海，为我国特有种。以骨、鳍、心脏及胚胎入药。

【形态特征】 阔口真鲨（图3-1），体长1米多。体青褐色或灰褐色，腹部白色，各鳍灰褐色，后缘较浅。体纺锤形，躯干粗大。头宽扁。尾部稍侧扁。吻宽扁，钝圆。眼中等大。鼻孔宽大。口弧形，口宽稍大于口前吻长，口长约等于口宽的1/2。上颌宽扁，三角形，边缘具细锯齿；下颌齿较狭而直，边缘具细锯齿。鳃孔5个。背鳍2个，第二背鳍较第一背鳍小。胸鳍中

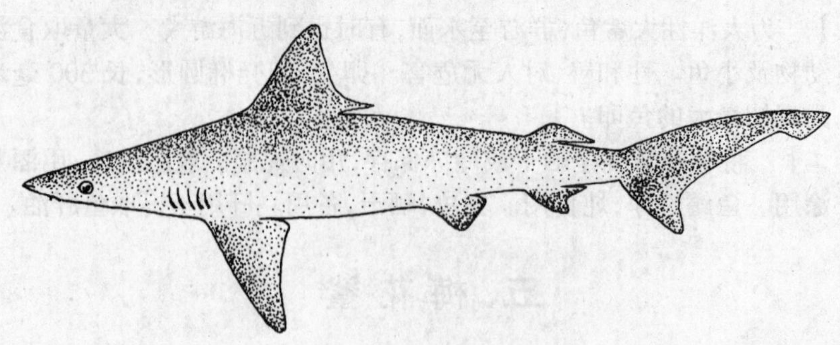

图 3-1　阔口真鲨

等大,近似镰刀状。腹鳍稍大于第二背鳍,位于两个背鳍中间下方。尾鳍宽长。

【生活习性】　为暖水性近海上层鲨类,栖息于潮间带至 280 米处。胎生,每胎产 1～14 条仔鱼。

【采集与加工】　骨、鳍、心脏及胚胎洗净,前二者可煎汤服,心脏可炒吃,胚胎焙黄研末服用。

另有分布于黄海、东海的黑印真鲨 *C. menisorrah*,侧条真鲨 *C. pleurotaenia*,乌翅真鲨 *C. melanopterus* 和沙粒真鲨 *C. sorrah* 等均可入药。

八、尖齿锯鳐

尖齿锯鳐 *Pristis cuspidatus* Latham,别名锯齿、锯鱼。分布于东海南部和南海。以鳍、胆、卵及肝入药。

【形态特征】　尖齿锯鳐(图 3-2),体长大者达 9 米多。背面暗褐色,腹面白色。胸鳍和腹鳍前缘白色,背面肩上具一浅白色横带。体修长,平扁,背面圆凸,腹面平坦。头平扁,三角形。尾宽大,向后细小,下侧具一皮褶。吻平扁,剑状突出,边缘具锯齿 21～26 对。眼小,上侧位。喷水孔位于口隅之上。齿细小而多,平扁光滑。鳃孔 5 个,颇小,在头的后部腹面上。背鳍 2 个,第一背鳍起点在腹鳍基底后端上方,第二背鳍与第一背鳍的距离为第二背鳍基底长的 2 倍。无臀鳍。胸鳍颇大。腹鳍稍小于背鳍。尾鳍短宽,上下叶颇发达。

【生活习性】　为热带、亚热带暖水性近海底层鱼类,有时也进入河口。主要以甲壳类为食,但有时也追捕鲻鱼和鲱鱼。

【采集与加工】　将鳍、胆、卵及肝洗净,鳍为营养补品,胆、卵及肝晾干后做药用。

九、花点魟

花点魟 *Dasyatis uarnak*(Forskål),别名花甫、豹纹土魟。分布于东海和南海。以胆和尾刺入药。

【形态特征】　花点魟(彩图 168),体盘宽,直径 1.5 米以上,重约 100 千克。体面灰褐色,密具黑褐色圆形或多边形斑块,大者与眼同大。尾部具暗青色环状带 70 余条。体盘亚圆形,前缘凹入,前角广圆,体盘宽为体盘长 1.1～1.2 倍,体盘中部或稍后最宽。吻颇尖。眼颇小,稍突出。口小,齿细小、平扁、具横突。鳃孔狭。鳍脚平扁,后端颇尖。尾很长,鞭状,为体盘长

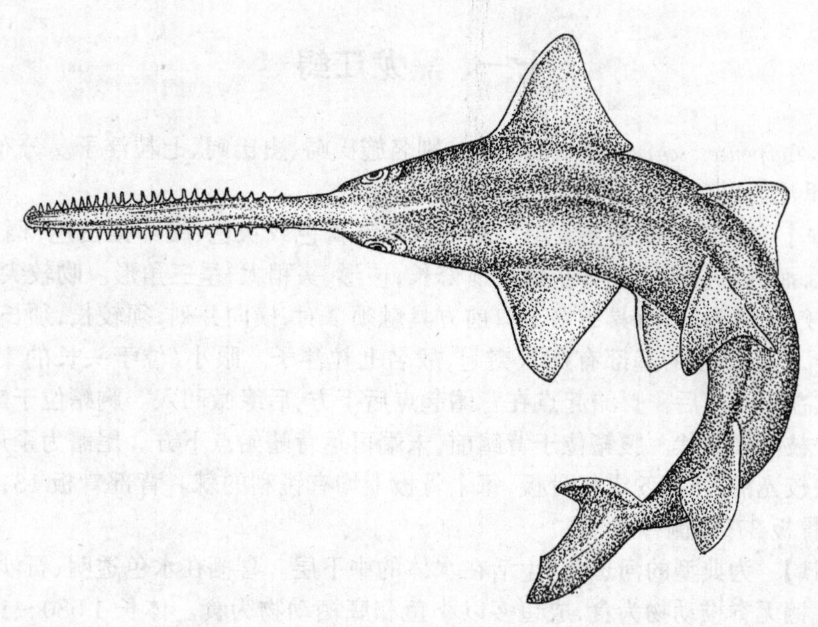

图 3-2 尖齿锯鳐

3 倍以上,上下皮膜都消失。

【生活习性】 为暖水性大型魟类,栖息于近海底层。

【采集与加工】 胆洗净,晒干,研磨成粉,用时冲服。尾刺洗净烤干,研磨,服用。

十、赤 魟

赤魟 *Dasyatis akajei*(Muller et Henle),别名黄鲼、土鱼、滑子鱼。分布于东海、南海,也见于广西南宁和龙州淡水中。以肉、肝和尾刺入药。

【形态特征】 赤魟(彩图 169),体盘亚圆形,体盘宽为体盘长的 1.2 倍,大者体盘长达 1 米,重 2~3 千克。体黄褐色或绿褐色,腹面白色,边缘橙黄色。吻短,稍突出。眼颇小。口底具孔突 5 个,中间 3 个较大。齿细小,平扁。成鱼体背面正中至尾刺具刺一纵行,尾上刺较大,尖长,眼后具小刺一小群。腹鳍后缘平直,前后角钝圆。尾细长,为体盘长 2~2.7 倍,上下方均具皮膜。

【生活习性】 为暖水性近海底层中小型鱼类,也生活于淡水中,是我国惟一进入淡水的鲨类,冬季生活于深水处,夏季移栖于近海沙泥底质浅海区。卵胎生,每胎产仔 10 尾。主食底栖贝类及甲壳类。

【采集与加工】 肉鲜用或晒干备用。尾刺烤干,研末、冲服或外敷用。肝鲜用或炼制鱼肝油。

另有分布于我国的黄魟 *D. bennetti*,小眼魟 *D. micriphthalmus*,奈氏魟 *D. naverrae*,尖嘴魟 *D. zugei*,古氏魟 *D. kuhlii*,光魟 *D. laevigatus*,中国魟 *D. sinensis* 和齐氏魟 *D. gerrardi*,也可入药。

十一、黑龙江鲟

黑龙江鲟 *Acipenser schrenskii* (Brandt)，别名施氏鲟、史氏鲟、七粒浮子。分布于黑龙江、松花江、乌苏里江。以鱼鳔入药。

【形态特征】 黑龙江鲟(彩图170)，体侧及背部褐色或灰色，腹部银白色，栖息在江河中的鱼体为褐色，而栖息在河口的为灰色。体修长，梭形，头稍大，呈三角形。吻较尖。头顶部扁平。口下位，较小，横裂，口唇具皱褶。口前方具触须2对，横向并列，须较长，须长大于须基距口前缘的一半，吻下面须的基部有疣状突起，故名七粒浮子。眼小，位于头长的中部。背鳍1个，后位，起点在腹鳍之后。臀鳍起点在背鳍起点后下方，后缘微凹入。胸鳍位于鳃孔后下方，第一鳍条不分枝呈硬刺状。腹鳍位于背鳍前，末端可达背鳍始点下方。尾鳍为歪形尾，上叶长于下叶。皮肤较光滑，体具5纵行骨板，每个骨板上均有锐利的棘。背部骨板13，第一骨板最大，左右侧面骨板37，腹侧骨板11。

【生活习性】 为典型的河道鱼，生活在水体的中下层。喜栖在水色透明、石沙底质的水域内。幼鱼以底栖无脊椎动物为食，成鱼多以小鱼和底栖动物为食。体长1 080～1 160毫米性成熟，雄鱼成熟较雌鱼早，约9～10龄。5～6月份产卵，有时可延至9月初。怀卵量为51万～250万粒，成熟卵粒2.5～3.5毫米。

【采集与加工】 营养价值较高，可鲜食，也可熏制，鱼卵更为名贵。鱼鳔含骨胶原，可入药，也可炖食或晒干研粉备用。

另有分布于我国的中华鲟 *A. sinensis*，长江鲟(达氏鲟) *A. dabryanus*，小体鲟 *A. ruthenus*，鳇 *Huso dauricus* 及引进种俄罗斯鲟 *A. guedenstaeti*，西伯利亚鲟 *A. baeri*，闪光鲟 *A. stellatus* 和匙吻鲟 *Polyodon spathula* 等也有相同药效。

【养殖方法】 我国从1956年起对黑龙江鲟、长江鲟、中华鲟及白鲟进行了繁殖研究，并获得了仔鱼。1978年开始进行中华鲟的养殖试养。现在中华鲟、长江鲟、黑龙江鲟及引进的几种鲟都已在许多地方养殖。可用池塘养殖与水库养殖。

池塘养殖采取混养方法。主养鱼类为鲢、鳙、青鱼、鲤、鲫和鲌等，搭配一定比例的鲟鱼，使养鱼水体充分利用。各地用池塘以多种鱼类与鲟混养，多获得成功。

水库养殖更利于鲟鱼生长。如1994～1999年中科院水生所从美国密西西比河移入匙吻鲟受精卵20万粒，孵化出仔鱼，先后在河南、江西、湖南和湖北等5座水库放养，当年仔鲟长到36～40厘米。翌年长到78～83厘米，体重2.8～4.2千克。

十二、太平洋鲱

太平洋鲱 *Clupea pallasii* Valenciennes，别名青鱼、青条鱼、巴氏鲱、黄海鲱鱼。分布于黄海、渤海。以肉、卵巢及精巢入药。

【形态特征】 太平洋鲱(彩图171)，体长189～301毫米，体重117～299克。体背部青绿色，侧上方微绿，两侧及下方银白色。体长形，侧扁，背、腹缘的隆凸不大，腹部近圆形。头中等大，头顶部有一浅凹。吻长大于眼径。眼中等大，侧上位，有脂眼睑。鼻孔每侧2个，2孔相距稍远。口小而斜，侧上位。下颌略长于上颌。齿细小，下颌、犁骨及舌上均有小齿，上颌及腭骨无齿。鳃盖光滑,鳃孔大,鳃膜不与峡部相连,鳃耙细长而侧扁。鳞中等大,薄圆形,腹缘具弱棱鳞,腹鳍基部有腋鳞。背鳍始于腹鳍始点的前上方,位于吻端至尾鳍基的中间。臀鳍中等大,始点距腹鳍较距尾鳍基为近。胸鳍侧下位,末端伸不到腹鳍。腹鳍短小,始于背鳍起点后下方。尾鳍叉形。

【生活习性】 为冷温性中上层经济鱼类。以桡足类、钩虾、多毛类幼体、蟹幼体等浮游动物为主要食物。2~3龄性成熟,产卵时水温为0℃~6℃。怀卵量3万~10万粒。卵为粘性沉性卵,卵圆形,卵径1.4~1.64毫米。受精卵在平均水温2.4℃时经279小时可孵出仔鱼。生长较快,1龄鱼体长223毫米,体重117克;2龄鱼244毫米,147克;3龄鱼275毫米,216克;4龄鱼289毫米,260克;5龄鱼295毫米,275克;6龄鱼301毫米,299克。在黄海中部至山东半岛和辽东半岛之间进行洄游。

【采集与加工】 肉的价值很高,有"黄色钻石"之称。肉炖熟食用,卵巢、精巢晒干研成粉外用。

【养殖方法】 北美已将此种鱼类驯化成咸淡水养殖鱼种。日本已把此种鱼作为人工放流的物种之一,通过亲鱼培育、人工授精或受精卵的收集、苗种生产、中间培育,最后将苗向近海人工放流,使其资源量增加。

十三、青鳞小沙丁鱼

青鳞小沙丁鱼 *Sardinella zunasi* (Bleeker),别名柳叶鱼、青鳞、青花鱼。分布于黄海、渤海,散见于东海。以鱼肉入药。

【形态特征】 青鳞小沙丁鱼(彩图172),体长76~130毫米,最大体长156毫米。体背部青褐色,体侧及腹部银色,鳃盖后上角具一黑斑,口周围黑色,各鳍灰白色。体近长方形,侧扁而高,背缘微隆凸,腹部具锐利棱鳞。头中等大,侧扁。口小,前上位。下颌略长于上颌。颌、腭、翼骨和舌上均具细齿。鳃孔大。鳃耙较密,细长,假鳃发达。体被薄大圆鳞。背鳍中等大,始于体中部稍前方。臀鳍中等大。胸鳍侧下位,末端不达腹鳍。腹鳍始于背鳍第十鳍条下方。尾鳍深叉形。

【生活习性】 为我国近海港湾常见的中上层小型经济鱼类。以硅藻和小型甲壳类为食。生长迅速,1龄鱼体长107毫米,体重15克;2龄鱼122毫米,25克;3龄鱼138毫米,31克;4龄鱼147毫米,38克。大部分1~2龄性成熟。怀卵量4 000~4 400粒,为浮性卵,卵径1.4~1.7毫米。受精卵在水温20℃时36小时可孵出仔鱼。

【采集与加工】 鲜鱼洗净捣烂,敷伤口用。

另有我国产的10种小沙丁鱼,如金色小沙丁鱼 *S. aurita*,中华小沙丁鱼 *S. nymphaea*,黑尾小沙丁鱼 *S. melanura*,金带小沙丁鱼 *S. gibbosa*,以及大眼翠鳞鱼 *Herklotsichthys ovalis* 等,都有相同药效。

【养殖方法】 现正处于试养阶段,具体养殖方法,有待进一步研究。

十四、鲥　鱼

鲥鱼 *Tenualosa reevesii* (Richardson),别名鲥刺、三来、三黎、时鱼、李氏鲥。分布较广,从

黄海、渤海到南海，洄游生殖可到北起辽东、南至广东、广西，东起江浙、西至川黔等地。以肉和鱼油入药。

【形态特征】 鲥鱼（彩图173），最大体长60厘米，体重4.2千克。体背部绿色，体侧和腹部银白色，幼鱼期体侧有斑点，吻部乳白色，吻背部淡灰色，鳍淡黄色。体长椭圆形。头侧扁，前端钝。脂眼睑发达，几乎盖着眼的一半。口较小。上下颌等长，前颌骨中间有显著的缺凹。口内无齿。鳃盖光滑，鳃孔大，假鳃发达，鳃耙细密，数多。体被椭圆鳞，不易脱落，腹部棱鳞强。无侧线。背鳍始于体中央稍后的上方。臀鳍距尾鳍基近，其基部约与背鳍基等长。胸鳍后方不到腹鳍始点。腹鳍始于背鳍的下方，始点距前鳃盖后缘和距臀鳍始点的距离相等。尾鳍深叉形。

【生活习性】 鲥鱼为暖水性中上层海洋鱼类。以浮游生物为食。3龄鱼性成熟。此时雌鱼平均体长51厘米、体重2千克；雄鱼平均体长44厘米、体重1.3千克。6月上旬至8月下旬产卵，绝对怀卵量在100万粒以上。在多沙质卵石，水温25℃～32℃，透明度为15～30厘米，流速为1米/秒的沙质底清澈处产卵。卵为浮性卵，仔稚鱼培育期间水温26℃～34℃，从仔鱼出膜到稚鱼鳞片完全形成需要29天。1龄鱼体长24厘米左右，2龄鱼体长35厘米，3龄鱼体长44～51厘米，4龄鱼体长53厘米，4龄鱼以后生长逐渐缓慢。鲥鱼在海洋中生活2～3年后，溯河到淡水中繁殖，仔鱼长到8.5厘米左右，约在11月以后降海育肥。溯河洄游的生殖群体年龄为3～7龄，其中以4～5龄组居多，分别在珠江、长江、钱塘江进行繁殖。

【采集与加工】 鲥鱼肉细脂厚，味鲜美，为名贵食用鱼类，肉、鱼油可入药。将鱼蒸出鱼油，装瓶内，埋于土中，用时将油涂于患处，鲥鱼肉蒸食，可补虚痨。

【养殖方法】 目前已人工养殖成功，尚未大面积推广。

十五、鳓

鳓 *Ilisha elongata* (Bennett)，别名鳓鱼、力鱼、曹白鱼、脍鱼、鲞鱼、白鳞鱼。分布于我国近海。以全鱼入药。

【形态特征】 鳓（彩图174），体背部灰色，体侧银白色，头背、吻端、背鳍、尾鳍淡黄绿色，背鳍和尾鳍边缘灰黑色，其他各鳍色浅。体长而宽，侧扁，背缘窄，腹缘有锯齿状棱鳞。头中等大，侧扁。脂眼睑发达，盖着眼的一半。口小，向上。两颌、腭骨和舌上均有细齿。假鳃发达。鳃耙较密。肛门位于胸鳍基和腹鳍基末端之间。体被薄圆鳞，易脱落。背、腹鳍基部有鳞鞘，胸、腹鳍基部有发达的腋鳞。无侧线。背鳍中等大，臀鳍始于背鳍基终点的下方，胸鳍侧下位，腹鳍甚小。尾鳍宽叉形。

【生活习性】 为暖水洄游性鱼类。幼鱼时以桡足类、箭虫、磷虾、幼鱼为食，成鱼以虾、鱼类、头足类、多毛类为食。4～6月份由越冬场到辽宁、河北至广西沿海的河口附近盐度较低的场所繁殖。2～3龄鱼性成熟，怀卵量一般为4万～10万粒，为浮性卵。产卵后即散群，母鱼与幼鱼一起在冬初游回深海。

【采集与加工】 全鱼入药，晒干，煅烧研末，备用。

十六、刀　鲚

刀鲚 *Coilia ectenes* Jordan et Seale，别名刀鱼、鲚鱼、毛鲚、毛花鱼。分布于北起辽河口，南至广东沿海及其与海相通的河流、湖泊。以鱼肉入药。

【形态特征】 刀鲚(彩图175)，体长115～358毫米。体银白色，背侧颜色较深，呈青色、金黄色或青黄色，腹部色较浅，尾鳍深灰色。体侧扁而长，前部高，向后渐低，背缘平直，腹缘有锯齿状棱鳞。头短小，侧扁而尖。口大，下位。幼鱼上颌骨短，向后缩到鳃盖附近，成鱼上颌骨向后伸达胸鳍基底。齿细小。体被薄圆鳞。背鳍中等大，臀鳍基部甚延长，与尾鳍下叶相近。胸鳍位稍低，上缘有6根游离鳍条，延长呈丝状，伸过臀鳍基底前1/4～1/2处。腹鳍小。尾鳍不对称，上叶长于下叶。

【生活习性】 为洄游性鱼类。2月下旬至3月初成群由海进入江河及其支流或湖泊中产卵。当年孵出的幼鱼顺流而下，在河口或咸淡水中生活，翌年下海生长和育肥。以桡足类、枝角类、轮虫等浮游动物为主要食物，也食小鱼。3龄鱼性成熟。寿命4～5冬龄，最多不超过6冬龄。

【采集与加工】 肉可入药。有补气活血、泻水、解毒的功能。

另外，产于北起辽宁沿海、南至广西沿海的凤鲚 *Coilia mystus*，也有相同的药效。

十七、大麻哈鱼

大麻哈鱼 *Oncorhynhus keta* (Walbaum)，别名大马哈、大发哈、果冬、马哈鱼、秋鲑。分布于黑龙江、乌苏里江、松花江、图们江。以鱼肉、肝、精巢和鱼头入药。

【形态特征】 大麻哈鱼(彩图176)，体长约60厘米，最大个体重7.5千克。头背和体背青黑色，腹部白色。成鱼体侧有10～12个橙赤色的横斑。体修长，侧扁，背缘自头后渐隆起直至背鳍基部，腹缘浅弧形。吻长而突出，微弯。雄鱼在生殖期吻似钩状，使上下颌不相吻合。上下颌各具齿1列，顶端微弯。鳃孔大。体被细小圆鳞。侧线明显。背鳍1个，起点距吻端与距尾鳍基约相等。脂鳍小，和臀鳍相对。臀鳍起点在脂鳍的前下方。胸鳍较小，位低。尾端叉形。

【生活习性】 为食肉性鱼类，幼鱼食底栖动物，如摇蚊幼虫等，成鱼以鲱鱼、玉筋鱼、水母等为食。为生殖洄游的鱼类，秋季生殖群体由海洋进入黑龙江、乌苏里江等河流中产卵，产卵期10～11月份。卵圆形，沉性，卵径5.4～7.3毫米，怀卵量2 800～5 360粒。在水质清澈、水深1米、水温4℃～12℃的河套地区产卵，产卵后大部分亲鱼死亡。受精卵在春季孵化，孵出仔鱼长到50毫米时开始降河入海，在海中生活3～5年，待性腺成熟再溯河洄游生殖。

【采集与加工】 为名贵大型经济鱼类，体大肥壮，肉味鲜美，肉、肝、精巢、鱼头均可入药。

【养殖方法】 大麻哈鱼孵化后暂时栖息于淡水中，后入海生长，成鱼又复回淡水河川产卵。它不能永久地栖息在淡水中，它的孵化率、成活率都不高。为此人工授精孵化、人工培育种苗，是提高成活率、增殖鱼群的最好办法。

人工授精方法是：①选择体型肥满强壮、性成熟的雌雄鱼(雌、雄比为3∶1)。②用挤压法和切腹法取出精子和卵子，用干洗法授精。卵受精后用清水把多余精液洗掉。采卵、授精要在避风、避光处进行。

卵的孵化方法：把受精卵1层或2层平铺在孵化盘内，把孵化盘放在孵化槽的孵化框内，孵化槽要放在室内。如果大规模孵化时，要专门建造孵化室。孵化槽，水温保持在7℃～10℃，含氧量在0.1毫克/升以上，pH值7，水质要清。为此，孵化用水必须经过滤水器或沉淀池过滤，孵化中，要注意不要震动卵，并及时清除死卵。在适宜温度下，经70～80天就能孵出仔鱼。在发育卵发眼后5～10天内，可将其运到鱼苗培育地点。太迟或提前运输都对卵孵化不利。运输方法以干运为好，即在铁箱的下层，用珐琅盘装上浸湿的脱脂棉或水草，铺上鱼卵，中层用钉棉纱的木框，框内仍放浸湿的脱脂棉或水草，将卵放入其中，重叠3层，最顶端及周围用脱脂棉或水草包好，两侧再加些刨花盖好，以防止移动。在运输途中，要防止水太多浸泡卵，不要使水温变化过大。

饲养大麻哈鱼需建鱼池。池面积不宜过大(50～200平方米，水深30～50厘米为宜)，池形以长方形为好，底质为砂砾，略带有岩石和硬泥，水温要低，夏季水温不得超过20℃，水质要清澈，含氧量要充足。如水从山涧流入或入池前通过较长距离水沟，都可增加水的含氧量。

仔鱼孵出6周，体长达4厘米时，鱼苗开始摄取饵料，可投喂桡足类和枝角类，以后投喂水生昆虫、水蚯蚓、虾和小杂鱼等。人工饵料以蚕蛹、鱼粉为好，其次为动物内脏，植物性饵料最差。鱼苗经5～6个月饲养，体长可达20～30厘米。

十八、有明银鱼

有明银鱼 *Salanx ariakensis* Kishinouye，别名面条鱼。分布于黄海、渤海和东海。以全鱼入药。

【形态特征】 有明银鱼(图3-3)，体长118～146毫米。体半透明。吻端、下颌联合处和峡

图3-3 有明银鱼

部两侧有黑点。腹侧自胸鳍基下方至臀鳍间，每侧有1列黑点。臀鳍基两侧具1行黑点。尾鳍后端淡灰色。体细长，头部平扁，体后部侧扁。体光滑，仅雄鱼臀鳍基部上方有一纵行圆鳞。无侧线。背鳍1个。脂鳍小。臀鳍始点位于背鳍第二至第六鳍条下方。胸鳍小。腹鳍起点距胸鳍起点较距臀鳍起点近，或相等，或稍远。尾鳍深叉形。

【生活习性】 为生活于近海及河口的洄游性经济鱼类，以浮游生物为食。生长较快，在辽宁7月上旬平均体长94.5毫米，平均体重1.5克，至8月下旬体长为123.1毫米，体重为4.1克。1年性成熟。10～11月份溯河产卵。卵径0.7～0.8毫米。

【采集与加工】 全鱼洗净做汤或与鸡蛋混合炒食。

另有居氏银鱼 *S. cuvieri*，也有相似药效。

【养殖方法】 自1979年我国将太湖新银鱼 *Neosalanx taihuensis* 从太湖引入云南滇池获

得巨大成功(如1987年年捕捞量1 320万千克)后,先后又将此种鱼引入到北京、山东、辽宁等地。此外,还做了大银鱼 *Protosalanx hyalocranius* 等的移养试验,均取得了较好的结果,可参阅金盾出版社出版的《银鱼养殖》。

十九、大头狗母鱼

大头狗母鱼 *Trachinocephalus myops*(Bloch et Schneider),别名公奎、沙狗棍。分布于东海、南海。以鱼尾入药。

【形态特征】 大头狗母鱼(彩图177),体长170~330毫米。头背部具红色网状花纹,体背中间有1行灰色花纹。沿体侧有13条灰色纵纹和3条黄色细纹,相隔排列。背鳍基部和腹鳍均具黄纹。臀鳍与腹鳍白色。尾鳍黄绿色。体稍修长,亚圆筒形。头粗大,背部粗糙。眼大,前上位,眼间隔窄。口大。两颌约等长。鳃孔大。鳃耙细长。体被圆鳞,颊部和鳃盖上均具鳞,两腹鳍间有细长大鳞。侧线发达。背鳍1个。脂鳍位于臀鳍后部基底的上方。臀鳍基较背鳍基长。胸鳍小,侧中位。腹鳍亚胸位,末端伸到肛门。尾鳍叉形。

【生活习性】 为小型常见鱼类,栖息于浅海湾的底层。

【采集与加工】 鱼尾晒干,煅焙存性,研末服用。

二十、长蛇鲻

长蛇鲻 *Saurida elongata*(Temminck et Schlegel),别名神仙梭、沙梭、大丁仔、细鳞丁、狗棍。分布于黄海、渤海、东海、南海。以鱼肉和尾入药。

【形态特征】 长蛇鲻(彩图178),体长180~200毫米。体棕色,腹部白色,背、腹、尾鳍乳灰色,胸、臀鳍白色。体修长,圆筒形。头短。吻钝。眼中等大,上侧位。脂眼睑发达。口大,前位,上下颌有许多锐利细齿。鳃孔大,鳃耙细小。体被圆鳞。胸、腹鳍基部有发达的腋鳞。侧线发达。背鳍1个,脂鳍位于臀鳍基底后半部的上方。臀鳍小于背鳍。胸鳍短小,向后伸到腹鳍基。尾鳍分叉。

【生活习性】 为近海底层鱼类,生活于近海底层沙底质的海区。性凶猛,游泳迅速,生活在黄海、渤海的5~6月份、南海北部的2~3月份产卵。卵产于水深20~33米的泥沙底处。肉食性,以乌贼、虾蛄、鳀等为食。

【采集与加工】 鲜鱼煮饭、煮粥或煮汤吃。鱼尾晒干,煅存性,加冰片研末备用。

另有产于东海、南海的多齿蛇鲻 *S. tumbil*,长条蛇鲻 *S. filamentosa* 和花斑蛇鲻 *S. undosquamis*,也有相同药效。

二十一、鳗　鲡

鳗鲡 *Anguilla japonica* (Temminck et Schlegel),别名鳗鱼、黑月鳗、白鳝、青鳝。分布于沿海及沿海江河。溯珠江而上可达广西,溯长江而上可达金沙江,溯黄河而上可达渭水;在黄河以北则仅限于沿海江河下游或河口。以鱼肉及骨、血、脂肪入药。

【形态特征】 鳗鲡(彩图179),成鱼体长300毫米左右,最大个体可达1 300毫米,重达5

千克。体背侧暗绿色，腹侧淡白色。体长，呈鳗形，前部近圆筒状，后部侧扁。头尖长，平扁。吻短钝，平扁。眼较小，埋于皮下。鼻孔2个，前鼻孔短管状，后鼻孔裂缝状。口大。鳃孔位于胸鳍基部下方。肛门位于体的前半部。鳞细小，埋于皮下，呈席纹状排列。侧线发达。背、臀鳍后部均与尾鳍相连。背鳍始点距臀鳍始点比距鳃孔为近。臀鳍低平。胸鳍短圆。无腹鳍。

【生活习性】 鳗鲡为溯河洄游鱼类，平时栖息于深水中，以小鱼、螺、虾、蟹、水生昆虫等为食。有喜暗怕光的习性，昼伏夜出，有时从水中游上岸，以皮肤呼吸。5～8年性成熟。亲鱼在秋末冬初由淡水向海水移动，作降河产卵洄游，性腺在洄游过程中逐渐成熟。我国科研工作者1997年调查确认，鳗鲡产卵场位置在马里亚纳群岛两侧、北赤道流北侧边缘的海域，其表层盐度34.8‰～34.9‰，水温26℃～26.43℃。体重0.5千克雌鳗怀卵量为70余万粒。受精卵半浮性，在水温22℃～27℃时需36小时幼体孵化出膜。孵化后至成鱼要经过变态。初出膜时为透明的叶状幼体，自产卵场随潮流接近大陆沿岸，漂流中以海洋浮游生物为食。后经过伸长期、收缩期，最后成为棍状鳗线，于1～6月份成群进入我国江河，形成一年一度的苗汛期。苗汛期南方早，北方晚。由叶状幼体至鳗线需2～3年。

【采集与加工】 将鳗鲡去内脏，用酒2杯、水2碗煮熟，加盐、醋食用。骨研末或烧灰备用。脂肪熬油备用。

【养殖方法】 由于人工繁殖鳗苗至今未成功，因此鳗苗主要靠从江河入海口处捕捞。在鳗苗旺发季节，在江河口用张网、板罾、手抄网、麻布网捕捞，或用灯光诱捕。捕到的鳗苗要先经暂养。常用网箱暂养，每立方米水体放鳗苗6～8千克，也可用池暂养(水深1.3～1.5米)，可投喂水溞、蛋黄、蛆、碎肉等。运输鳗苗可用尼龙袋充氧法、冰块箱装运输法(箱中分4层，上层放冰，中间2层放鳗苗，底层积水)。

成鳗养殖可分两个阶段。第一阶段把0.2克重(5 000尾/千克)的鳗苗培育成20克重(50尾/千克)的鳗种；第二阶段再把鳗种养成150～200克(7～5尾/千克)的商品鳗。因此，养鳗周期通常是2年，也有3年的。养鳗池不宜过大，约1 333～2 000平方米，水深1.5米左右，池底有33厘米左右的腐殖土。养鳗池要求进排水方便，周围有围栏或有向内倾斜的水泥板，以防鳗鱼逃走。每667平方米(1亩)放养量约3 000尾鳗种。鳗鱼通常是单养，也有与鲢、鳙、鲤、鲫等混养的。养殖方法有温水养鳗、隧道式养鳗、海水养鳗、网箱养鳗等，其中以海水养鳗最好。对鳗鲡的生活环境(如水温、溶氧量、水质等)进行人工控制，使鳗生长期长、生长快、养殖周期短，产量高，通常每667平方米年产量为2～10吨。养鳗的饵料主要有禽、畜内脏及蚌肉、小鱼、小虾、水蚯蚓等，也可用鱼粉、面粉等加添加剂制作的人工颗粒饲料。每天投喂量约为体重的5%，投饵方法与池塘养鱼方法相同，即实行“四定”原则，定质、定位、定量、定时投喂。池塘饲养每天投饵1次，投喂时间在上午9～10时。可参阅金盾出版社出版的《鳗鳖虾高效益养殖技术》、《鳗鱼养殖技术问答》等。

另有1997年引进的欧洲鳗鲡 *A.anguilla*，其养殖方法、药效同鳗鲡。

二十二、波纹裸胸鳝

波纹裸胸鳝 *Gymnothorax undulates*(Lacepede)，别名海黄鳝。分布于东海、南海。以全鱼和血入药。

【形态特征】 波纹裸胸鳝(彩图180)，最大体长可达1.5米。体和鳍均呈赤褐色或暗褐色，具淡黄色或黄白色网状纹，或具波状及横列状线纹，线纹较粗。体延长，稍侧扁。尾长等于或略长于头与躯干合长。头中等大，侧扁。吻短钝。眼小，侧位而高。鼻孔每侧 2 个，前鼻孔具一短管。上颌齿 1 行，前方数个齿呈大型锥状或侧扁；下颌齿侧扁。鳃孔裂缝状。体无鳞，完全裸露。背鳍始于鳃孔的前方。无胸鳍。背、臀鳍后部均与尾鳍相连。

【生活习性】 为珊瑚礁鱼类。

【采集与加工】 全鱼煅存性，黄酒冲服。鱼血制成干粉，外敷。

【养殖方法】 裸胸鳝属体色艳丽，种类繁多，是鳗鲡目最大的一属，现知我国有近 30 种，其中许多种已成为海产博物馆饲养的观赏鱼类，饲养方法与前述条纹斑竹鲨养殖方法相同。

二十三、海　鳗

海鳗 *Muraenesox cinereus*(Forskal)，别名门鳝、勾鱼、狼牙、狼牙鳝。分布于我国各海区。以肉、鳔、鱼脑、卵巢、血和胆入药。

【形态特征】 海鳗(彩图 181)，体长 480～690 毫米，体重 1～1.5 千克，最大可达 15～20 千克。体背侧银灰色，大个体则呈暗褐色，腹侧乳白色。背、臀、尾鳍边缘均黑色，胸鳍淡褐色。体延长，圆筒形。尾部长于头与躯干合长。头大，尖长，吻突出。眼大。鼻孔每侧 2 个。颌齿尖强。鳃孔宽大。肛门位体部前下方。体光滑无鳞。背、臀鳍与尾鳍相连。背鳍始于胸鳍基部稍前上方。胸鳍发达。

【生活习性】 为凶猛底层食肉鱼类，性贪食，以虾、蟹、鱼、乌贼等为食。游泳迅速。4～7 月份产卵。雌鳗产卵量 18 万～120 万粒。卵球形，卵径 1.6～1.7 毫米。

【采集与加工】 鳔制成干品备用。鱼头、肉均可煮食。肝、脑可提取药物制剂。

【养殖方法】 为海产博物馆饲养的种类。见前述条纹斑竹鲨养殖方法。

二十四、鳄形短体鳗

鳄形短体鳗 *Brachysomophis crocodilinus* (Bennett)，别名油钻(福建)。分布于东海、南海。以鱼肉入药。

【形态特征】 鳄形短体鳗(彩图 182)，体长 259～737 毫米，体重 1.5 千克，最重可达 3 千克左右。体背部暗红褐色，腹侧黄褐色。背、臀鳍边缘黑色，胸鳍淡黄褐色。体上有细小黑斑。头上粘液孔及侧线孔均为黑色。体延长，圆筒形，尾部稍侧扁。上颌齿 2 行，下颌及犁骨齿 1 行，上颌边缘具短小唇须，不明显。鳃孔位置低。无鳞，有侧线。背鳍与臀鳍较发达，不相连续，均止于近尾端的前方。背鳍始点在鳃孔的远后方。臀鳍始点在肛门的后方。胸鳍短小。无尾鳍，尾端尖突。

【生活习性】 为凶猛底层鱼类，栖息在泥沙底质的近岸浅海中。性贪食，以底栖动物、虾蛄、蟹等为食。善以尾尖钻挖泥沙。

【采集与加工】 捕捉后洗净，去内脏鲜体入药，鳔、脑、卵巢、血和胆亦入药。

二十五、鲤

鲤 *Cyprinus carpio* Linnaeus,别名鲤拐子、鲤子、拐子。分布很广,除西部高原外,遍及全国各水系。以肉、胆、血、目、皮、肠、脑、脂、鳞入药。

【形态特征】 鲤(彩图 183),体长 90~270 毫米,最大个体重 20 多千克。体背暗灰色,侧面青黄色,上深下浅,腹面白色,鳍暗灰色。雄鱼臀、尾鳍橙红色。体侧鳞片后缘具黑斑。体延长,侧扁。吻钝圆。眼中等大或较小,上侧位。口亚前位。须 2 对,吻须长约为眼径 1/2,颌须长约与眼径等长。体被圆鳞。侧线微弯。咽喉骨宽扁,咽齿 3 行,臼齿状。背鳍始点约与腹鳍始点相对,第一、第四不分枝鳍条呈棘状,后缘具锯齿。臀鳍始于背鳍基底后端,第三不分枝鳍条呈棘状,后缘也具锯齿。胸鳍不达腹鳍,腹鳍不达肛门。尾鳍叉形。

【生活习性】 为底栖性鱼类,喜活动于松软底质和水草丛生处。适应性强。为杂食性鱼类,仔鱼以浮游生物为食,成鱼以蚌、螺、蚬、昆虫等底栖动物为食,还食藻类、水草。在长江以南,4~5 月份产卵,卵为粘性卵。生长迅速,2 冬龄鱼重 1~1.5 千克,3 冬龄鱼 2~2.5 千克。

【采集与加工】 鲤鱼去鳞和内脏洗净,肉煮熟或煎汤食用。血与白糖调匀,外敷用。鲜胆汁滴耳用。鳞烧灰服用。脑煮粥服用。

【养殖方法】 鲤鱼是世界淡水养殖的最主要种类。养殖方式有池塘养殖、水库养殖、湖泊养殖、网箱养殖、稻田养殖、流水养殖等。鲤鱼养殖技术已很普及,在此不再详细介绍。可参阅金盾出版社出版的《淡水养鱼高产新技术》、《池塘养鱼新技术》等。

二十六、青 鱼

青鱼 *Mylopharyngodon piceus* (Richardson),别名青根、黑鲩、青鲩。分布于长江、珠江等水系,东北较少。以鱼肉和胆入药。

【形态特征】 青鱼(彩图 184),最大体长约 1 000 毫米,体重约 70 千克。背部深黑色,体侧青黑色,腹部灰白色,各鳍颜色比体色更深。体长,腹部圆,向后稍侧扁。头中等大。眼中等大,侧上位。口前位,口裂较小。无须。咽喉齿粗大,呈臼齿状,齿面光滑无纹。鳃耙短小,稀疏。鳞较大,侧线完全,在腹部略下弯,后延至尾柄正中。背鳍始于体中部上方,无硬刺。臀鳍始点距尾鳍基比距腹鳍基为近。胸鳍后伸不到腹鳍。腹鳍始点与背鳍始点相对。尾鳍叉形。

【生活习性】 为水体中、下层鱼类。以螺、蚌等软体动物为主要食物,也食虾和昆虫。4~5 冬龄性成熟。春末夏初在江河干流流速较高场所产卵,怀卵量在 100 万粒以上。沉性卵,顺水漂流而发育。雌鱼产卵后又到江河、湖泊及附属水体内生活,冬季在河床深处越冬。个体大,生长迅速,1 冬龄鱼可长至 0.5~1 千克,2 冬龄鱼 1.5~2.5 千克,3 冬龄鱼 4~5 千克。

【采集与加工】 胆汁点眼或滴耳用,也可将胆囊挂于通风处阴干,备用。肉鲜品煮食用。

【养殖方法】 为我国四大家鱼(青、草、鲢、鳙鱼)之一,在我国有广泛的养殖。养殖技术已普及,在此不再介绍,可参阅金盾出版社出版的《淡水养鱼高产新技术》、《池塘养鱼新技术》等书。

二十七、草　鱼

草鱼 *Ctenopharyngodon idellus*(Cuvier et Valenciennes),别名鲩、白鲩、草根。分布于除新疆、青藏高原以外的广大地区。以鱼肉、肠和胆入药。

【形态特征】 草鱼(彩图185),大者体长约1 000毫米,体重可达3.5千克以上。背面青褐色,腹面灰白色,侧面银白带黄色,各鳍灰色。胸鳍和腹鳍灰黄色。体延长,前部亚圆筒形,向后渐侧扁。头中等大,吻短而圆钝。眼较小,鼻孔每侧2个,位置近于眼。口前位,上颌长于下颌。体被圆鳞,侧线完全,较平直。咽喉齿2行,侧扁,梳状,边缘具斜条状沟纹。背鳍始于腹鳍起点前上方,无硬棘。臀鳍起点距尾鳍基比距腹鳍基为近。胸鳍下侧位,后端不伸到腹鳍基。腹鳍始点与背鳍第二分枝鳍条相对。尾鳍叉形。

【生活习性】 栖息于江河、湖泊的中下层水体和近岸多水草区域。具河湖洄游习性,性成熟个体在江河中产卵,产卵后到湖泊中生活,冬天到江河越冬。以水草为食,也食旱草和芦苇等,是典型的草食性鱼类。鱼苗期以浮游动物为食,幼鱼期前食昆虫、蚯蚓等。4冬龄性成熟,4~6月份产卵,怀卵量100万~150万粒,为漂浮性卵。生长快,饲养2年可长到1.5~2千克,3冬龄可长到5千克左右。

【采集与加工】 草鱼肠洗净,切断,蒸熟食用。肉煮食。胆性苦、寒,冬季收集,阴干,备用。

【养殖方法】 草鱼肉味鲜美,食料简单易得,为我国四大淡水养殖鱼类之一,是湖泊、水库、池塘的重要养殖对象,养殖方法已普及,不再介绍。

二十八、鳙

鳙 *Aristichthys nobilis* (Richardson),别名花鲢、黑鲢、胖头鱼、大头鲢。分布于长江、珠江水系。以鱼头和胆入药。

【形态特征】 鳙(彩图186),最大体长约1 000毫米,个体可达40千克。体灰黑色,背面和上侧面暗褐色,密具黑色细斑,下侧面和腹面银白色。各鳍淡灰色。体侧扁,延长,腹面自胸鳍基至腹鳍较圆,自腹鳍基部之后至肛门具一肉棱。头胖大,故名胖头鱼。眼小,下侧位,位于头的前半部。口宽,亚上位。鳃孔宽大。鳃耙细密,长约等于鳃丝长。体被细小圆鳞,侧线完全,弧形中间下弯。咽喉齿1行,平扁,草履状。背鳍起点后于腹鳍基底,距尾鳍基较距吻端为近。臀鳍中等长,起点距腹鳍基底比尾鳍基近。胸鳍后伸过腹鳍基底。腹鳍起点距胸鳍比距肛门为近。尾鳍分叉。

【生活习性】 栖息于水体中上层,具河湖洄游习性,平时多生活在沿江的湖泊等水域中,性成熟时到江河上游产卵。产卵后的亲鱼及幼鱼再进入饵料丰富的湖泊中生活,冬季多在湖泊深水处越冬。以浮游动物为主要食物,如枝角类、桡足类等。一般5冬龄性成熟。4月下旬至7月份产卵,怀卵量在100万粒左右,浮性卵。生长较快,1冬龄鱼重0.5~1千克,2冬龄重1.5~2千克。

【采集与加工】 鱼头、胆汁入药。

【养殖方法】 为我国四大家鱼之一。其养殖技术已普及,不再介绍。

二十九、鲢

鲢 *Hypophthalmichthys molitrix*（Cuvier et Valenciennes），别名白鲢、鲢子、洋胖子、扁子、镖鱼。分布于我国东部平原各主要水系。以鱼肉入药。

【形态特征】 鲢（彩图 187），体长 91～358 毫米，最大个体重可达 35～40 千克。体银白色，各鳍呈灰白色。体侧扁，稍高，腹部狭窄，从胸部至肛门之间有发达的腹棱。头大，约为体长的 2/4。吻宽钝，眼小，位于头侧下方。口亚上位。鳃耙特化，密集会合成一过滤器。体被小圆鳞。背鳍无刺，起点约在体中央上方。臀鳍中等长，起点在背鳍基部后下方。胸鳍下侧位，末端可伸到或超过腹鳍基。腹鳍起点距胸鳍较距臀鳍为近。尾鳍深叉状。

【生活习性】 生活于水的上层，性活跃，能跳出水面。主食浮游生物及植物碎屑和腐殖质。3～4 龄性成熟，4～7 龄繁殖，怀卵量 20 万～80 万粒。

【采集与加工】 鲢鱼肉食用温中益气，利水。

【养殖方法】 为我国四大家鱼之一，养殖技术已普及，在此不再介绍。

三十、鲫

鲫 *Carassius auratus* Linnaeus，别名鲋鱼、鲫瓜子、鲫壳子、喜头金鱼。除青藏高原外，广泛分布于我国各水系。以全鱼和卵等入药。

【形态特征】 鲫（彩图 188），体长 78～263 毫米，最大个体重 1 千克。体银灰色，大个体有金黄色光泽，背部色较深，各鳍灰色。体侧扁，宽而高。头小，吻钝。口端位，弧形。无须。咽喉齿侧扁。鳃耙长，披针形。背鳍和臀鳍的后缘均具锯齿。尾鳍叉形。

【生活习性】 为适应性广的鱼类，能生活在各种水体中，更喜欢生活在水草丛生的浅水河湾、湖泊中。杂食性，以水草、浮游生物、底栖动物为食。产卵期为 3～8 月份，卵粘性。南方的鲫鱼 1 冬龄即开始性成熟，北方需 2 冬龄以上。繁殖力强，繁殖力与鱼体大小、年龄有关，1 冬龄鲫鱼怀卵量 1 万～2.8 万粒，2 冬龄鱼为 2 万～5.1 万粒，3 冬龄鱼为 2.6 万～6.8 万粒，5 冬龄可达 11 万粒以上。鲫鱼属分期分批产卵类型。

【采集与加工】 鲫鱼肉味鲜美，营养丰富，为群众喜食的上等鱼。鲜肉煮食或煅研末入丸散。鲫鱼头烧存性研末，内服或外用。胆汁、鱼脑亦入药。食用鲫鱼卵能明目。

另有，我国培育的异育银鲫及从日本引进的白鲫，都具有个体大、生长快、适应性强、繁殖快、疾病少等优点，药效近似鲫鱼。

【养殖方法】 人工养殖鲫鱼较好品种有东北的银鲫、江西的彭泽鲫、江苏的龙池鲫、杭州的西湖鲫、吉林的松花湖鲫、内蒙古的官村鲫。上述品种中以东北银鲫个体最大，可达 2.5～3 千克。近年来引进的白鲫（又称大阪鲫）生长也较快。其养殖技术已普及，在此不再介绍。

三十一、金　鱼

金鱼 *Carassius auratus*（L. var.［英］Goldfish），别名锦鱼、金鲫鱼、朱砂鱼。我国大部分地区有饲养，已被许多国家引入，成为观赏鱼的重要种类。以全鱼和鱼肉入药。

【形态特征】 金鱼(彩图 189),体长 60～100 毫米,最大的达 150 毫米以上。体色五彩缤纷,有红、黄、白、黑、蓝、紫、橙等多种色彩。金鱼是由野生鲫鱼培育而成的,其外部形态与野生鲫鱼已有很大的差异。体长形、椭圆形或纺锤形,头部有平头型、鹅头型和狮子头型等,体被圆鳞。鳞有的透明,有的呈珍珠状。口端位。眼侧位,有龙睛眼型、望天眼型、水泡眼型等。鳍形变异大,背鳍、臀鳍、尾鳍的单个鳍变成双个鳍,短鳍变成长鳍。

【生活习性】 金鱼生活的最适水温为 20℃～28℃,水中含氧量充足,二氧化碳在 60 毫克/升以下,水质弱碱性,杂食性。1 冬龄开始性成熟,繁殖以 2～3 冬龄为佳。产卵多在 3～5 月份。为卵生鱼类,雌、雄异体,体外受精。怀卵量大,怀卵量为 1 000～1 500 粒,3 龄鱼可高达 7 万～8 万粒。可自然繁殖。卵粘性。卵孵化需用鱼巢。受精卵黄色透明,在水温 18℃～20℃时,6～7 天就可孵出仔鱼。

【采集与加工】 金鱼的肉和全身均可入药。有清热、利水、解毒的功效。

【养殖方法】 我国是金鱼的故乡,饲养金鱼的历史已有 800 多年。品种繁多,现已传播到世界上许多国家和地区。一般饲养应掌握以下几点。

一是要有适宜的饲养环境。①水面开阔、通风、向阳、无树的池塘,均可饲养金鱼。金鱼冬季有冬眠的习性,所以在北方冬季还要为金鱼建暖洞(或越冬池)。此外,木盆、瓦盆、水泥池、玻璃箱等也可养金鱼。②金鱼对水的酸碱度、硬度、氯、氨、溶氧量等要求有一定的范围。水体 pH 值 7.2～7.5 最适宜;硬度 270～324 毫克/升最适宜(234～396 毫克/升也能适应);自来水中的氯含量足以伤害金鱼,可用晒水方法或放入硫代硫酸钠(海波)除掉(10 升水放 1 克硫代硫酸钠结晶体);水中溶氧量以 7～8 毫克/升为宜,不能低于 5 毫克/升,再低就会浮头、死亡。③金鱼适温范围广,在 4℃～35℃时都能正常生活,最适生长水温是 20℃～28℃,繁殖水温 18℃～22℃。④金鱼为杂食性鱼类,动物性饵料(浮游动物、摇蚊幼虫等)、植物性饵料(藻类、水草等)及人工饵料均可。

二是精心的管理。①每天投喂 1 次,投喂食物要定量、定时、定质,食物以 20～30 分钟吃完为好,多余食物下午要及时除掉,以免使水质变坏。②换新水必须经过晒水除氯、增氧,且水温与饲养水温近于相同(相差不超过 2℃)。③操作时要谨慎,不要伤及鱼体。放养密度要合理,注意观察鱼的行为反应,要做好防病工作,有病早治。

三是采取正确的繁殖方法。①选择体质健康、体态优美、品种特征突出的 2～3 龄鱼作亲鱼。雌、雄鱼按 1:1.1 或 1:2.1 或 1:3 比例,放入有鱼巢的繁殖池或盆内(雌、雄鱼区别:雄鱼胸鳍尖,雌鱼胸鳍圆;雄鱼胸鳍上边有钙化的小白点,称"追星",雌鱼没有)。②在水温 15℃左右,雄鱼发情追雌鱼,雌、雄鱼在鱼巢(草把)处排卵、排精,完成受精过程。后将粘满受精卵的鱼巢放入孵化池或盆中,在水温 18℃～20℃下,6～7 天可孵出仔鱼。孵化期要注意水温、水质的变化,死卵要及时捞出,保持适宜水温、良好水质是孵化成功的关键。③孵出的仔鱼平游后,喂轮虫或煮熟的蛋黄,后逐步改喂溞类等,20～25 天倒入大饲养池,饲养方法与金鱼常规方法相同。

三十二、红 鳍 鲌

红鳍鲌 *Culter erythropterus* Basilewsky,别名红尾鲌、小白鱼、鲌。几乎遍布全国各水系。以全鱼入药。

【形态特征】 红鳍鲌(彩图 190),个体不大,体长 200~300 毫米,重 0.25 千克以下。体背部灰色,体侧、腹部银白色,体侧上半部鳞片后缘具黑色小斑点。背鳍和尾鳍上叶灰白色,腹鳍、臀鳍和尾鳍下叶橘红色。体侧扁而长,头后背部隆起,腹缘自胸鳍基部至肛门有完全的皮棱。头小。口上位。鳃耙细长。咽喉齿 3 行。体被圆鳞,侧线完全,在腹鳍上方弯曲,延伸至尾柄正中。背鳍短,无锯齿。臀鳍起点位于背鳍起点稍后下方。胸鳍近于腹鳍。腹鳍较胸鳍短,后端不达肛门。尾鳍分叉。

【生活习性】 生活在静水及缓流的中上层,夏天常成群在水中游泳,冬天在深水处越冬。为肉食性鱼类,主食小鱼、小虾,也食水生昆虫等。5~6 月份产卵。2 龄鱼性成熟。一般在水浅、水流量大和卵石底质的场所产卵。卵淡黄色,粘性,粘附在卵石或其他物体上。怀卵量 2 万多粒,分批产卵。

【采集与加工】 个体不大,肉味鲜嫩,取肉供药用。

【养殖方法】 目前未专门养此种鱼,仅在养鱼池中配养一定比例的短尾鲌,用以捕食池塘中的野杂鱼。

三十三、厚唇裸重唇鱼

厚唇裸重唇鱼 *Gymnodiptychus pachycheilus* Herzenstein,别名重唇花鱼、麻鱼、厚重唇鱼。分布于甘肃、青海黄河水系和长江水系。以鱼肉、骨和胆入药。

【形态特征】 厚唇裸重唇鱼(彩图 191),最大可达 2.5~3 千克。体背部和头顶黄褐色或灰褐色,并有黑褐斑点,侧线下方也有少数斑点;腹部灰白色或黄灰色,无斑点,背鳍浅灰色,尾鳍带红色,均有小斑点。体长筒形,略侧扁。头锥形。口下位。下颌前缘无锐利的角质。有 1 对短须。体裸露无鳞,仅有臀鳞 1 行。背鳍始于腹鳍前上方,无硬刺,尾鳍叉形。

【生活习性】 生活于江河上游的高原地区。以软体动物、桡足类、昆虫、小鱼等为主要食物。4~5 龄性成熟。4~8 月份为产卵期。生长慢。

【采集与加工】 肉味好,产量较高。鱼肉晾干,研细末,备用。鱼骨煅成炭,研细备用。

另有产于青海、甘肃和四川、黄河上游的花斑裸鲤 *Gymnocypris eckloni*,黄河裸裂尻鱼 *Schizopygopsis pylzovi* 的药效与厚唇裸重唇鱼近似。

三十四、赤 眼 鳟

赤眼鳟 *Squaliobarbus curriculus*(Richardson),别名红眼鳟、红眼棒、红眼鱼、野草鱼、马棍、鳟条、醉角眼、马娘鱼、马郎鱼。分布于除西北、西南地区以外的各水系。以鱼肉入药。

【形态特征】 赤眼鳟(彩图 192),体长 67~292 毫米。眼上缘有一红斑。体银白色,背部灰白色,鳞片基部有黑色斑条,由此而形成鱼体网状斑纹。背、尾鳍深灰色,尾鳍边缘具一黑边,其他各鳍灰白色。体长,略呈圆筒形,后部稍侧扁。头较小。口前位。有颌须 2 对,侧线完全。背鳍起点与腹鳍基相对。臀鳍起点距尾鳍基较距腹鳍基为近。胸鳍尖,侧下位。腹鳍不达臀鳍。尾鳍深叉形。

【生活习性】 生活于流速较慢的水体中层,杂食性,以浮游植物和水生植物为主要食物。2 龄性成熟,6~7 月份产卵,怀卵量 3 万~15 万粒。卵浮性。生长较慢,产量较低。

【采集与加工】 取肉食用,暖胃和中。

三十五、鳡

鳡 *Elopichthys bambusa*(Richardson),别名黄钻、横叉、竿鱼、大口鳡、黄颊鱼、水老虎、生母鱼。分布于西北、西南高原之外的南北各水系。以鱼肉入药。

【形态特征】 鳡(彩图 193),体长 163~1 010 毫米。背部灰黑色或灰绿色,腹部银白色,背鳍和尾鳍灰白色,颊部及其他各鳍呈灰色。体修长,稍侧扁。头小,较长,吻尖。眼小,侧上位。无须。咽齿 3 行。鳞小,侧线完全。背鳍起点在腹鳍之后。臀鳍起于腹鳍基至尾鳍基正中。胸鳍尖长,后端不达腹鳍基。腹鳍起于胸鳍基至臀鳍基的中间。尾鳍深叉形。

【生活习性】 为水体中上层鱼类。以小鱼为食,是大型凶猛鱼类。生长快,肉味鲜美。

【采集与加工】 取肉入药,有暖中、益胃、止呕的功效。

三十六、鯮

鯮 *Luciobrama macrocephalus*(Lacepede),别名尖头鳡、马头鯮、长嘴鯮、鹤嘴鳡、火筒嘴、吹火筒。分布于长江、闽江、珠江等水系。以鱼肉入药。

【形态特征】 鯮(彩图 194),体长 147~1 050 毫米。体背部深灰色,侧面及腹部银白色,沿侧线上方常有一微黑的纵纹。胸鳍淡红色,尾鳍后缘黑色。头前半部细长,稍呈管状,吻端平扁,假鸭嘴形。体延长,略呈圆柱状。口上位,无须。鳞细小。背鳍位于体后部,在腹鳍后上方。尾鳍深叉形。

【生活习性】 生活在水体中下层,游泳能力强。为大型凶猛鱼类,以鱼类为主要食物。雌鱼 5 龄性成熟,4~7 月份产卵。生长很快,一年能长 1~2 千克,最大个体可达 50 千克左右。

【采集与加工】 肉食用,有益筋骨,和脾、胃的功效。

三十七、泉水鱼

泉水鱼 *Semilabeo prochilus* (Sauvage et Dabry),别名油鱼。分布于长江上游干流及支流沱江、黔江、岷江、乌江。以鱼肉入药。

【形态特征】 泉水鱼(彩图 195),体长 89~260 毫米。体背部灰黑色,腹部灰白色,各鳍微黑。体较长,前部圆,后部稍侧扁,腹部较平。头小。吻皮与下唇均有排列整齐的肉质小乳突。口呈三角形,张口时,吻皮与下唇外翻扩展为喇叭形,唇后沟限于口角处,须 2 对,吻须较长。背鳍约始于体中央上方,外缘凹形。尾鳍叉形。

【生活习性】 喜栖息在江河溪流中的石下,常刮食着生在岩石上的藻类及其他有机物质。产卵期 3~4 月份,卵产在岩石缝中。

【采集与加工】 肉入药,有补益元气、止血等功效。

三十八、华　鲮

华鲮 *Sinilabeo rendahli*（Kimura），别名青龙棒、桃花棒、野鲮鱼。分布于长江上游。以鱼肉入药。

【形态特征】　华鲮（彩图196），体长100～360毫米。体背青黑色略带绿色，腹面淡黄色，背部及两侧大部分鳞片具有紫绿色金属光泽，并缀有红点。各鳍灰黑色。体长而侧扁，腹面略平扁，尾柄高而宽厚。头小。吻钝圆而突出，吻皮下包上唇且边缘有细缺刻。口下位。下颌边缘较厚，在大型个体内有角质，颌须1对。背鳍起点约在体中上方，外缘平截或略凸。尾鳍叉形。

【生活习性】　为水体底层鱼类。喜栖息于水流湍急的江河及山涧溪流中。草食性，主要以藻类为食。4～6月份产卵，喜集群在滩头激流处产卵。卵微粘性。

【采集与加工】　肉有益气和中、除湿的功效。

三十九、鲮

鲮 *Cirrhinus molitorella*（Cuvier et Valenciennes），别名土鲮、鲮公、花鲮。分布于长江上游。以鱼肉入药。

【形态特征】　鲮（彩图197），体长102～325毫米。体背部青灰色，腹部灰白色，体侧上部鳞片各具一黑斑点，胸鳍上方的侧线上下8～15个鳞片各有深黑色斑块。鳍灰色，腹侧各鳍末端略红。幼鱼尾鳍基有一黑斑。体长而侧扁。头短，吻圆钝。吻皮边缘光滑，向下覆盖于上唇基部，口小，下位，呈弧形。须2对。鳞中等大。背鳍起点前于腹鳍，较近于吻端，外缘凹，无硬刺。尾鳍深叉形。

【生活习性】　为水体中下层鱼类，生活于水温较高的水体中，适于生长的温度是15℃～30℃，低于7℃即有死亡。对溶氧量的要求较低，能适应较肥的水体。当水温为22℃～28℃时，每升水溶氧量为1毫克，鱼能正常摄食；每升水溶氧量下降到0.24～0.65毫克，会因缺氧而浮头；每升水溶氧量降到0.16毫克以下，会窒息死亡。主食浮游植物，常以颌的角质缘刮取泥土或岩石表面的藻类。性情活泼，善跳，对流水反应十分灵敏。3龄性成熟，4～7月份产卵。在流水中产卵，受精卵顺水漂流而发育。生长速度不快，通常情况下，1龄鱼达0.25千克，2龄鱼达0.5千克，3龄鱼达1千克左右，4龄鱼可达1千克以上。

【采集与加工】　肉入药，有活血行气、利水湿的功效。

【养殖方法】　鲮是主要养殖鱼类之一，其养殖技术已普及，在此不再介绍。

四十、倒刺鲃

倒刺鲃 *Spinibarbus denticulatus denticulatus*（Oshima），别名青竹、竹鱼。分布于海南以及北江、西江、元江等水系。以鱼肉入药。

【形态特征】　倒刺鲃（彩图198），体长102～262毫米。体灰绿色，背部微黑，腹部灰白色，体侧鳞片前缘多为黑灰色，近尾鳍基部有一黑斑。背鳍、腹鳍及臀鳍外缘稍黑。体长形，略高,稍侧扁,腹部圆。头较小。口亚下位。须2对。鳞大。背鳍起点稍后于腹鳍始点,起点前有一平卧倒刺。尾鳍深叉形。

【生活习性】 为水体中下层鱼类。生活于急流水中,常栖于石缝中。草食性,主食藻类及植物碎屑。3冬龄性成熟。约在4月产卵。为普通的食用鱼。

【采集与加工】 肉入药,有壮阳、补中的功效。

四十一、鲈 鲤

鲈鲤 *Percocypris pingi* (Tchang),别名花鱼、秉氏鲈鲤、青脖、江鳁。分布于长江上游干、支流。以鱼肉入药。

【形态特征】 鲈鲤(彩图199),体长212~470毫米。体背青黑色,腹部灰白色,体侧多数鳞片基部具一黑斑点,排列而呈现断续的黑纵纹。头部有黑斑点。背鳍、胸鳍及尾鳍微黑。体长而侧扁,头后背部稍隆起。头圆锥形,背面平阔。吻圆钝。口亚上位。唇肥厚,在口角处相连,唇后沟不相通。须2对。鳞较小,腹鳍具腋鳞。背鳍起点稍后于腹鳍起点,略近于尾鳍基部,外缘微凹。尾鳍叉形。

【生活习性】 为水体中上层鱼类。肉食性,主要食鱼类。3冬龄性成熟,约在6月份产卵。3冬龄鱼体长可达200多毫米。产量大,为产区食用鱼类。

【采集与加工】 肉食用,有祛痰、止血、镇静的功效。

四十二、金钱 鲃

金钱鲃 *Sinicyclocheilus grahami* (Regan),别名金钱鱼、金线鲃、小洞鱼,为国家二级保护动物。分布于云南滇池,抚仙湖及阳宗海亦产,已形成不同亚种。以鱼肉入药。

【形态特征】 金钱鲃(彩图200),体长100~230毫米,体重50~250克。体背部灰暗色,腹部灰白色,头背部及侧线上部具不规则黑色斑纹。背鳍、胸鳍及尾鳍较黑,腹鳍与臀鳍灰白。体长而侧扁,头后部隆起。吻端尖,吻皮盖在上唇基部。口亚下位。上唇薄,下唇厚,在口角处相连,唇后沟中断。须2对。背鳍起点稍后于腹鳍始点,硬刺后具锯齿。尾鳍深叉形。

【生活习性】 栖息于水体清澈的湖中,以小鱼、小虾、水生昆虫为食。初夏产卵。个体小,50~100克重。肉味鲜美,为名贵鱼类。

【采集与加工】 肉入药,有滋补作用。

四十三、唇 鲳

唇鲳 *Hemibarbus labeo* (Pallas),别名重唇鱼、鲮鲳、重口鱼。除青海、西藏、内蒙古、新疆外,几乎遍及全国各主要水系,从黑龙江到海南均有分布。以全鱼入药。

【形态特征】 唇鲳(彩图201),体长85~272毫米。体背部青灰色,腹部白色。幼鱼体侧有黑斑,成鱼则无。背鳍和尾鳍灰黑色,其他各鳍色浅。体长形,稍侧扁,腹部圆。吻长,大于眼后头长。口下位,马蹄形。唇厚,肉质。须1对。背鳍起点稍近于吻端,硬刺光滑而粗壮,尾鳍叉形。

【生活习性】 为水体中下层鱼类，多栖息在水流湍急的河流中。幼鱼喜水流平稳的水域。食底栖动物，以水生昆虫及其幼虫为主。3冬龄开始性成熟。5～6月份产卵，北方较晚，产卵多在流水中进行。生长较慢。为一种经济鱼类。

【采集与加工】 全鱼入药，有补益脾肾的功效。

四十四、华　鳈

华鳈 *Sarcocheilichthys sinensis* Bleeker，别名石鲫、花石鲫、花鱼、山鲤子、老母猪鱼。分布于长江、黑龙江的干支流及湖泊中。以鱼肉入药。

【形态特征】 华鳈(彩图 202)，体长 75～150 毫米。体背部灰黑色，腹部灰白色，体侧有4条黑色横带。第一带在鳃孔后方，第二带在背鳍下方，第三带在臀鳍上方，第四带在尾柄后部。各鳍灰黑色，边缘白色。体长，稍侧扁，头后背部显著隆起。口小，下位。唇稍厚。下颌前缘有发达的角质。须1对。背鳍起点近于吻端。尾鳍叉形。

【生活习性】 栖息于水体中下层。食底栖无脊椎动物、藻类及植物碎屑。4～6月份产卵，卵粘性。

【采集加工】 肉入药，有安胃和中、利小便、解热毒之功效。

四十五、中华鳑鲏

中华鳑鲏 *Rhodeus sinensis* Günther，别名鳑鲏鱼、鳑鱼。分布于华北地区向南直至珠江流域各水系。以鱼肉入药。

【形态特征】 中华鳑鲏(彩图 203)，体长 35～56 毫米。体背灰褐色，腹部灰白色，体侧上部鳞片后缘有小黑点，侧线起点处及其稍后各有一蓝黑斑，沿尾柄中线向前伸至臀鳍起点上方有一墨绿色纵纹。各鳍微黄。幼鱼背鳍前部有一大黑斑。体椭圆形，侧扁。口小，端位。无须，侧线不完全，侧线鳞 3～7 枚。背鳍起点约在体中央，后于腹鳍。臀鳍起点约与背鳍第四分支鳍条相对。尾鳍叉形。

【生活习性】 生活于多水草处，以藻类和植物碎屑为食，也食浮游动物。1龄性成熟，4～6月份产卵。卵通过产卵管产于河蚌的鳃瓣上。生长慢，个体小。

【采集与加工】 肉入药，有益脾胃、解毒的功效。

四十六、鳘

鳘 *Hemiculter leucisculus*(Basilewsky)，别名鲦鱼、鳘条鱼、白条、白鲦、白漂子、青鳞子。分布广，遍布我国东部南北各河流、湖泊中。以鱼肉入药。

【形态特征】 鳘(彩图 204)，体长 65～181 毫米。体背部青灰色，腹面银白色，尾鳍边缘灰黑色，其他各鳍略黄。体长形，侧扁，腹缘自胸部至肛门间有完全的腹棱。口端位，鳞中等大。侧线在胸鳍上方急剧向下弯折。背鳍起点在腹鳍起点上方，较近于尾鳍基。尾鳍叉形。

【生活习性】 常群栖于流水或静水沿岸水体上层，游动迅速。为杂食性鱼类，以藻类、植物碎屑、甲壳类等为食。一般1冬龄鱼性成熟，5～7月份产卵。个体小，数量大。

【采集与加工】 鱼肉食用,有暖胃的功效。

四十七、鲂

鲂 *Megalobrama terminalis*(Richardson),别名三角鳊、三角鲂、平胸鳊,法罗鱼、乌鳊。分布于黑龙江至珠江各水系。以鱼肉入药。

【形态特征】 鲂(彩图 205),体长 89～501 毫米。体色灰黑,尤以背部为深,每个鳞片有灰黑色斑,由各鳞片形成灰黑色纵带。体高而侧扁,菱形,腹缘自腹鳍基部至肛门间有明显的腹棱。口小,端位,两颌前缘覆以角质。鳞中等大。背鳍起点稍近于吻端,后于腹鳍。臀鳍起点在背鳍基底末端下方。尾鳍深叉形。

【生活习性】 为水体中下层鱼类,常栖于淤泥或石砾底质、有沉水植物的敞水区。幼鱼以浮游动物为主要食物,成鱼以水生植物为主食。3 冬龄性成熟,4～6 月份产卵,卵稍带粘性,附在水草或砾石上发育。生长较快,为优良的养殖鱼类。

【采集与加工】 鱼肉食用,有调胃健脾的功效。

四十八、翘嘴红鲌

翘嘴红鲌 *Erythroculter ilishaeformis*(Bleeker),别名翘嘴巴、鲌鱼、白扁鱼、翘壳、白鱼、大白鱼。分布于黑龙江、辽河、黄河、长江水系。以鱼肉入药。

【形态特征】 翘嘴红鲌(彩图 206),体长 50～1 000 毫米。体侧上部灰褐色,下部银灰色,腹部银白色,背鳍和尾鳍灰黑色,其他各鳍灰白色。体长形,侧扁,腹缘自腹鳍基部至肛门间有腹棱。口上位,下颌厚尖而上翘。鳞小。背鳍起点约位于体中部或稍后。臀鳍长,位于背鳍之后下方。尾鳍深叉形。

【生活习性】 栖息于水体的中上层,幼鱼以水生昆虫、枝角类、虾、水生植物等为食,成鱼食小鱼。3 冬龄性成熟,在 6～7 月份产卵。卵浅黄色,为浮性卵。生长较快,为经济鱼类。

【采集与加工】 鱼肉食用,有开胃健脾、行水之功效。

四十九、黄尾鲴

黄尾鲴 *Xenocypris davidi* Bleeker,别名黄尾蜜鲴、黄片、黄姑子、黄骨鱼、黄鲴鱼、黄板刀。分布于黄河、长江流域及其以南各水系。以鱼肉入药。

【形态特征】 黄尾鲴(彩图 207),体长 130～310 毫米。体背部灰黑色,体侧下半部及腹部银白色,鳃盖后缘有一浅黄色斑块,尾鳍黄色。体长形,较厚而侧扁,腹部圆。在肛门前方有很短腹棱。头圆锥形,吻钝,口下位,下颌有发达的角质缘。鳞片中等大。背鳍起点稍近吻端,与腹鳍起点相对或稍前。尾鳍深叉形。

【生活习性】 栖息于水体中下层,以水草碎屑、硅藻为主要食物,也食少量水生昆虫、浮游动物等。2 冬龄性成熟,4～6 月份产卵。多在急流浅滩处产卵。卵粘性。为中小型经济鱼类。

【采集与加工】 鱼肉食用,有温中止泻的功效。

五十、宽鳍鱲

宽鳍鱲 *Zacco platypus* (Temminck et Schlegel),别名石鲅鱼、双尾鱼、鱲鱼、红翅子、石鱼、桃花鱼。分布于除西部及北部高原以外的我国东部各水系。以鱼肉入药。

【形态特征】 宽鳍鱲(彩图 208),体长 74～100 毫米。体色鲜艳,背部灰黑,腹部银白,体侧粉红,有 12～13 条蓝绿色横带纹,背、臀鳍粉红,成对鳍略黄,尾鳍淡黄。口端位,口裂稍斜。背鳍起点近于吻端,尾鳍分叉深。

【生活习性】 生活于各种水体,尤喜栖息石底的山洞急流处。以浮游甲壳类为食,也食藻类和小鱼。1 冬龄性成熟,4～6 月份产卵,在急流中产卵。

【采集与加工】 以肉入药,性平,味甘。

五十一、泥鳅

泥鳅 *Misgurnus anguillicaudatus*(Cantor),别名鳅、鳅鱼。分布于我国东部南北各水系。以全鱼入药。

【形态特征】 泥鳅(彩图 209),体长 80～120 毫米。背部暗褐色,体侧灰黑色,密具黑褐色斑点,腹部白色或浅黄色,背鳍和尾鳍密布黑色小斑点,尾鳍基上方具一黑色大斑,其他各鳍灰白色。体延长,后部侧扁。头中等大,眼小,无眼下棘。口小,下位。须 5 对,最长口须达眼后缘。鳃耙退化。咽喉齿 1 行。体被细小圆鳞,头部无鳞。侧线不显著。背鳍与腹鳍相对,始点近在鳃盖后缘与尾鳍中间。臀鳍始点距腹鳍始点较距尾鳍基为近。胸鳍雄鱼尖长,雌鱼短圆。尾鳍后缘圆形。

【生活习性】 喜栖息在静水底层,白天钻入泥土中,夜间出来觅食。以昆虫、小型甲壳动物、扁螺、高等植物、藻类等为食。对环境适应力极强,可用鳃、肠呼吸,在水中溶解氧不足时,可游到水面吞吸空气,废气从肛门排出。冬季寒冷、水干涸时,可钻入泥土中,依靠少量水分湿润皮肤,肠呼吸维持生命,待翌年多水时再出来活动。4～5 月份繁殖,在岸边浅水、多草处分批产卵。卵粘性,半透明。

【采集与加工】 泥鳅肉质细嫩,味道鲜美,营养丰富,具有一定的医药价值,据《本草纲目》中记载,泥鳅有暖中益气之功效。活泥鳅放清水中养 1 天,使肠内脏物排出,鲜鳅煮食,或用干燥箱把鱼烘干,捏碎,备用。将泥鳅捣烂,与黑砂糖拌和,涂患处。泥鳅滑液也可入药。

【养殖方法】 在国际市场上,泥鳅是畅销水产品之一。其养殖要掌握好如下几点。

一是建好养殖池。泥鳅以单养为好。选择向阳、近水,管理方便的地点建池。面积以 100 平方米左右为宜,池深 30 厘米,池四周筑堤。池底有较坚实淤泥,淤泥厚 15～20 厘米。池的进出水口有铁丝网拦挡,池堤要设出水口,防暴雨池水漫堤顶时泥鳅逃走。池内种些水生植物,以利泥鳅生活。

二是培肥泥、水。放鳅种前 20～30 天,每 100 平方米池用 3 千克生石灰消毒,然后施足基肥,每 100 平方米施干鸡粪 30 千克,均匀撒在池内,让其发酵,以后根据水质情况,再适当追肥,保持水的透明度在 20 厘米左右为宜。

三是放养密度要适宜。每 100 平方米池放养 3 厘米以上的种苗 15～30 千克,如是小鳅苗,池内又有流水条件,可加大投放量。

四是按需要投喂饲料。泥鳅是杂食性鱼类,除施肥培养浮游生物提供饵料外,可投喂豆渣、麦麸、米糠、豆饼等植物性饲料及蚕蛹、蚯蚓、螺蚌肉、屠宰场下脚料等动物性饲料。投喂量一般为泥鳅总重的 8%,每天投喂 1~2 次。投喂量依水温高低适当增减。

五是注意日常管理。勤换水,保持良好水质。勤检查池堤、堵漏洞、保水位、防鱼逃走。经常施用农家肥,保持良好水质。防止害鱼、鸭、蛇等入池。夏季炎热天,在鱼池旁搭 4 平方米左右的遮阳棚,冬季排水过冬。

泥鳅在 5℃ 以下停止摄食,不再生长,即可收获。收获方法可用竹笼诱捕,也可排干池水掘泥捕捉。一般放养 150~180 天,体重可增至鱼种的 8~10 倍。

五十二、黑斑原鮡

黑斑原鮡 *Glyptosternum maculates*(Regan),别名藏鮡、巴格里。分布于西藏雅鲁藏布江的中上游及其邻近水域。以肉、骨和胆入药。

【形态特征】 黑斑原鮡(图 3-4,彩图 210),背侧黄绿色或灰绿色,腹部黄白色,体侧有不明显的块状斑。体修长,前部平扁,后部侧扁。头部平扁。眼小,口大,下位。体完全裸露无鳞,侧线不明显。背鳍短,起点至吻端距离约等于脂鳍长,具一软弱鳍棘。脂鳍低,其长超过头长。臀鳍短。胸鳍圆,肉质状。腹鳍圆。尾鳍截形。

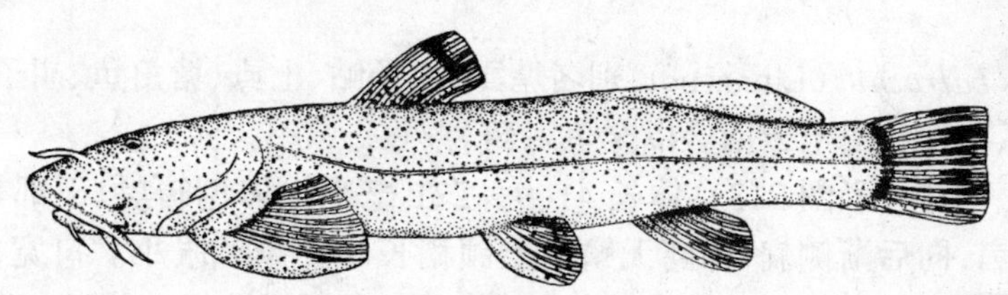

图 3-4 黑斑原鮡

【生活习性】 栖于急流水中的石缝间,以环节动物幼虫为食。3~5 月份产卵。卵产在缓流石缝中。

【采集与加工】 肉、骨、胆入药。鱼肉晾干,研成细末,备用。鱼骨煅成炭,研细备用。胆汁外涂患处。

五十三、黄颡鱼

黄颡鱼 *Pelteobagrus fulvidraco* (Richardson),别名鉠鰤、鉠䰾、革牙、嘎牙子、黄腊丁、鳍丝、黄牯。分布很广,除西部高原外,各水系均有分布。以全鱼、胸鳍硬棘入药。

【形态特征】 黄颡鱼(彩图 211),最大个体可达 300 毫米左右。体青黄色,腹部淡黄色,体侧具不规则黄褐色斑,各鳍灰色。体长形,后部侧扁。头稍大,略平扁。口大,下位。两颌均具齿,齿绒毛状。须 4 对。背鳍硬刺后缘有锯齿。胸鳍硬刺前缘锯齿细小而多,后缘锯齿粗壮且少。脂鳍短于或等于臀鳍基长。尾鳍深叉形。

【生活习性】 为水体底层食肉性小型鱼类。多生活在湖泊岸边,以小鱼、水生昆虫为主要食物。5～7月份产卵，雄鱼有筑巢、守巢护幼的习性。

【采集与加工】 肉质细嫩、味美，全鱼入药。胸鳍硬棘焙煅研末，备用。黄颡鱼的颊骨、皮肤分泌的粘液亦入药。

五十四、鲇

鲇 *Silurus asotus* Linnaeus，别名鲇鱼、鲇拐、鲇巴郎、粘鱼。分布很广，除青藏高原及新疆外，遍布全国各水系。以肉、粘液及鳔入药。

【形态特征】 鲇(彩图212)，体长107～400毫米。体灰褐色，腹部白色，体侧隐具黑色斑块，各鳍灰黑色。体修长，后部侧扁，裸露无鳞。头平扁而宽大。口大，口裂达眼前缘下方，两颌及犁骨均有绒毛状细齿。须2对，背鳍小，无硬刺。无脂鳍。胸鳍刺前缘锯齿明显，后缘粗糙。尾鳍圆形或微凹。

【生活习性】 为水体底层肉食性鱼类。以小鱼、虾等为食。4～7月份产卵，卵绿色，粘性。怀卵量2万～7万粒。卵多产在水草丛深处。

【采集与加工】 生长快、肉质细嫩，为重要食用鱼类之一。鲇鱼全体炖食，连续服用。鲇鱼鳔炙黄入药。皮肤分泌的粘液亦入药。

五十五、胡　鲇

胡鲇 *Clarias batrachus*(Linnaeus)，别名塘虱、须子鲇、土虱、塘角鱼、胡子鲇。分布于长江中下游、珠江水系、海南，西至云南。以全鱼入药。

【形态特征】 胡鲇(彩图213)，体长41.9～221毫米。体色暗黑，下部较淡。体长形，背鳍始点之前较平扁，向后渐侧扁，裸露无鳞。上颌稍长于下颌。眼小。口宽，弧形。两颌均有绒毛状齿形成的齿带。须4对，其中上下颌各2对，以上颌须最长，一般超过胸鳍。鳃孔宽大。背、臀鳍均很长，无硬刺，末端接近尾鳍。胸鳍硬刺外缘粗糙。尾鳍圆形。

【生活习性】 为热带、亚热带淡水鱼类，栖息于河川、池塘等多水草的沟渠、稻田和沼泽的暗处和洞穴内。适应性强，由于鳃内有辅助呼吸器官，可耐干旱，有时离开水也能存活较长时间。夜间觅食，以小鱼、小虾、水生昆虫等为食。喜群居，在沟渠石缝中常见数十尾生活在一起。冬季在洞中越冬，每年分别在4～5月份及8～9月份两次产卵。产卵时有筑巢和护幼习性。

【采集与加工】 全鱼可入药，有养血补虚功效。

【养殖方法】 胡鲇为杂食性，在自然水域中，捕食小鱼、小虾及水生昆虫等，人工饲养时可喂花生饼、豆饼、豆渣及人工饵料、动物内脏等。自然繁殖、人工繁殖均可。自然繁殖时要设水草使卵附着。人工繁殖可用催情药物(每50克体重的亲鱼用绒毛膜促性腺激素500单位，或用促性腺激素释放激素类似物5微克加绒毛膜促性腺激素250单位，也可使用鱼类脑垂体)。产卵环境要求不严格，水缸、木盆、土坑均可，水深保持10厘米以上、60厘米以下，放入鱼巢即可。产卵时要注意防止亲鱼逃散。催产药物注射后26～36小时产卵。受精卵经30～48小时孵出仔鱼，经4～5天仔鱼可下塘。放养苗种不宜过密，以每立方米水体放养500尾为宜。30天就可培养成3.5～4厘米鱼种。后转入成鱼池单养或混养。单养胡鲇的池塘不宜过大，面积一般为40～100平方米，水深60厘米。鱼池略有倾斜，用土堤、水泥堤均可，池内应设有隐蔽物和种植水生植物遮荫。为使水温不高于30℃，以用流水或半流水的方式饲养最为理想，此外，还可与鳗鲡、四大家鱼等混养。投饵量每天为胡鲇总体重的5%～10%。胡鲇生长快，6～10厘米的苗种，经5～6个月饲养，就可达到商品鱼规格(3～5尾/千克)。

五十六、真燕鳐鱼

真燕鳐鱼 *Prognichthys agoo*（Temminck et Schlegel），别名飞鱼、燕儿鱼、文鳐。分布于黄海、渤海及东海。以鱼肉入药。

【形态特征】 真燕鳐鱼(彩图214)，体长233～284毫米。体背面青黑色，腹部银白色，背、臀鳍灰色，胸、尾鳍浅黑色。体略呈棱形，背部及腹部颇宽，微凸，两侧较平，至尾部逐渐变细。头颇短，吻短。眼大，侧高位。口小。齿细小。体被大圆鳞。侧线位很低，近于腹缘。背鳍位于体的后部，基底较臀鳍基略长。臀鳍始点在背鳍第六鳍条下方，胸鳍特别强大，用于滑翔，后端可伸到臀鳍末端。腹鳍大，位腹部后下位。尾鳍叉形。

【生活习性】 为暖水性水体上层鱼类。喜集群洄游，游泳迅速，常跳出水面，在空中滑翔，以大型浮游生物为食。5～7月份为繁殖季节。在水体清澈、多海藻的近岸处产卵，怀卵量2.7万～3.4万粒。

【采集与加工】 鲜肉入药，或将肉煅烧存性，研末，备用。

五十七、日本鱵

日本鱵 *Hemirhamphus sajori*（Temminck et Schlegel），别名针鱼、单针鱼、针扎鱼。分布于黄海、渤海及东海。以鱼肉入药。

【形态特征】 日本鱵(彩图215)，体长165～241毫米。体银白色，背面暗绿色，体背中央自后颈起有一淡黑色线条。体侧各有一银灰纵带，头部及上下颌皆呈黑色。体细长，略呈圆柱形，尾部逐渐变细。头长，前端尖。口中等大。上颌尖锐，呈三角形。圆鳞，薄而易脱落。侧线很低，位于两侧近腹缘。背鳍与臀鳍相对，背鳍起点位在臀鳍前。臀鳍与背鳍同形。胸鳍短宽，尾鳍分叉。

【生活习性】 栖息于浅海、河口，有时到淡水中活动。常常跳出水面。

【采集与加工】 肉洗净，晒干，备用。有滋阴、补气、解毒之功效。

五十八、大头鳕

大头鳕 *Gadus macrocephalus* Tilesius，别名鳕鱼、大头鱼、大口、大头腥。分布于渤海、黄海。以鱼肉、骨、鳔和肝入药。

【形态特征】 大头鳕(彩图216)，体长200～300毫米，体重0.25～0.5千克。背面及上侧面灰褐色，具很多不规则棕色和黄色斑纹，腹面灰白色，各鳍灰色。体修长，稍侧扁，尾部向后狭小。口大，前位，上颌突出，下颌具一颏须，齿圆锥形。体被小圆鳞。侧线前部位高，背鳍3个。臀鳍2个。胸鳍短，镰刀状。腹鳍始于胸鳍基底前方。尾鳍后缘微凹。

【生活习性】 为水体底层冷水性鱼类。以小鱼、甲壳动物、软体动物为食。黄海鱼群1～2月份繁殖。卵沉性,怀卵量34万～83万粒。

【采集与加工】 为黄海北部重要经济鱼类,以肉、骨、鳔、肝入药。肝含油量很高,是制鱼肝油的原料。鳕鱼肉焙干研粉,备用。骨焙酥,研成粉,备用。鱼鳔制成鳔胶,内服用。用鳕鱼肝提制鱼肝油。

五十九、鳞烟管鱼

鳞烟管鱼 *Fistularia petimba* Lacepede,别名马鞭鱼、火筒。分布于黄海、东海、南海。以全鱼入药。

【形态特征】 鳞烟管鱼(彩图217),体长174～406毫米,大者可达700余毫米,重0.5千克左右。体浅红色,腹部白色,各鳍淡色,略带浅红色。体修长,鞭状,平扁。吻特别长,管状。眼椭圆形。口小,前位,两颌及犁骨、腭骨均有尖齿。体大部裸露无鳞,侧线在背鳍、臀鳍后方形成线状鳞。背鳍与臀鳍相对。胸鳍基较宽。腹鳍位于近前方。尾鳍叉形,中间鳍条延长。

【生活习性】 为热带、亚热带水体中下层鱼类。生活在较深的海区,一般不形成大群。肉食性,捕食幼鱼、小虾。卵浮性。

【采集与加工】 全鱼入药,鱼体焙焦,研粉备用,或全鱼晒干,切细碎,备用。

六十、斑 海 马

斑海马 *Hippocampus trimaculatus* Leach,别名三斑海马、海马、水马。分布于东海、南海。以全体入药。

【形态特征】 斑海马(彩图218),体长106～175毫米。体淡黄褐色或淡白色,体侧背方第一、第四、第七节的小棘基部各具一大黑斑。体侧扁,腹部凸出。躯干部呈棱形,尾部四棱形,尾端渐细,卷曲。头部似马头,与躯干部垂直,头冠短小,顶冠具5个短小棘突。吻细长,管状。眼小而圆,口小,前位,无齿。鳃盖突出。体无鳞,由骨质环包裹。无侧线,背鳍位于躯干2个骨环及尾部最前2个骨环的背方。臀鳍短小,位肛门后方。胸鳍扇形,无腹鳍和尾鳍。

【生活习性】 为暖温性海洋鱼类。栖息在近海水质清澈、多藻类的水域,以卷曲的尾端缠绕在海藻上。游泳缓慢,有时可直立游泳。喜食活饵,用管状口吸食端足类、桡足类、磷虾等浮游甲壳类。人工养殖时可食冰鲜小虾等。在半咸水中能生长发育,适宜生长水温18℃～30℃,低于8℃或高于32℃会引起死亡。5～8月份发情,交配时雌、雄海马体互相以腹部相对,雌海马把卵产于雄海马育儿囊中。卵在囊内受精、孵化,18～20天孵出小海马。每胎可产小海马400～500尾,有时多达1 200余尾。环境好时,每年能产几胎至十余胎。生长快,孵化1个月的海马体长可达60毫米,2个月达90毫米,3个月可长到110毫米,寿命达3年。

【采集与加工】 海马药用价值很高,为珍贵中药材,有补肾壮阳、调气活血,散结消肿,止咳平喘的功效,素有"北方人参,南方海马"之誉。海马四季均可捕捉,以8～9月份较多。捕后除去内脏,晒干,或除去皮膜和内脏,将尾盘卷,晒干,备用,药材名海马。海马可泡酒饮用或捣碎研成粉状用水冲服。

另有产于我国的刺海马 *H.histrix*,大海马 *H.kelloggi*,日本海马 *H.japonicus*,冠海马

H. coronatus 等，也有相同的药效。

【养殖方法】 养殖海马的种源，可从邻近养殖场引入，或从海区捕捉野生海马。

饲养海马通常用水泥池。池中放一些海藻，池底铺 1 层河泥。海马养殖通常是经历幼体期、未成体期和成体期 3 个阶段。在养殖过程中的几项措施见下表。

海马养殖中各阶段的技术措施

养殖期	体长（厘米）	水泥池面积（平方米）	放养密度（尾/1 立方米水体）	投喂	饲养天数	成活率（%）
幼体期	初孵～6	1～2	1000	桡足类无节幼体、桡足类、端足类、糠虾及各种虾苗	1～15	40～70
未成体期	6～10	2～6	300	桡足类、糠虾、端足类及各种虾苗	30	60～80
成体期	10 以上	6～20	100	糠虾、桡足类、小虾以及小虾干制品、腌制品	饲养至商品规格	70～90

斑海马从初生苗经 5～6 个月，可长到 13～18 厘米，大海马可长到 13～19 厘米，日本海马可长到 4.5～9 厘米。

饲养管理要注意以下几点：①水温要求在 18℃～30℃，越冬水温要在 16℃以上。海水相对密度在 1.01 以下。②每天投饵 2～3 次，投饵量随海马增长而定，体长 1 厘米日投饵量为海马总体重的 20%，15 厘米时为 6%。③经常清除残饵、粪便，每隔 2～3 天换水 1 次，夏季每天换水。④做好防病工作，以提高成活率。

六十一、许氏海龙

许氏海龙 *Syngnathus schlegeli* Kaup，别名鞋底索、尖海龙、舒海龙、海龙、杨枝鱼、钱串子。分布于我国沿海。以全体入药。

【形态特征】 尖海龙（彩图 219），体长 110～190 毫米。体黄绿色，腹部淡黄色，体上具多数不规则暗色横带。背、臀、胸鳍淡色。尾鳍黑褐色。雄海龙尾部腹面有由左右两片皮褶形成的育儿囊。体细长，鞭状，躯干部七棱形，尾部四棱形，腹部中央棱微凹。头长而细尖，吻细长，呈管状。眼大而圆，眼眶微突。口小，前位，无齿。鳃孔很小。体无鳞，全为骨环包裹。躯干部上侧棱与尾部上侧棱不相连续。躯干部下侧棱与尾部下侧棱相连续，躯干部中侧棱与尾部上侧棱相接近，腹部中央棱止于肛门的前方。背鳍较长，臀鳍短小。胸鳍扇形。尾鳍圆形。

【生活习性】 为暖水性近海小型鱼类。常栖息于多海藻地区，游泳缓慢，以口吸食小型浮游甲壳动物。交配时雌海龙把卵产于雄海龙育儿囊中。卵在育儿囊中孵化。

【采集与加工】 产量少，为药用鱼类。四季均可采捕。捕后洗净，晒干，备用。

另有刁海龙 *Solegnathus hardwickii* (Gray)，蓝海龙 *S. cyanospilus*，低海龙 *S. djarong*，粗吻海龙 *Trachyrhamphus serratus*，拟海龙 *Syngnathoides biaculeatus* 等，有相同药效。

刁海龙、拟海龙等，捕后洗净，去皮膜及内脏，晒干，备用。

六十二、黄　鳝

黄鳝 *Monopterus albus*(Zuiew),别名鳝、鳝鱼、鲜鱼、罗鳝。我国东部平原各江河水系均有分布。以肉或全体入药。

【形态特征】 黄鳝(彩图 220),体长 300～400 毫米,最大个体达 700 毫米,重 1～1.5 千克。体背部灰褐色或黄褐色,腹部色较淡,全身密布不规则的小黑斑。体长,鳗形,前部圆筒形,后部侧扁,尾部尖细。头大,略呈圆锥形,吻颇尖。眼小,为皮膜所盖,侧上位。口大,前位,口裂后方延伸达眼的后缘。上颌稍长于下颌。唇发达,下唇肥厚。颌及腭骨有圆锥形细齿。左右鳃孔在头部腹面连成一"V"字形裂缝。体光滑无鳞。侧线发达。

【生活习性】 黄鳝为水体底层生活鱼类,在稻田、水库、池沼中均有栖息,喜洞穴生活,昼伏夜出,以小鱼、小虾、昆虫等为食。有由口腔及喉腔的内壁表皮组成的辅呼吸器,可直接呼吸空气,离水不易死亡。黄鳝 2 冬龄性成熟。产卵季节在 6～8 月份。卵直径 2～4 毫米,产卵时吐泡沫筑巢。发育中有性逆转现象,体长 100 毫米以下的个体生殖腺全为卵巢,体长在360～380 毫米时部分性逆转,此时雌、雄几乎相等,当体长达 530 毫米以上时,则多为雄性。怀卵量仅 100 粒左右。

【采集与加工】 黄鳝去内脏,洗净,炖食用。黄鳝头、皮、血亦入药。有补虚损,强筋骨,除风湿的功效。

【养殖方法】 黄鳝养殖技术已普及。现将技术要点简介如下。

一是建池。养鳝池的面积几平方米至几十平方米均可,池深 1 米,底及四壁铺设 1 层无结节经编网,网口高出池口 30～40 厘米,并向内倾斜,用木桩固定,以防黄鳝逃逸。池底网上铺上约 40 厘米的泥土,并适量栽种慈姑等水生植物。在相对的位置设置进水口和出水口。

二是放种。放鳝种前,先按每平方米用 0.2 千克生石灰,对水配成灰浆,全池泼洒,进行消毒。然后再放水,使池水深 20～30 厘米,1 周后放鳝种。鳝种采用野生的,以无病,体重每尾 20～30 克为宜。一般每平方米放鳝种 3～5 千克。放种前先用 3%～5%食盐水将鳝种浸洗消毒。

三是投饵。主要饲料有蚯蚓、蝌蚪、小杂鱼、小虾、蚕蛹、河蚌肉等,动物饲料不足时,也可喂些米饭、瓜果皮等植物性食物。投饲要坚持定量、定质、定位、定时。第一次投饵时,其投饵量为鳝种总体重的 1%～2%,以后根据情况,逐渐增加投饵量。

四是管理。注意保持水质清新,夏季水温高时,可部分换水。注意做好防逃工作。注意观察,发现病鳝,及时治疗。

若要进一步了解黄鳝的养殖方法,可参阅金盾出版社出版的《黄鳝高效益养殖技术》等书。

六十三、鲻

鲻 *Mugil cephalus* Linnaeus,别名白眼梭鱼、子鱼、白眼、青眼梭。分布于渤海、黄海、东海、南海。以鱼肉入药。

【形态特征】 鲻(彩图 221),体长 183～416 毫米。头及体背面青黑色,腹部白色。体两侧上半部各有 7 条黑色纵条纹,各条纹间有银白色斑点,胸鳍基部具一黑斑。体粗壮,前部平扁,自胸鳍后渐侧扁。头短,吻宽而短。眼大,外被1层厚脂膜,眼间隔宽。口下位,齿绒毛状。圆鳞较大,无侧线。第一背鳍起点位于体中央,第二背鳍上缘微凹。臀鳍与第二背鳍同形。胸鳍短宽,位高。腹鳍亚胸位。尾鳍叉形。

【生活习性】 栖息于浅海或河口的咸淡水交界处。食藻类和浮游动物。生长迅速一般当年可以长到250克,2年达500克,3年达1 000克以上。在近海、河口、港湾处产卵,为港养的重要对象。

【采集与加工】 肉入药,捕后洗净,除去鳞片及内脏,鱼肉鲜用,也可晒干,备用。有健脾益气,消食导滞的功效。

【养殖方法】 鲻科鱼类是世界各地的重要养殖种类,约有20多种。我国的主要养殖对象是鲻、梭鲻、棱鲻和大鳞鲻4种。

养殖方法有港湾近海养殖、鱼塭养殖、海场养殖、盐田养殖及其他养殖。

港湾养殖:简称港养,即利用天然海湾或盐碱洼地,筑堤建池,辟滩开沟、设闸,建起海水或咸淡水鱼池。面积大小不等。养殖地区主要在北方,每公顷年产鱼仅为75~150千克。

鱼塭养殖:鱼塭是在沿海河口地带人工围筑而成的一种咸淡水或海水鱼塘,面积大小从几十公顷到数百公顷。鱼塭养殖主要在南方沿海地区,每公顷年产105~240千克,最高产量可达1 500千克左右。

海场养殖:建场于低潮线上,满潮时场堤为海水所淹没,低潮时场堤露出水面。海场面积1~20公顷。海场养殖主要在福建沿海。每公顷年产1 125千克左右,主要产品是鲻科鱼类,尤以梭鲻为多,约占鲻类鱼产量的4/5。

盐田养殖:利用盐场中的贮水池养殖鲻鱼,每公顷年产150千克左右。

其他养殖:主要在对虾池、鲢等四大家鱼鱼池、遮目鱼鱼池等池中混养鲻科鱼,但产量均不高。

六十四、花　鲈

花鲈 *Lateolabrax japonicus* Cuvier et Valenciennes,别名鲈、真鲈、鲈板、花寨、鲈鱼、鲈子。分布于我国各海区沿岸。以鱼肉、鳃入药。

【形态特征】 花鲈(彩图222),体长214~288毫米。体上部灰绿色,下部灰白色,体侧上半部及背鳍的棘上有较大的黑斑,背鳍及尾鳍边缘黑色。体长,侧扁。吻尖。眼中等大。两颌、犁骨及腭骨均有小齿。背鳍、腹鳍及臀鳍上缘有发达的鳍棘。体被小栉鳞,背、臀鳍鳍条均具鳞鞘。侧线完全。

【生活习性】 为近岸浅海水体中下层鱼类。喜栖息于河口咸淡水处,也能生活在纯淡水中。性凶猛,主食鱼类,如鲚、银鱼、鲻等。体长600毫米时性成熟,每年秋季在河口产卵。卵浮性,受精卵在水温15℃时4天可孵出仔鱼。

【采集与加工】 肉细致,味鲜美。夏秋捕捞。捕捉后洗净,除去内脏,鱼肉鲜用,或晒干,备用。干鳃焙黄,研末,煮汤服用。

【养殖方法】 花鲈有“鱼虎”之称,为港养鱼之害。因其肉味美,河北柏各庄农场已进行试养,每年5月从河口捕3厘米花鲈苗30万~40万尾,与淡水家鱼混养,每公顷放养鲈鱼苗1 200尾,当年秋季起捕,个体重达150~200克,每公顷放养1 500尾,个体重达100克左右。

六十五、黄斑鲾

黄斑鲾 *Leiognathus bindus*(Cuvier et Valenciennes),别名金仔花。分布于黄海、东海、南海。以鱼肉入药。

【形态特征】 黄斑鲾(彩图 223),体长 80～100 毫米。背部淡蓝色,具许多蓝黑色蠕虫状斑纹,腹部银白色。背鳍鳍棘顶部有一金黄色大斑,顶部无鞍状斑。各鳍鳍条部淡蓝色。背臀鳍基部具 1 列蓝色小点。体侧扁而高,腹部隆起度较背部大。头小,眼大,口小,两颌完全伸出时,形成一向下斜的口管,闭合时,下颌呈 50°角。体和胸部被薄圆鳞。侧线稍弯,末端不达尾鳍基部。背鳍 1 个,尾鳍叉形。

【生活习性】 栖息于热带、亚热带的沿岸海域,为水体上层鱼类。

【采集与加工】 四季均可捕捞。去内脏和鳞,肉洗净鲜用,煮汤,常服有健脾益气的功效。也可将鱼肉晒干备用。

六十六、横带髭鲷

横带髭鲷 *Hapalogenys mucronatus*(Eydoux et Souleyet),别名海猴、条纹髭鲷、金鼓、铜盆鱼。分布于黄海、渤海、东海、南海。以鱼鳔入药。

【形态特征】 横带髭鲷(彩图 224),体长 150～200 毫米。体背部灰褐色,腹部较淡,体两侧各有 7 条黑色横带。背、臀、尾鳍淡黄色,具深黑色边缘。体椭圆形,高而侧扁。吻钝尖。鼻孔每侧 2 个,前鼻孔具膜瓣。颌齿细小,呈带状。颏部密生小髭,颏孔 3 对,最后 1 对长裂缝。体被细栉鳞,侧线位高,与背缘平行。背鳍鳍棘部与鳍条部之间具深缺刻,背鳍棘强大,起点处有 1 向前倒的棘。臀鳍小。胸鳍小,末端圆形。腹鳍起点在胸鳍基底下方。尾鳍圆形。

【生活习性】 为近海水体中下层鱼类。多在岩礁海区生活,以小鱼、甲壳类为食。

【采集与加工】 捕捉后剖腹,取出鱼鳔,洗净鲜用,或晒干备用。

六十七、黄姑鱼

黄姑鱼 *Nibea albiflora*(Richardson),别名黄婆鸡、黄姑子、花鰔皮、鰔。分布于我国各海区。以鱼肉、鳔入药。

【形态特征】 黄姑鱼(彩图 225),体长 210～250 毫米。背侧灰褐色,腹面银白色,背面有许多灰色波状条纹,斜向前下方,不与侧线下方条纹连续。胸、腹、臀各鳍橙黄色。体延长、侧扁。头中等大,稍尖突。吻短钝,上颌齿细小。颏部具 5 个孔。体及头后部被栉鳞。侧线发达。

【生活习性】 为近海水域中下层鱼类。以底栖动物和幼鱼为食。4～6 月份繁殖,在近岸产卵。鳔能发声。

【采集与加工】 全年均可捕捞。鲜鱼去内脏,鱼肉洗净,鲜用。取鱼鳔,除去血管及筋膜,洗净鲜用,或压扁晒干,备用。药材名鱼鳔。

六十八、鮸　鱼

鮸鱼 *Miichthys miiuy*(Basilewsky),别名敏子、敏鱼。分布于黄海、渤海、东海。以鱼鳔、鳞入药。

【形态特征】 鮸鱼(彩图 226),体长 450～550 毫米,重 1.5～2.5 千克。体修长,侧扁。头中等大,较尖突。口大,前位,两颌等长,上颌外行齿与下颌内行齿扩大,呈犬齿状。颏须 4 根。体被栉鳞,吻部和鳃盖被小圆鳞。背鳍连续,起点在胸鳍基部上方,第三鳍棘最长。臀鳍起点在背鳍第十三鳍条下方。尾鳍楔形。

【生活习性】 鮸鱼为暖温性水体底层鱼类。栖息于水深 15～35 米处。喜食黄鲫、青鳞小沙丁鱼、龙头鱼、鳍鱼等。生殖期在福建闽东为 4～5 月份,长江口外海为 7～8 月份,怀卵量 70 万～200 万粒。

【采集与加工】 全年捕捞。将鮸鱼剖腹取鳔,除去筋膜和血管,压扁,晒干备用。鳞也供药用。

六十九、大黄鱼

大黄鱼 *Pseudosciaena crocea*(Richardson),别名大黄花鱼、黄瓜鱼。分布于黄海南部、东海、南海。以鱼肉、鳔、耳石等入药。

【形态特征】 大黄鱼(彩图 227),体长 400～500 毫米。背面和上侧面黄褐色,腹面金黄色,各鳍黄色或灰黄色,唇橘红色。体修长,侧扁,背、腹缘广弧形。尾柄细长,尾柄长为尾柄高的 3 倍多。头大,具发达粘液腔。吻端尖,具 4 吻孔。牙细尖。颏部具 4 个不明显小孔。头及体前部被圆鳞,后部被栉鳞,背鳍鳍条部及臀鳍鳍膜上被小圆鳞。背鳍连续,起点在胸鳍上方。臀鳍起点约与背鳍鳍条部中间相对。尾鳍楔形。

【生活习性】 为暖温性洄游鱼类。生活于近海水体中下层。食性广,幼鱼期以桡足类、糠虾、磷虾等浮游动物为食,成鱼时主食各种小鱼、虾类、虾蛄和蟹。春秋两季在河口附近及岛屿、内湾近岸处产卵。卵为浮性,怀卵量 10 万～110 万粒。

【采集与加工】 捕捉大黄鱼是我国四大海洋渔业之一,是东海、南海最主要的经济鱼类,肉味美,捕捞后加工成干制品入药,称石首鱼鲞。鲜鱼剖腹取鳔,除去筋膜和血管,鲜用,或压扁晒干,称鱼鳔。将鱼鳔干溶化,凝成冻胶,称为鳔胶。加工鱼鲞时将最大的 1 块耳石取出,晒干入药,称鱼脑石。

【养殖方法】 我国已进行饲养大黄鱼的试验工作,人工育苗和网箱养殖均取得成功。

七十、小黄鱼

小黄鱼 *Pseudosciaena polyactis*(Bleeker),别名小鲜、小黄花、小黄瓜、黄花鱼。分布于黄海、渤海、东海。以鱼肉、鳔和耳石入药。

【形态特征】 小黄鱼(彩图 228),体长 230～260 毫米。体黄褐色,腹面金黄色,各鳍灰黄色,唇橘红色。体修长,侧扁,尾柄长为尾柄高的 2.5 倍左右。臀鳍第二鳍棘长度短于大黄鱼,其长短于眼径。鳞比大黄鱼的鳞大,在背鳍与侧线间有鳞5～6行。其他外部特征与大黄鱼相同。

【生活习性】 为暖温性水体底层鱼类。喜栖息于软泥或泥沙的海底。食物广,主要捕食毛虾、小鱼和桡足类等。产卵场在渤海湾、江苏吕四、长江口及福建闽东渔场,卵浮性。怀卵量3.1万～10.2万粒。

【采集与加工】 为黄海、渤海、东海的主要经济鱼类,肉质较好。采集与加工方法同大黄鱼。

七十一、金钱鱼

金钱鱼 *Scatophagus argus* (Linnaeus),别名金鼓鱼、金鼓、扁身金鼓、绿金鼓鱼。分布于东海、南海。以鱼胆入药。

【形态特征】 金钱鱼(彩图229),体长100毫米左右,大者可达280毫米,重500～1 000克。体褐色至暗褐色,腹部浅蓝绿色,体侧有黑色大斑,背鳍、臀鳍和尾鳍也具黑斑。幼鱼多呈浅红色,并有5条黑横带。体高,侧扁,略呈六角形。头小。口小,前位,呈横裂状。牙细呈刚毛状,在两颌上呈宽带状排列。眼中等大。前鳃盖骨边缘有锯齿。鳃孔大。鳃盖膜连于峡部,且横过峡部形成一皮褶。体被细栉鳞。腹鳍有腋鳞。侧线完全,与体背缘平行,伸达尾基。背鳍起点在鳃盖后缘的下方,前方有1个向前的倒棘,鳍条间具深缺刻。臀鳍起点位于背鳍最后鳍棘下方。腹鳍具1根鳍棘和5根鳍条。尾鳍后缘呈截形或双凹形。

【生活习性】 属于暖水性小型鱼类。栖息于近岸岩礁或海藻丛生的海域。摄食甲壳类和贝类。通常分散活动,游动缓慢,常进入咸淡水域和河流。初春洄游至近岸产卵,产卵后游向外海。

【采集与加工】 将鱼剖腹取胆,洗净,用线吊起,晒干,贮于干燥处,研末备用。

【养殖方法】 为一种热带观赏鱼。饲养方法同上述条纹斑竹鲨。金钱鱼个体相对较大,宜同大型热带鱼混养或单独饲养。喜弱碱性硬水,应在饲养缸内加些盐类。水温保持在20℃以上。投喂动物性饵料和植物性饵料均可。平时要注意饲养水的消毒,调控好水的酸碱度和硬度,及时清理缸内食物残渣和脏物。要定时投饵,同时给以适当光照。

七十二、白短䲟

白短䲟 *Remora albescens* (Temminck et Schlegel),别名䲟鱼。分布于东海和南海。以肉入药。

【形态特征】 白短䲟(彩图230),体长165.5～205毫米。体橘黄色,腹部及各鳍后缘淡白色。体前部平扁,向后逐渐侧扁。头短钝,吻宽短,背面与体前部均被吸盘占据。眼小。鳃4个。体被圆鳞,极细小,埋于皮下。无鳔。侧线细弱,背鳍2个,距离较远,第一背鳍特化成卵圆形吸盘,第二背鳍位于肛门后上方。胸鳍圆形,侧位,较高。腹鳍胸位。尾鳍截形,中央稍凹。

【生活习性】 为温带海洋鱼类。生活在海洋水体上层。常用其吸盘吸附在大型鱼体或船底上而移徙远方,有“免费旅行家”称号。主要以小鱼、虾为食。

【采集与加工】 将捕捉到的白短䲟，去内脏，肉洗净鲜用，或晒干备用，有滋补强身之功效。

另有产于东海和南海的短臂短䲟 *R. brachyptera*，短䲟 *R. remora* 也有相同药效。

【养殖方法】 为热带观赏鱼。饲养方法同上述条纹斑竹鲨。

七十三、黄斑蓝子鱼

黄斑蓝子鱼 *Siganus oramin*（Bloch et Schneider），别名黎猛、莹斑蓝子鱼。分布于东海和南海。以鱼胆入药。

【形态特征】 黄斑蓝子鱼（图 3-5，彩图 231），体长 96～127 毫米。体黄绿色，背部色较深，腹部色浅。体侧散布许多小黄色斑点。鳃盖后方有暗斑。各鳍为浅黄色。体侧扁，呈长卵圆形。口小，下位，眼中等大。鳃孔小，假鳃发达。体被圆鳞，鳞片薄而小，埋于皮下。侧线完全，与背缘平行，上侧位。背鳍起点在鳃盖后缘上方，前方有一尖锐皮下倒棘。尾鳍浅叉形。

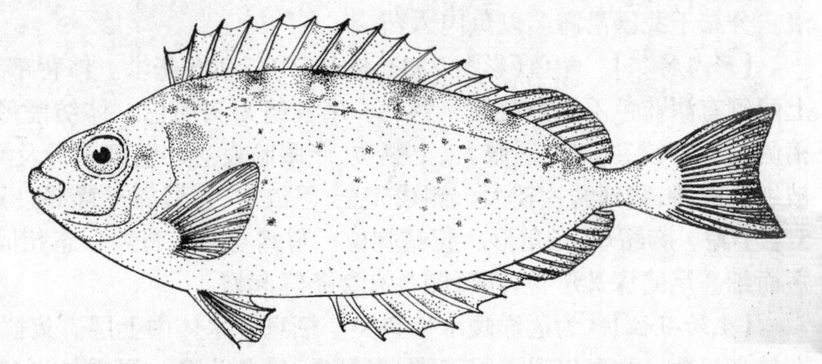

图 3-5 黄斑蓝子鱼

【生活习性】 为暖水性近海小型鱼类。经常活动于海底层的岩礁或珊瑚丛中，有时进入河流入海口。以附着在岩礁上的藻类为食。

【采集与加工】 全年均可捕捞。鲜鱼剖腹取胆囊，洗净，鲜用，也可晒干备用。也有将新鲜胆囊用醋浸泡，然后用其胆汁入药。

另有褐斑蓝子鱼 *S. fuscesens*，蠕纹蓝子鱼 *S. javus*，带蓝子鱼 *S. virgatus*，点蓝子鱼 *S. guttatus* 和眼带蓝子鱼 *S. puellus* 都有相同药效。

七十四、带　鱼

带鱼 *Trichiurus japonicus*（Forskål），别名牙带、刀鱼、白带鱼、鞭鱼、海刀鱼、带椰、裙带鱼。分布于黄海、渤海、东海、南海。以鱼肉、头和油入药。

【形态特征】 带鱼（彩图 232），体长可达 1 米多。体银白色，背鳍上半部及胸鳍淡灰色，并具细黑点，尾部深黑色。体侧扁，呈带状，背、腹缘几乎平行，尾部细长如鞭。头狭小，侧扁，尖突。口大，下颌突出。牙强大而尖。眼中等大。鳃孔宽大，鳃盖膜分离，不与颊部相连。全体光滑，侧线完全，在胸鳍上方显著向下弯曲折向腹面，向后沿腹延伸达尾端。背鳍极长，起于前鳃盖骨上方，延至尾端。臀鳍完全由分离小棘组成，第一鳍棘不发达，甚小。无腹鳍。

【生活习性】 为暖水性水体中下层鱼类。栖息于近海。性情凶猛，贪食，喜食各种鱼类、毛虾和乌贼等。喜弱光，厌强光，游泳敏捷，有明显的昼夜垂直移动。喜集群，有洄游习性。每年秋末冬初，天气渐冷，水温下降时，形成鱼群向南沿 30～60 米等深线进行越冬洄游。到春季，天气转暖，水温回升时，再游回北方进行索饵、生殖洄游。5～7 月份为产卵季节。在水温为 18℃～20℃的河口咸淡水水域产卵，怀卵量 1.4 万～7.6 万粒，为浮性卵。

【采集与加工】 将带鱼剖腹，去内脏，除鳞，去头及鳍条，肉洗净鲜用，有暖胃、补虚、润泽肌肤等功效。带鱼头焙酥存性，研末，备用。鲜带鱼蒸熟时逸出的油，有养肝之功效。

另有分布于我国沿海的小带鱼 *T. muticus* 和分布于南海、东海的沙带鱼 *T. sauala* 有相同的药效。

七十五、鲐　鱼

鲐鱼 *Pneumatophorus japonicus*（Houttuyn），别名鲐巴鱼、青花鱼、青鲔、油胴鱼、鲭、花身滚。分布于我国沿海。以鱼肉入药。

【形态特征】 鲐鱼（彩图 233），体长 210～260 毫米。体背部青绿色，腹部银白色，胸鳍以上两侧有深蓝色不规则斑纹。背、胸、尾各鳍为灰褐色。体纺锤形，粗壮，稍侧扁。头中等大，稍侧扁。吻较尖，口大。眼大，上侧位，脂眼睑发达。前鳃盖骨及鳃盖骨后缘光滑，鳃孔大。体被细小圆鳞，胸部鳞片较大。侧线完全，呈波状，位置靠近背部。具 2 个背鳍，第一背鳍后方有 5 个小鳍。胸鳍短，三角形。腹鳍胸位。臀鳍与第二背鳍形态相同，后方也有 5 个小鳍。尾柄短而细。尾鳍深叉形，基部每侧各有 2 条隆起嵴。

【生活习性】 为远洋暖水性鱼类。栖息于水体中上层。集群活动。游泳能力强，速度快。有趋光习性。主要以浮游甲壳类、桡足类、幼鱼为食。夏季结群进行季节性远距离洄游，到近海生殖。生殖季节常形成大群在水面上活动。分批产卵，产油性卵，怀卵量为 25 万～200 余万粒。

【采集与加工】 将新鲜鲐鱼去内脏，洗净，备用。还可从鱼肉中提取水解蛋白，从鱼卵、脑中提取卵磷脂、脑磷脂、神经磷脂和胆固醇，从肝中提炼鱼肝油，从鱼肉和心脏中提取细胞色素 C，从幽门盲囊、精巢、胰腺中提取维生素 B_{12}、鱼精蛋白、胰岛素等药。

另有产于东海、黄海的狭头鲐 *Pneumatophorus tapeinocephalus* 与产于东海、南海的羽鳃鲐 *Rastrelliger kanagurta* 均有相同的药效。

七十六、鳢

鳢 *Channa argus*（Cantor），别名黑鱼、乌鳢、生鱼、乌鱼、乌棒、蛇头鱼、蛇皮鱼、七星鱼、文鱼。分布于我国除西部高原地区外的各河川、湖泊、池塘等大小水域。以全鱼入药。

【形态特征】 鳢（彩图 234），体长 93～100 毫米，体重 0.5～1 千克，最大鱼体重达 5 千克。体灰黑色，背部色暗，腹部色较浅。头腹面及体腹面有不规则小黑点。体侧有 2 纵行不规则黑色斑块，背面有 1 行黑色花斑。自眼后至鳃盖有 2 条纵行黑色条纹。背、臀、尾各鳍有黑白相间的花纹。胸鳍、腹鳍浅黄色，胸鳍基部有 1 个黑点。体呈圆筒状，前部圆形，后部侧扁。头长而平扁。口大。下颌稍突出。口裂倾斜伸向眼后方。上颌、下颌具尖锐的细齿。眼较小，侧上位。鳃孔大，具发达的鳃上器官。体被圆鳞。胸鳍圆扇形。背鳍基长，起于腹鳍基前上方。腹鳍短小。臀鳍较长，短于背鳍。尾鳍圆形。

【生活习性】 属于底栖鱼类。栖息于泥底的浅水区。为凶猛的肉食性鱼类，一般潜伏在水草丛中，等待时机追捕食物。平时游动缓慢，捕捉食物时行动异常迅猛。幼鱼主要以桡足类、枝角类、摇蚊幼虫为食，成鱼喜食水生昆虫及小鱼、虾。生长迅速，适应能力强。在缺氧环境里能借助鳃上腔的辅助呼吸器官在水面进行呼吸，甚至在无水潮湿处或离水后，也能生活相当长的时间。春秋季摄食旺盛，冬季停止摄食或很少摄食，钻入淤泥中过冬。繁殖期为5～7月份。产卵场多在有茂盛水草的静水浅滩。卵为浮性。产卵时亲鱼将水草咬断做成圆环形巢穴，雌鱼产卵其中。产卵后，雄鱼守候在巢旁护卵。仔鱼孵出后几天，离巢成群游动觅食时亲鱼仍随其后保护。

【采集与加工】 鲜鳢去内脏，肉洗净清炖食用，有补脾、利水的功效。全鱼煅炭存性，研末，也可入药。鳢的血、胆、肠亦入药。

七十七、斑　鳢

斑鳢 *Channa maculata*（Lacèpède），别名蛇头鱼、生鱼、乌鱼。分布于长江以南及海南地区。以全鱼入药。

【形态特征】 斑鳢（彩图235），体重0.5～1千克，大的可长到2～2.5千克。体灰褐色，头上有不规则的斑点，眼后至胸鳍有1条黑色条纹。体侧有2纵行黑色斑块。背部有1行黑色斑块，腹侧具1纵行黑斑。尾基有2～3条弧形横斑。背、臀、尾各鳍具黑白相间的花纹。体延长，前部呈圆筒状，后部侧扁。头长而平扁，顶部覆盖鳞片。吻钝，口大，端位。下颌稍突出。口裂倾斜伸向眼后方。上颌、下颌、犁骨、腭骨均具尖锐的细齿。眼较小，鳃孔大，具发达的鳃上器官。体被圆鳞，头部鳞片不规则。侧线平直，在臀鳍起点上方有一小弯曲，折下2鳞，后延至尾鳍基。胸鳍圆扇形。背鳍基起点约在腹鳍基上方。腹鳍短小。臀鳍较长，短于背鳍。尾鳍圆形。

【生活习性】 属于底栖鱼类。栖息于水草丛生的泥底浅水区。为凶猛的肉食性鱼类，成鱼主要以水生昆虫及小鱼、虾为食。适应能力强，在缺氧的环境里能借助辅助呼吸器官进行呼吸。春秋季摄食旺盛，冬季钻入淤泥中过冬。产卵期在4～6月份，产卵场为水丰草茂的静水浅滩。亲鱼用水草做穴，雌鱼产卵其中。卵为浮性。雄鱼有护卵和护幼习性。

【采集与加工】 同鳢。

七十八、鬼　鲉

鬼鲉 *Inimicus japonicus*（Cuvier et Valeneiennes），别名海蝎子、老虎鱼。分布于我国沿海。以鱼肉入药。

【形态特征】 鬼鲉（彩图236），体长200毫米左右。体色随其栖息地不同而有变化。在近海岸浅水区呈黑褐色，在外海深水区呈红色或黄色。体侧常具红蓝色斑点。胸鳍具白色或红色斑纹。体前部粗大，后部稍侧扁。头中等大，吻圆钝，口中等大。眼小，上侧位。鳃孔宽大。鳃盖膜与颊部相连。假鳃发达。体光滑无鳞。在头部、体前部、胸鳍前面及背鳍鳍棘均具皮瓣,下颌下方具1对大型有须状分支的皮瓣。侧线平直。背鳍起点在胸鳍起点上方,前面鳍条短小,后面鳍条较长,鳍基部有毒腺。尾鳍圆形。

【生活习性】 为暖温性小型鱼类。栖息于近海的水体底层,游泳能力差,活动范围小。主要以甲壳类和小鱼为食。初夏为产卵季节,怀卵量约40万粒。

【采集与加工】 新鲜鬼鲉剖腹去内脏,肉洗净,鲜用。

另有产于南海的双指鬼鲉 *I. didactylus* 和居氏鬼鲉 *I. cuvieri* 有相同药效。

七十九、牙 鲆

牙鲆 *Paralichthys olivaceus* (Temminck et Schlegel),别名褐牙鲆、比目鱼、偏口、牙偏、左口鱼、沙地、左偏、地鱼、地仔。分布于我国沿海。以鱼肉入药。

【形态特征】 牙鲆(彩图237),体长250~600毫米,大者可达800毫米以上。有眼侧为灰褐色或暗褐色。侧线中央及前端上下各有一约等于瞳孔大的亮黑斑,其他处散有暗色环纹或斑点。背、臀、尾各鳍有暗色斑纹,胸鳍有黄褐色横细点纹。无眼侧为白色,鳍淡黄色。体呈长椭圆形,很侧扁。头大,两眼均位于头部的左侧。吻长。口大,前位,上下颌约等长。犬牙状。肛门位置偏于无眼侧。有眼侧体被小栉鳞,无眼侧被圆鳞,吻、两颌及眼间隔前半部无鳞,尾鳍有鳞,背鳍、臀鳍仅在有眼侧有1~2行鳞。侧线发达,每侧1条,侧中位,在胸鳍上方呈弧状。背鳍基底长,起点偏于无眼侧,始于上眼稍前方的吻右侧。有眼侧胸鳍较大。左右腹鳍对称。臀鳍长,起于胸鳍后端基底下方或略前。尾鳍较大,后缘呈双截型。

【生活习性】 为暖、温水性大型鱼类。栖息于浅海海底,游泳能力较差,白天侧卧潜伏在泥沙中(有眼侧在上,身体藏在泥沙内,只露出眼),夜间出来觅食。为肉食性凶猛鱼类,幼鱼主要以浮游动物为食,成鱼主食鱼、虾、贝类、甲壳类、软体动物。成鱼为适应底栖生活,有眼侧的体色随栖息环境变化而变化。有短距离洄游习性,冬季结群游向邻近的深海区越冬,3~4月份再由深海游回近岸浅海作生殖洄游。产卵后分散索饵,直至冬季再进行越冬洄游。浮性卵。怀卵量20万~40万粒。仔鱼的眼对称,在发育过程中逐渐变态,右眼转至左侧,变态完成后下沉于海底。

【采集与加工】 将牙鲆去鳞和内脏,肉洗净入药,或晒干备用。

【养殖方法】 牙鲆肉质鲜美、出肉率高、营养丰富(为十大营养食品之一),是食用价值较高的经济鱼类,在我国和世界海洋渔业中都占有一定的地位。牙鲆养殖工作的重点是人工繁殖、鱼苗培育和成鱼饲养。

人工繁殖:①亲鱼蓄养。在牙鲆自然产卵季节前,用小型底拖网或钓竿捕捞接近性成熟的亲鱼。捕获的亲鱼先暂养一至数日,药浴后移至容量为10吨左右的圆形水泥池中蓄养。新鲜水注入量为每小时3~5吨左右,中央排水阀每天要打开1次,清除残饵和排泄物。充气量在每分钟5升左右,水温保持在14℃~21℃。水池上还要覆盖网衣和帆布,以遮光和防亲鱼跳出。起先每天投几次饵料,以后视亲鱼摄食情况,可1~2天投喂1次。投饵时间以午前为好。饵料以鲜鱼为主。②人工催产。褐牙鲆催产方法有注射药物和用流水刺激两种。人工催产采用牙鲆的脑垂体(2.3个/千克)、绒毛膜促性腺激素(HCG,966单位/千克、1 162单位/千克)或孕酮油剂(0.6毫克/千克、1.8毫克/千克)作为催产剂。选择体质健壮的成熟亲鱼,进行1次全量注射,在水温为18.7℃~21.7℃,充气性良好的条件下,可获得良好效果。或者采用促黄体激素释放激素类似物(LRH-A 180 微克/千克)加绒毛膜促性腺激素(HCG 500 单位/千克)加维生素 B_2 注射液(2 毫升/尾)作催产剂,配以流水刺激,也可得到同样效果。用流水刺激也可促使亲鱼自然产卵。将产卵前的亲鱼暂养在 1 米深的圆形或方形水泥池中,水温保持在 14℃~20℃,2 天后,傍晚将水排出剩下 20 厘米左右,在一般灯光下静置 3~4 小时,然后沿池壁不断注入新鲜海水,维持池水循环转动。经流水刺激后的亲鱼可在次日清晨产卵,甚至可连续产卵数日。③孵化。鱼卵孵化可采用换水式和流水式两种方法。在 1 立方米水槽内设置筛绢网箱,放置受精卵 8 万~60 万粒,保持每分钟 10~20 升的注水量,网箱外充气,并给予适量光照。同时在孵化用的海水中添加青、链霉素混合液,每毫升分别为 50 单位和 0.05 毫克,或紫外灯照射海水,以抑制有害微生物繁殖。

鱼苗培育:每 10 立方米左右的水泥池或玻璃钢水槽,日换海水量为 2~10 立方米,放养 20 万尾仔鱼。孵化后 1~5 天为前仔鱼期,全长 2.3~4.5 毫米,在孵化后第四天开始投喂蛋黄、贻贝幼体、牡蛎幼体和轮虫,每天 1 次,午前投喂。孵化后 6~30 天为后仔鱼期至稚鱼期,全长 4.5~16 毫米,改喂卤虫无节幼体。仔鱼期至稚鱼期这段时间要注意海水消毒,同时要保持微量充气,充气过多,会导致发生气泡病。在孵化后 30~45 天为幼鱼期,全长 16~30 毫米,此时可投喂卤虫成体和天然浮游动物,每天早晚各 1 次。食性转换期间可以投喂猪胰脏、贻贝肉、蛤蜊肉、鲜鱼肉等,每天投喂 4~6 次。

成鱼饲养:牙鲆的人工饲养,分陆上筑池养殖和海水网箱养殖两种方式。陆上筑池选择临海处电站旁,以温流水饲养。保持水温在 6℃~12℃。放养密度为体长 30 毫米、体重 0.2 克的鱼苗,每平方米 250 尾;体重 10 克的鱼苗,每平方米 150 尾;体重 100 克以内的鱼苗,每平方米放 100 尾。4 月份入池养殖,每天投喂鲜鱼或冷冻鱼,100 克以上鱼,日投饵量占总体重的 3%~5%,养一年半达 800~1 000 克,即可收获上市。网箱养殖,选择内湾避风处、水深 5~10 米的海区。网箱有表层浮式、中层浮式和沉式网箱 3 种,容积为 6~25 立方米。养殖时,选择天然苗和人工苗在岸上保育池的温海水中度过 1 个冬天,至翌年 5~6 月份再将鱼苗下网箱养殖。放养量为每立方米 180~420 尾。投喂颗粒饵料和鲜鱼。养殖期间应每 3 个月清洗网箱 1 次,去除上面附着的生物。一般养殖 2~3 年即可上市。

八十、马来斑鲆

马来斑鲆 *Pseudorhombus malayanus* Bleeker,别名地鱼、地甫鱼。分布于东海、南海。以鱼肉入药。

【形态特征】 马来斑鲆(图 3-6,彩图 238),体长 90~220 毫米。有眼侧为淡黄褐色,侧线直线部前端有一约等于瞳孔或眼径的黑斑。鳃孔后缘有 4~5 个黑点,上方 2 个点较大。奇鳍通常有暗色小点,尾鳍中部稍前常有上下 2 个褐色环纹,背、臀鳍各有一纵行褐色环纹。胸鳍淡黄色。无眼侧为乳白色,鳍颜色较淡。体为长椭圆形,很侧扁,尾柄短而高。头大而高。两眼位于头部左侧。吻钝短。口大,前位,左右对称,口裂斜,两颌等长。牙尖锐,锥形。鳃孔大。鳃盖膜愈合,不与颊部相连。鳃耙长扁,有小刺。肛门偏于无眼侧。体两侧被小栉鳞,仅无眼侧头部被圆鳞。奇鳍和腹鳍被小鳞。侧线发达,每侧 1 条,侧中位,在胸鳍上方呈圆弧状。背鳍基底长,始于上眼前缘前方。臀鳍约始于胸鳍起点前下方,形似背鳍。胸鳍侧位,稍低,有眼侧胸鳍较大。腹鳍基短,左右对称。

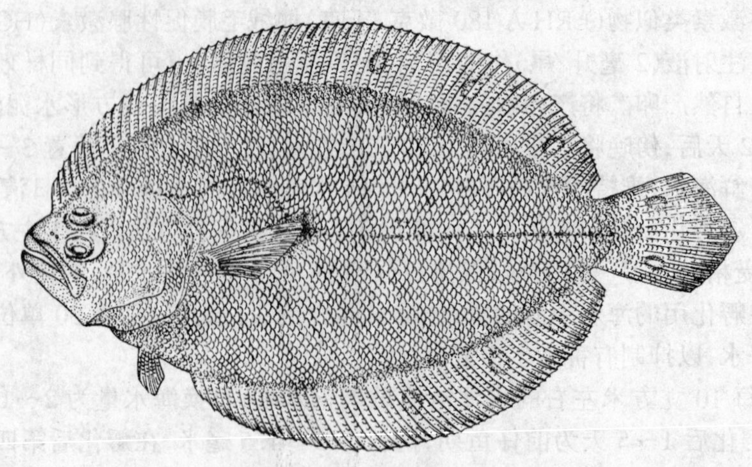

图 3-6　马来斑鲆

【生活习性】 为温水性近海水体底层中小型鱼类。游泳能力弱。常侧卧潜伏在海底泥沙中,以鱼、虾为食。

【采集与加工】 将捕捉到的马来斑鲆去鳞和内脏,洗净鲜用或晒干备用,有催吐的功效。

另有分布在南海的少牙斑鲆 *P. oligodon* 和分布在东海的大牙斑鲆 *P. arsius* 都有相同药效。

【养殖方法】 同牙鲆饲养方法。

八十一、短吻三刺鲀

短吻三刺鲀 *Triacanthus biaculeatus*(Bloch),别名绒皮鱼、羊仔、羊鱼、炮台架、三脚边、皮匠刀、海儿鱼。分布于我国沿海。以鱼肉、皮入药。

【形态特征】 短吻三刺鲀(彩图 239),头和体背侧浅灰蓝色,微显黄色,腹部银白色,吻部白色。第一背鳍鳍棘间的鳍膜为黑色,下方具一大型黑色斑块。胸鳍黄色,基部上方有一黑色斑点。其他各鳍为黄色。体长椭圆形,侧扁。头短而侧扁,背缘在眼前方附近凸起。吻部短而尖,口小,前位,齿发达。眼中等大,位稍高。鳃孔小。体粗糙,被有小鳞。侧线发达,上侧位,沿背侧向后延伸到尾鳍基部中央,前端在眼后分成 4 支。具 2 个背鳍,第一背鳍起于胸鳍基上方。胸鳍位于鳃孔后上方,为圆扇形。两腹鳍各具 1 根粗大鳍棘,鳍棘可收于沟中。尾柄细长,尾鳍较大,为深叉形。

【生活习性】 为暖水性中小型鱼类。栖息于近海水体底层。游泳能力弱。主食贝类和甲壳类。产卵期在冬末春初。

【采集与加工】 将鱼皮去刺,晒干,或晒干后研成粉备用。将短吻三刺鲀去鳞、去内脏,肉洗净,鲜用或晒干备用。

另有分布于东海和南海的尖吻假三刺鲀 *Pseudotriacanthus strigilifer* 也有相同药效。

八十二、绿鳍马面鲀

绿鳍马面鲀 *Navodon septentrionalis*(Günther),别名橡皮鱼、烧烧鱼、面包鱼、剥皮鱼、羊鱼。分布于我国沿海。以全鱼、肝和皮入药。

【形态特征】 绿鳍马面鲀(彩图240),体长180～280毫米。体蓝灰色,小鱼体侧有4～5纵行暗斑,成鱼(200毫米以上)体侧无黑斑。各鳍鳍条为绿色。尾鳍鳍条后缘呈暗绿色。体长椭圆形,侧扁而高。头部侧视为三角形,其上缘斜直。吻长,尖突。口小,前位,唇发达。牙门齿状。鳃孔大,斜直,位于胸鳍前方偏上。体被绒状小鳞,无侧线。背鳍2个。腹鳍退化,形成1个不能活动的短棘。胸鳍扇形。臀鳍与第二背鳍形状相似,起点位于第二背鳍第七鳍条下方。尾鳍圆形。

【生活习性】 为外海暖温性水体底层鱼类。栖息在深50～120米的海区。适温范围在13℃～20℃,14℃～17℃是其最适水温。适盐在34‰以上。有集群习性。游泳能力弱。在越冬及产卵期间有明显的昼夜垂直移动习性。白天鱼群起浮,夜间沉到海底部。杂食性,喜食桡足类、介形类、端足类等浮游生物、软体动物和底栖生物。4月下旬至5月上旬为产卵期。卵为粘性。

【采集与加工】 将绿鳍马面鲀洗净,鲜用或焙干,研末备用。有解毒、止血功效。鱼肝可提炼鱼肝油。鱼皮可炼制明胶,作药用胶囊和填充剂。

另有分布于东海和南海的密斑马面鲀 *N. tessellatus* 也有相同的药效。

八十三、黑鳃兔头鲀

黑鳃兔头鲀 *Lagocephalus inermis*(Temminck et Schlegel),别名光兔鲀。分布于东海和南海。以鱼鳔、皮入药。

【形态特征】 黑鳃兔头鲀(彩图241),体背部黄褐色,头、体背侧灰褐色,腹部乳白色,体侧下方自口角至尾基为金黄色,背鳍及尾鳍黄色,末端灰褐色,背鳍基底常有黑色斑块,胸鳍和臀鳍鳍条黄褐色,尾鳍后部暗褐色,边缘白色,鳃孔黑色。体粗壮,为亚圆筒形,后部稍侧扁,向后渐狭小。头大,吻长,前端圆钝,口小,前位,上下颌各具2个喙状牙板,中央缝明显。眼中大,上侧位。鳃孔较大。体背部和侧部光滑无刺。侧线发达,上侧位,至尾部下弯于尾柄中央。背鳍位于肛门后上方。胸鳍侧位。臀鳍与背鳍形状相似,起于背鳍起点稍后。尾鳍凹入,上下缘末端等长。

【生活习性】 属于热带、亚热带肉食性鱼类。栖息于近海水体底层,主要以乌贼、贝类等软体动物和甲壳类为食。游泳能力差,有鳔和气囊,气囊能吸气膨胀,用以自卫和浮到水面。

【采集与加工】 取黑鳃兔头鲀鳔洗净,制成干品,备用。取鱼皮,加冰糖炖服。

另有分布在东海和南海的棕斑腹刺鲀 *Gastrophusus spadiceus* 和月腹刺鲀 *Gastrophusus lunaris* 也有相同药效。

八十四、虫纹东方鲀

虫纹东方鲀 *Fugu vermicularis* (Temminck et Schleger),别名艇巴、腊头、气鼓子、鸡抱、河鲀。分布于我国沿海及辽河、长江、珠江等内河。以鱼肉、肝、卵巢、精巢、血和胆入药。

【形态特征】 虫纹东方鲀(彩图242),体长150～250毫米,最大体长可达300毫米。体灰褐色,下侧面黄色,腹面白色,背侧有许多圆形和大小不一的淡蓝色和白色斑点,有些白斑呈条状或虫纹状,分布不规则。胸鳍后上方体侧处有一褐色斑块。背侧隐约有1条褐色横带,连接左右两斑块。各鳍均为黄色,只臀鳍和尾鳍下缘为白色。体亚圆筒形,向后渐细狭。头中等长,吻圆钝,口小,前位,两颌各具2个喙状牙板。眼小,上侧位。鳃孔中等大。侧线发达,上侧位,至尾部下弯于尾柄中央。背鳍1个,镰刀状。胸鳍宽短,侧位。臀鳍与背鳍形状相似,基底与背鳍基底相对。尾鳍截形。

【生活习性】 属暖温性肉食性鱼类。栖息于近海及河口咸淡水底层,有时也进入江河。主要以鱼、虾、贝、蟹及乌贼幼体为食。体内有气囊,一遇敌害,能使腹部膨胀。4～5月份为产卵期,亲鱼由近海游至沿岸河口产卵,产卵后,再至稍深的近海栖息。

【采集与加工】 沿海四季可采捕,内河以春夏采捕为主。将虫纹东方鲀去头、内脏、血液和皮,取其肉,漂净鲜用或腌制成干品备用(虫纹东方鲀的内脏,如肝、卵巢、血液、皮肤等有剧毒,使用时要严防中毒)。取肝洗净,炼油备用。鲜卵巢焙干,研末备用。鲜鱼血外涂患处或晒干备用。从虫纹东方鲀内脏、皮肤、卵巢中提炼河鲀毒素,制成河鲀毒素产品,临床上可用作镇静剂。精巢可提制鱼精蛋白。

另有豹纹东方鲀 *F. pardalis*,紫色东方鲀 *F. porphyreus*,星点东方鲀 *F. niphobles*,弓斑东方鲀 *F. ocellatus*,墨绿东方鲀 *F. basilevskianus*,网纹东方鲀 *F. reticularis*,假睛东方鲀 *F. pseudommus*,红鳍东方鲀 *F. rubripes*,菊黄东方鲀 *F. flavidus*,暗纹东方鲀 *F. obscurus*,双斑东方鲀 *F. bimaculatus*,黄鳍东方鲀 *F. xanthopterus*,铅点东方鲀 *F. alboplumbeus* 和横纹东方鲀 *F. oblongus* 均有相同药效。

【养殖方法】 东方鲀属的鱼类,具有剧毒,其肉丰腴鲜美、营养丰富,是难得的美味珍馐。我国的鲀类人工养殖也正在进行试验,并取得初步成功。下面就鲀类的人工繁殖、鱼苗培育和成鱼饲养3个方面简要介绍如下。

人工繁殖:人工繁殖的亲鱼可捕捉产卵洄游鱼,选择个体较大、体质健壮的亲鱼取卵,进行人工授精。授精用塑料容器。受精卵用透明氯乙烯制的孵化筒孵化。孵化筒底部为漏斗形,中央有一筛绢圆管,作排水和防止鱼卵流出用。孵化期间不断从孵化筒底部充入空气,使卵子不断翻动。开始时每筒放50万～100万粒卵,到孵化后期应减至20万～30万粒,避免水质恶化。孵化室内安上500瓦左右的灯泡照明。换水量最多时1天更新8次,换水时应尽可能清除死卵,以保水质清新。

鱼苗培育:仔鱼全部破膜需2～3天。大量仔鱼孵出时应及时将其吸出,置于暗色、内壁无反光的饲养水槽内饲育。仔鱼孵出后2～3天投喂牡蛎受精卵、紫海胆受精卵或褶皱臂尾轮虫,卵黄吸收后投喂大小为250微米左右的饵料生物,投饵量以早晨投饵前每毫升池中剩存3～10个饵料生物为度。培育室内安上500～1 000瓦灯泡照明。放养密度以不超过5万～6万尾/立方米水体为宜。水温保持在15℃～20℃。待仔鱼长至5毫米以上,移至室外水泥池饲养。水泥池(长4米,宽12米,深0.5米)放养密度为2 000～3 000尾/立方米水体,饵料生物主要以褶皱臂尾轮虫、卤虫初孵无节幼体及日本斑水溞为主。鱼苗长至1厘米以上,加喂大型浮游生物,改变食性后投喂冻糠虾和白色碎鱼肉,每天投喂4～5次。随鱼苗长大,池内鱼苗密度应渐次减稀。1～1.5厘米时,每池4万～5万尾;2～2.5厘米时,2.5万尾;3～3.5厘米时,1.5万～2万尾;4厘米时,0.8万～1万尾。这样有利于鱼苗生长。放流用苗种一般用养了20～25天,长至1.5～2厘米的鱼苗。养殖用鱼种一般用养了30～40天,2～3厘米的鱼苗。室外育苗应注意水中含氧量不能过高,以避免幼鱼患气泡病。水的pH值以9为宜。水温保持在15℃～28℃。

成鱼饲养：成鱼饲养分为围塘饲养、拦网养殖和网箱养殖3种。主要投喂小型鱼、虾和蟹、贝类，也可投喂配合饲料和营养剂。饲养初期1天投喂3～6次，第一次饵料尽可能早投，至当年年底减至1天投喂2次，第二年减至每天1次。养至2年可长至1.5千克。放养密度以1.1千克/平方米为宜。网箱养殖的放养密度见下表。

网箱放养河鲀的密度 （尾）

鱼种规格	网箱规格（米）	
	6×6×6	8×8×8
1厘米左右	2000～3000	3000～5000
100～300克	1300～2000	2500～3500
300～500克	800～1500	2000～3000
500克以上	500～800	1500～2000

八十五、六斑刺鲀

六斑刺鲀 *Diodon holacanthus* Linnaeus，别名刺龟、刺乖。分布于黄海、东海、南海。以鱼皮入药。

【形态特征】 六斑刺鲀（彩图243），背侧黄褐色，腹部白色，头体部背面有6个具黄色边缘的大黑斑和许多小斑点。第一块斑位于两眼间，头后部有1条黑色宽纹。胸鳍上方有一黑斑。背鳍前方和基底各有一黑斑。各鳍灰白色。背鳍有时具少数黑点。体宽短，稍平扁。头较大，宽平。吻宽钝，前端具三角形突起。口小，端位。眼大，上侧位，距吻端比距鳃孔近。鳃孔小。体被长棘，仅吻部和尾柄光滑。棘基具2个能活动的棘根。眼上棘长，约为眼径的2倍。背鳍1个，起于臀鳍起点前上方。胸鳍侧位，略呈方形。臀鳍形状与背鳍相似。尾鳍后缘圆形。

【生活习性】 为热带肉食性鱼类。栖息于热带海藻及珊瑚礁附近的底层，主要以寄居蟹和甲壳类为食。游泳能力弱。有气囊，遇敌害时，头腹部膨大似球状，体棘竖立，借以自卫。

【采集与加工】 将鱼皮剥下晒干，水煮后去刺，鲜用。

八十六、九斑刺鲀

九斑刺鲀 *Diodon novemaculatus* Cuvier，别名刺抱鱼、辣乖。分布于南海。以鱼皮入药。

【形态特征】 九斑刺鲀（彩图244），背、体侧黄褐色，腹部黄白色，背侧共有9个大黑斑，斑周缘有白色环纹。背面有5个大黑斑，第一块斑位于眼与鳃孔间，前背部两侧各有1块椭圆形黑斑，后背部中央有1块卵圆形黑斑，背鳍基部有1块圆斑。头侧眼下各有2个直立的大黑斑，两胸鳍基前方各有1块黑斑。各鳍黄色，微绿。体长卵圆形，稍平扁。头较大，宽平。吻宽钝。口小，端位。眼大，上侧位，距吻端比距鳃孔近。鳃孔小，直列，位于胸鳍基前方。体被长棘，仅吻部和尾柄光滑，前方棘基具2个能活动的棘根，后方棘基具3个不能活动的棘根。眼上棘短，约为眼径的1/2。背鳍1个，起于肛门后上方。胸鳍侧位，扇形。臀鳍形状与背鳍相似，并与背鳍相对。尾鳍后缘圆形。

【生活习性】 为热带肉食性鱼类。栖息于珊瑚礁附近的水体底层，主要以海螺和虾、蟹为食。游泳能力弱。有气囊，遇敌害时，使头腹部膨大似球状，体棘竖立，用以自卫。

【采集与加工】 将鱼皮剥下，洗净晒干，备用。用时，将干鱼皮加水煮软，去刺使用，有补肾益肝、润肺止咳、催乳之功效。

另外，产于南海的刺额短刺鲀 *Chilomycterus echinatus* 也有相同的药效。

八十七、翻车鲀

翻车鲀 *Mola mola*（Linnaeus），别名翻车鱼。分布于黄海、东海及南海。以鱼肝入药。

【形态特征】 翻车鲀（彩图245），最大体长可达3～3.5米，体重1400～3500千克。背侧和各鳍灰褐色，腹侧银白色。体椭圆形，侧扁而高。头中等大，侧扁。吻圆钝，微突出，口小，前位。上、下颌牙分别愈合成1个大牙板，前端中央无缝。眼小，侧位而高。鳃孔小。体无鳞，皮厚而粗糙，如革状。无侧线。各鳍均无鳍棘。背鳍短，高而尖，起点位于肛门后缘上方。无腹鳍。胸鳍短圆，上侧位。臀鳍与背鳍形状相同，且相对。无尾柄。尾鳍宽短，后缘圆形，常有波状凹刻，无矛状突起，且与背鳍和臀鳍相连。

【生活习性】 为大型大洋性鱼类，栖息于温带和热带海洋中。单独或成对活动，有时10余尾成群。小个体较活泼，常跃出水面，大个体行动缓慢，天气晴朗时，背鳍及体背也露出水面，或浮出水面侧卧晒太阳。主要以软体动物、浮游动物、小鱼为食。怀卵量大，达3亿粒。幼体被瘤状棘突，长大后体变成卵圆形。

【采集与加工】 捕后剖腹取肝，放在95℃条件下熬油，油装入瓶中待用。可治挫伤、刀伤。

另有产于南海的矛尾翻车鲀 *Masturas lanceolatus* 也有相同药效。

八十八、黄鮟鱇

黄鮟鱇 *Lophius litulon*（Jordan），别名蛤蟆鱼、海蛤蟆、老头鱼、结巴鱼。分布于黄海、渤海和东海。以头骨、肝、胆及食入胃内的小鱼入药。

【形态特征】 黄鮟鱇（彩图246），体紫褐色，腹部白色，各鳍黑色，体上方有许多极小的白点。口内底前部为黄色。体前端平扁，呈圆盘状，向后细尖，呈柱状。头大，平扁，盘状。吻宽阔，平扁，口宽大，上下颌、犁骨及舌上均有尖形牙。眼较小，位于头背方。鳃孔宽大，位于胸鳍下缘后方。体柔软，无鳞，在头和体边缘有许多大小不等的皮质突起。体具侧线。背鳍2个。胸鳍宽大，圆形，辐状骨2块在鳍基形成臂状。腹鳍短小，喉位。

【生活习性】 为暖水性鱼类。栖息于近海水底层。经常将其臂状胸鳍打开，匍匐在海底，利用第一背鳍鳍棘形成的肉状突起，诱捕其他鱼类等动物为饵。

【采集与加工】 取其头骨，去净肉，焙干，研末，用麻油调和，外用。鱼胆晒干，研末，备用，有清热解毒功效。取鮟鱇鱼吃进胃内的小鱼，晒干，研末，备用。

另有黑鮟鱇 *Lophiomus setigerus* 也有相同药效。

八十九、海蛾鱼

海蛾鱼 *Pegasus laternarius* Cuvier，别名海麻雀、海燕、海天狗、海蜻蜓、飞雀。分布于东海、南海。以全鱼入药。

【形态特征】 海蛾鱼(彩图 247)，体背暗绿褐色，腹侧及尾部淡铬黄色，尾部背方具 1～2 条较宽的暗绿褐色横带。背、胸、尾各鳍具大小不等绿褐色斑点。体扁平，前部较宽，后部延长渐细。体被骨板，躯干部密接，不能活动。尾部短，四棱形，稍可活动。吻稍突出，粗短。口小，下位，稍可伸出。无齿。鳃孔小，鳃盖各骨愈合成一鳃板。体无鳞。躯干背方有 4 列隆起嵴。尾部较短，具尾环 11 节，且尾节各棱具尖锐棘刺。各鳍无棘。背、臀鳍较小，相对，位于尾部。胸鳍大，翼状，与体侧下缘在同一水平上，鳍条呈棘状。腹鳍腹位，位于肛门前方。尾鳍截形。

【生活习性】 为深海底栖小型鱼类。以小型鱼、虾等为食。

【采集与加工】 鲜鱼去内脏，洗净，鲜用，或晒干备用。有滋阴补肾功效。

另有飞海蛾鱼 *P. volitans*，有相同药效。

九十、牙棘茄鱼

牙棘茄鱼 *Halicmetus reticulates* Smith et Raduliffe，别名红甲鱼。分布于南海。以全鱼入药。

【形态特征】 牙棘茄鱼(彩图 248)，体为红色，背部密被云状斑纹。各鳍淡色。头体前方宽平，呈圆形，体后方及尾部略呈圆锥形。吻短，前缘圆形。口小，前位，水平状，下颌突出，两颌具绒毛状齿带。眼中等大，位于头前方。鳃孔小，位于胸鳍基部内侧背方。体无鳞，头的背腹面被鲨皮状小刺，头盘周缘有较大骨质突起，上有小刺。背鳍 2 个，第一背鳍鳍棘变为吻触手，第二背鳍短小，位于尾部 1/2 的前方。胸鳍位于头后内侧。腹鳍喉位，较发达。尾鳍截形。

【生活习性】 为热带底栖性海鱼。主要以小型鱼、虾为食。

【采集与加工】 鲜鱼去内脏，肉洗净鲜用，或晒干备用。

第四章　两栖、爬行类

一、大　鲵

大鲵 *Andrias davidianus*(Blanchard),又名娃娃鱼、孩儿鱼、啼鱼、脚鱼、狗鱼、腊狗。分布于河北、山西、河南、陕西、甘肃、青海、四川、贵州、云南、湖北、安徽、江苏、浙江、江西、福建、湖南、广东、广西、海南等地。为国家二级保护动物。以鲜肉入药。

【形态特征】 大鲵(彩图249),体长600～1 000毫米,体重5～25千克。头部宽阔而扁平。吻端圆,鼻孔近吻端,眼甚小、无眼睑。口裂大,舌大呈扁圆形,粘连于口腔底。躯干粗扁,体侧有长条肤褶。四肢粗短,前肢四指,后肢五趾,蹼不发达。尾侧扁,基部较宽厚。肛孔短小,呈短裂缝状。皮肤较光滑。头部的背腹面均有疣粒。体棕褐色,背面具不规则的黑斑,腹面色浅淡。雄性繁殖季节肛部肥肿,雌性肛周皮肤光滑。是一种大型两栖动物。

【生活习性】 喜栖居于海拔100～1 200米的清洁凉爽溪流中。成体常居于深潭岩洞的石穴中,白天很少外出活动,夜出晨归。食量很大,夜间捕食蟹、蛙、鱼、虾、水生昆虫等。新陈代谢缓慢,耐饥力强,数月不进食,只要在清凉水域中,也不会饿死。适宜生活在3℃～23℃的水温中。皮肤能进行气体交换,在含氧量较高的水中,可以较长时间不浮出水面呼吸。繁殖季节在5～9月份。雌鲵夜间在洞穴内或浅水滩产卵,边爬边产。卵带一端粘附在石头上,卵在胶质带内呈念珠状。体长40～80厘米、体重0.5～3千克的雌鲵可产卵300～600粒;体长100厘米左右,体重6.5千克左右的,可产卵约1 500粒。卵为乳黄色,卵径5～8毫米。受精卵在14℃～21℃的水温环境中孵化,需38～40天。孵出的稚鲵全长28～31.5毫米。大鲵在人工饲养下,可存活50余年,也有寿命长达百余年的报道。

【采集与加工】 将人工养殖的大鲵捕起,放养在木盆或缸内,用时剖腹除去内脏,肉洗净作药用。大鲵是国家二级保护动物,野生的不许捕捉。

【养殖方法】 选择水源充足,水温在9℃～20℃的河湖附近建造养殖场。饲养池要求能适应其畏光的习性,拱洞要避免阳光直射,保持阴凉,有排灌水的设施,方便清污洗池和饲养管理。为避免大鲵相互咬伤或残食,满足繁殖的需要,大小、雌雄应分池饲养。池水深度控制在35厘米左右。投喂鲜活饵料,也可投喂禽、畜屠宰下脚料。

繁殖时用人工催产的,种鲵必须达性成熟,而且体质要健壮。人工孵化用的孵化盆放置在弱光阴凉处。水温在14℃～25℃的条件下,经33～40天可孵化出稚鲵。从稚鲵孵出至卵黄耗尽需历时30天左右。在这一阶段不必投料。稚鲵要在水温10℃～20℃的条件下饲养。约30天稚鲵开始摄食,可以喂食水溞、孑孓、蛆虫、水蚯蚓等。通过60天的饲养后,可增加投喂小虾、水生昆虫、蚯蚓等饵料。幼鲵全长达10厘米、体重20克时,可移至2平方米的池内饲养。池中水深20～30厘米,放养10尾。

人工孵化时为防止感染水霉病,可分阶段用15～30毫克/升的孔雀石绿溶液浸洗卵胚3～5分钟。

二、蟾 蜍

蟾蜍包括中华蟾蜍 *Bufo gargarizans* Cantor 和黑眶蟾蜍 *Bufo melanostictus* Schneider，又名癞蛤蟆、癞疙疱、癞肚子。分布于全国大部分地区。头、皮、舌、肝、胆和耳后腺、皮肤腺分泌的白色浆液均可入药，药材名分别称蟾头、蟾皮、蟾舌、蟾蜍肝、蟾蜍胆和蟾酥。

【形态特征】 中华蟾蜍(彩图 250)，体长约 100 毫米。吻棱明显，鼓膜清晰。前肢短粗，后肢长而粗。背面皮肤密布大小不等的圆形疣粒。耳后腺长圆形。腹面满布疣粒。雄性体略小。前肢粗壮，内侧指基部有黑色婚垫，无声囊及雄性线。产卵季节雄性背面黑绿色，雌性背面色浅，腹面有乳黄色、棕色或黑色花斑。

黑眶蟾蜍(彩图 251)，体长 70～100 毫米。头部吻至上眼睑内缘有黑色骨质嵴棱。头顶部明显下凹。上下颌有黑线纹。鼓膜椭圆而大。前肢细长，后肢短。趾扁，基部有半蹼。皮肤粗糙，满布大小疣粒。耳后腺椭圆且大。腹面密布小疣粒，疣上有黑棕色角刺。体黄棕色，有棕红色花斑。雄性声囊壁紫黑色，有单咽下内声囊，声囊孔长裂形。第一、二指基部内侧具黑色婚垫。

【生活习性】 白天喜栖居草丛、石下或土洞内，黄昏在草地上或路旁出现。霜降后匿居于水底泥土中或烂草内。产卵季节南、北方各地不同。卵在卵带内交错排成 4 行，胶质卵带缠绕在水草上。卵的动物极黑色，植物极深棕色。为体内受精，产卵前雄雌性抱对。蝌蚪生活在河沟或坑塘内，成群向同一方向漫游，体尾均为黑色。

【采集与加工】 夏秋捕捉。捕后先采蟾酥，然后制干蟾。

制取蟾酥：将捉到的蟾蜍洗净，待水干后挤耳后腺。挤耳后腺时，一手握住蟾蜍，露出其头部，另一手用镀锌镊子或铜夹，轻轻挤刮(夹)耳后腺，挤出白色浆液，将浆液滴入白色小盘内。小盘下面是大盘，浆液可从小盘流入大盘内。每侧耳后腺挤 1～2 次，挤完的蟾蜍要放回原处，过几天再挤，不要将蟾蜍弄死或扔弃。切忌用铜铁夹(镊)或用力连续多次刮挤，避免连皮肉、血一起挤下来，以免影响蟾酥质量或使蟾蜍致死。每次每只蟾蜍可取鲜浆液 0.05～0.06 克。将挤出的蟾酥液进行过滤。第一次过滤，滤去浆液中的杂质，第二次过滤，要将滤去杂质的浆液加入适量的乙醇(或蒸馏水)稀释，放入 80～120 目网筛过滤。将过滤好的浆制酥，把浆液涂在玻璃板上，厚 2～3 毫米，用竹片抹平，放在通风处阴干，不要用火烘干，因为超过 60℃时，蟾酥即炭化。也可将浆液注入如棋子样的模子中，阴干到七八成干，做成饼状、棋子状，称为团酥或棋子酥。制成的蟾酥装入密封的镀锌桶、木桶、竹桶或玻璃瓶内。制酥过程中如浆液溅入人的眼内，应立即用清水或茶水冲洗。

制干蟾：取酥后将蟾蜍杀死，直接晒干，即为药材干蟾。将蟾蜍杀死后除去内脏，把体腔撑开晒干，即为药材干蟾皮。

【养殖方法】 蝌蚪吞食泥土、藻类或群集在动物尸体上摄食。成体以捕食蝼蛄、地老虎、蟋蟀、油葫芦、蝗虫、蚱蜢、金龟子、蚊、蛆、蚜虫、叶甲、谷盗、蜗牛、蚊、椎实螺等。可参阅金盾出版社出版的《蟾蜍养殖与利用》等书。

三、蛙

蛙包括中国林蛙 *Rana chensinensis* David，别名哈士蟆、哈蟆、黄哈蟆、田鸡，分布于黑龙江、吉林、辽宁、河北、山东、河南、安徽、江苏、四川、湖北、山西、陕西、宁夏、内蒙古、甘肃、青海、新疆、西藏等地。以蛙的去内脏全体和雌蛙输卵管的干制品入药。输卵管干制品称哈蟆油。黑斑蛙 *Rana nigromaculata* Hallowell，别名青蛙、蚂蜗、田鸡、黑斑侧褶蛙，分布于黑龙江、吉林、辽宁、河北、山东、河南、陕西、内蒙古、宁夏、甘肃、青海、四川、云南、贵州、湖北、安徽、江苏、浙江、江西、湖南、福建、广东、广西等地。以全体、胆和蝌蚪入药。棘胸蛙 *Rana spinosa* David，别名山鸡、石鸡、山蚂拐、山蛙、石鳞、石蛤蟆、石虾蟆、石板蛙，分布于云南、贵州、湖北、安徽、江苏、浙江、江西、湖南、福建、广东、广西等地，以去内脏新鲜全体入药。花姬蛙 *Microhyla pulchra* Hallowell，别名犁头蛙、三角犁头拐、三角蚂拐、犁头拐、土地公，分布于甘肃、云南、贵州、湖北、江西、浙江、湖南、福建、广东、海南、广西等地。以去内脏后全体入药。

【形态特征】 中国林蛙（彩图 252），头扁平，体较宽短。体长 50 毫米左右。鼓膜显著，鼓膜处有三角形黑色斑。背侧褶不平直，颞部曲折状。雄性有 1 对咽侧下内声囊。皮肤略粗糙，背部及体侧有小疣粒。口角后部有一显著的长形颌腺，延伸至前肢基部。腹部皮肤平滑。体背及侧面土灰色或棕黄色，散有黄色及红色小点，四肢背面有黑横纹，腹面乳白色，腹后部和大腿腹面为浅黄绿色。卵群团状，动物极棕黑色，植物极灰白色。蝌蚪生活于静水坑内，为灰黑色。

黑斑蛙（彩图 253），体较大，体长 70～80 毫米。吻钝圆而略尖，眼间距窄，鼓膜大。前肢短，后肢较短而肥，趾间近全蹼。背面有 1 对侧褶，其间有 4～6 行不规则的短肤褶。口角后的颌腺发达。腹面皮肤光滑。雄性有 1 对颈侧外声囊。背面黄绿色或深绿色，也有灰棕色的，有不规则黑斑。吻端到肛部有 1 条浅色纵纹，背侧褶为浅棕金黄色，四肢具黑横斑，腹面白色。卵群团状，每团约有卵 4 000 粒，动物极深棕色，植物极乳黄色。蝌蚪大多为棕色。

棘胸蛙（彩图 254），体大肉肥，体长约 120 毫米。吻端圆，头宽大于头长。鼻孔位于吻眼之间，鼓膜隐约可见。前肢较短，雄蛙粗壮；后肢肥大，趾全蹼。皮肤粗糙。雄蛙背部有大小不一的长形疣棱，胸部有肉质疣，雌蛙腹面光滑。背面黑棕色，两眼间见深色横纹，腹面肉紫色并有云斑。卵群由 7～12 个卵呈葡萄状卵串，动物极黑灰色，植物极乳黄色。蝌蚪为黑灰色。

花姬蛙（彩图 255），体长约 40 毫米，在姬蛙类中是较大的 1 种。吻端钝尖，舌后端圆。前肢细弱，后肢粗壮，趾间半蹼。皮肤较平滑，散有痣粒。身体花纹艳丽，背面粉棕色，缀有棕色花纹。花纹由肩上中央向后延伸，呈“人”字形多条排列。眼间有黑棕色横纹，股及胯部黄绿色，腹部黄白色。

【生活习性】 中国林蛙生活在林木繁茂、地面潮湿、杂草丛生的环境中。从海边的丘陵至海拔 4 200 米的草地及农田、沼泽、森林附近的水域都有中国林蛙栖居。在不同季节和环境中的活动规律，可分为下列几个时期：①上山期。5 月初产卵后离开繁殖地，在山坡土壤内进行 15 天左右生殖休眠。也有在枯枝落叶层下或石块、苔藓、树根下休眠的。复苏后从山下向山上植被茂密的环境迁移，跳跃敏捷，善逃避敌害和远距离迁移。②丛林生活期。5 月中旬至 8 月底，多选择阴坡、潮湿而凉爽的阔叶林及草地灌丛活动。每天 10 时前和 15 时后为摄食盛期，中午在草丛中休息。③下山期。自 9 月上旬林蛙从山坡向低地迁移，需时 7～10 天。当气温降至10℃以下时,陆续进入水域冬眠。④冬眠期。越冬多在2米深的河、塘中,从入河至10月底,林蛙潜藏于水底淤泥、砂砾中散居冬眠。至11月份,林蛙几十至几百只成群集中在深水中冬眠,至翌年3月下旬。⑤繁殖期。4~5月份林蛙交配产卵。5~8时为产卵高峰,每只雌蛙可产800~2 300粒卵,卵群球形或椭圆形。雌蛙产卵后即进入生殖休眠期。自卵产出到孵化出幼体至变态成幼蛙,需60~70天。2龄蛙逐渐性成熟,3龄蛙开始繁殖,4~6龄产卵量较多。

黑斑蛙栖居在稻田、池塘、水渠及河、湖附近。从沿海平原至海拔2 000米的山地都有分布,种群数量也多。夜晚外出觅食,白天隐匿水草间。3月下旬开始出蛰,10月下旬进入泥土中冬眠。产卵主要在4~5月份,具体时间南北方各异。时气温在10℃~28℃、水温10℃~22℃均适宜产卵。卵多产在稻田、池塘浅水域。此蛙1年产卵1次,每1只雌蛙产卵量为3 000~5 000粒。其中2~5龄的蛙产卵量大。受精卵在水温18℃~20℃时经4~6天孵化。蝌蚪以浮游生物、藻类、动物尸体等为食。从卵到幼蛙约需60天左右,1年左右性成熟。

棘胸蛙成蛙喜居海拔600~1 500米的山溪中,白天隐蔽于石隙中,黄昏后蹲伏在岩石上。5~9月间为繁殖季节。卵产于石下水中及水草上。云南、广西、福建等地山区农民常在夜间打着火把沿溪大量捕捉棘胸蛙,供食用。此蛙捕食鞘翅目、鳞翅目、直翅目、等翅目、膜翅目多种害虫。

花姬蛙生活在河边、田边土缝、草地、玉米地、甘蔗地、草垛等处。在夜间或清晨觅食。白天隐伏在泥缝、土洞、草垛、草下。体小鸣声大,善跳跃。以小型昆虫和蚂蚁为食。4~5月份繁殖,10月下旬开始冬眠直至翌年3月间复苏。

【采集与加工】 中国林蛙生长期5~7年,性成熟后的第一、二年内产卵最多,第三年进行捕捉油质佳。捕捉时间以9~10月份霜降期最好。此时油量较多。可直接用手捕捉或用竹条(柳条)编成小壶状的"坞子"进行捕捉。天气寒冷时,可在冰面上凿出窟窿,用网捕捞。供药用的林蛙,要选捕肥大的雌性个体。将捕到的林蛙用麻绳从口额处穿成串,每串200~300只,将绳的两端系在屋檐下,露天风干,阴雨天或夜晚收回室内,防止受冻受潮。干后即可剥油。剥油前预先将林蛙干用热水浸润一下,随后捞出,放在麻袋中闷1夜。剥油时,先将前肢沿左右方向朝上掰开,露出腹部,用刀或竹片剖开腹皮,由两腹侧至两胁间去净血筋及卵,轻轻取出输卵管,置于通风处阴干。入药的哈蟆油就是这样制成的。其形状不规则,为弯曲而相互重叠的厚团块,外表黄白色,显脂肪样光泽,有时也见有带灰白色薄膜状的干皮,以手摸之有滑腻感,遇水可膨大10~15倍。味甘,嚼之粘滑。通常以块大、肥厚、黄白色、不带皮膜、无血筋和卵者为佳。取哈蟆油后的雌性个体再晒干,雄性个体捕后剖腹,除去内脏,挂起,风干或晒干,即为哈士蟆药材。

黑斑蛙在活动季节白天可钓捕,夜间照明捕捉,冬季挖土捕捉。用时去内脏,肉洗净供药用。胆和蝌蚪亦入药。

棘胸蛙可在夜间照明捕捉,以夏、秋两季为捕捉旺期。将蛙去内脏后以全体入药。

花姬蛙可在5~7月份捕捉。夜间光照捕捉或清晨去栖居地捕捉。先将犁头蛙洗净,沥干体表水分后,用50°以上白酒浸泡。每500毫升酒配100克蛙,还可加入少量当归,浸泡2~3个月。以酒入药,称犁头蛙酒。其酒淡橙黄色、味芳香。

【养殖方法】 人工养殖中国林蛙有散养法和控制养殖法。

散养法:就是选择适合林蛙生长发育的环境,或在林蛙原产地建立人工孵化池,通过人工增殖，增加群体数量。幼蛙长成后，可就地活动。到越冬时要为林蛙准备适当的越冬场所，诱导它们集中到一定的地区越冬，并在此时根据数量适当捕捉。

控制养殖法：是将林蛙控制在蛙场内进行人工养殖。这就必须在蛙场周围筑好围墙，场内安排人工水池，设置孵化池、蝌蚪池，开辟一定面积的采食活动场地。成蛙密集饲养必须人工喂饲料。控制养殖要做好以下几项工作。

第一，培育种苗。1～5月份在水池中选正圆形的蛙卵进行孵化。孵化池的温度保持在10℃～15℃。温度过低，孵化速度慢，温度骤变，会引起蝌蚪死亡。要保持水中有适宜的含氧量，孵化池需经常缓慢地换水。林蛙在不同生长阶段需要不同的饵料。刚孵化出1周左右的蝌蚪，以水中浮游生物为食。为了充分繁殖浮游生物，孵化池可投入适量的牛粪、马粪。对稍大些的蝌蚪，可投入豆腐渣、饼粕、绿藻及切碎的菠菜。每天上、下午各投饵1次。投饵量按蝌蚪数目及采食情况灵活掌握。在蝌蚪变成幼蛙的过程中，要加强护理。在幼蛙登陆前，蝌蚪不太活动，捕食量减少，形态发生剧烈的变化，体质较弱，容易受水温变化的刺激而死亡。在登岸后，每天早晨应在池岸四周用喷壶洒水，防止因中午阳光炽烈及陆地过分干燥造成幼蛙死亡。在孵化池边要多种些水草或用草帘覆盖，供幼蛙作栖息的场所，以利其长大后独立生活。

第二，注意防逃。在蛙场内建造适宜林蛙生活习性的环境条件。环境适宜于林蛙生活要求时，它们一般不逃走，能够养成在固定范围内活动和栖息的习性。若林蛙过度密集，食物缺乏，环境不适或过分嘈杂，尤其是受到天敌的侵袭时，林蛙就会成群结队地大量潜逃。林蛙攀缘及穿洞的能力很强，一般直立的物体，幼蛙都能爬上去，只要头部能钻过去的小洞，全身就能通过。所以除了创造适宜的环境外，还必须构筑内面光滑无洞并且向内倾斜、高度在1.5～2米的围墙，以防止蛙群逃散。有些地方用向日葵茎秆、木杆、竹竿编成围墙，再以白灰或泥浆涂抹光滑，也能起到防逃的作用。

第三，建好养殖场。①选好场址。首先，养殖场必须建在有大面积阔叶林的地方，在东北三省主要选桦、杨、榆、槭、山胡桃、椴、柞等为主的杂木林，不要选择纯针叶林，尤其不能选择大面积落叶松林，针阔混交林可以选用。林地不仅要注意林型，还要注意森林的层次、密度和树龄。森林的树龄以20年左右为好，最少不能低于15年。林木要较密集，树冠要相互郁闭，林下光线暗淡，湿度大，使林蛙有一个适宜的生活环境。林下还要有良好的草本植被、厚的枯枝落叶层及较多的昆虫等小动物种类，只有这样才能给林蛙提供足够的食物，并能成为其良好的栖息场所。其次，要有理想的水源。在养殖场范围内，要有1条或数条山间溪流或小河。水量不宜过大，也不宜太小，溪流一般宽1～3米、水深30～50厘米比较适合。②设置繁殖场所。繁殖场是林蛙产卵、孵化及蝌蚪生长的场所，最好设在养殖场的中央，地址以溪流沿岸、地势平坦的地方为好。为管理方便，繁殖场宜集中而不宜分散。因此，繁殖场要有较大面积。以放养种蛙5000对为例，繁殖场的面积约需2000平方米(3亩)左右。繁殖场要能引溪水自流灌排，土质以粘土为好。

繁殖场是由几种不同类型的水池组成的，包括产卵池、孵化池、蝌蚪饲养池、变态池等4种，前3种池子要集中修建在一起，变态池可修在放养场附近。产卵池供林蛙产卵之用，其面积占繁殖场面积的3%～5%。每个产卵池面积20～30平方米，水深50厘米，池为长方形或其他形状。孵化池供蛙卵孵化用，其面积占繁殖场总面积的5%～10%，要修在繁殖场中溪流的中游或下游水温较高处。孵化池以4米×6米的长方形较好，水深为50厘米左右。蝌蚪饲养池是饲养蝌蚪用的。其面积以20平方米较合适，最大不超过40平方米，深度30～40厘米，最深不超过50厘米。池子要设入水口及出水口,两水口要开在池子的同一侧,使水沿池一侧的边缘流动,保持池水大部分呈稳水状态。在水池的中间或一侧修安全坑,深30米左右,上口直径50厘米左右,呈锅底形或半圆形,坑内铺塑料薄膜,并加压一层薄土,防止薄膜浮起被水冲走。安全坑是防止水池供水中断用的,在供水中断时,蝌蚪会自动集中到安全坑内,避免因缺水而死亡。变态池是放养进入变态期蝌蚪的池子,其总面积约为饲养池总面积的一半。这种池子要修在夏季林蛙放养场附近。变态池的池型及面积,可参照饲养池的规格修建。

黑斑蛙养殖法:在繁殖季节,清晨将蛙卵捞出,放到水深5～10厘米的稻田内繁殖孵化。孵出的蝌蚪在该田饲养。投放牛粪、混合饲料,保持有水流入,防止干涸,调节水体酸碱度。严禁家畜、家禽进入水田,以免伤害蛙卵及蝌蚪。改进农药、化肥施用方法,以免水域污染。在晒田、薅秧时,一定要在排水前挖好保护坑,使蝌蚪能游入保护坑里。气温降低到15℃时,提前做好安全越冬准备。冬眠前将黑斑蛙捕捉放到越冬场地里,每平方米越冬场地可投放100～200只,待数天蛙入土后,再在上面覆盖约10余厘米厚的杂草。遇上旱冬可适量浇水保持湿润,翌年春季蛙复苏后移入水田繁殖。

棘胸蛙养殖法:此蛙体大肉美,自然条件下在有水流的溪内产卵,也可在人工养殖池中产卵。喜食蔓蝗、蚱蜢、蝽、蚱蝉、枯叶蛾、谷盗、金龟子、叶甲、叩头虫、象鼻虫、天牛、蚊、龙虱、胡蜂、蜗牛等。

蛙类的具体养殖技术可参阅金盾出版社出版的《林蛙养殖技术》等书。

四、龟

龟包括蠵龟 *Caretta caretta Olivacea* Linnaeus,别名灵龟、嘴龟、红海龟、赤蠵龟、赤死不了龟,为国家二级保护动物,分布于辽宁、河北、山东、江苏、浙江、福建、台湾、广东、海南、广西沿海。以龟板入药;海龟 *Chelonia mydas*(Linnaeus),别名绿海龟、绿蠵龟,为国家二级保护动物,分布于山东、浙江、福建、台湾、广东、海南及广西沿海,以龟板、血及胆汁入药;玳瑁 *Eretmochelys imbricata* (Linnaeus),别名文甲、瑇瑁、明玳瑁、十三鲮龟、鹰嘴海龟、十三鳞,为国家二级保护动物,分布于山东、江苏、浙江、福建、台湾、广东、海南、广西沿海,以其背甲片及肉入药;平胸龟 *Platysternon megacephalum* Gray,别名大头平胸龟、鹰嘴龟、大头龟、鹰龟,分布于江苏、浙江、安徽、江西、福建、湖南、广东、广西、贵州、云南、海南等地,以肉入药;乌龟 *Chinemys reevesii* (Gray),别名金头龟、金龟、草龟、水龟、金钱龟、泥龟、墨龟,分布于河北、山东、河南、陕西、甘肃、四川、云南、贵州、湖北、安徽、江苏、浙江、江西、湖南、福建、台湾、广东、广西、海南等地,以龟板、龟肉、龟血、龟板胶入药。

【形态特征】 蠵龟(彩图256),头背有对称的大鳞,前额鳞2对,吻突出,上、下颌钩状,上颌稍长,颌缘无锯齿。背甲边缘齐整,后段窄长,盾片平铺排列,纵棱不显。颈盾短宽,椎盾5~6枚,肋盾5对。腹甲中部沿纵轴凹入,有3枚下缘盾,腋盾多枚,在肛盾后有1枚小鳞。四肢桨状,各具2个爪。前肢大,后肢小,尾短。背甲长约1米,体重达100千克以上。背部棕红色或红褐色,有不规则的土黄色或黑色斑纹,腹部黄色或柠檬黄色。

海龟(彩图257),吻短而略圆,上喙不钩曲,下喙甚发达。头部鳞片对称,前额鳞1对,额鳞单枚。背甲呈心形,盾片镶嵌排列。颈盾短宽,椎盾5枚,肋盾4对。腹甲前后缘圆形,纵轴中部下凹,下缘盾4对,腋盾多枚,胯盾1枚。四肢桨状,各具2个爪。雄龟尾长,雌龟尾短,不超出背甲。体型长大，达1米多，体重约450千克。背面棕黄色，腹面黄色。脂肪绿色。幼龟背甲橄榄色或深棕色。

玳瑁(彩图258)，吻略长，上颌钩曲。头部有对称的鳞片，前额鳞2对，颈前端背面、颏、喉部被小鳞。背甲略近心形，脊棱明显，盾片覆瓦状排列。脊盾5枚，肋盾4对，体后边的缘角板呈锯齿状。臀盾左右不愈合。腹甲前缘圆，有一小的间喉盾。腋盾多枚，胯盾1枚，下缘盾4对，腹甲中央有一纵沟。四肢桨状，外侧各具2个小爪。尾短，背部棕红色，有浅黄色花纹，具光泽。头与四肢棕色，腹部黄色有褐斑。体长达1米多，体重50多千克。

平胸龟(彩图259)，背甲长约250毫米、宽约200毫米。头大，颈短，不能缩入壳内。头背覆以大块角质盾片。上颌粗大，显著钩曲，呈鹰嘴状。背甲长椭圆形，前缘中部凹入，脊部扁平，有一比较直的棱。腹甲前缘平切，后缘凹入。指、趾间有蹼，指、趾具爪。尾甚长。体背棕褐色或棕黑色，腹面深黄色。

乌龟(彩图260)，头小，头顶前部平滑，后部的皮肤上有细粒状鳞。背甲椭圆形，长约120毫米，宽约85毫米，有小脊棱3条，成年不明显。腹甲平坦，前缘平切略向上翘，后缘缺刻较深。四肢扁平，具爪，指、趾间全蹼。尾细短。背甲棕色或黑色，腹面色浅，腹甲每1个盾片都有大黑斑。

【生活习性】 蠵龟生活在海洋中。5～7月份为繁殖季节。在沿海礁盘上进行交配后，雌龟夜晚上岸，挖穴产卵于其中，然后用沙覆盖，弃卵而去。经15～20天觅食，再1次挖穴产卵。卵白色，球形，卵径40毫米左右。每次产卵140枚左右，自然孵化约需60天，稚龟破壳而出，爬向海域。蠵龟以鱼、虾、蟹、软体动物为食。是数量较多的海洋龟类，常在5～10月份成群游向沿海。

海龟生活于暖水性海洋。以鱼、虾、蟹、软体动物及海藻为食。繁殖季节4～10月份，雌、雄海龟在礁盘海域交配。雌海龟上岸，在海滩高潮线以上的沙滩上，用前肢挖个大穴坑，入穴后再用后肢在坑内挖一产卵穴，卵产于坑穴内，用沙覆盖，然后亲龟返回海域。每只雌海龟每年可分批产卵，每次产卵100余枚。卵白而圆，壳软革质，卵径40～45毫米。孵化期50～70天，稚龟破壳后穿出沙层，爬向大海。

玳瑁是暖水性海洋海龟类，以刺松藻、孔石莼、石莼、裙带菜、海带、青鳞鱼、小黄鱼、对虾、蛸等为食。

平胸龟喜栖居于山涧溪流、沼泽地和河边。以螺类、虾、蠕虫、蚯蚓、小鱼、黄鳝、蛙及瓜果为食。6～9月份为繁殖期，每次产卵约2枚，卵椭圆形，靠自然孵化，孵化期50～60天。11月份至翌年3月份冬眠。

乌龟栖息于池沼、溪流、湖泊、河流及岸边。喜群居于潮湿的草丛中，阴雨天常在草地及农田处觅食。秋冬气温降至10℃以下时，开始冬眠，春天气温上升至10℃以上时出蛰活动。4月下旬至5月初开始交配，5～8月份产卵，年产卵3～4次，每次产卵5～8枚。雌龟产卵前用后肢在离水源不远的阳坡上挖卵穴，卵产于其中，然后覆盖松土，弃卵而去。靠自然孵化，一般50～90天孵出稚龟。

【采集与加工】 海龟可四季捕捉，捕后取背、腹角板，晒干备用。蠵龟板也称蠵龟筒。收集血和胆汁备用。

玳瑁可在全年捕捉。将玳瑁倒悬起，用煮沸的醋泼在玳瑁体上，背甲即能剥下。也可宰杀后取出背甲，去净残肉，洗净晒干，贮存干燥处。炮制方法是将甲片洗干净，切成碎块。先将滑石粉放在锅内炒热，后放入甲片小块同炒，炒到鼓起时取出，筛去滑石粉，放凉、研末。背甲以块大片厚、花纹明显、半透明、烧时起泡，但不着火的为佳。

平胸龟在6～9月份捕捉。将龟杀死，除去甲和内脏，以肉入药。

乌龟全年可捕，以秋冬较多。加工时，将龟杀死，敲碎边甲，取腹板剔净筋肉，晒干，叫做"血板"；若用沸水烫死后取下的腹板，叫"烫板"。血板、烫板都可装在竹篓中，存放在干燥处。药材名龟甲，也称龟板。将龟板浸在水中，使残肉腐烂，骨甲分离，然后用清水漂，每天换水，漂到水清为止，放水熬煮，熬到龟板完全变酥，再浓缩入模，切块，晾干即成龟板胶药材。龟肉、龟血亦入药。

【养殖方法】 海龟采用天然和人工繁殖场的卵孵化种苗。孵化时将卵放在浅盘里，盘底铺1～2厘米厚的沙子，湿度保持5%～10%，卵上用沙覆盖，避免震动，经50～70天，稚龟便可出壳。

将人工孵化出的稚龟转移入饲养池内饲养。随着海龟的生长，再移入密度较低、面积较大的饲养池中。饲养池内要保持水质新鲜，最佳水温为28℃。可用颗粒饲料、鱼下脚料、鱼内脏、海藻或蔬菜投喂。每天喂饲量约为海龟总体重的3%，同时投喂少量的海藻和蔬菜作为辅助饲料。

海龟常见疾病有皮肤溃疡、咬伤和寄生虫病，以及脂肪坏疽、消化不良、肠炎及肠梗阻等，人工养殖海龟时应重视对这些病害的防治。

平胸龟、乌龟生产性养殖的种源可捕捉野生龟或从龟场引进，也可挖取受精卵孵化育种。人工孵化的方法是挖取龟卵时，将朝上的面做个记号，按卵原来的上下朝向放入孵化器中，排放整齐，盖上沙土，置于向阳的地方，孵化器上口加盖金属网，保持适宜的温度和湿度，经50～60天，稚龟便可出壳。刚出生的稚龟游水能力差，稚龟池的水要浅一些，使稚龟可在水中走动，甲壳外露水面。稚龟喜吃动物性食物，可将干鱼浸泡后切碎，掺杂其他食物喂饲。不可偏食。龟是杂食性动物，植物性饲料和动物性饲料都可投喂。植物性饲料可用南瓜、土豆、麦芽、菜叶等，动物性饲料可用小活鱼、虾或鱼肉、畜禽肉及内脏、螺蚌肉、蚯蚓、蝇蛆等。每1～2天投喂1次，喂量为龟体重的5%。平胸龟、乌龟的常见疾病有白眼病、腐甲病、肠炎病、水霉病、颈溃疡病等，应注意防治。

龟的具体养殖技术可参阅金盾出版社出版的《养龟技术》、《养龟技术问答》等书。

五、鳖

鳖包括鳖 *Trionyx sinensis* Wiegmann，别名中华鳖、水鱼、甲鱼、王八、团鱼、脚鱼、圆鱼，除宁夏、新疆、青海、西藏以外，我国其他地方均有分布。山瑞鳖 *Tronyx steindach* meri，别名山瑞，仅分布于云南、贵州、广东、海南、广西等地。鳖的背甲入药，药材名鳖甲，鳖肉亦入药。

【形态特征】 鳖（彩图261），头部三角形。眼间距很窄。上颌长，超出下颌，吻突较长，约与眼径相等，肉质唇发达。颈甚长，两侧平滑无瘰疣团。背甲卵圆形，正中微有脊棱，被革质皮肤，满布疣粒。背甲长60～170毫米、宽54～140毫米。腹甲光滑，后叶较小。四肢扁平，各具3爪，外侧2指、趾隐没在发达的蹼间，四肢无鳞片，有栉状宽短的肤褶。背面橄榄绿色，间或有黑斑，腹面肉色，有对称的深色斑。

经济价值较大的相近种山瑞鳖，其与鳖的主要区别在于颈基部两侧各有1团大瘰疣，背甲前缘有1排明显、粗大的疣粒。

【生活习性】 栖居于池塘、河流、湖泊、水库中。以螺、虾、水生昆虫、蚯蚓、蠕虫、鱼、蛙等为食,也吃水草、瓜果等植物性饵料。鳖5龄左右性成熟。5～7月份为繁殖季节。卵生,卵圆形,乳白色,卵径20毫米左右。卵产于向阳、土质松软的穴中。产卵前自行挖穴,产卵后覆盖浮土。每次产卵4～20枚。靠自然温、湿度孵化,约需60天稚鳖破壳而出。

【采集与加工】 山瑞鳖为国家二级保护动物,禁止捕捉。中华鳖可在春、夏季节捕捉,冬眠时也可用鱼叉捕捉。捕捉后将鳖杀死,放入开水中煮1～2小时,至背甲的硬皮脱落时取出,剥取背甲,刮净残肉后晒干备用。再进一步加工炮制,即制成鳖甲和醋鳖甲药材。鳖肉、鳖血、鳖头、鳖胆、鳖卵等亦入药。

【养殖方法】 养鳖技术目前已相当普及,这里仅对其养殖工作要点简要介绍如下:

第一,鳖场建造:场地要有水体良好、数量充足的水源及方便的电源和交通条件。场内要设亲鳖池,仔、幼鳖培育池,成鳖饲养池及饵料加工场和道路等附属设施。

第二,鳖种培育:选野生或养殖的生长良好、体质健壮的个体作亲鳖,按雌、雄4:1的比例配备,放入亲鳖中进行培养。在亲鳖开始繁殖产卵时,收集鳖卵,置于孵化箱中孵化,温度控制在26℃～34℃,相对湿度保持在75%～85%之间,孵卵沙子的含水量调节至7%～8%,并保持通风良好。经45天左右的孵化期稚鳖便可出壳。稚鳖出壳后,先作消毒处理,然后移入稚鳖池中饲养。可投喂水溞、摇蚊幼虫、水丝蚓、蝇蛆、蚌肉等作开口饵料。稚鳖经3～5天的饲养,便进入仔鳖期。仔鳖可投喂人工饵料,1天投喂2次,初期日投饵量为仔鳖总体重的0.5%～1%,经7～15天后,日投饵量可增加到仔鳖总体重的4%～5%,以后随鳖体重的增加,日投饵可保持在仔鳖总体重的3%～4%。日常管理要注意池中清污换水,保持水质良好;调节温度,使池水温度稳定在25℃～30℃之间,并认真防治白斑病、白点病、腐皮病等。仔鳖长至50克以上,即成为幼鳖,就是用于饲养成鳖的鳖种。

第三,成鳖饲养:即从50克以上的幼鳖养到400克以上商品鳖的过程。成鳖饲养以投喂配合饵料为主,每天投饵2次,水温在25℃以下时,日投饵量为鳖总体重的1%～2%,水温在25℃以上时,为2%～3%。日常管理要注意水质调控,保持鳖池水的透明度在20～30厘米,适时换水;保持环境安静。饲养到鳖体重达400克以上时,便可捕捞上市,采集鳖甲药材。在饲养过程中要注意病害防治。

要进一步详细了解鳖的养殖技术,可参阅金盾出版社出版的《养鳖技术》、《工厂化健康养鳖技术》、《鳗鳖虾高效益养殖技术》等书。

六、变色树蜥

变色树蜥 *Calotes uersicolor* (Daudin),别名马鬃蛇、雷公蛇、鸡冠蛇。主要分布于云南、广东、广西、海南等地。除去内脏后,全体入药。

【形态特征】 变色树蜥(彩图262),头较大,吻端钝圆,吻棱明显,眼较小,眼睑发达,瞳孔圆形,鼓膜裸露。体表鳞具棱,呈覆瓦状排列,背正中有1列侧扁而直立的鬣鳞,颈部发达。前后肢各具5指、趾,有爪,四肢发达。眼周有深色辐射纹。生殖季节雄性头部为红色。体色灰棕,背面有5～6条黑棕色横斑,尾部具环纹。体长80～90毫米,尾为体长的3倍。

【生活习性】 白天常见于灌木丛中、草地或乡村路边荒地上、稀疏树林处。爬行迅速,能攀援上树或隐栖穴洞中。捕食各种昆虫、蜘蛛等小动物。4月下旬至9月为产卵季节,每次产卵6～9枚。卵黄白色,椭圆形,卵壳柔韧。靠自然孵化。

【采集与加工】 春末、夏秋季节均可捕捉。捕后剖腹,去内脏,用竹片撑开,在文火上烘干,或晒干。贮藏在干燥处,防止生虫。用其制药酒方法有二:一是生泡,将其洗干净,剖腹,去内脏,用50°～60°白酒浸泡,每500克酒配放3条,加少量当归作佐料,浸泡2个月。二是干泡,将干体刮去鳞片,洗干净,晾干水,切段或成条浸泡,泡法与生泡法相同。

【养殖方法】 夏天可喂蝶、蛾、甲虫、蝈蝈等。喂大的昆虫要预先切成块。蜥蜴喜捕捉飞到箱内的苍蝇,可将苍蝇诱进爬虫箱,如在蜥蜴食皿附近垂悬纸片,上涂蜂蜜、果酱等引诱苍蝇进笼,供蜥捕食。

以面粉蠕虫作饵料,会引起眼病,眼流泪,继而不能睁眼,头向后仰,不食,很快就死亡。病初可用1%～2%的硼酸水洗眼,并改变饲料。

七、大壁虎

大壁虎 *Gekko gecko* (Linnaeus),别名蛤蚧、蚧蛇、多格、握儿、蛤蛇、仙蟾、蛤蟹、德多、石牙,为国家二级保护动物。主要分布于云南、福建、台湾、广东、广西等地。去内脏,干燥整体入药。

【形态特征】 大壁虎(彩图263),头宽大,近三角形。吻端凸圆,耳孔椭圆形,上唇鳞12～14片。通体被覆小粒鳞,间杂较大疣鳞,缀成纵行。腹面鳞片较大,呈六角形。四肢指(趾)膨大成扁平状,下具单列皮肤褶襞,除第一指(趾)皆有小爪,指(趾)间有蹼迹。雄性尾基部较粗,肛前窝20多个。躯干及四肢背面砖灰色,密布橘黄色与蓝灰色斑,尾部具深浅相间的环纹,腹面白色,有粉红色斑。全长约300毫米,是壁虎科中最大的一种。

【生活习性】 栖居于石壁洞缝中、树洞内、房舍墙壁顶部,喜栖于虫、草多的山崖处。笔者曾在云南西双版纳老树洞内、古建筑上捕获蛤蚧。在广西桂平与平南山边石洞或坟墓中常有栖居。昼伏夜出,夏天多居阴凉处的浅洞中,冬季居于向阳避风的洞穴深处。

大壁虎喜暗怕光,在野生环境中常见独居或几条栖息一处。当被触怒时发出咯咯声,有咬物不放的习性,遇惊善机警逃逸,遇险能自割其尾,后再生。大壁虎虽为陆生,但能游水,游泳时高昂头部,体后左右摆动推水前进。靠指、趾底的吸附作用,能在峭壁或天花板上爬行自如。灵活转弯是靠尾巴功能。视力不佳,听力很强。爬伏时常头朝下伺机取食。5～9月份鸣叫最欢,气温在23℃以上的10～11月上旬仍然鸣叫,其他各月份鸣叫极少。狂鸣与生殖或取食活动相关。每年蜕皮1～2次。蜕皮以4～6月份为最多。蜕皮方法不同于蛇类,是成片地脱落。大壁虎喜温畏寒,对温度的反应特别敏感,外界环境温度直接或间接地影响生长发育、活动、生存、数量与分布。以5～7月份的活动力为最强,11月至翌年3月间活动力最低。全年捕食,但冬季胃中食物少,充塞度小。每天取食时间,自黄昏之后至次日天亮之前。捕食方式是发现食物时先抬起头,慢慢爬近,当相距10～20厘米时才纵身跃出张口咬食,吞入胃中。食物种类几乎全部是昆虫。其中主要是金龟子、蝗、蜂、蚁、蛴、螳螂、蜻蜓等,以食金龟子类动物为最多。大壁虎性成熟需3～4龄,此时体长约130毫米,体重约50克。繁殖期5～9月份,年产卵1次,每次产卵2个。卵产在洞内,卵壳柔软,两卵常粘在一起,靠自然孵化。气温较低的地方,产卵期相应较晚,孵化期较长,当年卵孵化不出,延至翌年天暖时孵出。因此,孵化期短的需

200多天，长的达300多天。

【采集与加工】 药用部分是去掉内脏的干燥整体。

加工方法是轻击大壁虎头部，使其晕倒，剖腹去内脏，用布抹干，用薄竹片或扁细竹条撑开、固定尾部，以免折断。用文火烘干，即为蛤蚧药材。保存时，严防生虫或受潮。

【养殖方法】 饲养房要建在地势较高、林木繁茂的地方，这里环境安静，昆虫来源丰富，便于灯光诱捕。无虫期喂人工饵料。

饲养房2.2米高，4米长，2.5米宽，可放养大壁虎400条左右。饲养饲料必须充足。大壁虎喜食蝗、蜢、稻螟、玉米螟、蔗螟、蛾类、蝼蛄、小型金龟子等，可用人工捕捉蚊子、苍蝇、蜘蛛、小飞蛾、蝇虎、小蟑螂等喂养大壁虎。桑蚕和木薯蚕的幼虫1～2厘米长时可喂养幼大壁虎。喂不完的可低温保存1～2个月。饲养1对蟑螂1年可繁殖400～1000只小蟑螂；土鳖虫繁殖较快，饲养方法与蟑螂相似，简便易行，均可作为大壁虎的饲料供应来源。成年大壁虎应与幼大壁虎分开饲养管理，以防以大食小。大壁虎不耐寒热，要做好防寒保暖工作。一般存活温度不能低于8℃，15℃开始活动，17℃～18℃才能摄食，22℃～32℃时最为活跃。最适相对湿度为70%～90%之间。经常清洗饮水用具，打扫笼内卫生。发现病态及时隔离。患病大壁虎脚的吸附能力差，常独自在有光的低处趴伏。

八、纵斑蜥虎

纵斑蜥虎 *Hemidactylus bowringii* (Gray)，别名守宫、蝎虎、盐蛇、天龙。主要分布于云南、福建、台湾、广东、广西、海南等地。干燥全体入药。

【形态特征】 纵斑蜥虎(彩图264)，头扁，吻钝圆。耳孔小而椭圆。鼻孔位于吻鳞和第一片上唇鳞的上方。吻鳞后有条凹沟，上唇鳞10～12片。颏鳞呈三角形。头和体躯的背面具细鳞，胸腹部的鳞较大。尾呈圆柱形，体尾背面鳞片大小一致。后肢较粗。指、趾膨大，底部有排列双行的褶襞，形成吸盘。指、趾末端有爪。体长约120毫米左右。体与尾长度几相等。

【生活习性】 栖息于房檐、墙隙、天花板中。昼伏夜出，常在墙壁或天花板上敏捷爬行。舌能伸出口外捕食浮尘子、蛾、蚊和其他昆虫。活动季节为4～11月份。喉部有声带，能发出“吱吱”鸣声。6～9月份产卵，卵白色，略大于黄豆，有石灰质壳。

【采集与加工】 药用干燥全体。夏秋季节夜晚在房檐下极易捕捉。捕后用手指掐头部致死，用竹片穿过头腹，加以固定，用文火烘干，备用。本药材易生虫，应放在干燥处密闭保存。

九、铜石龙子

铜石龙子 *Lygosoma indicum* (Gray)，别名四脚蛇、肥仔蛇、五寸棍、猪婆蛇、山龙子、石蜴、蝘蜓。主要分布于河南、陕西、甘肃、西藏、四川、云南、贵州、湖北、安徽、江苏、浙江、江西、湖南、福建、台湾、广东、海南、广西等地。以去内脏的鲜体或干燥全体入药。

【形态特征】 铜石龙子(彩图265)，吻凸而圆。吻鳞与单枚额鼻鳞相切，左右前额鳞不相遇。额鳞长，前缘与额鼻鳞相切，额顶鳞彼此相切。间顶鳞较大，顶眼清晰。颊鳞2片，眶上鳞4片，上唇鳞7片。耳孔卵圆形，鼓膜小而下陷。体鳞平滑无棱。肛前鳞2片，尾腹面正中1行鳞片略扩大。体长80毫米，尾长130毫米左右。背面古铜色，背中央有1条断续的黑脊纹，两侧有细点缀成行，头体两侧各有3～4条黑纵带，延至尾基两侧。头背及四肢均散有细黑点，腹面色浅无斑。

【生活习性】 多栖居丘陵、山区荒地、溪边乱石草丛中，以象鼻虫、蝼蛄、金龟子、地老虎、叩头虫、蝗虫、鼠妇、蚯蚓、蜘蛛、刺蛾幼虫及田螺等为食。10月中下旬冬眠，翌年4月份开始活动。冬眠多匿藏于草根、树根、石下或土洞中。夏季多在上午和下午活动，中午活动较少，平时多在阴凉的地方活动，雨天不活动；秋季中午外出觅食。繁殖期7～8月份，为卵胎生，每条雌性铜石龙子可产仔2条。

【采集与加工】 药用部分是去内脏的鲜体或干燥全体。夏秋捕捉，捕后剖腹去内脏，鲜用，或烘干备用。保存应放置于干燥处，防止受潮和虫蛀。

十、脆蛇蜥

脆蛇蜥 *Ophisaurus harti* Boulenger，别名碎蛇、脆蛇、地鳝、无脚蜥、金蛇、银蛇、锡蛇。主要分布于四川、云南、贵州、江苏、浙江、福建、广西、台湾等地。以干燥全体入药。

【形态特征】 脆蛇蜥(彩图266)，眼小，耳孔小，与鼻孔等大。吻鳞三角形，顶间鳞较顶鳞宽，上唇鳞10片，下唇鳞9片。背鳞14～16行，中央8～10行有棱，相连成纵直棱延至尾部。尾部鳞片具棱，腹鳞光滑，10行。体形似蛇，圆筒状，细长，无四肢，体侧有纵沟，全长288～534毫米。体背棕褐色，头部色较深，体背前段有10余条不规则的蓝色横斑。体、尾侧为紫色，腹面色浅，无横斑。

【生活习性】 常栖息于海拔300～800米的低山菜园、茶园、草丛中。穴居土中、石下或洞内。喜居于环境温暖潮湿、土层厚、通气与渗水性能良好、植被繁茂处的洞中。

以蚯蚓、蜗牛、昆虫、蠕虫等动物为食。由于长期穴居生活，因而视力较差，捕食能力不强。脆蛇蜥5龄以上有繁殖能力。7月中下旬交配，8月产卵。每次产卵7～9枚，雌性有护卵习性。卵白色，椭圆形，卵产于草丛下的土洞内。自然孵化需22～25天。发育完成的胚胎在气温达26℃时，破壳而出。刚孵出的幼蜥生长很快。10月中下旬气温在13℃左右时开始进入冬眠。洞穴多在向阳、避风、隐蔽处。翌年3～4月间，气温达13℃以上时，开始活动。雨天不喜外出。泄殖腔常施放异味。成蜥能发出轻细的叫声。

【采集与加工】 脆蛇蜥产品为干燥的全体。6～9月份是采集旺季。将捕捉的脆蛇蜥放入瓶中，倒进白酒，使其醉死。再以头为中心圈成盘状，用竹签固定，置于炭火上缓慢烘干，即为成品，药材名脆蛇。成品保存于干燥、通风处，注意翻晒，以防生虫或霉变。

【养殖方法】 人工饲养可喂蚯蚓、蝼蛄、蛞蝓、蜻蜓及其他小昆虫或猪肺等，要以活饵为主。活动期每天饲喂2次，每次喂量以稍有剩余为限。脆蛇蜥与蛇不同，其口不能大幅度张开，因此，食物不能过大。脆蛇蜥的视力较差，要将食物放在洞口处。其听觉灵敏，可闻声而出来取食。饮水要保持洁净。每天需清除食物残渣和腐物剩料，搞好环境卫生。日常要逐个检查，如有患病或死亡者，及时处理。每次检查都要做好观察记录，详细登记环境温湿度和采食、排泄、活动、生长等情况，对饲养环境要保持干燥通风，不应过分潮湿。据记载，脆蛇蜥蜕皮阶段，有时身体出现块状黑斑，会引起死亡。治疗方法可用2%碘酊涂擦霉斑，每天2次，连擦数日；或将稀释后的制霉菌素溶液涂擦患处，10天内亦可痊愈。还要防止鼠、猛禽等天敌危害。

十一、蛇

蛇包括百花锦蛇 *Elaphe moellendorffi* (Boettger)，别名花蛇、百花蛇、白花蛇、菊花蛇，分布于广东、广西，以干燥全体及胆入药。黑眉锦蛇 *Elaphe taeniura* Cope，别名菜花蛇、称星蛇、黄喉蛇、花广蛇、黄颔蛇、黄长虫、家蛇，主要分布于辽宁、河北、河南、山西、陕西、甘肃、西藏、四川、云南、贵州、湖北、安徽、江苏、浙江、江西、湖南、福建、台湾、广东、海南和广西等地，以蛇肉和蜕下的皮入药。灰鼠蛇 *Ptyas korros* (Schlegel)，别名过树榕、过树龙、黄梢蛇、青梢蛇、黄金条、索蛇、黄金蛇，主要分布于云南、贵州、浙江、江西、湖南、福建、台湾、广东、海南和广西等地，以去内脏干体入药。滑鼠蛇 *Ptyas mucosus* (Linnaeus)，别名水律蛇、草锦蛇、笋壳斑、黄乌梢，主要分布于四川、云南、贵州、湖北、浙江、江西、湖南、福建、台湾、广东、广西和海南等地，以去内脏后干燥全体入药。乌梢蛇 *Zaocys dhumnades* (Cantor)，别名乌风蛇、乌蛇、青蛇、黑花蛇、黑乌梢，主要分布于河南、陕西、甘肃、四川、贵州、湖北、安徽、江苏、浙江、江西、湖南、福建、台湾、广东和广西等地，以去内脏干燥全体入药。金环蛇 *Bungarus fasciatus* (Schneider)，别名金甲带、金报应、金蛇、金包铁、金脚带、黄金甲、黄节蛇、手巾蛇，分布于云南、江西、福建、广东、海南和广西等地，以去内脏全体入药。银环蛇 *Bungarus multicinctus* Blyth，别名过基甲、铁报应、寸白蛇、四十八节、竹节蛇、白节黑、白带蛇、白菊花、团箕甲、金钱白花蛇(幼蛇干的中药名)，分布于四川、云南、贵州、湖北、安徽、浙江、江西、湖南、福建、台湾、广东、海南和广西等地，以去内脏的幼蛇干燥全体入药。眼镜蛇 *Naja naja* (Linnaeus)，别名膨颈蛇、万蛇、吹风蛇、扁颈蛇、饭铲头、犁头扑、犁铲头、五毒蛇，分布于四川、云南、贵州、湖北、安徽、浙江、江西、湖南、福建、台湾、广东、海南和广西等地，以去内脏的全体入药。眼镜王蛇 *Ophiophagus hannah* (Cantor)，别名大眼镜蛇、大扁颈蛇、山万蛇、过山峰、大扁头风、吹风蛇，主要分布于云南、贵州、浙江、福建、广东、广西和海南等地，以去内脏全体入药。青环海蛇 *Hydrophis cyanocinctus* Daudin，别名斑海蛇，分布于山东、江苏、浙江、福建、台湾、广东、海南和广西等地附近海域，以干体或鲜体入药。蝮蛇 *Agkistrodon* halys，别名七寸子、土虺蛇、麻七寸、反鼻蛇、草上飞、土公蛇、烂塔蛇，分布于辽宁、河北、江苏、浙江、安徽、江西、福建、台湾、陕西、甘肃、湖北、四川和贵州等地，以干燥全体入药。竹叶青 *Trimere surus steinegeri* Schmidt，别名青竹蛇、青竹丝，分布于广东、广西、云南、湖北、湖南、浙江、江西、福建、台湾、甘肃等地，以全体入药。尖吻蝮 *Agkistrodon acutus* (Güenther)，别名蕲蛇、棋盘蛇、百步蛇、犁头匠、翻身花、聋婆蛇、五步蛇、白花蛇、褰鼻蛇、懒蛇、翘鼻蛇，主要分布于贵州、湖北、安徽、浙江、江西、湖南、福建、台湾、广东和广西等地，以去内脏干燥全体入药。

【形态特征】 百花锦蛇(彩图 267)，头呈梨形，与颈明显有别。眶前鳞 1～2 片，眶后鳞 2 片，颞鳞前 2 片、后 3 片，或前 3 片、后 4 片。上唇鳞 9 片，第五至第六片入眶或第四至第六片入眶，少数第六至第七片入眶。背鳞体前段 25 片或 27 片，体中段 27 片或 25 片，体后段 19 片或 21 片。除最外 2 片平滑，其他都有弱棱。腹鳞 267～292 片，肛鳞 2 片，尾下鳞 80～102 对。头背赭红色，体背部灰绿色，正中红棕色，有镶黑边的大斑块 29～32 个，体侧色斑小。尾背有红棕色与橘红色横斑 11～13 个，相间排列。全长达 2 米。

黑眉锦蛇(彩图 268)，头较大，头、颈区分明显，头部黄褐色，从颊鳞至最后 2 个上唇鳞的上半部呈黑色横斑，状如黑眉。眶前鳞 1～2 片，下方常有 1～2 片小鳞。眶后鳞 2～3 片。颞鳞多为前2片、后3片。上唇鳞9片,第五至第六片入眶。背鳞前段25~27片,中段25或23,21片,后段19片或17片。其中段9~17片有微棱。腹鳞225~267片,肛鳞2片,尾下鳞76~122对。此蛇体型粗大,全长超过2米,是广泛分布的无毒蛇。体背面黄绿色或棕灰色,体前段背正中有黑色梯状横纹,体后部逐渐扩展为黑色纵带,伸延至尾端。腹部灰白色。尾部和体侧黄色。

灰鼠蛇(彩图269),头部鳞片排列正常。颊鳞2~3片。眶前鳞1~2片,眶前下鳞1片,眶后鳞2~3片。颞鳞前后各2片,也有前后鳞片数不一致的。上唇鳞8~9片,有2片入眶。背鳞平滑,前段鳞列15片,中段15片或13片,肛前段11片。腹鳞156~184片,肛鳞2片,尾下鳞109~154对。各鳞片边缘暗褐色,中间蓝褐色。头及体背灰褐色。各鳞片相互交织成网纹。唇缘及腹部淡黄色。身体细长可达2米。

滑鼠蛇(彩图270),头较长,眼大而圆,瞳孔圆形。颊部内陷,颊鳞1~3片。眶前鳞1片,小鳞2片,有一眶前下鳞,眶后鳞2片。颞鳞多为前2片、后2片。上唇鳞8片,其中2或1片入眶。背鳞前段19片或21片,中段17片,后段13~15片。腹鳞188~200片,肛鳞2片,尾下鳞98~118对。头背黑褐色,体背黄棕色,体后有不规则的黑色横纹。腹面黄白色,腹鳞后缘黑色。体型较大,全长可达2米以上。

乌梢蛇(彩图271),头扁圆,头与颈明显可分。瞳孔圆形,吻鳞从头背面可见,宽大于高,鼻孔开口于前后两鼻鳞间。颊鳞1片,眶前鳞2片,眶后鳞2~3片,颞鳞两侧各2片,上唇鳞8片,其中第四、五2片入眶。背鳞前段16片,中段16或14片,后段14片,中央一般2~4片有棱,其中脊鳞2片有强棱。腹鳞192~205片,肛鳞2片,尾下鳞95~137对。体长2米以上。背面灰褐色,其上有2条黑线纵贯全身,老年个体后段色深,黑线不显,背脊黄褐色纵线显著。

金环蛇(彩图272),头椭圆形。无颊鳞,眶前鳞1~2片,眶后鳞2~1片,前颞鳞1片,后颞鳞2~1片,上唇鳞7片,2片入眶。体较粗壮,背中线隆起呈脊状,背鳞平滑,背鳞前段15片或17片,后段15片,脊鳞扩大呈六角形。腹鳞214~230片,肛鳞完整1片,尾末端钝圆,尾下鳞单行29~39片。全长1~1.5米。头部黑褐色,自额鳞后至颈部有一黄色“人”字形纹,上颌缘色浅,镶深色边。躯干及尾部黑色,体部有20~28条黄色环纹,尾部有3~5条环纹。

银环蛇(彩图273),头椭圆形。无颊鳞,眶前鳞1片,眶后鳞2片,前颞鳞1片,后颞鳞2片,上唇鳞7片,2片入眶。背鳞通体平滑,15片,脊鳞扩大呈六角形。腹鳞203~231片,肛鳞1片,尾下鳞单行37~55片。体全长1米左右,尾端尖细。头部黑褐色,躯干和尾背黑色,体部有20~50条白色环纹,尾部有7~17条环纹。腹面乳白色,具黑褐色细斑点。

眼镜蛇(彩图274),头部椭圆形,头颈区分不明显。无颊鳞。眶前鳞1片,眶后鳞2~3片。前颞鳞2片,后颞鳞3片。上唇鳞7片,有2片入眶。背鳞平滑,体前段23片,中段21片或19片,后段15片。腹鳞160~196片,肛鳞2片,尾下鳞38~54对。体较粗壮,全长1~2米。头及体背面黑色或黑褐色。颈背有白色或淡黄色眼镜架状纹,镜架纹中央有一较大的黑斑。体背棕褐色、黑褐色至深黑色,大多具狭窄、不规则白色或淡黄色横纹17~20条。颈腹面有一黑横斑及黑点,体腹面前端黄白色,中后段灰褐色。为前沟牙类毒蛇,具混合毒。

眼镜王蛇(彩图275),头椭圆形,头颈区分不明显。无颊鳞。眶前鳞1片,眶后鳞3片。前颞鳞2片,后颞鳞2~3片。顶鳞后有1对较大的枕鳞。上唇鳞7片,第三、四2片入眶。背鳞平滑,前段19片或17片,中段及后段15片。腹鳞235~265片,肛鳞1片,尾下鳞前段单行,后段双行,77~95列。体粗大而长,一般2~3米,最长可达6米。颈扁而宽,有“∧”形黄白色斑。体背面灰褐色,有白色和黑色环带 40～54 个,也有无环带的。腹面灰褐色。是前沟牙类,具混合毒,为毒蛇中最大的一种。

青环海蛇(彩图 276),头中等大,头与颈区分不明显。眶前鳞 1 片,眶后鳞 1～3 片。上唇鳞 8 片,2～3 片入眶。体鳞前段 31～35 片,中段 35～43 片,覆瓦状排列,有棱。腹鳞 293～383 片。体细长,后端及尾侧扁,体全长 1.5～2 米。头背橄榄色,眼部和颞部有黄斑。体背深灰色,腹面黄色或橄榄色,全身有青黑色环带 47～80 个。背面环带宽,色深,腹面窄而色浅。

蝮蛇(彩图 277),头呈三角形,头颈区分显著。鼻间鳞宽短呈"人"字形。眶前鳞 2 片,眶后鳞 2～3 片,眶下鳞新月形。前颞鳞 2 片,后颞鳞 4～3 片。上唇鳞 6～8 片,第三片入眶。背鳞前段 21 或 23 片,中段 21 片,后段 17 片或 15 片。中段鳞平滑或有棱。腹鳞 137～173 片,肛鳞完整 1 片,尾下鳞 29～54 对。体全长 400～600 毫米。头、体背部为灰褐色与土红色相间的颜色,体背交互排列黑褐色圆形斑,眼后到口角有较宽的黑色带,其上缘镶一黄白色细纹。有些个体具有 1 条红棕色脊线。体腹面灰黑色,有不规则黑色小点。尾腹面黄白色,尾尖黑色。

竹叶青头部三角形,全长 500～800 毫米,头部青绿色,有的在头侧有 1 条白纹,与身侧白纹相接。背面和侧面草绿色,体侧有一白色纵走条纹,腹面淡黄色,尾端红褐色或褐色。

尖吻蝮(彩图 278),头部呈三角形,头与颈区分明显,吻端尖向前上方翘起。吻鳞高而窄长,鼻间鳞 1 对,窄长,两者构成尖吻蝮的头背面。头背有对称而多疣的大鳞。有颊窝。眶前鳞 2 片,眶后鳞 1 片,有一较大的眶下鳞。上唇鳞 7 片。背鳞前段 21 片或 23 片,中段 21 片或 23 片,后段 17 或 19 片。除外侧 1～3 片外,其余均有强棱。腹鳞 157～170 片,肛鳞完整 1 片,尾下鳞 52～59 片,大多双行。尾后段侧扁,尾端鳞扁而尖长。全长达 1.5 米。头背面黑色,头侧自吻棱至口角下端黄白色,头腹面白色。体背面棕褐色,两侧有"∧"形大斑纹 24 个。斑纹暗褐色,其顶端常与背中线相接,将背分隔成许多斜形方块。腹面白色,有交错排列的褐斑。尾腹面有黑褐色点状斑。蛇体粗壮,尾略短。

【生活习性】 百花锦蛇是生活在海拔 50～300 米的石山区无毒蛇。常见于石山脚、田边或草丛中。昼夜活动,行动迅速。主要捕食鼠类,也吃蛙、蜥蜴及鸟。5～6 月份产卵,每次产卵 4～10 枚。

黑眉锦蛇善攀爬,行动敏捷,受惊后常竖起头颈,作出攻击动作。平原、丘陵与山地均有发现,也在乡民居附近栖息,曾见盘居于房屋顶部。以蛙类、鸟类、鼠类为食,食量较大。卵生,4～5 月份交配,6～7 月份产卵,产卵数 2～13 枚。卵经 67～88 天孵化出仔蛇。

灰鼠蛇栖息于山区路边、溪边的灌木、草丛中。以鼠类、蛙类、蜥蜴类为食。5～6 月份产卵。每次产卵 9 枚左右。幼蛇孵出后,1 周即蜕皮,2～3 周能捕食小蛙。

滑鼠蛇栖居于平原、丘陵及山区,在海拔 2 000 多米高度亦有发现。爬行敏捷,以白天活动为主,喜近水域环境。以蛙、蟾蜍、蜥蜴、鸟、鼠为食。卵生,产卵 8 枚左右,经 2 个多月孵出仔蛇。孵出后 3 周左右蜕皮。

乌梢蛇在平原、丘陵及山地农田中都有发现。性较温驯,常见在草丛或灌木丛中觅食,以蛙、蜥蜴及鼠类为食,也吃昆虫。爬行敏捷,受惊后能竖起躯干,昂首吐舌,扑向对方。冬眠期从 10 月份至翌年 3 月份,在土穴或树洞中越冬。7～8 月份产卵,每次产卵 10 枚左右。

金环蛇是以神经毒为主的前沟牙类毒蛇。栖息在平原、丘陵的水边或潮湿处。为夜行性蛇类。主要捕食蛇类,也吃鱼、蛙、蟾蜍、蜥蜴和鼠类。每次产卵 8～12 枚,卵产于穴洞中,雌蛇有护卵的习性。

银环蛇栖居于平原、丘陵、丛林、田埂、塘边、菜地等处。昼伏夜出,白天隐栖在洞穴内。食量很大,耐饥力也强。喜食鳝鱼、泥鳅、蛙、蜥蜴、蛇、鼠等。6～7月份产卵于洞穴中,卵为乳白色,每次产卵3～15枚。卵常粘连一起,亲蛇盘于卵周围。11月份开始冬眠,翌年4月份陆续出眠活动。

眼镜蛇栖居于平原、丘陵、山地,海拔30～600米处都有发现。春、秋季在洞穴附近活动,夏季活动范围扩大。耐热不耐寒,冬至后逐渐入眠,惊蛰后陆续出眠。为昼行性蛇类。以鱼类、蛙类、蜥蜴类、蛇类、鸟类、鼠类等为食。5～6月份交配,6～8月份产卵,产卵数7～19枚。孵化需47～57天,出壳仔蛇长200毫米左右。

眼镜王蛇生活于平原、丘陵和山区,可在海拔2 000米高处的丛林中生活。隐匿在树洞、岩隙内,常在水边爬行。善攀树,为昼行性蛇类,性凶猛。受惊时,颈部膨扁,竖起前身,追击人、畜。以蛇类、蜥蜴类、鸟、鼠为食。用落叶堆成巢,产卵于其下,每次产卵20～50枚不等。雌蛇有护卵习性,盘伏在落叶堆上。雄蛇有时也护卵,在附近守护。孵化出的蛇仔全长500～530毫米。

青环海蛇是前沟牙类毒蛇,生活于我国黄海、东海及南海的近岸海区。卵胎生,每次可产仔蛇3～15条。捕食蛇鳗及其他小鱼。

蝮蛇栖居地自沿海平原、丘陵至海拔1 900米山区,在稻田、草地、园林、灌木丛中都有发现。以鱼、蛙、鸟、鼠为食。8～10月份产仔,每次产仔2～14条。仔蛇长140～292毫米。

竹叶青栖于山野溪流河边,捕食鼠类、小鸟、蛙类等。有剧毒,卵胎生。

尖吻蝮栖居海拔100～1 350米的丘陵及山区。在岩石上、农田中、草丛下均有发现。它是一种很毒的蛇,捕食小动物时猛咬一口,待其死亡后吞食。行动较缓慢,常盘踞不动。是广食性蛇类,以蛙、蟾蜍、蜥蜴、鸟、鼠类为食。从11月下旬开始陆续进洞冬眠,翌年3月开始出洞,即逐偶、交配。体内受精,卵生,每次产卵11～29枚,雌蛇有护卵习性。卵经约1个月孵出仔蛇,仔蛇靠卵齿破壳而出。仔蛇经2～3年性器官发育成熟。

【采集与加工】 百花锦蛇夏秋捕捉。捕后剖腹取出胆管和胆囊,浸泡在50°以上的白酒里贮存,称花蛇胆酒。将去内脏蛇体做成盘蛇,小条的做成蛇饼,烘干入药,称白花蛇干。用白花蛇浸酒可将蛇剖腹去内脏,用50°以上的纯白酒浸泡,每5千克酒配1～1.5千克蛇,浸泡3个月。也可将蛇干刮去鳞片,切成2～4厘米长小段,每500克酒配100克蛇干,浸泡1个月。蛇胆还可进一步加工成蛇胆姜、蛇胆陈皮、蛇胆川贝等入药。

黑眉锦蛇药用蜕下的皮,药材上叫蛇蜕、龙衣、长虫皮等。胆也能入药。夏季采收,将拾得的蛇蜕拣净晒干入药。蛇蜕放置于干燥处,以防霉烂。将蛇蜕用微火炒至微黄,以5千克蛇蜕、酒50克喷匀,再炒到黄色供外用。

灰鼠蛇药用部分是去内脏的全体,为三蛇酒的原料之一。胆和蛇蜕都可入药。该蛇无毒。5～9月份捕捉,加工方法是剖腹去内脏,用文火烘干。放置干燥处防虫蛀。胆及胆管需浸泡在50°的白酒内贮存。

滑鼠蛇5～9月份为捕捉旺季。此蛇无毒,加工方法是剖腹去内脏,用文火烘干。胆可浸泡在50°的白酒内备用。

乌梢蛇药用部分是除去内脏的干燥全体。夏秋捕捉。捕后将蛇处死,剖腹去内脏,以头为中心,卷成圆盘形,放在炭火上烘干。也可用竹片撑起,卷曲成盘状,晒干或烘干保存。

金环蛇药用部分是去内脏的全体,是三蛇酒的组成原料之一。夏、秋季节夜间捕捉。加工方法是剖腹去内脏烘干。蛇干要防潮与防虫蛀。蛇胆浸泡在50°白酒中。

银环蛇药用部分是去内脏的幼蛇干燥全体,中药称金钱白花蛇,又名小白花蛇。加工方法是将捕获的蛇剖腹去内脏,抹净血,以头为中心,弯曲成圆盘状,加以固定,置文火上焙干。成品存放干燥处,防止生虫。

眼镜蛇药用部分是去内脏的全体,是三蛇酒的原料之一。胆、肉、血、蛇蜕均可入药。6~8月份捕捉,捕后将蛇剖腹,去内脏,蛇体放置于文火上烤干,存干燥处,防潮及虫蛀。

眼镜王蛇以去内脏的全体入药,是三蛇酒的原料之一。胆、肉、血和蛇蜕均可入药。夏季捕捉,捕后将蛇去内脏,蛇体制干入药。

青环海蛇近海捕鱼时捕获。活蛇用开水烫死,去头、内脏及皮,洗净,取肉鲜用或烘干备用。

蝮蛇夏秋季节捕捉。捕后去内脏,蛇体烘干入药。将活蛇去内脏,洗净,放60°白酒中浸泡,每条浸酒1千克,3个月后即为蝮蛇酒,可饮用。

尖吻蝮药用部分是去内脏的干燥全体。夏、秋季节捕捉。加工方法是剖腹,去内脏,以头为中心,盘成圆形,用竹片固定,炭火烘干备用。

【*养殖方法*】 药用蛇类的人工养殖,可选择5种方式饲养。一是全散养型,如海岛放养。二是半散养型,建设拟生态蛇园,其经济效益可超过全散养型。三是家繁外养型,人工饲养种蛇繁殖出的幼蛇能独立生活后,再放养到野外。四是全控制精养型,是生产率较高的一种养蛇方法。五是暂养型,用蛇笼、蛇箱等饲养设施,进行成蛇饲养,方便取用。

现简要介绍养蛇场的四季管理工作要点:

春季管理:清明前后蛇类爬出穴洞在向阳处取暖,此时蛇的活动能力弱,便于捕捉与运输。出眠后饲养不久便可繁殖后代。所以,收购养殖种蛇,以春季为宜。据浙江的研究资料,蝮蛇、五步蛇、眼镜蛇在惊蛰出眠,竹叶青在清明出眠,银环蛇立夏出眠。出眠后的蛇,体质较弱,2~3周内不食,也不活动,要注意保温,这时不要采毒并要避免惊扰。蝮蛇、竹叶青的最适活动温度为20℃~30℃,五步蛇最适活动温度为22℃~30℃,银环蛇、眼镜蛇最适活动温度为26℃~30℃。

夏季管理:夏季是蛇类的交配、繁殖季节,也是捕食活动和生长的旺季。要注意保护蛇卵与雌蛇,并做好繁殖、孵化的准备工作。雌蛇与雄蛇应分开养,供给充足的饵料。对产卵期的雌蛇随时观察,如在距泄殖腔3~4厘米处见到卵粒隆起,大约在1周内产卵,应细心保护雌蛇和蛇卵。在梅雨期,要保持环境干燥清洁、降温防暑,蛇窝通风。防止食饵腐败与饮水污染,排除蛇场积水,清除粪便,防治霉菌病。

秋季管理:9~10月份也是蛇类的捕食旺季,以使体内储备大量脂肪,准备冬眠,能有足够的营养供身体消耗。俗话说,"秋风起,三蛇肥"。因此,秋季也是捕蛇、养蛇的最好时期。

冬季管理:大自然中的蛇类,常在冻土层以下休眠。为了保持体温,有的蛇类还会集群冬眠,以度过严冬。因此,蛇场的冬季管理,要保持适当的冬眠温度,使蛇不致冻死。但温度不可太高。越冬蛇窝要建在向阳、通风、利于排水之处,使蛇窝温度保持在5℃~10℃之间,相对湿度保持在50%~90%,要防止鼠类危害。要经常检查,一旦发现病蛇、死蛇,应及时隔离或清除,以免传染疾病。

蛇饲养管理工作的好差是养蛇成功与否的重要一环,决定着养蛇的成败。蛇喜食活动物,如蚯蚓、蜈蚣、各种昆虫、小型鱼类、鸟类和鼠类等。人工投食多为小白鼠、大白鼠、青蛙、蟾蜍、泥鳅和鳝鱼。每月投喂3～4次,投喂量可根据蛇的种类、年龄、体型大小和采食量不同而灵活掌握。每次投食后要观察吃食情况,调整下次投喂时间与数量。①成年蛇要按性别、年龄分群饲养,可减少蛇之间相互咬伤或残食。在繁殖期内,将雌、雄种蛇放在一处,组成繁殖群。种蛇应给予丰富的营养,配种期、怀卵期都要精心管理及护养。②幼蛇出壳后,前3天吸收卵黄囊的卵黄为营养而不进食。随着日龄增长,卵黄已被吸收,活动能力逐渐增强,需要从外界摄取营养。但幼蛇主动进食能力较差,应提供流体饲料,如蛋黄、牛奶等,并要人工引诱开食。以后陆续喂给蝌蚪、幼蛙、乳鼠及人工组合饲料。幼蛇出生后7～8天,开始蜕皮,到13天第二次蜕皮,蜕皮时不食不动,易遭敌害。蜕皮后的幼蛇皮肤易感染疾病,蜕皮期是幼蛇饲养的关键阶段,必须精心护理,科学投食。

冬眠之后,蛇类体质较差,容易患病,是养蛇场中蛇死亡率最高的时期。因此,饲养管理特别重要。应注意防疫卫生、防寒、对病弱蛇加强护理,并给予良好的食物等。

蛇的常见病有细菌性疾病、霉斑病、寄生虫病等。现将其常见病况及防治措施简要介绍于下:

细菌性疾病:①肺炎。肺泡发炎,出现水肿,病蛇突然死亡。是蛇类越冬期主要致死性疾病,冬眠之后,幼蛇也较多死于肺炎。可肌内注射青霉素或用四环素。②肠炎。蛇体消瘦,排稀绿色粪便,不进食,严重者引起死亡。③口腔炎。越冬后天气转暖时发病率较高,病蛇牙根红肿、溃疡,不能进食。有时养蛇场发病率达50%,重者死亡。可用0.1%的雷佛奴尔溶液冲洗口腔,再用1%的龙胆紫溶液涂抹溃疡面。④脓肿。创伤后受细菌感染而引起脓肿,不及时治疗,蛇无法蜕皮,严重者会死亡。

霉斑病:腹鳞上出现黑色霉斑,能蔓延至全身,局部溃烂,如不及时治疗并做好防潮工作,会造成死亡。

寄生虫病:有寄生蛇皮下的裂头蚴,有寄生肺和气管中的鞭节舌虫,有寄生在肺泡内的棒线虫,有寄生于蛇皮上的螨类,有寄生在蛇胆囊中的异双盘吸虫等。

防治措施:蛇场内严格执行卫生防疫制度。对病蛇要早发现、早隔离、早治疗。定期驱虫,采用肠虫清溶液注入小鼠胃内,再将鼠投给蛇食用。蛇场水池中投放四环素,对蛇饮用或洗浴均有防治疾病的效果。

可参阅金盾出版社出版的《经济蛇类的养殖与利用》。

第五章　鸟　类

一、小䴙䴘

小䴙䴘 *Tachybaptu ruficollis*(Pallas),别名䴙䴘、刁鸭、王八鸭子、油鸭、水葫芦、药葫芦。分布于新疆、西藏、云南、四川、甘肃、青海、陕西、宁夏、辽宁、吉林、黑龙江、海南、台湾(留鸟)等地。以肉或全体入药。

【形态特征】　小䴙䴘(彩图279),体长250～318毫米,体重190～204克。体形似鸭而小,形体像葫芦。嘴窄而尖。夏羽的额、头顶至后颈黑色,颏、上喉棕褐色,下喉、耳羽、颈侧棕红色,上体和飞羽黑褐色,次级飞羽尖端白色。下体灰褐色,下胸和腹部白色,两胁棕褐色。冬羽的额、头顶至后颈黑褐色,颈部色较深,侧面红栗色,两翅黑褐色,次级飞羽内翈及先端白色,上体余部灰褐色。颏、喉白色,颊、耳羽及下喉部淡棕褐色,具白色斑纹,前胸、两胁为淡黄棕色。嘴黑色,跗跖和趾黑灰色。

【生活习性】　栖息于有芦苇、水草的池塘、水库和湖泊中。善游泳和潜水,潜水最深约1.8米。性怯易惊,惊时迅速潜入水中。多单个或3～5只结小群活动。以小鱼、小虾、及水生昆虫等为食。

繁殖期5～9月份,营巢于芦苇丛中,巢由芦苇缠结而成,内铺羽毛、水草和杂草等。每窝产卵4～8枚,一般产4～5枚,卵白色。孵化由雌、雄亲鸟共同承担,孵化期19～24天。

【采集与加工】　春秋捕捉,捕后去掉羽毛及内脏,取肉鲜用或焙干备用。

二、鸬鹚

鸬鹚 *Phalacrocorax carbo sinensis* (Blumenbach),别名海鸬鹚、鱼鹰、鱼老鸦、水老鸦、摸鱼公、黑鱼郎。分布于新疆、青海、西藏、内蒙古、黑龙江、河北、山东、江苏、广东、海南(繁殖鸟),在长江以南越冬,以台湾为旅鸟。以肉、骨等入药。

【形态特征】　鸬鹚(彩图280),体长786～923毫米,体重约1 870克。嘴长,呈圆锥形,尖端有钩,下嘴有小喉囊。夏羽的颊、颏及上喉白色,略带棕褐色。头、颈黑色,具金属紫绿色光泽,并杂有白色丝状羽,头后部有一不明显的羽冠。肩羽和大覆羽暗棕色,具黑色羽缘。初级飞羽黑褐色,次级飞羽和三级飞羽灰褐色,具绿色金属光泽。下体黑色,具蓝紫色金属光泽。下胁具一白色块斑,尾羽灰黑色,羽干基部呈灰白色。冬羽的头无羽冠,头、颈无白色丝状羽,颊、颏及上喉为浅灰棕色,下喉至腹部灰褐色,下胁无白斑。上嘴黑褐色,先端和下嘴角黄色,跗跖、趾和蹼黑色。

【生活习性】　栖息于河溪、池塘、水库及湖泊中。多单个或2～3只结成小群活动,于水中游来游去,善游泳和潜水,一般可潜水1～3米,有时达10米。能在水中捕鱼,以鱼为食。

繁殖期3～5月份,常集群营巢于芦苇丛中或近水边的矮树上。巢由树枝、海藻和杂草构成,内垫细草。每窝产卵3～6枚,最多可达8枚。卵淡青绿色,孵化、育雏由雌、雄亲鸟共同承担，孵化期28天左右，育雏期47～60天。

【采集与加工】 以去掉羽毛及内脏，取肉入药。取骨晒干，煅灰研细备用。取胃及喉头晾干研细、取羽毛烧成灰研细备用。

【养殖方法】 饲养水面需尽量开阔，保持水流通畅，有条件时可种植水草并养鱼，最好有喂食的浅滩或在岸上喂食。每天喂食1次。喂给新鲜淡水鱼，冷冻的鱼应先解冻后再喂。繁殖期，应先清理窝巢，供给足够的巢材，保持环境安静。在饲料中适量增加微量元素添加剂。人工孵化时卵存放期不宜超过1周。幼鸟出生1周内进行断翅手术。

三、鸿　雁

鸿雁 *Anser cygnoides* (Linnaeus)，别名大雁、冠雁。分布于内蒙古东部、黑龙江、吉林(繁殖鸟)、新疆阿尔泰山脉及西部天山、青海、河南、河北、山西、山东青岛(旅鸟)及福建、广东沿海一带(冬候鸟)、台湾(旅鸟)。以肉入药。

【形态特征】 鸿雁(彩图281)，体长820～900毫米。雄鸟嘴基有一膨大的瘤，雌鸟瘤不发达。头顶至枕部为棕褐色，头侧、颏及喉淡棕红色。前颈白色，后颈呈咖啡褐色。背暗褐，羽缘淡棕色，初级飞羽灰褐色，端部转为黑褐色，次级飞羽浓褐色，翅上覆羽灰褐色，羽缘棕白色。下背和腰黑褐色，前颈下部和胸肉红色，向后渐淡而转为白色。胁部暗褐色，羽缘棕白色。翼下覆羽及腋羽暗灰色，尾羽暗褐色，尾上覆羽前褐后白，尾下覆羽白色。嘴黑色，跗跖橙黄色。

【生活习性】 栖息于旷野、湖泊、河滩和沼泽地带。鸿雁飞行时颈伸得很长，两只脚垂于腹面，在高空常排列成“V”字形。春季群集小，通常为20～40只，秋季群集较大。多在陆上觅食，在水中休息。以草本植物为主要食物，也吃少量贝类。在草原及茂密的芦苇间筑巢，以枯草的茎、羽毛等为巢材。繁殖期4～5月份，每窝产卵5～8枚，卵乳白色。雌鸟孵化，雄鸟负责警卫。

【采集与加工】 春冬捕捉，捕后去掉羽毛及内脏，剥取脂肪炼油，肉鲜用。毛烧成灰，研细入药。

另有灰雁和豆雁，其药用价值与鸿雁相同。

四、家　鹅

家鹅 *Anser cygnoides orientalis*，别名鹅。我国各地均有饲养。以肉、羽毛等入药。

【形态特征】 家鹅(彩图282)，大致分中国鹅和欧洲鹅2个品系。欧洲鹅起源于灰雁，中国鹅是由鸿雁驯养而成，鸿雁起源于我国东北。

中国鹅体躯大而宽，体长达800～1 000毫米，公鹅体重5千克左右，母鹅4千克左右。家鹅头较大，额骨凸出，上嘴基部有1个大而硬的肉质瘤。嘴下皮肤形成皱褶，嘴形扁阔而长。颈长而稍弯曲，胸部发达。腿长，尾短，向上，体躯站立时昂然挺立。白鹅全身羽毛洁白。嘴、肉瘤、跗跖、蹼均为橘黄色。灰鹅羽毛灰褐色，从头到体背暗黄褐色或黑色。嘴、肉瘤为黑色，跗跖、蹼为灰黄色。

【生活习性】 栖息于池塘、水库及湖泊中。喜集群活动，善在水中生活。性勇，具攻击性。遇人或其他动物时，常头向前下方伸，张开两翅用嘴啄击。听觉灵敏，鸣声洪亮，又好互相应和。以青草、蔬菜、植物种子等为食。

【采集与加工】 冬季宰杀，剥取脂肪炼油，肉鲜用，胆汁可鲜用外涂。毛烧成灰，研细末入药。宰鹅时取出肫（肌胃），剖开剥取内衣，洗净晒干备用，称鹅内金。

【养殖方法】 我国养鹅历史悠久，科学养鹅技术也已普及，在此从略。可参阅金盾出版社出版的《鸡鸭鹅饲养管理新技术》、《科学养鹅》等书。

五、绿头鸭

绿头鸭 *Anas platyrhynchos Platyrhynchos*（Linnaeus），别名凫、野鸭、大麻鸭、红腿鸭等。分布于我国大部地区，繁殖在我国东北、新疆西部、西藏南部、河北（旅鸟），冬时遍布全国。以肉、羽入药。

【形态特征】 绿头鸭（彩图 283），体长 515～615 毫米，体重 1 000～1 380 克。雄鸟头、颈暗绿色，具金属光泽，颈基部有白色领环与栗色的胸部相分隔。肩暗灰褐色，密杂以黑褐色横斑纹，并镶以棕黄色的羽缘。下背转为黑褐色，羽缘较浅，腰和尾上覆羽黑色，具金属光泽，中央 2 对尾羽黑色，羽端向上卷曲，外侧尾羽灰褐色而具白色羽缘。两翅灰褐色，翼镜呈紫蓝色，前后镶以黑边，其外又有一白色带。胸栗色，羽缘浅棕色，下胸、胁和腹部灰白色，杂以黑褐色斑纹。雌鸟前额、头顶、枕黑色，杂以棕黄色。头侧、后颈及颈侧黄色，具褐色纹。颊、喉淡黄色。背部及翅黑褐色，具棕黄色羽缘和“V”字形斑，翼镜与雄鸟相同。下体大部淡棕色，而杂以黑褐色纵纹。尾羽淡褐色，羽缘淡黄色。嘴黑色，跗跖橙黄色。

【生活习性】 栖息于河流、池塘、水库及湖泊的芦苇中。性较机警，遇有惊扰立即飞起，飞行时常十余只集结成小群。于夜间觅食，主要以植物性食物为主，亦吃软体动物、甲壳类、蛙和蠕虫等。繁殖期 4～7 月份，营巢于草丛、灌丛、树洞等处，巢料多为草类、芦苇、水生植物和羽毛等。每窝产卵 8～11 枚，卵呈灰绿或黄棕色。由雌鸟孵化，孵化期 28 天左右。雏鸭生长较快，50 天后会飞，2 个月后飞得很好。

【采集与加工】 春秋捕捉，捕后宰杀，取肉鲜用，取羽毛焙焦，研成粉，香油调涂敷患处。

六、家　鸭

家鸭 *Anas domestica*，别名鸭、麻鸭。全国各地均有饲养。以肉、血、胆、肫衣、卵等入药。

【形态特征】 家鸭（彩图 284），是由绿头鸭驯养而成。家鸭在人工饲养条件下，经繁育选择，已培育出许多优良品种。按其经济用途的不同，我国的家鸭可分 3 个类型，典型代表有北京鸭、金定鸭、高邮鸭等。

北京鸭（彩图 285）是我国劳动人民长期辛勤努力培育出的优良鸭种，是闻名世界的肉用品种，明代已育成定型，在形态上公鸭体长背宽，脖略粗长，眼大明亮，胸部丰满，腿高而粗，蹼大而厚，成熟后尾部有卷毛。母鸭脖子比公鸭稍短，背较公鸭稍短而宽。腿稍短而粗，两腿间距宽。公、母鸭全体羽毛洁白。嘴、跗跖、蹼为橘黄色。

金定鸭毛色多为灰色黑斑和褐色斑。高邮鸭毛色为麻褐色带黑色斑纹。

【生活习性】 家鸭一般 5 个月性成熟，公鸭性成熟稍晚（1 岁左右）。配种公、母比例一般为 1∶5～8。由于家鸭不能自己孵化，所以用人工孵化，孵化期 28 天。

【采集与加工】 全年宰杀，宰后取肉、血、胆等入药。肫衣剥取后晒干备用。

【养殖方法】 鸭是主要家禽之一，饲养技术已普及，不需再作介绍，可参阅金盾出版社出版的《科学养鸭》、《鸡鸭鹅养殖新技术》等书。

七、赤麻鸭

赤麻鸭 *Tadorna ferruginea* (Pallas)，别名黄鸭、红雁。分布于新疆、西藏、青海、甘肃、内蒙古、黑龙江、陕西、四川、云南（留鸟、夏候鸟）、台湾（旅鸟），在长江以南等地越冬。以肉和胆汁入药。

【形态特征】 赤麻鸭（彩图 286），体长 510～680 毫米。全身羽色棕黄色。头、颈棕白色，后颈基部至背、肩、胁及下体橙褐色。雄鸟在繁殖季节有一黑色颈环，雌性无颈环。腰淡橙褐色杂以黑褐波状细斑，初级飞羽和覆羽黑色，次级飞羽辉绿色，形成翼镜，三级飞羽橙褐色，杂以暗褐色细斑，尾和尾上覆羽黑色。嘴黑色，跗跖为黑黄色。

【生活习性】 栖息于河流、湖泊、河边的沼泽草地或水中小岛上。繁殖季节迁至内陆水域。杂食性，主要以各种谷类和水生植物、昆虫、甲壳动物、软体动物为食。繁殖期 4～7 月份，筑巢于河岸的土穴、树洞或阴暗处。每窝产卵 6～10 枚。卵浅黄色或乳白色。雌鸟孵化，雄鸟负责警卫。孵化期 27～29 天。

【采集与加工】 春秋捕捉，捕后去掉羽毛及内脏，取肉鲜用或晾干备用，胆汁调水备用。

八、斑嘴鸭

斑嘴鸭 *Anas poecilorhyncha* Foster，别名夏凫、黄嘴尖鸭、败鸭、大燎鸭。分布于我国东半部（繁殖鸟），西藏、四川、云南越冬并终年留居，台湾（冬候鸟、留鸟）。以鲜肉入药。

【形态特征】 斑嘴鸭（彩图 287），体长 525～638 毫米。头自额至枕部暗褐色，颊和颈侧白色，并散布深褐色斑点。眉纹、颏、喉、前颈白色。上背暗褐色，羽缘浅褐色，下背褐色，腰和尾上覆羽深黑褐色。飞羽暗褐色，翼镜呈蓝绿色并闪紫色的金属光泽。尾羽黑褐色，羽缘浅褐色。胸棕白而杂以褐色斑，腹深褐色，羽缘灰褐色，向后渐转黑褐色，尾下覆羽黑色，翼下覆羽和腋羽白色。雌鸟羽色较苍淡，眉纹不显。嘴黑色，先端橙黄色。跗跖和趾橙黄色，爪黑色。

【生活习性】 栖居于开阔的河流、水库及湖泊等处，有时在芦苇塘、稻田中活动。常结成 5～20 只小群活动，善潜水。食性较杂，主要以水生植物和植物种子为食。动物性食物有鱼、虾、软体动物和水生昆虫等。繁殖期 5～7 月份，营巢于海岸的岩石、湖泊或河流的岸旁杂草丛中。每窝产卵 6～12 枚。卵乳白色，孵化期 24 天。

【采集与加工】 春秋捕捉，捕后去掉羽毛及内脏，取肉鲜用。

近似种还有绿翅鸭，药用价值相同。

九、普通秋沙鸭

普通秋沙鸭 *Mergus merganser* Linnaeus，别名秋沙鸭、拉他鸭子、水鸭子、尖嘴鸭、鸡嘴鸭、黑头尖嘴鸭（雄）、棕头尖嘴鸭（雌）。分布于我国新疆、青海、西藏、黑龙江、吉林（繁殖鸟）、台湾

(迷鸟),在黄河以南等地越冬。以肉、骨入药。

【形态特征】 普通秋沙鸭(彩图288),体长540～680毫米。雄鸟冠羽不明显,嘴狭长,具锯缘,前端向下弯曲呈钩状。头至上颈黑褐色,具绿色金属光泽。下颈和外侧肩羽白色,内侧肩羽黑色。上背黑褐色,下背灰褐色。腰和尾上覆羽灰色,腰外侧羽白色,杂以黑色细斑纹。初级飞羽和初级覆羽暗褐色,次级飞羽白色,外侧羽缘黑色。翅上翼镜和覆羽以及下体余部为纯白色,尾羽黑褐色。雌鸟羽冠明显,额至后颈棕褐色,头颈两侧以及前颈淡棕色。颏、喉白色,稍沾淡棕色。背、肩及尾羽石板灰色,有黑褐色细纹。下背、腰、尾上覆羽浅灰色,两翼似雄鸟,下体自胸以下为白色,两胁具灰色斑点和虫蠹状细纹。嘴、跗跖为橙红色。

【生活习性】 栖息于淡水的湖泊、池塘、水库等地。冬季常结成数十只,乃至上百只集群活动于湖泊、水库、池塘中。以鱼、虾为食。善游泳和潜水,见鱼群迅速潜水追捕。繁殖期5～7月份,营巢于地面上,每窝产卵7～16枚,由雌鸟孵卵,孵化期24～29天。

【采集与加工】 春秋捕捉,捕后去掉羽毛及内脏,分别取骨和肉供药用。

十、鹌 鹑

鹌鹑 *Coturnix coturnix Japohica* Temminck et Sehlegel,别名赤喉鹑、红面鹌鹑、鹑,因尾短俗称“秃尾巴鹌鹑”。目前已培育出专门化的家鹑品种有20个之多。按经济用途分类,蛋用种佼佼者当推日本鹌鹑,肉用种鹌鹑当以澳大利亚鹌鹑和美国金黄鹌鹑较为著名。

我国早在20世纪30年代就自日本引入日本鹌鹑,1978年又自朝鲜引入龙城和黄城二系的鹌鹑。北京莲花池鸭场利用龙城、黄城与我国北京系(长期适应我国的原日本鹌鹑)进行了配套测交,从而培育了“朝中杂交系”的品种组合。野生鹌鹑分布于新疆、东北及河北北部(夏候鸟),迁徙时几乎遍布全国。以肉或全体入药。

【形态特征】 鹌鹑(彩图289),体长150～200毫米。体形很像鸡雏,头小尾秃。雌、雄羽色相似。雄鸟头顶至后颈黑色,羽端栗色,中央具1条狭窄的冠纹,各羽具白色羽干纹,眉纹白色,耳羽栗褐色。额、颊、颏、喉为砖红色。上体黑褐色,杂以浅黄色的横斑。尾羽黑色,具白色羽干纹,初级飞羽浅褐色,次级飞羽褐色。下体两侧栗色,散布有黑斑,腹部白色。雌鸟颊、喉污白色。嘴黑褐色,跗跖淡黄色。

【生活习性】 栖息于草地、灌丛、山脚等处。惊起时,飞翔甚速,离地不高,呈直线飞行。主要啄食草籽、豆类、谷物、浆果、植物嫩芽等,夏天吃大量的昆虫和其他无脊椎动物。繁殖期4～8月份,在较湿润的草地上挖掘一浅凹坑作巢,有的巢筑在灌木丛下面,巢内铺以干燥的细草或其他植物。每窝产卵7～14枚。卵呈淡黄褐色,具黑褐色斑纹。秋天多在空旷的地方寻食,冬季平地被雪覆盖后,常躲到山区避风处取暖,集群迁徙。

【采集与加工】 全年均可宰杀,宰后去羽毛、内脏,取肉鲜用,或焙焦研末入药。

【养殖方法】 人工培育的鹌鹑品种成年雌鹑重达130～150克,雄鹑115～130克。鹌鹑生长快,成熟早。雌鹑约1.5个月开产,雄鹑1个月左右啼鸣。雌鹑一般每天产卵1枚,孵化期17天。雏鹑只需4～5天体重可增长1倍,这样的生长速度及开产早为许多家禽所不及。饲养鹌鹑首先要选好良种,其次要做好饲养管理工作。

第一,鹌鹑种苗的选择:①良种选择。优等鹌鹑眼睛大小适中,目光沉稳有神,头小而圆,喙短粗而结实,微微弯曲,颈部细长,羽毛稠密有光亮,体态匀称,胸肌发达,皮薄腹软;公鹑的泄殖腔腺发达,鸣声洪亮,活泼喜动,食欲旺盛,觅食力强,性喜近人。中等鹑眼大,目光不稳,头粗大肥圆,以手握其身,筋肉紧张,抵抗欲飞,体态显得粗野。劣等鹑眼大,头部窄浅,羽毛松乱,换羽早,手握时恐惧、战栗,背腰处的凹凸不相称。②雌、雄鉴别。在正常情况下,雏鹑在3周龄时就可根据其外部特征区分出雌、雄。雄鹌鹑胸部和面颊羽毛呈红褐色,鸣叫声短促、高朗、似蛙声,肛门上方有红色膨大部(性腺)。雌鹌鹑胸部羽毛灰白色,具黑色斑,鸣叫声较细而低微,肛门上方无膨大部。③种鹑的选择。雄鹑要有系谱或来源,羽毛完整、丰满,有光泽,体质健壮,雄性特征明显,泄殖腔性腺发达,体色选深色,头大,胸部发达,两腿结实,爪子尖锐,面颊呈鲜艳的红褐色,喙黑而亮,鸣声响亮。成年公鹑体重115~130克为选留标准。雌鹑也要有系谱或来源,羽毛完整、丰满,色彩光亮,头型小而俊俏,眼睛明亮,不胆怯而性格活泼,颈部细长,体态匀称,趾骨间距宽,开产后头3个月必须高产,其平均年产蛋率达到75%~80%,受精率与孵化率均较高,成年雌鹑体重为130~150克。

第二,鹌鹑的饲养管理:主要应做好雏鹑、仔鹑和种鹑的饲养管理工作。

雏鹑的饲养管理:由于雏鹑个体小,其出壳体重仅7~8.5克,加之体温偏低,腹内残留的卵黄约重0.98克,至5日龄才被吸收完。因此,必须重视科学的饲养,才能确保其生长迅速,发育良好。饮水是育雏技术中的重要一环,在育雏箱或笼内要预先放好饮水器,最好1~3日龄喂温水。如经长途运输,在运到育雏舍后则应补饲葡萄糖水。一般在孵出后24~36小时内开食,在育雏箱或笼内的食槽中,预先放好配合饲料,待雏鹑休息后自行采食。所用配合饲料,可以掺合煮熟的蛋黄,每100只雏鹑喂10~15个鹑蛋黄,或3~4个鸡蛋黄,也可加喂豆腐,效果也不错。光照对于雏鹑的生长发育是必需的,可用白炽灯泡作光源,亮度可采用4瓦/平方米。1~5日龄采用通宵照明,以后采用每天14~15小时光照,照度0.5~1瓦/平方米。实践证明,红光对雏鹑的生长发育有促进作用。雏鹑的饲料配方:①玉米52%,豆饼27%,鱼粉10%,麸皮5%,草粉5%,骨粉1%。②玉米54%,豆饼25%,鱼粉15%,麸皮3.5%,槐叶粉1%,骨粉1.5%。③玉米59%,豆饼27%,鱼粉8%,麸皮3.5%,叶粉1%,骨粉1.5%。④玉米62%,豆饼25%,鱼粉7%,麸皮3.5%,叶粉1%,骨粉1.5%。⑤玉米20%,鱼粉30%,米糠25%,骨粉5%,另加青菜20%。⑥玉米20%,豆饼20%,鱼粉20%,米糠15%,骨粉5%,另加青菜20%。⑦玉米65%,豆饼20%,鱼粉7%,麸皮5%,叶粉1.5%,骨粉1.5%。⑧玉米63%,豆饼14%,鱼粉8%,麸皮12%,叶粉1.5%,骨粉1.5%。

雏鹑的管理必须认真细致。雏鹑在1~3日龄饲养密度较大,又好动,善于钻缝隙,在管理上尤需注意。3日龄后,只要温度适宜,饲料和饮水充足,管理得当,均可取得良好的育雏效果。日常管理中要做好以下几点:①初生雏鹑两腿较软弱,在箱底或笼底网上要铺垫深色布,使之能顺利站立和行走,又利于保温。同时开食时撒料在垫布上,也容易被雏鹑看见,易采食。一般于3日龄时取出垫布,使雏鹑在细孔铁丝(6毫米×6毫米网眼)编织网上饲养。15日龄后养在粗网眼(20毫米×20毫米)的金属网上。夏季育雏可省去垫布,直接在网上育雏。②集约化饲养,较适宜的密度为1~21日龄每平方米容纳150只,21日龄以上的容纳70~80只,单层可密些,种用雏可稀些,冬天可密些,夏天可稀些。③育雏舍通风良好,在保持温暖的前提下应勤开通风窗,即使冬季,也应定时开南窗通风;要防贼风,在天花板上应有出气孔,以免氨气、二氧化碳、一氧化碳和硫化氢等有害气体积留,污染空气。④要定期除粪,每次换水应清洗饮水器,转群后笼架等用5%来苏儿液消毒。⑤注意观察雏鹑的采食、饮水、粪便和活动等情况。⑥严防鼠害与野猫的侵害,注意用电安全,防止煤气中毒。⑦预防疾病:要及时防疫和进行疾病治疗。

仔鹑的饲养管理:仔鹑是指35～50日龄之间的小鹑。饲养管理可稍粗放,但仍须注意。种用仔鹑在此阶段体格虽已长成,但仍是重要增重阶段,一定要重视饲料的营养水平。在5周龄的光照仍然不延长,而满5周龄的鹌鹑,体重已达到100克左右,应转入成鹑舍饲养,并逐步延长光照时间,更换成鹑饲料,进入开产期。肉用仔鹑的管理基本与种用鹑相同。肉用仔鹑管理的主要任务是在于缩短饲养期,增加活重量,减少饲料消耗,提高商品率。肉用仔鹑应在5周龄转入育肥笼,饲养7～16天,活重可达100克以上时上市。饲养肉用仔鹑要保持环境安静、温度适宜、通风良好、柔和的光照,还要注意以下几点:①采用特制的育雏笼。肉用仔鹑长到25～30日龄时便可转入育肥笼中育肥,笼的高度为12厘米,每平方米饲养80只,比一般鹑饲养密度略有增加。笼内光线要求暗些,以能采食和饮水即可。②饲料。喂养肉鹌鹑的饲料,粗蛋白质的含量可适当降低至20%～22%,而其代谢能要高,应以喂高能量饲料为主,可多喂富含淀粉且易消化的饲料,草粉可适量减少。以下饲料配方可供参考。22～35日龄可用玉米56%,豆饼24%,鱼粉13%,麸皮3.9%,干草粉1%,骨粉1.5%,食盐0.3%,添加剂0.3%(粗蛋白质23.71%)。36日龄至开产前可用玉米51.8%,豆饼22.2%,鱼粉12%,麸皮6.35%,干草粉4.2%,骨粉2.8%,食盐0.35%,添加剂0.3%(粗蛋白质22.42%),每50千克饲料中另加多种维生素5克。

仔鹑的管理应保持环境的安静,防止惊群,光线不能太强,雄、雌仔鹑分笼饲养,定时定量饲喂,喂食后,应全部遮光,使之休息。育肥阶段温度以20℃～22℃为宜,通风量需适当增大,只需提供方便采食、饮水的照明,照明时间不宜超过12小时。如日粮的营养水平符合标准,采用1小时光照、3小时黑暗交替的光照方法,可以获得较高的活重和较低的耗料,而且可降低死亡率。

种鹑与产蛋鹑的饲养管理:要采用全价配合饲料,饲料种类变化时,要逐步过渡。在配制饲料时,要考虑当时的产蛋率、蛋重、蛋壳质量及某些蛋的内部品质,增减饲料种类,调整营养成分,夏季应酌减代谢能,增加蛋白质量,而冬季则相反。注意饲喂方式的相对稳定性,要定时饲喂,昼夜喂6次,备有足够的食槽,能自由采食的,要少吃多餐,防止饲料浪费。冬季宜喂温水,夏季应喂凉水。每周于水中加喂高锰酸钾2次,使饮用水呈淡红色即可。产蛋鹑的饲养环境保持在17℃～28℃之间,有利于提高产蛋率和受精率。鹑舍的相对湿度以55%～65%为宜。产蛋鹑舍应在舍内的上方和下方设通风排气孔。夏天的通风量每小时3～4立方米、冬天以1立方米为宜。

在产蛋期间光照不能缩短,光照强度不能减弱。至产蛋高峰时,每昼夜光照时数应达16小时。每天应定时开、关灯,以保持光照的连续性,光照度可按每平方米4瓦计。产蛋鹑的饲养密度不能太大,种鹑群体不超过25只,蛋鹑群体不超过35只。容1只鹑单体笼的规格为160毫米×160毫米×180毫米,容3～4只鹑单体笼的规格为310毫米×200毫米×230毫米,容6～8只鹑单体笼的规格为500毫米×300毫米×230毫米,容10只鹑单体笼的规格为580毫米×300毫米×250毫米。保持鹑舍及设备的清洁卫生,防止鸟及蚊、蝇飞入,杜绝鼠害,确保环境安静。做好日常的检查记录,如产蛋增减情况、饲料消耗量、天气情况、舍内外温度和湿度等。

饲喂种鹑可参考下列饲料配方:①玉米45%,豆饼10%,棉籽饼5%,刺槐粉4%,麸皮15%,玉米胚芽饼10%,鱼粉5%,大麦3%,骨粉3%。②玉米42%,豆饼33%,鱼粉10%,麸皮5%，草粉3%，骨粉1%，贝壳粉6%。③玉米50%，豆饼20%，鱼粉17%，麸皮8%，骨粉4%，石粉1%。每50千克饲料另加禽用多维素7.5～10克，保健黄沙1千克，酌加畜用生长素。④王米45%，豆饼25%，鱼粉18%，麸皮5%，草粉4%，贝壳粉3%。另加多种维生素5克/50千克。⑤玉米粉56.3%，豆饼粉22%，麸皮3.5%，鱼粉14%，槐叶粉4.2%。另加禽用多维素10克/50千克。

可参阅金盾出版社出版的《鹌鹑高效益饲养技术》、《鹌鹑火鸡鹧鸪珍珠鸡》等书。

十一、鹧　鸪

鹧鸪 *Francolinus pintadeanus* (Slopoli)，别名越雉、怀南、中国鹧鸪。分布于福建、广东、广西、云南。偶见于山东、浙江及贵州等地。以肉、血、肠等入药。

【形态特征】 鹧鸪(彩图290)，体长292～345毫米。雄鸟头顶至后颈黑褐色，具栗黄色羽缘。头的两侧具栗黄色纵纹，形成椭圆状环斑。前额、眉纹黑色。眼及颊部白色，耳羽白色。颈黑色，杂以卵圆形白斑。上背与肩黑色，羽端变为栗红色，肩羽的栗红色较为显著和宽阔。下背、腰及尾上覆羽黑色，布满以纤细的白色波状横斑，尾羽略同，但横斑呈浅黄褐色。两翅大都黑褐色，具显著的栗黄色或白色的点斑与横斑。颏、喉白色。胸、腹和两胁黑色，满布白色圆斑，至下胁、下腹斑点愈大，并稍杂栗黄色。下腹中央栗黄色，羽毛呈绒羽状。尾下覆羽深栗黄色，具黑色横斑。雌鸟头部与雄鸟相似，但羽色较浅，黑色眉纹不显著。颊、耳羽浅栗黄色，肩羽有黑色块斑，两翅灰黑褐色，具浅黄色点斑与横斑，额、喉白色，上胸黑褐色，并满布淡黄色圆形斑点，下胸及腹部淡黄白色，杂以黑褐色横斑。其他与雄鸟相同。嘴黑色，跗跖橙黄色。

【生活习性】 多在山林灌丛中活动，有时三、五只结群寻找食物。脚强健，善走，翼短圆，不善久飞，但飞时迅速。性警惕，遇惊即隐匿于灌丛深处。食性较杂，嗜食蚱蜢、蚂蚁及其他昆虫，同时亦食野生果实、杂草种籽以及植物的嫩芽。繁殖期4～7月份，营巢于灌木林中及草丛间。1年产2次卵，每窝产卵3～6枚。卵白色或乳黄色。孵化期21天，仔鸪3～4周即能飞翔。

【采集与加工】 全年均可捕捉，捕后去掉羽毛及内脏，取肉鲜用，其血、脂亦入药。

【养殖方法】 鹧鸪为野生鸟类，经驯化已能人工饲养。可参阅金盾出版社出版的《美国鹧鸪养殖技术》等书。

十二、灰胸竹鸡

灰胸竹鸡 *Bambusicola thoracica thoracica* (Temmick)，别名竹鸡、泥滑滑、竹鹧鸪、鸡头鹘。分布于长江流域以南各地(留鸟)。以肉入药。

【形态特征】 灰胸竹鸡(彩图291)，体长274～350毫米。额、眉纹灰色，眉纹向后延至上背。头顶至颈后大都为橄榄褐色，各羽缀以黑褐色虫蠹状细斑，头顶杂以棕色斑点。头、颈两侧栗红色。上体大部为黄橄榄褐色、各羽具黑褐色虫蠹状细斑，背灰褐色，杂以栗红色斑和小的白点。腰和尾上覆羽橄榄褐色，缀以深栗色细点。翼上覆羽与背同色，并缀以栗色大斑和黑色羽缘。初级飞羽暗褐色，外缘为淡栗色，缀以黑点。次级飞羽暗褐色，其外侧和先端亦杂以淡栗色和棕色虫蠹状斑。中央尾羽红棕色，密杂以黑褐色横斑，外侧尾羽几为纯红棕色。头和颈的两侧以及喉等均为栗红色,胸蓝灰色,延至两肩及上背形成颈圈状,其下缘栗红色,腹和两胁棕色,前浓后淡,两胁密杂以黑褐色斑,尾下覆羽亦为棕栗色。嘴褐色,跗跖和趾黄褐色。雄鸟具距。

【生活习性】 栖息于阔叶林、混交林、针叶林、竹林、灌丛及丘陵地带的丛林间。喜集小群活动,白天在地面活动,夜间栖树上。善潜伏,很难惊动起飞。飞时低而迅速,鸣叫不已。主要食野生植物的果实、种子和嫩芽,兼食蝗虫、蚱蜢、蚂蚁、白蚁等昆虫。繁殖期 4～7 月份,营巢于浓密的灌木林、草丛间的地面上,以枯草、树叶为巢材。每窝产卵 7～12 枚。卵淡褐色或淡黄色,具棕色和灰色斑点。孵化期 17～18 天。

【采集与加工】 春秋捕捉,捕后去掉羽毛及内脏,取肉鲜用。

近似种棕胸竹鸡亦有相同的药用价值。

十三、家 鸡

家鸡 *Gallus gallus domesticus*,别名鸡、柴鸡、山黄鸡等。全国各地均有饲养。

世界上的家鸡品种都起源于原鸡,原鸡在人工驯养下,经长期培育和有目的地进行品种选择,逐渐形成了目前的诸多家鸡品种(彩图 292)。比较著名的有九斤黄鸡、狼山鸡、庄河鸡、大骨鸡、寿光鸡、萧山鸡、浦东鸡、桃源鸡和北京油鸡等。以肉、卵、肫衣等入药。

【采集与加工】 全年宰杀,去掉羽毛及内脏,肉鲜用。将肌胃剖开,剥下内衣洗净,晒干备用,药材名鸡内金,为常用中药。鸡卵亦称鸡子,其壳、卵白(蛋清)、卵黄(蛋黄)、卵内膜(凤凰衣)均可入药。

【养殖方法】 家鸡是主要的养殖禽类,其饲养方法已家喻户晓,在此不再介绍。可参阅金盾出版社出版的《科学养鸡指南》等书。

十四、乌骨鸡

乌骨鸡 *Gallus gallus domesticus*,别名乌鸡、泰和鸡、丝毛鸡、松毛鸡、竹丝鸡、绢丝鸡、白绒鸡、绒毛鸡、羊毛鸡、狮毛鸡、黑脚鸡、丛冠鸡、龙爪鸡、白凤鸡等。原产于福建、江西、广东等地,全国各地都有饲养。以肉和全体入药。

乌骨鸡以皮肤、骨骼、肌肉均呈乌黑色而得名,是我国劳动人民通过比较原始的方法选拔、培育出来的稀有珍禽。它遗传性能稳定,品种纯正,其中最著名的品种是江西省泰和县原产的泰和鸡和该省余干县原产的余干乌黑鸡。现将泰和鸡和余干乌黑鸡的特征特性作一介绍。

【形态特征】 乌骨鸡(彩图 293),具有紫冠(桑椹状复冠)、缨头(毛冠)、绿耳、胡须、丝毛、毛脚、五爪、乌皮、乌肉、乌骨十大特征,故称“十全”、“十锦”。乌骨鸡全身羽毛洁白无瑕,体型娇小玲珑,外貌奇特艳丽,惹人喜爱,在国内外享有盛誉,尤其以药用、滋补、观赏闻名于世。雄鸡体重 1 300～1 500 克,雌鸡体重 1 000～1 250 克。羽毛除两翅外均呈绢丝状。头上紫红色的肉冠呈桑椹状,眼黑色。两翅短,飞翔能力弱,跗跖具毛,五指。皮、肉、骨均黑色。另外,还有黑毛乌骨鸡(余干乌黑鸡)、江山乌鸡、略阳乌鸡、雪峰乌鸡、斑毛乌鸡等。

【生活习性】 胆小怕惊,有异常动静即会造成鸡群受惊。群居性强,性情温和,不善争斗。

【采集与加工】 全年均可宰杀,宰后去羽毛和内脏,取骨肉洗净,置铜罐内,加黄酒适量,密封蒸酥,供配药用。乌鸡去羽毛、内脏和爪,与鹿角胶、鳖甲、人参、黄芪等药材配制乌鸡白凤丸。

【养殖方法】 乌骨鸡对环境的适应性较强,较少患病,耐热性很强,但怕冷怕湿,胆小怕惊,饲养时应特别注意。饲养一般采用地面圈养或散养。圈养鸡舍面积每只鸡占地不少于0.3平方米,围墙高度2米左右,地面宜平坦干燥。乌鸡食性杂,一般喂给玉米、高粱、稻谷、大麦、小麦、米糠及各种青菜、青草等(或喂混合鸡饲料和青菜)。青饲料是乌骨鸡不可缺少的饲料,青菜应切碎后喂给。公鸡配种和母鸡产蛋期间可添加一些蛋白质高的饲料,如蚕蛹粉、鱼粉及矿物质的饲料。公鸡开啼一般在60~80天,母鸡开产日龄平均在180天左右,年产蛋100枚左右。蛋重约40克,蛋壳呈粉红色。孵化期21天。母鸡就巢性强,在自然情况下,一般每产10~12枚蛋就巢1次,每次就巢在15天以上。可参阅金盾出版社出版的《药用乌鸡饲养技术》等书。

十五、环颈雉

环颈雉 *Phasianus colchicus* Linnaeus,别名雉鸡、雉、山鸡、项圈野鸡、野鸡。分布于全国各地。以肉或全体入药,脑、肝等亦入药。

【形态特征】 环颈雉(彩图294),体长500~860毫米。雄性成鸟羽色华丽,头顶铜绿色,眼周裸露。额、喉、颈后黑色,具紫绿色金属光泽,颈下有一显著的白圈,故名环颈雉。背部前方主要为金黄色,杂有黑色和白色的斑纹。腰蓝灰色向后转为栗色,尾羽很长,中央尾羽黄褐色,两侧棕栗色,其中央贯以黑色横斑,至两侧横斑亦转为深紫栗色。飞羽黑褐色而缀以白斑。胁金黄色,亦散缀以黑斑,腹黑褐色。尾下覆羽栗褐相杂,跗跖具距。雌鸟体型较小,体羽以沙、褐两色为主,杂以黑色斑。尾上黑斑缀以栗色,无距。嘴淡灰色,基部转黑色,跗跖灰褐色,爪黑色。

【生活习性】 主要栖息于常绿阔叶林、针阔混交林的灌木丛、草丛、草甸及林缘草地。常成对活动,鸣声洪亮。脚强健,善于奔走。飞行距离较短,不能持久。主要以植物的嫩芽、浆果、草籽及谷物的种子为食,亦食昆虫。

繁殖期4~7月份,常筑巢于草丛中的地面凹陷处,1年孵2窝,每窝产卵6~12枚。卵呈浅橄榄黄色。孵化期23~24天。

【采集与加工】 野生雉鸡秋冬捕捉,捕后宰杀,去羽毛和内脏,肉鲜用或制成干粉备用。脑、肝等均入药。

【养殖方法】 饲养雉鸡目前在吉林、黑龙江、辽宁、内蒙古、河北、北京、广东等地成为一项有良好经济效益的致富产业。饲养雉鸡应着重做好种蛋孵化与雏雉培育、育成雉的饲养管理和成年雉的饲养管理工作。

种蛋孵化与雏雉的培育:种蛋孵化的前20天,温度控制在37℃~37.5℃,相对湿度65%~70%,到21~24天,出雏期的温度为37℃,相对湿度70%。在前20天孵化期内,每2小时翻蛋1次;在7~20天,每天凉蛋1次;6~8天进行第一次验蛋,到18天时进行第二次验蛋。孵化21天后放入出雏器中,待雏雉出壳、毛干后,取出送育雏室饲养。

雏雉进入育雏室后,控制好温度是管理工作的关键。1~3天室温保持在34℃~35℃,4~5天33℃~34℃,6~8天32℃~33℃,9~20天31℃~32℃,21~60天26℃~28℃。雏雉1~

10日龄宜采用24小时连续光照,以后每周递减3～4小时,30日龄以后利用自然光照即可。1～10日龄时每平方米养60只为宜,11～30日龄时可减至20只。

雏雉出壳后先饮0.01%的高锰酸钾溶液,然后开食。由于雏雉喜欢吃零食,因此,要采取多次投喂的办法。1～20日龄每天喂6次,白天每隔2小时喂1次,夜里不喂食;21～30日龄日喂5次,31～60日龄日喂4次。饲料可用玉米、豆饼、鱼粉、麸皮、骨粉、青绿饲料以及各种微量元素添加剂。饲料的粗蛋白质含量要在18%以上。有条件时,可经常喂些小虫、小蚱蜢等活食。适当运动,增强体质。

育雏期间,要有充足的饮水供给,育雏室内要设沙粒堆,供其啄食。要注意保持饲养环境安静和安全,防止其逃走及猫、狗侵袭。

3～6日龄的饲料中或饮水中可加入痢特灵或敌菌净,8～12日龄时加青霉素,15～20日龄时加土霉素,3周龄断喙。

育成雉的饲养管理:育成雉是指5周龄至年末的雉鸡。育成前期(5～10周)称中雏,按中雏配方日喂4次;育成后期(10周龄至年末)称大雏,用配合饲料,日喂3次。中雏每平方米饲养6只,以300只1群为宜;大雏每平方米饲养1.2只,以100～200只1群为宜。两期分别断喙1次,后期结合断喙滴注鸡新城疫Ⅱ系疫苗。

成年雉的饲养管理:成年雉可采用笼养或网舍散养。笼养所用的笼和家鸡笼结构相同。网舍散养可用铁丝网或尼龙网搭成,网舍内必须配置栖架、水槽、饲料槽和产蛋箱。成年雉配种前按雉的强弱组群,母雉断喙,地面垫5厘米厚细沙。产蛋期随时拣蛋,保持雉舍安静。在换毛期分出留种、商品、淘汰群。公、母断喙。6～7月份网舍加盖遮荫设备,炎热天气地面洒水降温,秋季接种疫苗并做好越冬保温工作。成雉喂配合饲料。配合饲料一般用玉米42%,麸皮10%,豆饼20%,鱼粉15%,青绿饲料10%,骨粉3%,以及少量的食盐和微量元素添加剂。成年雉在61～120日龄时,生长较快,如果作为商品雉,在120日龄前后出售最为宜。

十六、毛腿沙鸡

毛腿沙鸡 *Syrrhaptes paradoxus* (Pallas),别名沙鸡、突厥雀等。分布于新疆、青海、甘肃、内蒙古、黑龙江(繁殖鸟、留鸟)及河北、山东(冬候鸟)等地。以肉入药。

【形态特征】 毛腿沙鸡(彩图295),体长350～400毫米。体型大小似鸽,体重约250克左右。嘴似鸡,翅形尖长。中央1对尾羽特长,末端细而尖。跗跖被羽,仅具3趾,底部有肉垫。雄鸟头顶灰褐色,外围浅锈红色,在耳羽上方和后侧以及喉部均呈深棕色,耳羽灰色。上体沙棕色,满布黑色横斑纹,初级飞羽除第一枚外翈为黑色外,其余呈灰色,具棕色羽缘,内侧转为褐色;次级飞羽外翈黑色,内翈棕色,翅上覆羽棕色,外侧缀以黑斑;大覆羽先端均具栗色,形成一道翼斑。腰部及尾上覆羽的黑色横斑较背部细小。中央尾羽的先端灰褐色,外侧尾羽具白色尖端。前胸沙棕色并有灰色,中间有一黑白相间的横贯胸带。腹部有一宽阔黑带,余部为浅沙棕色。雌鸟通体颜色较雄鸟浅淡。头与背部同色并缀黑斑点。头顶周围及喉部为棕黄色。上体的黑色横斑较细碎,顶间有一黑色细环,胸部无黑白相间的横带。嘴蓝灰色,跗跖与趾被毛,爪黑色。

【生活习性】 常成群栖于开阔地带,很少作远距离飞翔。飞行迅速,边飞边叫。植食性,主要吃各种草籽及植物嫩芽。繁殖期4～7月份,营巢于地面上,巢很简陋,仅在地面上挖个浅窝,稍垫些草。每窝产卵3枚。卵淡黄色,具紫褐色斑点。

【采集与加工】 冬季捕捉,捕后去掉羽毛及内脏,取肉鲜用。

十七、家 鸽

家鸽 *Columba livia domestica*,别名鸽子、鹁鸽。全国各地均有饲养。以肉和全体入药。

【形态特征】 家鸽(彩图296),体长310~360毫米,体重约为350克。体躯纺锤形,嘴短,有鼻瘤。眼周有不同颜色的眼环,毛色复杂,有纯白、黑白混杂、茶褐色等,以青灰色的较多见。头、颈、胸和上背为石板灰色,颈部、上背、前胸绿色,有紫色金属光泽,背的其余部分和两翼覆羽淡灰色,下背白色,翼上各有1道黑色横斑,初级和次级飞羽的先端为黑褐色,腰和尾上覆羽石板灰色,尾石板灰色,末端有宽黑色横斑。下体自胸以下为鲜灰色,尾下覆羽灰色较深。

家鸽是由原鸽驯养而来,在人工培育饲养过程中其形态的变异很大,现在世界上已定型的鸽有300余种。根据鸽的用途,分为肉鸽、信鸽和观赏鸽。

【生活习性】 羽长大,喜群飞,雌雄双栖,辨别方向的能力较强,有就巢性,每窝产卵2个,雌、雄交替孵卵。卵孵化期约18天。能由嗉囊中吐出乳糜哺雏。两次产卵的间隔时间35~45天。主要采食植物的种子和果实。

【采集与加工】 肉鲜用或晒干研末入药。脑晒干研末、血煮成块晒干研末、羽毛焙焦研末入药。还有原鸽,药效近似。

【养殖方法】 鸽子为晚成性鸟,刚出壳的雏鸽,身体软弱,眼睁不开,不会吃食,需亲鸽哺喂,30天以后雏鸽才能自己活动。幼鸽生长发育快,30日龄可达到成鸽的体重。饲养家鸽要做好孵化及各时期的饲养管理工作。

孵化:鸽子产下第一个蛋后就开始抱孵,也有产第二个蛋后才开始抱孵的。鸽蛋孵到4~5天,要用灯光照蛋,无精蛋应终止孵化。鸽蛋孵到10天左右,进行第二次照蛋检查。取出死胎蛋,正常发育的蛋继续孵化。鸽蛋孵到18天左右,雏鸽便破壳而出。一般情况下,雏鸽能自己出壳,但在炎热的夏天,由于水分蒸发过多,有时雏鸽啄壳后,仍不能出壳,需人工帮助剥壳,若发现有血水,应立即停止剥壳,并将蛋放回窝内,让其继续孵化。

饲养管理:家鸽饲养可以采用放养、笼养及放养与笼养相结合。放养是让鸽在野外自由觅食和活动,仅在冬天野外找不到食物时才给予补饲,此法适于农村应用。笼养是将鸽关在笼里饲养,此法适于集约化肉鸽生产。放养与笼养相结合适于小规模养鸽。

鸽的活动量大,体温高,生长快,新陈代谢旺盛,比其他家禽需要更多的营养物质。鸽体需要的营养物质有水、能量、蛋白质、矿物质、维生素。鸽的主要饲料有玉米、高粱、稻谷、大麦、小麦、碎米、菜籽、豌豆、红小豆、绿豆、小麻子等。在日粮中,最适宜的蛋白质含量为3%~15%,粗纤维不超过5%。另外,还需添加矿物质和维生素及保健沙。保健沙可用黄沙、老墙土、木炭屑、蛋壳、陈石灰、食盐等配成。

家鸽饲喂要定时定量,在笼养情况下,早晚各喂1次,成鸽1天投饲量40~50克。饲料要营养全面,适口性好,清洁干燥,不得喂发霉变质饲料。

鸽子从出壳到发育为成鸽之前称幼鸽。幼鸽按不同生长发育阶段,又有雏鸽、乳鸽、童鸽之分。

雏鸽出壳后,在1~3天内,亲鸽以很稀的浆乳哺喂雏鸽;3~8天,亲鸽则以较浓的浆乳哺喂雏鸽；自9天开始，亲鸽给雏鸽转喂经嗉囊浸湿的子实饲料。如果亲鸽在雏鸽出壳5～6小时后，仍不能喂雏，应细心检查，找出原因。若亲鸽有病，应及时治疗；若亲鸽无病，而是不会喂雏鸽，则应加以人工训练；经调教仍不会喂雏鸽的，应予以淘汰。雏鸽在群养条件下，12～13日龄是个难关。亲鸽在雏鸽9日龄左右，开始由浓浆乳转变为哺喂经嗉囊浸湿的饲料，雏鸽对新饲料不适应，容易产生积食。为了预防这种情况发生，可在8日龄时饲喂酵母片1/4片，并给亲鸽喂软化后的碎玉米粒、少量绿豆和软化饲料(将黄玉米、稻米、豆类等浸泡)。至20～30日龄称为乳鸽。

乳鸽应喂给人工配制的乳鸽饲料。其配方为黄玉米50%，豆类25%，糙米15%，小麦10%制成颗粒状，或将粒料黄玉米、豆类、糙米先用水浸泡，人工或机械灌入鸽的嗉囊中。从30日龄到性成熟期，称为童鸽。

被选留的童鸽，应采用育种室或育种床饲养。童鸽刚由亲鸽哺喂转为独立生活，环境条件和饲料条件都有较大差异，加上童鸽本身觅食能力和抵抗疾病的能力较差，容易得病，必须精心饲养和管理。最初15天，应放在育种床上养，育种床底部为竹片或铁丝网编织成小方格眼的箔片，鸽子在竹箔上站得稳，而粪便又可通过格眼漏到地上。经5～6天，童鸽便可自行上下床。15天后，可把鸽移到地面上饲养，地面要天天打扫，保持清洁卫生和鸽舍干燥。童鸽的饲料应逐渐变更，不可突然更换，至50日龄左右开始换羽。换羽期间，童鸽的抵抗力很弱，生理变化大，要加强饲养管理，并适当喂防伤风感冒的中草药，冬天要做好防寒保暖工作，晚上要关好门窗，地上要加铺稻草，并每天翻松，经常更换。天气暖和时，要让童鸽适当地运动和晒太阳。童鸽在3月龄后，个别开始发情，应将雌鸽和雄鸽分群饲养，以防止早配、早产。在雌鸽和雄鸽分群时，可结合进行1次选优去劣工作，选出优良鸽，经驱虫后，转入新鸽舍。鸽到6月龄配对产蛋前，最好再驱虫1次。鸽育雏期的饲料配方一般为能量饲料70%～80%，蛋白质饲料20%～30%。如：稻谷50%，黄玉米20%，小麦10%，豌豆或绿豆20%；黄玉米30%，糙米20%，大麦10%，高粱10%，绿豆15%，豌豆10%，火麻仁5%。

种鸽的饲养管理可分3个阶段。配对初期要带上脚环，脚环的编号要和巢箱编号一致，将其关入巢箱，让其逐渐熟悉巢箱环境，每天午后将种鸽放出活动。经几天训练，种鸽就会自动进窝。对于配对的种鸽，则要先关在配种笼内，让它们互相熟悉，建立感情后再放在生产巢箱中关养，在熟悉自己的巢箱后，才能放出，让其自由活动。孵蛋期，亲鸽都很爱护自己孵的蛋，孵蛋性好，也有少数常离巢出外游耍的，出现这种情况，就应把雄鸽和雌鸽关在巢箱内，并放上饮水和饲料，巢箱四周用黑布遮盖，这样亲鸽就只好在巢内孵蛋，几天后，取掉遮物，让它们自由出入巢箱，轮流孵蛋。打扫卫生动作要轻，尽量不要惊动孵蛋亲鸽。在孵蛋期间，要照2次蛋。亲鸽在每年夏末秋初换羽1次，换羽期2个月，此时一般均要停止产蛋。由于雌、雄鸽的换羽快慢不同，发情时间也有所不同，容易出现亲鸽另找配偶的现象，这时应将原来的配偶关在一起，换羽后再放出来。在鸽群普遍换羽时期，应降低饲料质量，减少数量，以加快羽毛的脱换时间，换羽后再逐渐恢复饲料喂量，提高质量，加速羽毛生长，使其早日产蛋。

成鸽的饲料配方为：能量饲料85%～90%，蛋白质饲料10%～15%。如：黄玉米34%，高粱25%，小麦25%，大米5%，豌豆10%，大麻子1%。鸽繁殖期的饲料配方为豌豆40%，黄玉米20%，高粱20%，糙米10%，火麻仁10%。

保健沙的配方(含矿物质、维生素、添加剂)：①粗沙40%，石粉20%，贝壳粉10%，食盐15%，木炭5%，维生素(A,D,B_2,B_{12}等)5%，微量元素添加剂5%。②黄泥35%，细沙25%，贝壳粉15%,石膏5%,旧石灰5%,木炭末5%,骨粉10%,食盐5%。③黄泥5千克,细沙5千克,骨粉2千克,贝壳粉7.5千克,旧石灰3千克,木炭末1.5千克,龙胆草末150克,食盐750克,甘草末100克。④红壤土20%,河沙20%,骨粉20%,蛋壳粉10%,食盐10%,木炭末10%,砖末10%。

可参阅金盾出版社出版的《肉鸽养殖新技术》、《肉鸽信鸽观赏鸽》等书。

十八、岩鸽

岩鸽 *Columba rupestris rupestris* Pallas,别名野鸽子、山石鸽。分布于青海、甘肃、四川北部及西南部和西藏、云南(留鸟)。以肉、卵等入药。

【形态特征】 岩鸽(彩图297),体长为290~350毫米,体重180~305克。雌、雄体色相似,头、颈和上胸石板灰色,颈和上胸具紫绿色金属光泽。背和肩羽及翼上覆羽亮灰色,翼上具2道黑色横斑,上覆羽石板灰色。尾羽基部石板灰色,先端黑色,中段贯以宽阔的白色横斑。下体除上胸具紫灰色反光外,余为浅灰色。嘴黑色,跗跖红色。

【生活习性】 栖于山区多岩石和峭壁的地方,常结成小群在山谷和平原的田野上觅食,喜食植物种子、谷物等。繁殖期4~7月份,营巢于岩缝中或峭壁上的岩洞中。巢由小树枝构成,每窝产卵2枚,卵白色。孵化期18天。

【采集与加工】 全年均可捕捉,捕后去掉羽毛及内脏,取肉鲜用或晾干研细入药,脑晾干研末,血煮成块晾干研末,羽毛焙焦研粉备用。春夏取卵,鲜用。

十九、山斑鸠

山斑鸠 *Streptopelia orientalis Orientalis*(Latham),别名斑鸠、金背斑鸠、棕背斑鸠、雉鸠、麒麟鸠。分布于全国各地。以肉入药。

【形态特征】 山斑鸠(彩图298),体长310~350毫米。形似家鸽。额和头顶蓝灰色,后颈葡萄酒色,颈基两侧各具黑色带斑,羽端蓝灰白色,背羽灰褐色,羽缘棕红色。腰暗蓝灰色,尾上覆羽灰黑色,中央尾羽暗黑灰色,外侧尾羽末端蓝灰色。三级飞羽及内侧翼上覆羽具棕红色的羽缘,外侧中覆羽呈蓝灰色,初级覆羽和其余飞羽黑褐色。下体为葡萄酒样的红褐色,颏、喉部较淡,胸部特浓,两胁、翼下覆羽深灰色,尾下覆羽均为蓝灰白色。嘴暗铅色,跗跖和趾紫红色,爪黑色。

【生活习性】 栖息于平原、丘陵山区的树林中。常小群活动,繁殖期间鸣叫声不绝,似"gu_gu-gu-gu",声音低沉而响。食物以谷物的种子、植物果实等为主,亦食少量昆虫。繁殖期5~7月份,营巢多在较隐蔽的矮林间树杈上。巢构造简陋。每窝产卵2枚。卵白色。孵化期18天。

【采集与加工】 全年均可捕捉,捕后去掉羽毛及内脏,肉鲜用或焙干研末入药。

二十、珠颈斑鸠

珠颈斑鸠 *Streptopelia chinensis* (Scopoli),别名花斑鸠、花脖斑鸠、珍珠鸠。分布于北至河北,西至陕西、山西、四川、云南,南至海南、台湾等地。以肉和卵入药。

【形态特征】 珠颈斑鸠(彩图 299),体长 270～315 毫米。额和头顶前部淡灰色,头顶余部为灰葡萄红色,枕部葡萄红色,颈后基部和两侧具宽阔的黑色领圈,羽端有白色点状斑。上体为葡萄褐色,羽缘较淡。中央尾羽暗葡萄褐色,外侧尾羽黑色,羽端具灰白宽阔的斑。飞羽黑褐色,羽缘较淡,翼缘及最外侧小覆羽和中覆羽呈蓝褐色,翼上其余覆羽淡葡萄褐色。颏灰白色,喉、胸和腹均呈葡萄红色,胁和腋羽为灰色,尾下覆羽淡灰色。雌鸟与雄鸟相似,但不及雄鸟羽色鲜艳。嘴黑褐色。跗跖和趾暗红色。

【生活习性】 栖于农田附近的树林、竹林间,常在居民点附近活动,十分活跃,边走边觅食。飞行迅速,鸣声响亮。以农作物种子、杂草种子、植物果实和嫩芽等为食。繁殖期 5～7 月份,营巢于树上,每窝产卵 2 枚,卵白色。雌、雄亲鸟轮流孵化,孵化期 18 天。

【采集与加工】 全年均可捕捉,捕后去掉羽毛及内脏,取肉鲜用。卵亦入药。

二十一、火斑鸠

火斑鸠 *Oenopopelia tranquebarica numilis* (Temminck),别名红鸠、小斑鸠。分布于我国东北南部、华北、华东、中南、西南各省及陕西、青海、甘肃、山西、西藏等地。以肉入药。

【形态特征】 火斑鸠(彩图 300),体长 216～240 毫米。头顶和后颈蓝灰色;头侧稍浅,颈基部有 1 道黑色领环。背、肩及翼上覆羽为葡萄红色,飞羽暗褐色。腰和尾上覆羽暗灰色,中央尾羽蓝灰色,其余尾羽暗灰黑色,羽端具宽阔的白色斑块,最外侧尾羽的外翈为白色。颏、喉部中央呈灰白色,喉、胸和腹羽呈浅葡萄红色,下腹渐淡。翼下覆羽、腋羽灰蓝色,尾下覆羽白色。雌鸟额至后颈灰褐色,后颈基部黑色领环没有雄鸟明显。上体均呈暗土褐色,腰部蓝灰色。下体淡土褐色。额和喉近白色,下腹和尾下覆羽为蓝灰色。嘴黑褐色,基部色稍浅。跗跖褐红色,爪黑色。

【生活习性】 栖息于山地、丘陵或平原的树林及竹林中,秋冬季节常集群活动于开阔的田野,有时至村庄附近活动。收割季节,大群在田间啄食谷物。以谷物、杂粮、果实种子等为食。繁殖期 6～7 月份。营巢于山麓附近的树林中,巢置于树桠上,巢内垫以草根等物。每窝产卵 2～3 枚,卵白色。孵化期 18 天。

【采集与加工】 全年均可捕捉,捕后去掉羽毛及内脏,取肉鲜用。

二十二、大杜鹃

大杜鹃 *Cuculus canorus* Linnaeus,别名布谷鸟、鸤鸠、郭公、喀咕、光棍好苦、花喀咕等。几乎遍布全国。以肉入药。

【形态特征】 大杜鹃(彩图 301),体长 300～335 毫米。头部、喉及上胸灰色,后颈至上体暗灰色,飞羽黑褐色,初级飞羽内翈具白色块斑。腰及尾上覆羽石板灰色,尾羽黑色,中央尾羽具有左右成对白点。下胸、腹、胁及尾下覆羽为白色,具黑褐色细横斑纹,尾下覆羽横纹较宽而稀。嘴黑褐色。跗跖和趾黄色。

【生活习性】 常栖息于山地和平原开阔林地。单只活动,以昆虫为食。春、夏之交,正适割麦时从南方迁到北方。此时经常是久鸣不息,有时彻夜鸣叫,音似“光棍好苦”。繁殖期,杜鹃自己不做巢，不孵化、育雏，而是把卵产在莺类等小鸟的巢内，常常把这些寄主的卵或幼鸟挤到巢外。1个繁殖季节可产20余枚卵，孵化期11～12天，比寄主鸟卵出雏早。

【采集与加工】 春、夏季捕捉，捕后去掉羽毛及内脏，取肉鲜用。

此外，还有四声杜鹃、小杜鹃，其药效与大杜鹃近似。

二十三、普通翠鸟

普通翠鸟 *Alcedo atthis* Linnaeus，别名小翠鸟、小鱼狗、钓鱼郎、翠雀儿、翠鸟、鱼虎等。分布于全国各地。以肉入药。

【形态特征】 普通翠鸟（彩图302），体长约180毫米。自额至颈后暗蓝色，并密杂以翠蓝色狭细的横斑纹，眼先和过眼纹黑褐色，前额左右边缘和眼眶下及耳羽栗棕色，耳羽后两侧各有1块白斑。背部翠蓝色，肩部和两翅的覆羽暗绿蓝色，飞羽黑褐色，外翈蓝绿色。尾羽暗蓝色，尾上覆羽翠蓝色。颏、喉白色，下体为栗棕色，腹部略淡。嘴黑色。跗跖朱红色。

【生活习性】 活动于溪流、湖泊、池塘边，常单独栖息于近水的低树枝或岩石上。全神贯注地窥视水中，一旦见有小鱼虾，以迅速而又凶猛的姿势直扑入水啄取鱼虾，常见它鼓动双翅，悬于水面上空，俯视水中。繁殖期5～7月份，筑巢于河岸边或河堤的土坡上，挖土成洞穴或隧道。每窝产卵6～7枚。卵白色，呈圆形，尖端与钝端极相同。雌、雄亲鸟共同孵化，孵化期19～21天。

【采集与加工】 春秋捕捉，去毛和内脏，肉鲜用或焙干研末备用。

另有蓝翡翠（彩图303），有近似的药效。

二十四、戴　胜

戴胜 *Upupa epops* Linnaeus，别名鸡冠鸟、呼呼哱、山和尚、发伞头鸟、屎咕咕、花和尚、臭姑鸪。几乎遍布全国各地（在北方为繁殖鸟，在南方为留鸟）。以肉入药。

【形态特征】 戴胜（彩图304）雄鸟体长约240毫米，体重73克左右。雌鸟稍小，雌、雄相似，雌鸟羽色较淡。头具黄栗色羽冠，各羽末端黑色。头侧和颈后为淡棕色，上背和肩羽灰棕色，下背黑色杂以淡棕白色宽阔横斑。初级飞羽黑色，飞羽中部具1道宽阔的白色横斑，其余飞羽具多道白色横斑，翼上覆羽黑色，亦具较宽的白色横斑。腰白色，尾上覆羽黑褐色，尾羽黑色而中部有1条白色横斑。颏、喉、上胸淡棕色。腹白色，杂以褐色纵纹。嘴黑色，跗跖暗铅色。

【生活习性】 主要生活在低山、平原和丘陵地带，活动范围很广，在城镇、农田、村舍、河谷和森林均可见到，一般喜欢在比较开阔的地方活动，尤其在林缘耕地较常见。单独或成对活动。以蠕虫、昆虫等为主要食物。营巢于树洞或啄木鸟弃掉的树洞中，也有产卵在岩石缝穴中的。繁殖期5～6月份，每窝产卵6～8枚。卵呈浅鸭蛋青色或浅灰褐色。雌鸟孵卵，双亲育雏。

【采集与加工】 春秋捕捉，捕后去掉羽毛及内脏，洗净，取肉鲜用或焙干研成粉备用。

二十五、蚁　䴕

蚁䴕 *Jynx torquilla* Linnaeus，别名地啄木、歪脖、蛇皮鸟。分布于从东北、内蒙古、宁夏、甘肃、青海、新疆、西藏、四川、陕西、山西、山东到长江以南广大地区。以肉入药。

【形态特征】 蚁䴕(彩图 305)，体长 165～177 毫米。外观全身羽毛银灰色，密布暗褐色细纹，似蛇类的蜕皮。上体主要为褐灰色，密缀黑褐色虫囊状斑，头顶具棕褐色，有黑褐色横斑。眼先棕白色，耳羽浓栗褐色，杂以黑褐色斜纹。后头及背中央有纵贯的黑褐色粗纹。两翼亦布满暗褐色虫囊状细斑。尾羽灰褐色，具宽阔的暗褐色横斑和密缀黑褐色虫囊状细纹。颏近白色，颊、喉、上胸呈淡棕黄色，均满布狭细的黑褐色横斑。下胸及腹色淡白，缀以褐色斑。嘴深褐色。跗跖淡紫灰色。

【生活习性】 喜在丘陵、平原等的树枝上、树干上，甚至在地面单独活动和觅食，但偶尔也见三、两只一起迁徙。舌较长，先端具钩有粘液，能伸入树洞或蚁巢中，故称蚁䴕。虽也喜欢单独在秃树枝上站立，不攀登，也不啄木。飞行迟缓。其鸣声短促而尖锐，常连叫几声。蚁䴕主要吃蚁类，也吃小甲虫和其他昆虫。繁殖期 4～6 月份，繁殖在我国东北地区，筑巢于树洞中，常见于果园或比较开阔草地的树上筑巢，每窝产卵 6～12 枚。

【采集与加工】 全年均可捕捉，捕后去掉羽毛及内脏，取肉焙干，研细备用。

二十六、黑枕绿啄木鸟

黑枕绿啄木鸟 *Picus canus* Gmelin，别名绿啄木、黄啄木、山啄木、火老鸦等。分布于我国东部各地(留鸟)。以肉入药。

【形态特征】 黑枕绿啄木鸟(彩图 306)，体长约 280 毫米。嘴尖而直，坚硬如凿。舌细长，能伸缩，先端密生短钩。上体暗绿色。雄鸟的额至头顶鲜红色。头侧、后颈暗灰色，眼先和颧纹黑色。腰和尾上覆羽绿黄色。初级飞羽黑褐色，外翈具白色斑。尾羽的羽干坚硬，呈黑褐色；中央尾羽绿灰色，具黑褐色横斑；外侧尾羽淡栗褐色，具黑色横斑。下体自喉以下为污灰绿色。雌鸟额至头顶均为灰色，缀以黑色纵斑。嘴灰黑色。跗跖褐绿色。

【生活习性】 主要生活在低山的丘陵和山脚平原地带的天然林和人工林中，尤以天然阔叶林和混交林中较为常见，冬季在人工林、林缘灌丛甚至住宅附近的小林内亦可见到。除繁殖期间成对外，多单独活动。常由一棵树飞到另一棵树上不断地攀缘觅食，偶尔也见在地面觅食。食物主要为蚂蚁、甲虫及其虫蛹、胡蜂、蜘蛛和蛾类幼虫等。繁殖期 5～7 月份，筑巢于树洞里。每窝产卵 6～8 枚，卵白色。孵化由雌、雄亲鸟共同承担，孵化期约 12 天，育雏期 23～30 天。

【采集与加工】 全年均可捕捉，捕后去掉羽毛及内脏，取肉焙干，研细备用。

二十七、大斑啄木鸟

大斑啄木鸟 *Dendrocopos major* Linnaeus，别名奔打木、花啄木、叨木冠子。遍布于全国各地(留鸟)。以肉入药。

【形态特征】 大斑啄木鸟(彩图 307),体长 210~229 毫米,体重约为 70 克左右。嘴强直如凿,呈黑铅色。额、眼先、颊、耳羽均呈微白色,耳羽稍带棕褐色。枕部具深红色块斑。头及上体概为黑色,肩和腰具白斑。飞羽黑色,缀以白色圆斑,大、中覆羽及腋羽为白色,翅下覆羽微缀褐斑,其他覆羽概为黑色。尾羽黑色,最外侧 2 对尾羽白色,具宽阔黑褐横斑。下体自颏至腹淡棕色,两胁较淡近白色,下腹中央至尾下覆羽呈深红色。脚短强健,具 4 趾,2 趾向前,2 趾向后。雌鸟枕部黑色,无红斑。跗跖和趾暗红褐色。

【生活习性】 常见于山区或平原的果园及树林中。飞行呈波浪式,一起一伏很有节奏,平时飞行比较迟缓,受惊后则相当疾速。能紧紧地抓牢树木,用嘴啄打树皮,衔出寄生在树内的虫子。叫声尖锐,声似"kwo,kwo"或"chee – ee, chee – ee",边叫边飞。在树上攀登啄食时也会发出如上的声音,边叫边跳跃攀缘前进。繁殖期 4~5 月份,营巢于树洞中,啄凿已经腐朽的树干做成树洞,以洞筑巢。平时雌、雄分开栖居,繁殖季节筑新巢定居,产卵育雏,但不利用旧巢。洞口呈圆形,每窝产卵 4~5 枚。卵白色,孵化由雌、雄亲鸟共同承担,孵化期约 12 天,育雏期 23~30 天。育雏期间,啄食大量害虫,其中天牛幼虫约占一半以上,其他如木蠹蛾、吉丁虫、透翅蛾和小蠹虫亦为数不少。据记载,亲鸟每天喂雏的次数平均 80 次,由此可见,大斑啄木鸟对于消灭害虫、保护农林生产,作用是非常大的。

【采集与加工】 全年均可捕捉,捕后去掉羽毛及内脏,焙干研细。

还有白背啄木鸟、棕腹啄木鸟,其药效相近。

二十八、短嘴金丝燕

短嘴金丝燕 *Collocalia brevirostris* (Mcdelland),别名岩燕、燕子。分布于四川中部、湖北西部、贵州北部、云南西南部和西藏南部。以燕窝入药。

【形态特征】 短嘴金丝燕(彩图 308),体长 126~131 毫米。嘴较短小,故名短嘴金丝燕。上体烟褐色,腰部浅淡。头顶、两翼与尾羽较暗,有辉蓝色光泽。两翼特长,呈暗褐色。下体灰褐色,羽轴呈褐色,腋羽和翼下覆羽黑褐色。嘴黑色。跗跖和趾淡褐色。

【生活习性】 栖息于海拔 650~2 800 米的石灰岩溶洞中。白天常结群在栖居地上空飞翔。飞行时,常发出急促单调的叫声,略似"敌、敌……"。食物主要为昆虫,大多为膜翅目、双翅目和蚜虫等,均为小型飞虫。繁殖期 5~8 月份,营巢于岩壁上。巢由涎液胶结藓株砌成,离地 4~5 米,内壁呈杯状,外廓呈长圆形的楔形。

【采集与加工】 燕窝全年均可采收。采后除去杂质,捣碎备用。

二十九、家 燕

家燕 *Hirundo rustica* Linnaeus,别名赤腰燕、巧燕、花燕、金尾根燕。在迁徙时遍布于全国(夏候鸟),海南、台湾(留鸟)。以燕窝土入药。

【形态特征】 家燕(彩图 309),体长 160~180 毫米,体重 21 克左右。上体蓝黑色,具金属光泽。额、颏、喉栗红色。飞羽和尾羽黑褐色,飞羽狭长,最外侧 1 对尾羽特别延长,除中央 1 对尾羽外,所有尾羽内翈均具一大白斑。上胸黑色,下胸至尾下覆羽白色。嘴、跗跖和趾黑色。

【生活习性】 栖息于平原至低山的村落及城区内。家燕是我国常见的一种夏候鸟，喜欢栖居在人类居住的环境。成对或成群栖息于村庄中的房顶、屋檐、电线杆上。整天大部分时间都成群在村庄及附近的田野上空不停地飞翔，即使刮风下雨也不停止。有时飞达数百米的高空，但有时在只离地面1.7米左右的高度飞翔。飞翔时能张嘴捕捉昆虫。繁殖期5～7月份，在屋檐下及房梁上筑巢。巢用湿泥土、杂草筑成，壶形，内铺以羽毛、草秆、棉花等。雌、雄共同筑巢，有用旧巢的习性，头年的巢经过修补后翌年继续使用。一年繁殖2窝，每窝产卵2～5枚，一般4枚。卵白色，具褐色斑点。第一枚卵产出后就开始孵化，孵化由雌、雄亲鸟共同承担。孵化期14～15天。雏鸟留巢期23天。

【采集与加工】 燕窝土全年均可采收，随用随取。

还有金腰燕的燕窝土，也有相同功效。

三十、崖沙燕

崖沙燕 *Riparia riparia* Linnaeus，别名灰沙燕、土燕子、水燕子、沙燕、燕子。分布于西北、西南地区为留鸟。东北、内蒙古等地为夏候鸟，迁徙时广泛见于东部地区及广东、广西等地(冬候鸟)。以燕窝土入药。

【形态特征】 崖沙燕(彩图310)，体长120～130毫米。上体暗灰褐色，眼先黑褐色，耳羽灰褐色。额、腰和尾上覆羽色较淡，并具灰白色羽缘。初级和次级飞羽黑褐色，尾羽与背同色，但稍带棕色。颏、喉灰白色，并延伸至颈侧。胸部具灰褐色环带。腹和尾下覆羽灰白色。嘴黑褐色。跗跖灰褐色。

【生活习性】 栖息于湖、河附近的土崖上。常在水面及其附近地域上空成群回旋飞翔，而在阴天或蒙蒙小雨中，飞得很低，几乎掠过水面或贴近地面。捕捉飞虫为食，食物主要为半翅目、鞘翅目、鳞翅目和双翅目的昆虫及其幼虫等。繁殖期6～8月份，常群集于土岩峭壁的沙土洞中营巢。雌、雄亲鸟轮流挖筑巢洞，在洞道的末端较宽处，垫干草和植物茎秆及一些柔软的羽毛为巢。每窝产卵4～8枚，卵白色。孵化期12～13天，育雏期19天。

【采集与加工】 巢窝土全年均可采集，可随用随取。晾干研细。粪烧成灰，研成粉备用。

三十一、黑枕黄鹂

黑枕黄鹂 *Oriolus chinensis* Linnaeus，别名黄鹂、黄莺、黄鸟、莺、鸧鹒。分布于云南、海南、台湾(留鸟)，夏季迁徙至四川、甘肃、陕西、内蒙古至东北黑龙江流域。以肉入药。

【形态特征】 黑枕黄鹂(彩图311)，体长245～270毫米。雄鸟羽金黄色而有光泽。自额基、眼先至枕部有1条宽阔的黑色贯眼纹。额部、头顶和上体均为鲜黄色，背部稍带辉绿色。初级飞羽黑色，第二至第四根飞羽外侧具白色狭缘，次级飞羽黑色，具黄色的外缘。小翼羽黑色，初级覆羽基部黑色而羽端黄色。尾羽黑色，除中央1对外均具黄色羽端，愈向外黄色部分愈大，最外侧尾羽黄色部分占尾长之半。下体黄色稍淡。雌鸟与雄鸟相似，但色泽较为暗淡，不如雄鸟鲜丽，背部黄色较多。嘴肉红色。跗跖铅灰蓝色。

【生活习性】 栖息于丘陵山地及平原林间，多在高大树木上活动。鸣声婉转动听，雌鸟叫声单调。食物以昆虫为主，尤其爱吃毛虫之类，兼食植物种子、浆果等。繁殖期5～7月份。巢呈吊篮状，以麻纤维、草茎、棉絮等编织而成，里层是细软的草茎和草穗等，内无衬垫。巢的边缘部分牢固缠绕在枝杈上。还有较宽的挡风壁，能防止大风吹落雏鸟。每窝产卵 2～4 枚，有时达 5 枚。卵椭圆形，不光滑，卵粉红色，具紫红色斑点。孵化由雌鸟承担，孵化期 14～16 天。

【采集与加工】 全年均可捕捉，捕后去掉羽毛及内脏，取肉鲜用或焙干备用。

三十二、八　哥

八哥 *Acridotheres cristatellus* Linnaeus，别名鸲鹆、普通八哥、寒皋、鹦鹆、鹩哥、凤头八哥。分布于云南西部、四川、陕西南部、河南以及华南等地。以肉入药。

【形态特征】 八哥（彩图 312），体长 240～250 毫米。通体黑色。头顶、颊、枕及耳羽具绿色金属光泽。额羽高耸呈冠状。两翼有白斑，初级覆羽先端和初级飞羽的基部白色，形成明显的白色翼斑。飞翔时尤为明显，从下面看，宛如“八”字，故有八哥之称。尾羽黑色，除中央尾羽外，均有白色羽端。下体呈灰黑色，尾下覆羽黑色，具白色羽端。嘴、跗跖黄色，爪黑褐色。

【生活习性】 常见于丘陵地带的乡村、城镇、农耕区甚至农家的庭院及屋脊上。喜爱栖息于茂密的竹林中，常数十只成群栖于村寨附近的大树上。夜间有固定的栖息场所，回巢前先在附近活动和觅食一段时间，待黄昏才飞到栖息处，集群在树上过夜。杂食性，以昆虫为主，也吃植物种子和果实等，还喜欢在牛的周围活动，或在牛背上啄食虻、蝇和虱等，常跟在耕牛后捉食犁耙从地里翻出来的蚯蚓、昆虫幼虫以及谷物等。繁殖期 4～8 月份，在古庙和古塔墙壁的裂缝中、屋檐下或树洞内营巢，巢垫以细软的稻草、松叶、苇茎、羽毛等。每年繁殖 2 次，每窝产卵 4～5 枚，卵呈亮蓝色。

【采集与加工】 全年均可捕捉，捕后去掉羽毛及内脏，取肉鲜用或焙干研末备用。

三十三、鹪　鹩

鹪鹩 *Troglodytes troglodytes* Linnaeus，别名山蝈蝈儿、巧妇。分布于全国各地。以肉入药。

【形态特征】 鹪鹩（彩图 313），体长 85～100 毫米。上体棕褐色，头顶和后颈较暗，眉纹淡黄色，由鼻孔延伸至眼后。眼先、颊和耳羽黑褐色，混杂白色斑。下背、两翼至尾羽均杂以黑色横斑。初级飞羽和次级飞羽为黑色，外侧初级飞羽外翈具淡白色和淡黄褐色相间的横斑；次级飞羽的外翈为赤褐色，具黑褐色横斑；三级飞羽内翈为赤褐色，具黑褐色的横斑。尾羽赤褐色，具黑褐色横纹。下体棕褐色，较上体稍淡。颏、喉白色，羽缘浅黄色。胸部黄灰色，自胸以下亦杂以黑褐色和白色横斑。嘴黑褐色，跗跖肉褐色。

【生活习性】 夏季多栖于高山上密林灌丛中。冬天移向较低地带，在山泉溪流沿岸的砾石堆中、丘陵起伏地带的矮树丛或竹林中栖息。主要以昆虫为食。繁殖期 5～8 月份，营巢于茂密的灌木丛间、满被苔藓的岩石堆隙间或树洞中。巢材多为枝叶、苔藓、羽毛等，巢呈碗形或圆屋顶状，从侧旁开孔出入。每窝产卵 4～6 枚，卵白色，具褐色和红褐色斑。

【采集与加工】 全年均可捕捉，捕后去掉羽毛及内脏，取肉鲜用或焙干研细备用。

三十四、河 乌

河乌 *Cinclus cinclus*（Linnaeus），别名水老鸹。分布于我国西部地区，自新疆西部至西藏、青海及甘肃西部、四川西部，为我国西部地区留鸟。以肉入药。

【形态特征】 河乌（彩图 314），体长 165～175 毫米。自额、头顶、后颈至上背，以及眼先、眼后和颈侧棕褐色，羽端的色泽较浅。上体其余部分以及两翼和尾为灰褐色，飞羽褐色，外缘带灰色。尾较短，尾羽褐色。颏、喉和胸部白色（白色型）或棕褐色（棕色型）。下胸和腹暗棕褐色。嘴黑褐色。跗跖和趾暗褐色。

【生活习性】 生活于高海拔地区，比较耐寒，常见于溪流旁，栖息范围固定。飞行迅速并伴随尖锐的叫声，常从水面掠过，有时可潜入水下觅食。食物以水生无脊椎动物及昆虫为主。繁殖期 4～7 月份。筑巢在岸边的石缝中，内垫有羊毛、茅草、苔藓等。每窝产卵 3～4 枚。孵化、育雏由雌、雄亲鸟共同承担。

【采集与加工】 春秋捕捉，捕后去掉羽毛及内脏，取肉鲜用或晾干，捣碎备用。

还有褐河乌 *Cinclus pallasii* Temminck（彩图 315），其药效与河乌近似。

三十五、暗绿绣眼鸟

暗绿绣眼鸟 *Zosterops japonica* Temminck et Schlegel，别名绣眼儿、粉眼儿、白眼儿、金眼圈等。分布于山东、陕西南部、四川宝兴至云南西北部以及东南各地。以肉入药。

【形态特征】 暗绿绣眼鸟（彩图 316），体长 107～120 毫米。前额鲜黄色。眼先黑色，眼周具白色绒状羽，故名绣眼鸟。上体暗绿色，头顶和尾上覆羽黄色。飞羽黑褐色、尾羽暗褐色；外缘绿色。颏、喉黄色。胸、两胁苍灰，腹污白色，尾下覆羽黄绿色，腋羽白而稍带黄色。嘴黑色，跗跖和趾黑色。

【生活习性】 栖息于山地林间、田野和村寨附近的高大树上，冬季集群，喜爱在阔叶林、次生林和灌木林中活动。杂食性，主要以昆虫、树芽、草籽等植物种子为食。成群觅食时，连续不断地发出唑唑声。繁殖期成对，叫声转尖而稍带颤音。繁殖期 4～7 月份。巢呈碗状，小而精致，由软草、苔藓、毛发、纤维等筑成，巢内垫以羽毛、棉花和软草茎等。每窝产卵 3～4 枚。卵呈淡蓝色，孵化期约 15 天。

【采集与加工】 春秋捕捉，捕后去掉羽毛及内脏，肉焙焦研粉备用。

三十六、小 云 雀

小云雀 *Alauda gulgula* Franklin 别名叫天子、告天鸟、石头雀、朝天柱。分布于青海、宁夏、甘肃、陕西、西藏、四川、贵州、湖南、江西、广西、福建、海南、台湾等地。以肉、脑、卵入药。

【形态特征】 小云雀（彩图 317），体长 147～154 毫米。上体棕褐色，各羽具黑褐色纵纹及淡棕色羽缘。头暗褐色夹有淡棕黄色纵纹，具不明显的羽冠。眼先和眉纹白色带黄色，耳羽淡棕栗色。飞羽黑褐色，外缘浅棕色。尾羽黑褐色，最外侧 1 对尾羽全白色，第二对尾羽外翈缘白色。下体棕白色，胸密布黑褐色纵纹。嘴褐色，下嘴基部淡黄色。跗跖肉黄色。

【生活习性】 栖息于田野和草地等环境开阔的地方。结群活动,常突然向天空直飞,边飞边叫,在草地奔走迅速,未见栖于树枝上。善歌唱,音似"吱哩喳,吱哩喳……"。主要吃昆虫和杂草籽。昆虫包括鳞翅目幼虫和蜂类、小型甲虫、蝗虫、地老虎等,也喜吃蜘蛛。繁殖期4~6月份。营巢于草丛凹陷的地面上,巢材多为草。雌鸟孵卵,双亲育雏。每窝产卵3~4枚,卵呈灰白色,具紫褐色斑。

【采集与加工】 夏、秋季捕捉,捕后去掉羽毛及内脏,取肉焙干,研细备用。脑晒干,研细。蛋鲜用或煮熟去壳,剖开,晒干备用。

还有云雀,其药效与小云雀近似。

三十七、树麻雀

树麻雀 *Passer montanus* Linnaeus,别名家雀、麻雀、雀、老家贼。分布于全国各地。以肉、卵、粪入药。

【形态特征】 树麻雀(彩图318),体长126~137毫米,体重20克左右。额至后颈暗栗褐色,背与肩棕褐色,而杂以黑色纵纹。腰和尾下覆羽沙褐色,两翅黑褐色,羽缘棕褐色,初级飞羽的外侧有2道明显的棕褐色横斑,尾暗褐色,羽缘沙褐色。眼先、颏、喉的中央呈黑色。颊、耳羽和颈侧白色,耳羽后部具黑色块斑,胸和腹灰白稍带沙褐色。嘴黑色。跗跖黄褐色。

【生活习性】 活动范围很广,一般栖息于村镇和农田附近。常结群活动,叫声嘈杂。主要以各种农作物为食,在繁殖期也捕食昆虫。繁殖期3~8月份,一年繁殖2窝。营巢于屋檐、墙缝或树洞中。巢非常简单,用草茎、树枝构成,内垫羽毛、纸屑等。每窝产卵4~6枚。卵呈白色,具褐色斑点。孵化期12天左右。

【采集与加工】 全年均可捕捉,捕后去掉羽毛及内脏,取肉鲜用。蛋可煮食,脑鲜用。粪便可四季采收,晒干(即中药白丁香)。

三十八、小鹀

小鹀 *Emberiza pusilla pallas*,别名红脸鹀、鬼头儿。除西藏及台湾外,全国都有分布。以肉入药。

【形态特征】 小鹀(彩图319),体长约130毫米。头顶中央、眉纹、颏、喉棕色,头顶两侧具黑色条斑。耳羽和眼先栗色,眼后纹黑色,沿耳羽下方绕至耳羽后缘。背、肩沙褐色,具黑褐色纵纹。腰和尾上覆羽与背同色。翼和尾羽黑褐色。下体胸、胁土黄色,具黑色纵纹。腹部污白色。嘴黑褐色。跗跖肉色。

【生活习性】 主要生活于低山丘陵和山脚平原的林缘、灌木林、草地和农田中,多集群活动,以植物性食物为主,如植物嫩芽、植物种子等,也吃鞘翅目、双翅目的昆虫及幼虫和卵。繁殖期5~7月份。营巢多在离地面不高的灌木丛的树枝上或草丛中,巢由细草、毛发和苔藓构成,巢呈杯形。一年产2窝,每窝产卵4~6枚。卵白色,具褐色或紫色斑点。

【采集与加工】 春秋捕捉,捕后去掉羽毛及内脏,肉鲜用或焙干研细备用。

三十九、灰眉岩鹀

灰眉岩鹀 *Emberiza cia* Linnaeus，别名灰眉子。除东部沿海地区外，其余地方都有分布。以肉入药。

【形态特征】 灰眉岩鹀(彩图 320)，体长约 165 毫米。雄鸟眼先和眉纹黑色，头顶中央至后颈蓝灰色，头顶的两侧各具一栗色带。耳羽上方有一短宽的栗色纹，头、颈余部均为蓝灰色。上背沙褐色，两肩栗红色，肩、背各羽均具黑色纵纹，下背及尾上覆羽栗红色。两翼黑褐色，翼上覆羽具 2 道棕白色横斑，飞羽黑褐色，羽缘淡棕褐色。中央尾羽沙褐色，羽缘淡棕色，外侧尾羽黑褐色，最外侧 2 对尾羽具白斑。腹淡棕红色。雌鸟头顶黑色条纹多，头顶中央及后颈淡灰褐色，下体较雄鸟为淡。嘴黑色。跗跖肉色。

【生活习性】 主要栖息于低山丘陵和山脚平原的次生阔叶林和林缘灌丛、草地中，在沟谷、地旁和村落附近的灌丛、草地中也常有出入。多单个活动，主要以昆虫和草籽为食。繁殖期 5～7 月份。营巢于草丛中，巢由草根、草叶等筑成。每窝产卵 4～5 枚，卵灰白色，具黑褐色斑纹。

【采集与加工】 全年均可捕捉，捕后去掉羽毛及内脏，取肉鲜用或焙干备用。

四十、黑头蜡嘴雀

黑头蜡嘴雀 *Eophona personata* (Temmick et Schelgel)，别名蜡嘴、桑扈、蜡嘴雀。分布于东北的东北部(繁殖鸟)，迁徙时经华北、长江流域一带，到湖南南部、福建、广东和贵州贵阳等地(冬候鸟)。以肉入药。

【形态特征】 黑头蜡嘴雀(彩图 321)，体长约 210 毫米。嘴强厚短粗呈锥状。额、头顶、眼先、颊基、颏、喉深黑色，额和头顶具蓝色金属光泽。耳羽棕灰色。后颈、颈侧、背、肩羽葡萄灰色，腰苍灰色。初级飞羽黑色，第一枚羽外端外翈具一道白色横斑，第二至第四枚内翈亦具相对应的横斑。次级飞羽和覆羽黑色，具蓝色金属光泽。尾和尾上覆羽黑色，有光泽。下颈苍灰色，胸呈葡萄灰色，腹以下白色，两胁暗灰色，尾下覆羽白色。跗跖、趾黄褐色。

【生活习性】 栖息于 1 300 米以下的针、阔混交林和针叶林中，也常见于阔叶混交林中。成群活动。以植物种子、浆果、草籽以及昆虫等为食。繁殖期 5～6 月份，营巢在较密集的针阔混交林中。巢呈碗状，巢材为细树枝、草根等。每窝产卵 3～4 枚，卵灰白色。

【采集与加工】 春秋捕捉，捕后去掉羽毛及内脏，取肉鲜用或烧成灰研细备用。

还有黑尾蜡嘴雀，其药效与黑头蜡嘴雀近似。

四十一、紫寿带鸟

紫寿带鸟 *Terpsiphone atrocaudata* (Eyton)，别名练鹊、绶带、长尾巴练、一枝花、长尾鹟、三光鸟、白带子、紫带子等。分布于东北、山东、江苏、湖南、福建、广东，广西、海南、台湾等地。以肉入药。

【形态特征】 紫寿带鸟(彩图 322)，体长 370～390 毫米。头部、羽冠至颈部黑色，具蓝紫色金属光泽。眼圈钴蓝色。背、肩、尾上覆羽为紫褐色，具金属光泽。飞羽黑褐色，尾羽紫黑色，中央尾羽特别长。颏、喉及前胸黑色，两腋灰黑色，下胸和腹部灰白色，杂有黑斑，尾下覆羽白色。嘴钴蓝色。跗跖、爪铅蓝色。

【生活习性】 栖息于林缘或稀疏的阔叶林地带。飞行缓慢，短距离即止。飞时长尾摇曳，在空中截捕天蛾、蝗虫、金龟子、松毛虫、蝇类等。繁殖期5～7月份。筑巢在大树的树枝分杈处，由苇草、树皮、竹叶、碎纸、苔藓等构成。每窝产卵3～4枚。卵乳白色，具红褐色斑点。

【采集与加工】 春秋捕捉，捕后去掉羽毛及内脏，取肉焙干，研细备用。

还有寿带鸟，其药效与紫寿带鸟近似。

四十二、紫啸鸫

紫啸鸫 *Myiophoneus caeruleus* (Scopoli)，别名鸣鸡、山鸣鸡、乌精、箫声鸫、黑雀儿。分布于我国东部，还见于河北和甘肃西南部至西藏南部。以肉入药。

【形态特征】 紫啸鸫(彩图323)，体长280～330毫米。前额基部、颊和眼先黑色，无斑。上体全部、头和颈的两侧及下体自颏至上腹和上胁等均为深蓝紫色。各羽先端均具淡紫色的点状斑，腹部斑形最大，肩、背次之，头和颈侧最小。飞羽黑褐色，除第一枚飞羽外，外翈缘均呈深紫色，翅上覆羽黑褐色，外翈缘有紫蓝色光泽。中覆羽先端有白色点斑。尾羽深紫蓝色，内缘黑褐色。下腹、尾下覆羽及两胁均呈黑色。嘴、跗跖黑色。

【生活习性】 栖息于山区多石的山涧、溪流旁的混交林和灌木林中，常跳跃于溪中岩石上觅食。停息时尾羽上下扭转，鸣声洪亮而尖锐，似吹箫之声。以动物性食物为主，食物主要有鞘翅目、直翅目、鳞翅目幼虫、膜翅目、双翅目等昆虫，也吃小石蟹、蜗牛及植物果实等。繁殖期4～6月份。筑巢于山溪近旁的岩隙、树杈和房檐下等处。巢呈杯状，以苔藓、苇茎、草茎等为巢材，内垫以羽毛、细草茎、叶片、根须等。每窝产卵3～4枚，卵呈淡绿色。

【采集与加工】 全年均可捕捉，捕后去掉羽毛及内脏，取肉鲜用。

四十三、乌鸫

乌鸫 *Turdus merula* Linnaeus，别名黑鸫、黑鸟、百舌鸟、牛屎唰哥、乌鹊、牛屎八、乌鸫等。分布于新疆西南部、青海西北部、甘肃西南部、陕西南部、四川中部以东和重庆等地(为留鸟或地方性旅鸟)。在海南为冬候鸟。以肉入药。

【形态特征】 乌鸫(彩图324)，体长约280毫米。雄鸟上体(包括两翅和尾羽)均呈黑色，下体黑褐色。颏、喉羽缘棕褐色。雌鸟上体(包括两翅和尾羽)均呈黑褐色，背部较淡，颏、喉呈浅栗褐色，缀以黑褐色纵纹，下体黑褐色稍带栗色。嘴黄色。跗跖和趾黑褐色。

【生活习性】 栖息于平原、丘陵地带，常活动于林区、小镇和乡村园林中，常单个或结成小群在地面上行走，在杂草、粪堆、瓜菜地里觅食。杂食性，主要食植物的果实、种子、草籽以及多种昆虫。食物随季节和地域不同而有差异。繁殖期4～7月份。营巢在乔木的树枝梢上，以树枝、须根、枯草等筑成，内垫细草、须根等，巢呈深杯状。每窝产卵4～5枚，卵呈浅绿色，具栗褐色斑纹。

【采集与加工】 全年均可捕捉，捕后去掉羽毛及内脏，取肉鲜用或焙干备用。

四十四、喜　鹊

喜鹊 *Pica pica* Linnaeus,别名鹊、客鹊。遍布全国各地。以肉入药。

【形态特征】 喜鹊(彩图 325),体长约 450 毫米,体重约 230 克。额、头顶、颈、背黑色,背部稍带蓝绿色。肩羽白色,外翈黑色,并具蓝绿色光泽。飞羽黑色,次级飞羽和三级外翈羽缘有蓝绿色光泽。尾上覆羽黑色,具深绿色光泽。颏、喉、胸黑色,腰部、两胁及腹部白色,肛周与尾下覆羽黑色。尾羽黑色,末端具红紫色和深蓝绿色的宽带。

【生活习性】 主要栖息于村落、平原和山区,经常在村旁、田野、山边与林缘活动,亦常见于居民的房顶和高大乔木上。多成对活动,有时也见有 3 对或 4 对的小群活动于空地上。性机警,不很怕人。杂食性,主要以各种昆虫及其幼虫为食,也兼食植物种子。繁殖期 4～7 月份。巢多筑在杨、桦、柳等阔叶树的树冠上,距地面 8～10 米。巢由枯树枝、杂草等构成,内垫羽毛、纤维等,巢很坚固。每窝产卵 3～6 枚。卵呈蓝绿色,具褐色斑点。孵化由雌鸟承担。孵化期 17～19 天。

【采集与加工】 全年均可捕捉,捕后去掉羽毛及内脏,取肉鲜用或焙干研细备用。

四十五、褐背拟地鸦

褐背拟地鸦 *Pseudopodoces humilis* Hume,分布于我国西北至西南地区(留鸟)。以肉入药。

【形态特征】 褐背拟地鸦(彩图 326),体长 150～170 毫米。上体沙褐色,眼先黑褐色,耳羽及颈部淡沙褐色,额至头顶褐色,并具有沙褐色羽缘。翼羽褐色,羽缘沙褐色。中央尾羽黑褐色,具棕黄色羽缘,外侧尾羽具白斑。下体淡棕色,腹部中央稍浅淡。嘴黑褐色,跗跖、趾和爪黑色。

【生活习性】 栖息于海拔 2 000～5 000 米的半荒漠草原和高原草甸。地栖性,多栖居于鼠、兔遗弃的洞穴里。在草原的地面上活动和觅食。主要以昆虫为食。

【采集与加工】 春秋捕捉,捕后去掉羽毛及内脏,取肉鲜用或焙干研细备用。

四十六、红嘴山鸦

红嘴山鸦 *Pyrrhocorax pyrrhocorax* (Linnaeus),别名红嘴乌鸦、红嘴老鸦、山老鸦、山乌。分布于新疆、内蒙古、青海、甘肃、四川西部、云南西北部以及西藏等地。以肉入药。

【形态特征】 红嘴山鸦(彩图 327),体长 310～400 毫米。嘴呈朱红色。通体纯黑色,头、后颈和背部具蓝色金属光泽,翅与尾羽有绿色金属光泽。下体较暗。跗跖及趾红色,爪黑色。

【生活习性】 主要栖息于山区岩石裸露的山崖以及丘陵地带,有时也到平原、农田一带活动。有时单独觅食,有时结小群活动。食物主要是植物种子、嫩芽等,在繁殖期吃大量动物性食物,主要是金龟子及其幼虫、蝗虫、椿象、天蛾幼虫等。繁殖期 3～7 月份。巢多筑在悬崖陡壁的窟窿或裂缝间。巢材是枯树枝,内垫羽毛、兽毛、草根等。每窝产卵 2～7 枚。卵呈青绿色,具灰褐色斑点。孵化由雌鸟承担,孵化期 17～18 天。

【采集与加工】 全年均可捕捉,捕后去掉羽毛及内脏,取肉鲜用或焙干研细备用。

四十七、大嘴乌鸦

大嘴乌鸦 *Corvus macrorhynchus* Wagler,别名乌鸦、老鸦。分布遍及全国各地。以肉入药。

【形态特征】 大嘴乌鸦(彩图 328),体长 410~560 毫米。前额突出,嘴粗大,并有明显的弯曲。全身黑色,上体除头顶、后颈和颈侧之外,均带绿色金属光泽。嘴、跗跖、爪黑色。

【生活习性】 主要栖息于山区、田野、村郊的大树上。多在耕地、路旁、垃圾堆等地活动。小群活动。步行缓慢,不跳跃。性机警,见人即飞去。叫声粗厉。杂食性,食物为玉米、花生、豆类、瓜果及农田害虫为主,亦食废弃物、腐肉等。繁殖期 4~6 月份。营巢于高大的树上,距地面高达 8~13 米。巢材为枯枝和小树枝,巢内垫以羽毛、兽毛、草根等,巢似盘状。每窝产卵 3~5 枚,卵呈蓝绿色,具褐色斑点。孵化由雌鸟承担,孵化期 15~16 天。

【采集与加工】 全年均可捕捉,捕后去掉羽毛及内脏,取肉鲜用或焙干研细备用。

还有秃鼻乌鸦,药效与大嘴乌鸦近似。

四十八、渡　鸦

渡鸦 *Corvus corax* Linnaeus,别名渡乌、老鸹。分布于内蒙古、黑龙江、宁夏(繁殖鸟),河北北部、新疆、西藏、青海、甘肃、四川、陕西、山东等地。以肉入药。

【形态特征】 渡鸦(彩图 329),体长 630~690 毫米,是鸦科鸟类中最大的一种。全身体羽黑色,上体羽带有铜蓝、紫色光泽。嘴粗大,鼻孔被向前伸展的矛状羽所掩盖。头顶、后颈、肩和背部羽毛的金属光泽较为辉亮。飞羽黑色,第四枚初级飞羽最长。尾羽只在边缘有些紫辉。颏、喉部的羽毛稍稀疏且具黑色毛状羽尖。喉及前胸具紫色光泽。下腹和肛周羽略呈绒羽状,色泽也较浅淡。嘴、跗跖、趾和爪均为亮黑色。

【生活习性】 常见于开阔地、村庄和小镇等居民点附近以及河旁、林缘等处。常结成小群或成对活动。叫声比其他的鸦科鸟类更为响亮。喜欢高飞,性凶猛。植物性食物主要为植物种子、浆果等,动物性食物主要为腐肉及各种小动物,如鱼、蛙、爬行类、鼠、鸟和鸟卵以及昆虫等。繁殖期 3~5 月份。营巢在落叶松、桦树等乔木的树杈上,也有的在悬崖陡壁的石隙或建筑物上筑巢。巢材为干树枝、枯草等,巢内垫以羽毛、兽毛、布片等,巢呈浅盘状。每巢产卵 3~7 枚。卵呈浅绿色,具褐色斑点。孵化由雌、雄亲鸟共同承担,孵化期 20~21 天。

【采集与加工】 全年均可捕捉,捕后去掉羽毛及内脏,取肉鲜用或焙干研细备用。

还有小嘴乌鸦和寒鸦,药效与渡鸦近似。

四十九、牛背鹭

牛背鹭 *Bubulcus ibis loromandus* (Boddaert),别名黄头鹭、尼鹭、畜鹭、红头官、放牛郎。主要分布于长江以南一些地区(夏候鸟)及四川、云南、广东、台湾等地(留鸟)。以肉入药。

【形态特征】 牛背鹭(彩图 330),体长 500~520 毫米。头、颈、喉及背部中央蓑羽橙黄色，身体余部白色。眼周围及眼先裸露部分黄色。冬羽全身白色，背无蓑羽。跗跖黄色，趾和爪黑褐色。

【生活习性】 栖于稻田、沼泽、池塘、湖泊等处。成对或小群活动。栖止于树上时，颈常收缩呈“S”形，飞翔时直线前进，两翼鼓动较慢。常停歇在耕牛或其他家畜背上，找食畜体上的寄生虫。食物主要为昆虫、鱼、虾、蛙、软体动物、蛇、蜥蜴、蜘蛛等。繁殖期5～7月份。常与其他鹭类混杂在一起营巢于高大乔木上，离地面2～10米。每窝产卵3～5枚，卵呈淡蓝绿色。雌、雄亲鸟共同筑巢和孵化，孵化期21～24天。

【采集与加工】 春秋捕捉，捕后去掉羽毛及内脏，取肉鲜用或焙干研细备用。

五十、池　鹭

池鹭 *Ardeola bacchus* (Bonaparte)，别名沙鹭、红毛鹭、红头鹭鸶、沼鹭、紫邬头、田螺鹭等。分布于吉林、河北、陕西、甘肃、青海、四川、西藏各地，在海南为夏候鸟、留鸟，在台湾为旅鸟。以肉入药。

【形态特征】 池鹭(彩图331)，体长450～510毫米。夏羽头部、羽冠、颈、前胸均为红栗色，肩满布蓝黑色蓑羽，向后伸至尾羽末端，身体余部白色。雌鸟体型较小，头、后颈及前胸的红栗色稍浅。冬羽无羽冠和蓝黑色蓑羽，头、颈为黑褐色和土黄白色纵纹相杂，背羽和三级飞羽棕褐色，初级飞羽的羽端黑褐色。眼先裸露部分黄绿色。嘴黄色，端部黑色。跗跖、趾浅黄色。

【生活习性】 栖息于沼泽、稻田、池塘等处，亦见于林间树上。喜群栖，常涉水觅食，栖止时伸长颈部向四周观望。平时不甚飞翔，飞时颈常曲折于两肩间呈“S”状，脚向后伸直，超过尾部，两翼振动较缓，飞行也较慢。食物为鱼、虾、蛙、螺、蝗虫、蝼蛄、蜻蜓幼虫、水生昆虫、鞘翅目昆虫等。繁殖期5～7月份。常与牛背鹭、夜鹭、白鹭等混杂在一起组成巢群。营巢在高大乔木的顶端，离地面4～9米。巢以树枝筑成。产卵2～5枚，卵呈蓝绿色。

【采集与加工】 春秋捕捉，捕后去掉羽毛及内脏，取肉鲜用或焙干研细备用。

五十一、白　鹭

白鹭 *Egretta garzetta garzetta* (Linnaeus)，别名丝禽、雪客、白鸟、鹭鸶、一杯鹭、小白鹭、白鹭鸶。分布于四川、陕西南部、河南、江苏南部及以南各地(夏候鸟、留鸟)，在海南、台湾为留鸟。以肉入药，称鹭肉。

【形态特征】 白鹭(彩图332)，体长450～670毫米。全身体羽白色，枕部着生2根狭长而软的矛状羽，长达10余厘米。肩及肩间着生蓑羽，向后伸至尾部。前颈着生许多矛状羽，向下披至胸前。背、胸均被以疏松的羽毛，冬季蓑羽及矛状羽均脱落。眼先粉红色，脸的裸露部分黄绿色。嘴黑色，嘴裂处及下嘴基部淡黄色。胫与跗跖黑色，趾黄绿色。

【生活习性】 栖息于稻田、沼泽、池塘、湖泊、海岸的浅滩处。常成群活动于稻田、沼泽、池塘、湖泊等处。停立时，仅以一脚着地。栖止于树上时，头缩成驼背状。飞时颈缩于两肩间，脚向后伸直。食物主要为鱼类、昆虫及甲壳动物，有时也啄食蛇和蜥蜴。繁殖期5～7月份。营巢于乔木树梢上，常与其他鹭类组成巢群。巢离地面1.5～10米。每窝产卵3～4枚，卵呈蓝绿色。雌、雄亲鸟共同营巢、孵化和育雏。孵化期 23 天左右，幼鸟 25～30 天离巢。

【采集与加工】 春秋捕捉，捕后去掉羽毛及内脏，取肉鲜用或焙干研细备用。

五十二、大白鹭

大白鹭 *Egretta alba* (Linnaeus)，别名白鹭、鹭鸶、白漂鸟、大白鹤、鹭满贯、白庄、雪客等。分布于新疆、内蒙古东部、黑龙江、吉林、辽宁、河北、福建、云南(繁殖鸟)，西藏、广东、海南、台湾(冬候鸟)。以肉入药。

【形态特征】 大白鹭(彩图 333)，体长 965～1 100 毫米，为白鹭中体型最大的一种。全身羽毛白色，头具短小羽冠，肩及肩间着生 3 列长形蓑羽，向后伸展至尾部。冬季背无蓑羽，头无羽冠。眼先裸露部分黑色。嘴黑色，胫的裸露部分肉红色带灰色，跗跖、趾黑色。冬季，嘴黄色，眼先裸露部分黄绿色。

【生活习性】 栖息于海滨、河川、水田、沼泽、池塘、湖泊等地。常三、五只小群活动。性畏人，见人即飞。步行时则颈收缩呈“S”形，飞时亦如此，脚向后伸直，超过尾部，速度较慢。食物以鱼类为主，亦食虾、蛙及蝌蚪、蜥蜴、甲壳动物、软体动物、水生昆虫、直翅目昆虫(蝼蛄、蝗虫)、鞘翅目昆虫及蠕虫等，偶尔亦食幼鸟和小型啮齿类动物。繁殖时常与其他鹭类混在一起组成巢群。繁殖期 5～7 月份。营巢于高大的乔木林中。1 棵树上有巢 3～5 个，多的达 7 个。巢离地面 4～20 米。隔 1 天产 1 枚卵，每窝产卵 3～6 枚。卵天蓝色，呈椭圆形。营巢、孵化和育雏由双亲共同进行。孵化期 25～26 天，雏鸟 30～42 天离巢。

【采集与加工】 春秋捕捉，捕后去掉羽毛及内脏，取肉鲜用或焙干研细备用。

五十三、黄脚三趾鹑

黄脚三趾鹑 *Turnix tanki blanfordii* Blyth，别名鹩、田鸡、水鸡、三爪爬、水鹌鹑、黄地闷子。分布于东北、河北、河南、陕西、山东及长江中下游(夏候鸟)，湖南、福建、贵州、广东、广西、云南及海南(冬候鸟)。以肉入药。

【形态特征】 黄脚三趾鹑(彩图 334)，体长 153～160 毫米。头顶和枕黑褐色，具栗黄色羽缘。有一灰白色带斑从头顶中部延伸到后颈基部。颊、耳羽、眼先及眼周淡棕黄色，具黑色羽端。下颈及颈侧具栗红色块斑，其上散布淡黄色和黑色斑点。背和两肩灰褐色，杂以黑色块斑及棕色斑纹。腰部至尾羽暗灰褐色，具黑色和栗色的斑纹。翼上覆羽淡黄色，羽端具黑色圆斑，初级飞羽和次级飞羽橄榄褐色，外翈羽缘淡黄色。颏、喉淡黄色，胸橙栗色，下胸及两胁浅黄色，具黑色斑点。腹部淡黄白色，尾下覆羽栗黄色。嘴黑褐色，跗跖黄色。

【生活习性】 常在山坡灌丛、草原中活动。性畏人，善隐蔽。平时多在地上觅食，或潜行于草丛或灌丛中。在地上步行时，十分迅速，少见飞行。受惊时立即起飞，但飞行距离不远。多单个或成对活动，迁徙时结群。以杂草种子、软体动物及昆虫等为食。繁殖期 4～6 月份。营巢于草丛、灌木间。巢非常简陋，筑于地上凹陷处，巢内垫以稻草、枯草、麦秆等。每窝产卵 4 枚。卵呈淡黄白色，具紫色或黄色斑点。孵化育雏全部由雄鸟承担。孵化期 12 天，雏鸟 10～12 天离巢。

【采集与加工】 春秋捕捉，捕后去掉羽毛及内脏，取肉鲜用。

五十四、普通秧鸡

普通秧鸡 *Rallus aquaticus* Linnaeus，别名秧鸡。分布于东北、内蒙古、河北、青海和四川西南部(留鸟)，浙江、湖北、福建、广东、台湾、新疆、甘肃(冬候鸟)。以肉入药。

【形态特征】 普通秧鸡(彩图 335)，体长 254～290 毫米。头顶至后颈黑色，背、肩、腰、尾上覆羽橄榄褐色，满布黑色纵斑。眉纹灰白色，贯眼纹灰褐色。两翼橄榄褐色，中、小覆羽具白色横斑。颏、喉、前颈灰白色。胸部黄褐色，两胁、腹部和尾下覆羽黑色，具白色横斑。嘴红褐色，跗跖黄褐色。

【生活习性】 主要栖息在河湖岸边与沼泽湿地的芦苇丛和水草丛中，有时也活动于稻田中。单个或成对活动，有时结成小群。平时很少飞翔，多在地面上行走或在草丛中穿行。性畏人，见人迅速钻入水草中，迫不得已时，才作短距离飞翔。食物以水生昆虫、小鱼、甲壳类、软体动物、蝗虫等为主，也食少量植物种子和藻类。繁殖期 5～6 月份。营巢于沼泽、湖畔、湿地、水草丛中或芦苇丛中。巢由芦苇和水草的茎叶构成，巢呈盘状。每窝产卵 5～7 枚，卵呈褐色或淡黄褐色，具红褐色斑点。孵化由雌、雄亲鸟共同承担。

【采集与加工】 春秋捕捉，捕后去掉羽毛及内脏，取肉鲜用。

五十五、黑 水 鸡

黑水鸡 *Gallinula chloropus* (Linnaeus)，别名红骨顶、江鸡、水老鸹。分布于新疆、黑龙江、西藏等地，在海南、台湾为留鸟。以肉入药。

【形态特征】 黑水鸡(彩图 336)，体长 300～345 毫米。头、颈灰黑色。背、肩羽及尾羽均为橄榄褐色。初级覆羽及飞羽黑褐色，第一枚初级飞羽外翈白色。下体灰黑色，向后渐浅，下腹具黑白相杂的块状斑，两胁具宽阔白色条纹。尾下覆羽中央灰黑色，两侧白色，杂以黑褐色横斑。嘴端黄色，嘴基及额鲜红色。跗跖至胫跗关节上方两侧橙红色，后面暗褐色，跗跖前缘黄绿色，后缘及趾灰绿色。

【生活习性】 主要栖息于沼泽或近水的灌丛中，也常见于稻田和其他庄稼地。单个或成对活动，很少结群。以水生昆虫、蠕虫、软体动物及植物嫩芽等为食。繁殖期 4～6 月份。营巢于沼泽地的草丛及有水的芦苇丛中。每窝产卵 5～10 枚。卵呈土黄色或乳白色，具褐色或红褐色斑点。孵化由雌、雄亲鸟共同承担，孵化期 18～22 天。

【采集与加工】 春秋捕捉，捕后去掉羽毛及内脏，取肉鲜用或焙干备用。

五十六、小 杓 鹬

小杓鹬 *Numenius borealis minutus* Gouzd，别名小麻鹬、小油老罐子，为国家重点保护种类。分布于内蒙古、黑龙江向南至福建、广东和台湾(旅鸟)等地。以肉入药。

【形态特征】 小杓鹬(彩图 337)，体长 300～310 毫米。额、头顶和枕部黑褐色，杂以棕黄色点斑。头顶中央和眼上方具棕黄色冠纹，两侧冠纹黑色，贯眼纹黑褐色。上体黑褐色，羽缘灰白色或棕黄色形成斑纹。头侧、颈、胸及胁淡褐色，杂以黑褐色斑纹，腰与尾羽淡褐色，具黑褐色横纹。飞羽黑褐色与白色相间,腹部及尾下覆羽灰白色。嘴微下弯,棕黄色,先端黑褐色。跗跖青灰色。

【生活习性】 常见于海滨、河流、池塘、沼泽、草原、稻田等处。通常2～3对小群活动,有时结成大群活动。以小鱼、虾、软体动物、蚯蚓和昆虫等为食。繁殖期4～6月份。营巢于河畔、沼泽草丛中的凹处。每窝产卵4枚。卵淡绿、灰绿等色,具褐色斑点。

【采集与加工】 全年均可捕捉,捕后去掉羽毛及内脏,取肉鲜用或焙干研细备用。

五十七、白腰杓鹬

白腰杓鹬 *Numenius arquata orientalis* Brehm,别名大杓鹬、麻鹬、弯嘴鹬、油老罐子、构捞等。分布于内蒙古(繁殖鸟),在西藏南部、长江下游、福建、广东、海南、台湾越冬。以肉入药。

【形态特征】 白腰杓鹬(彩图338),体长575～630毫米。头、颈淡褐色,上体黑褐色,羽缘棕褐色和灰白色形成纵纹。飞羽黑褐色,翼上覆羽具白色斑。下背、腰及尾上覆羽白色,尾羽亦白色,具黑褐色横纹。颈、前胸淡褐色,具白色纵纹。下胸白色,杂以浓密的黑褐色斑纹。胸侧和两胁黑褐色,具波状白斑。腹、胁部白色,具黑褐色斑点。下腹及尾下覆羽白色。嘴长而弯,黑褐色。跗跖铅色。

【生活习性】 常栖息于水边沼泽地带及湿地草甸和稻田中。结群活动。以小鱼、虾、蟹、螺、蚌等软体动物为食。繁殖期4～6月份。营巢于地面杂草丛中。每窝产卵3～5枚。卵淡绿色,具褐色斑。孵化由雌、雄亲鸟共同承担,孵化期28～30天。

【采集与加工】 全年均可捕捉,捕后去掉羽毛及内脏,取肉鲜用或焙干备用。

五十八、红脚鹬

红脚鹬 *Tringa totanus totanus* (Linnaeus),别名水扎子、红脚扎子、赤足鹬、东方红腿等。分布于内蒙古、甘肃、四川西北部、西藏等地(繁殖鸟),长江以南各地及海南、台湾(冬候鸟)。以肉入药。

【形态特征】 红脚鹬(彩图339),体长260～280毫米。头至上体浅红褐色,各羽中央具黑褐色纵纹和横斑。眉纹白色。背、肩及翼上覆羽具黑色与白色相混杂的斑点。初级飞羽和初级覆羽黑褐色,内翈具白色斑,端部亦白色,杂以黑褐色斑;次级飞羽和大覆羽端部形成明显的白色块斑;三级飞羽和小覆羽灰褐色。腰、尾上覆羽和尾羽白色,具黑褐色横斑。下体白色,满布暗褐色纵纹,尤以下喉和上胸为多,在胁部则转为横斑,尾下覆羽端部具黑褐色羽干纹和横斑。嘴红色,先端黑色。跗跖橙红色。

【生活习性】 栖息于海岸、沼泽、池塘、河口等地。结小群活动。以小鱼、小虾、昆虫、软体动物、甲壳类动物等为食。繁殖期5～7月份。营巢于干草丛中。每窝产卵3～5枚,卵淡绿色,具褐色斑点。孵化以雌鸟为主,孵化期23～25天。

【采集与加工】 全年均可捕捉,捕后去掉羽毛及内脏,取肉鲜用。

五十九、红 嘴 鸥

红嘴鸥 *Larus ridibundus* Linnaeus,别名笑鸥、普通海鸥、赤嘴鸥、钓鱼郎、水鸽子。分布于新疆、内蒙古、黑龙江、吉林(繁殖鸟),在黄河流域、西藏及长江以南各地及海南、台湾越冬。以肉入药。

【形态特征】 红嘴鸥(彩图 340),体长 315～410 毫米。头、颈暗红褐色,后部转为黑褐色,眼圈白色。上背、大覆羽外侧和初级覆羽为白色,下背、肩、腰及内侧覆羽和次级飞羽均为灰色。飞羽先端、尾上覆羽和尾羽皆为白色。下体全为白色,胸、腹部略带淡灰色。冬天头部羽色变淡,头顶和后头淡灰色,后颈灰色或淡褐色,前颈、眼和耳羽具灰褐色斑。嘴赤红色,先端黑色。跗跖和趾赤红色,冬时转为橙黄色,爪黑色。

【生活习性】 栖息于沿海及内陆湖泊、河流等处。冬季亦见于水田中。常三、五成群活动于水面,善游泳,不能潜水。以鱼、虾、水生昆虫、软体动物等为食。繁殖期 5～7 月份。集群繁殖,营巢于水边草堆、芦苇丛中或平坦而潮湿的地上。巢非常简陋,由香蒲、苔草、芦苇等堆积而成。每窝产卵 2～4 枚,卵呈淡绿色,具褐色斑点。孵化期 23～24 天。

【采集与加工】 全年均可捕捉,捕后去掉羽毛及内脏,取肉鲜用或焙干备用。

第六章 兽 类

一、刺 猬

刺猬 *Erinaceus europaeus* Linnaeus,别名猬鼠、猬、刺球子、毛刺、刺鱼、刺鼠。分布于我国从东北、华北至长江中下游各地。皮刺和干燥胆囊入药。

【形态特征】 刺猬(彩图 341),体型肥短,体长 157~287 毫米,体重 400~900 克。头宽而吻尖,眼小,耳短。身体背面及两侧密生尖刺,刺粗而硬。四肢短小,爪较发达,尾短。

刺猬脸部为深褐色。全身的尖刺颜色变异较大,大致分为 2 类:一类为纯白色,为数较少。另一类基部为白色或土黄色,中间棕色或黑褐色,尖端又为白色。因此,整个体背呈土棕色。腹面及四肢长有细而硬的白毛。四足浅褐色,尾上也覆有白毛。

【生活习性】 广泛栖息于山地森林、平地草原、开垦地及荒地、灌木或草丛等各种类型的环境中,以平原丘陵、灌草丛中为多。做窝于低洼地或山谷倒木、树根或石隙、墙脚下。白天躲藏于窝内,早晚多在阴潮的地方活动,有时甚至进入房屋。有冬眠习性,一般在秋末 10~11 月份开始,到翌年 3~4 月份出眠。刺猬身体能自由伸缩,遇敌时蜷缩成球状,将头尾及四肢藏于身内,背上尖刺丛立,以保护身体安全。刺猬是杂食性动物,以鼠类、幼鸟、鸟卵、蛙、小蛇、蜥蜴等小动物为食,也吃昆虫及其幼虫。此外也吃一些植物性食物,如橡实、野果、葡萄、桑椹等。每年繁殖 1~2 次,多在春季。每胎 3~6 仔,多至 8 仔。初生幼仔体色发红,有软刺而无毛。

【采集与加工】 可全年采收皮刺和胆囊,胆囊阴干备用。

二、缺齿鼹

缺齿鼹 *Mogera robusta* Nehring,别名鼹鼠、地爬子、田鼠。分布于我国偏于北部地区,包括东北地区的西南部及内蒙古、河北、山东、山西、陕西等地。以去除内脏的干燥全体入药。

【形态特征】 缺齿鼹鼠(彩图 342),体型呈圆筒形,体长约 220 毫米。吻部尖削,鼻部延长,伸到口的前面。眼小,耳壳缺失,耳孔隐于毛中,颈短。前肢短而粗,足宽扁,掌心向外折转,爪粗大,不锐利。后肢细小,不发达。尾粗短。

全身被毛细软而稠密,带有金属光泽,似天鹅绒状。头部及身体背部深褐色而略带深灰色。身体腹面呈灰棕色,沿腹面中央有 1 道宽形的金黄色纹,尾部灰褐色。

【生活习性】 缺齿鼹多栖息在阔叶林或森林草原地带。喜欢在土壤潮湿、植物丰富、昆虫繁多的地方生活。善挖土,营地下生活,视觉低下而听觉发达。缺齿鼹的洞道复杂,呈网状分布,洞道网中央有巢穴。冬季进入更深的洞道中生活,不冬眠。缺齿鼹以昆虫的成虫、蛹、幼虫及蠕虫、蚯蚓、蜘蛛等小动物为食,有时也吃蛙、蛇、小鸟、小兽。食量很大,每天所吃食物的重量超过体重。每年繁殖 2 次,每胎 3~5 只,妊娠期约 1 个月。

【采集与加工】 可全年捕获,去除内脏,干燥全体备用。

三、马铁菊头蝠

马铁菊头蝠 *Rhinolophus ferrume-quinum* Schreber，别名盐老鼠、夜燕、大菊头蝠。主要分布于吉林、河北、陕西、山东、四川、云南等地。以去内脏干燥全体和干燥粪便入药。

【形态特征】 马铁菊头蝠(彩图343)，体长60多毫米，体重20克左右。鼻部有复杂的叶状皮肤衍生物，形成特殊的鼻叶。耳宽大，无耳屏，其尖端较尖。由指骨末端向上至上膊骨，向后至体侧、后肢及尾间，生有翼膜，股间膜后端尖出，呈三角形。体毛细密柔软。背部毛色呈浅棕褐色，腹毛为灰棕色。

【生活习性】 白天栖息在山洞中。用后肢将身体倒挂休息。群居，清晨和黄昏时出来活动，借助发出的声波遇障碍物所产生的回音指示飞行。多在池塘、河边的草地等昆虫出现最多的地方捕食，捕食昆虫的量很大。10～11月份开始冬眠。早春产下1～2仔，小蝙蝠紧咬住母体胸部的乳头，以背部靠近母体腹部，两足倒挂起来，或匍匐在母体腹下。

【采集与加工】 捕后去内脏及毛、爪，晒干或风干备用。可全年采收粪便，去净泥土杂质，干燥备用，药材名夜明砂。

四、家　犬

家犬 *Canis familiaris* Linnaeus，别名狗、犬、地羊。分布于全国各地。以睾丸、阴茎、胃结石、干燥骨骼及肉入药。

【形态特征】 家犬(彩图344)，是人们熟悉的家畜，品种繁多，各品种间的体型、大小和毛色变异很大。一般的家犬鼻吻较长，眼呈卵圆形，两耳或竖或垂，脚趾上有爪，但爪不能伸缩。尾巴为镰刀形或环形。

【生活习性】 犬本为肉食性动物，由于长期驯养的结果，家犬已变为杂食性动物了，听觉与嗅觉很灵敏，记忆力强，奔跑迅速。家犬8～12月龄性成熟，每年繁殖1～2次，每次产2～3仔或多达10仔不等。

【采集与加工】 将狗杀死后，剥取阴茎及睾丸，去净附着的肌肉和脂肪，拉直，晾干或烘干，药材名狗肾。"狗肾"全年均可采收，但以冬季为好。杀狗时剖腹开胃，如发现有胃结石，取出，去净皮膜，清水洗净阴干，药材名狗宝。"狗宝"全年均可采收。杀狗时剔下肌肉供食用和药用，骨骼挂于通风处晾干备用，药材名狗骨。

【养殖方法】 大规模饲养犬较少，一般是家养几只。犬的食物都是拣食人的残羹剩饭，若饲养规模稍大些，就需配料，成年犬每天喂2次，幼犬每天喂3次，适当增加一定比例豆饼粉和肉骨粉。因养犬目的的不同，犬的体格大小不同，饲养各异。

管理方面要搞好圈舍卫生，按时接种狂犬病、犬瘟热等疫苗。

犬8～12月龄性成熟，雌犬性成熟出现第一次发情征候后，每过6个月出现1次。一般每年春、秋两季发情，雌犬发情期为4～12天，发情后2～3天排卵，此时是交配的最佳时间。雌犬发情表现为烦躁不安，吠声混浊，频频排尿，阴门肿胀、潮红，流出带有血液的红色粘液。交配以自然交配为主。最好在饲养雌犬的地方进行交配。应选择早晨交配，1次交配时间为15～20分钟。第一次交配后，间隔1～3天进行复配，这样可获得较高的受胎率。犬配种后，妊娠期约63天。犬的母性较强,绝大多数可靠哺乳完全成活。犬的繁殖年龄可长达12～15年。实行规模化养犬,其饲养技术可参阅金盾出版社出版的《养狗驯狗与狗病防治》、《肉狗的饲养管理》等书。

五、狼

狼 *Canis lupus* Linnaeus,别名灰狼、灰狗。分布于全国各地(除台湾、海南、云南最南缘外)。以狼油、骨骼、去皮肉入药。

【形态特征】 狼(彩图345),外形与家犬相似,体长1～1.6米,体重30～40千克。躯体强壮,四肢有力。吻部较尖,耳中等长,直立,尾从不卷起。整个头部及躯体背面以及四肢外侧毛色均呈黄褐色或棕黄色,杂有灰黑色。腹面及四肢内侧的毛色浅棕色或棕白。口须黑色。由于地区不同和个体变异,毛色变化较大。一般生活在我国西北地区的毛色较浅,而南方的毛色深暗。

【生活习性】 栖息范围很广,包括山地、丘陵、平原、草原、森林地带、荒漠等。狼一般成群或结对生活,也有独居的。在北方,冬季多集结成大群。在近水源的岩洞、矮林等处做窝,以抚育幼仔。听觉、嗅觉和视觉都很灵敏。活动范围很大,晨昏活动频繁。善于奔跑,性机警、多疑。食性很杂,主要以中、小型兽类为主,也袭击体型比它大的动物。

每年繁殖1次,冬末春初交配,雄狼为争雌常发生争斗。1头雌狼与1头雄狼交配,妊娠期60余天,每胎产仔5～10个,雌、雄共同抚养幼仔,常常呕出半消化的食物,喂给断奶后的仔狼。仔狼生后2～3年性成熟,寿命12～15年。

【采集与加工】 四季都可捕猎,以秋、冬季为好。捕获后杀死,去皮和内脏,取肉、脂肪和骨备用。

六、赤　狐

赤狐 *Vulpes vulpes* Linnaeus,别名狐狸、狐、龙狗、毛狗、草狐、红狐。分布于黑龙江、吉林、辽宁、新疆、内蒙古、湖北、湖南、河北、广西、福建等地。以心脏和肺脏、胆、肉入药。

【形态特征】 赤狐(彩图346),体型纤长,四肢短。体长600～800毫米,体重5～10千克。吻尖而长,耳直立,又高又尖,尾较长,400～500毫米,尾形粗大,覆毛长而蓬松。体背毛色变异较多,一般为棕黄色或趋棕红,或呈棕白色。前胸及腹部毛色浅淡,乌灰色或乌白色。四肢浅褐色或棕色。尾部背面红褐色而带黑、黄或灰色细斑,尾腹面为棕白色,尾梢白色。身上有特殊的臊臭味。

【生活习性】 广泛栖息在森林、草原、荒漠、高山、丘陵、平原等各种不同环境。常以土穴、树洞、旧獾洞为窝。经常是几只住在同一洞穴。夜行性,食性很杂,鼠类为主要食料,也吃鸟类、蛙、浆果等食物。每年繁殖1次,1～2月份交配,妊娠期2个月,每胎3～6只,最多可达13只。仔狐12～14天开始睁眼,1个月或1个半月出洞活动,当年秋季可独立生活。赤狐每年换毛2次,3月底到5月初换夏毛,9月份换冬毛。寿命13～14年。

【采集与加工】 四季皆可捕猎。捕获后杀死,剖腹,取心脏及肺、胆囊置通风干燥处阴干备用。狐狸肉及心也可鲜用。

【养殖方法】 饲养赤狐可采取笼养的方法。狐的繁殖有明显的季节性和周期性，应根据各个生理时期采取不同的饲养管理方式。8月底至翌年1月中旬为狐的准备配种期。1月中旬到4月上旬为狐的配种期，此期要保持饲养场内安静，充分供给饮水，合理饲喂。种公狐每天配种结束时补饲1次，补饲应以优质、适口性好的饲料为主，饲料比例为肉、鱼类40%，肝15%，奶、蛋类45%。母狐交配后，进入妊娠期。在管理方面要创造安静的环境，供足饮水。预产期前2周，应准备产仔箱，清理消毒后垫上柔软的垫草。

狐9～11月龄性成熟，属季节性一次发情动物，一年只繁殖1次，繁殖季节在春季。笼养狐的交配日期在1月中旬至3月中下旬。配种方法有自然交配和人工授精。自然交配可采用合笼饲养交配或人工放对配种。我国养狐场都采用后一种方式。放对交配应选在早晨、傍晚和凉爽的天气进行。配种时把雌狐放入雄狐笼内交配。一般再复配1～2次，可提高受胎率。采用自然交配方式配种的狐场雄、雌狐比例为1:3～8。雌狐受孕后食欲增加，毛色光润，性情变得温和，30天后可见其腹部膨大，稍有下垂。妊娠期为51～52天。雌狐产仔一般在3月中旬至5月中旬。在产仔前几天，雌狐拔掉乳房周围的毛，并用撕下的毛絮窝。产仔前一般停食1～2顿。产仔时间多在晚间和清晨。分娩过程持续1～2小时。仔狐产出后，正常情况下不需要专门护理，如果产仔数多，母狐泌乳量少，母性不强时，可以采取代养或人工喂养。仔狐20～25日龄以后需进行补饲，一般8周龄断乳分窝。其具体养殖方法可参阅金盾出版社出版的《养狐实用新技术》、《狐的人工授精与饲养》等书。

七、貉

貉 *Nyctereutes procyonoides* Gray，别名狸、土狗、椿尾巴、毛狗。主要分布于黑龙江、辽宁、内蒙古、北京、河北、陕西、安徽、浙江、广东、广西、四川等地。以肉入药。

【形态特征】 貉(彩图347)，体形似狐，但较小。体长500～600毫米，体重4～6千克。身躯肥壮，吻部较短而尖，头部两侧具有侧生长毛。耳小而圆，四肢短，尾粗而短，尾毛长而蓬松。面部有醒目的“八”字形黑纹。毛色乌棕，背部有界限不清的黑色背纹，体侧毛色较浅，四肢乌褐色。由于个体变异和分布的原因，毛色深浅会有差异。

【生活习性】 貉生活在河谷、草原和靠近河川、溪流、湖沼附近的丛林中。穴居，一般利用其他动物废弃的旧洞或以石隙、树洞为窝。白天休息，夜间出来活动。行动不如狐、豺敏捷，性情较温驯，会爬树、游泳。独居或五、六只成群。我国北方的貉，冬季有非持续性冬眠的习惯。食性较杂，以鱼和鼠类为主，也食蛙、虾、蟹、昆虫、浆果、谷物等食料。2～3月份为繁殖期，妊娠期52～79天。每胎产仔5～12只。幼兽当年秋天可独立生活。

【采集与加工】 全年均可捕猎。杀死，去皮毛、内脏、骨骼，取肉鲜用或阴干备用。

【养殖方法】 貉可进行笼养或圈养。饲养舍要安静、通风、干燥、凉爽、光照好。貉不耐高温，夏季需搭遮阳棚，并在地面洒水降温。在冬季，貉有非持续性冬眠的习性，要限食，保持安静，饲养舍注意保温。

貉9～10月龄性成熟，2～3月份为发情配种期，1年繁殖1次。发情期雄貉睾丸膨大、下垂，活泼好动，经常发出“咕咕”的求偶声。雌貉精神不安，食欲减退，阴门肿胀、外翻，颜色暗红，阴门开口呈“T”字形，有粘稠分泌物。配种采用放对方法，通常将雌貉放入雄貉笼内配种。貉交配时间较短，一般在10分钟以内。雌貉达成初配后，最少应复配2次，以确保雌貉受胎和有较高的胎产仔数。1只雄貉可交配3～4只雌貉。雌貉妊娠期平均59.59天。妊娠后的雌貉变得温顺,食量增加,妊娠40天后可见其腹部下垂,行动迟缓。雌貉产仔多集中在4月下旬至5月初。临产前废食或减食,多在夜间产仔。仔貉15～20日龄长出牙齿,可以采食糊状食物。45～60日龄可断乳。可参阅金盾出版社出版的《实用养貉技术》、《毛皮兽养殖技术问答》等书。

八、棕 熊

棕熊 *Ursus arctos* Linnaeus,别名熊、人熊、马熊、罴。分布于东北、西北和西南等地区,为国家二级保护动物。以骨、肉、掌和干燥胆囊入药。

【形态特征】 棕熊(彩图348),体型较大,体长2米左右,体重200～300千克。头部宽圆,吻部长,鼻阔,鼻端裸出,耳明显,内外都被有长而柔软的毛。肩部隆起,四肢粗健,脚掌裸出,有厚实的足垫。尾短。毛色为棕黑色,鼻面部毛短,为栗棕色,耳朵被有黑棕色的长毛,下颏暗栗棕色。腹面毛色浅些,四肢几近黑色。

【生活习性】 主要生活在森林中,阔叶林、针叶林或混交林都是其理想的栖息地。冬眠的洞穴一般在树洞里、倒木根下或岩石间,洞内铺着苔藓和枯草。冬眠时间一般为每年10月底或11月初到翌年的3～4月份。除了交配期外,雌、雄单独栖居,母熊则常带着幼仔一起活动。主要在白天活动,行动较缓慢,视觉和听觉迟钝,味觉较灵敏。能游泳、爬树。杂食性,但以植物性食物为主,包括青草、嫩叶、苔藓、蘑菇、松子、各种浆果等,此外也食狍、鹿、山羊和野猪的幼仔或鸟卵、松鼠等,更喜欢挖蚂蚁窝和掏蜂巢。

每年夏季5～7月份发情。雌熊是隔年生育一次,妊娠期6～7个月,一般于12月份到翌年2月间产仔,每胎1～2只。哺乳期为4个月,断乳后,母熊对幼熊仍有较长时间的护育。雌熊4岁时才可生殖,但到10～12岁时才完全发育成熟。棕熊寿命很长,一般为30年。

【采集与加工】 国家保护动物,不得猎杀。

与棕熊近似的还有黑熊,也是国家二级保护动物。

九、黄 鼬

黄鼬 *Mustela sibirica* Pallas,别名黄鼠狼、黄狼、地猴、鼬鼠、鼠狼子。分布于我国各地区。以肉入药。

【形态特征】 黄鼬(彩图349),是一种常见的小型兽类。两性个体大小有明显差异,雄性体长340～400毫米,体重约1 000克;雌性体长为280～340毫米,体重210～600克。体型细长,四肢短,头略圆,唇有须,耳壳短宽,稍突出于毛丛,颈部长,尾长约为体长之半。肛门附近有分泌腺1对。全身毛色棕黄或橙黄,腹面颜色略淡。随地理环境和季节不同,毛色会有变化。

【生活习性】 主要生活在平原、沼泽、丘陵、山区和高原等地域,以河道纵横的水网地区为多,也能进入城镇、村庄栖居。一般独居,除繁育期筑巢定居,其他时期无固定巢穴。多栖于墙洞、乱石堆、柴草堆等处。善疾走,胆大,嗅觉灵敏而视觉较差。善于钻越缝隙和洞穴,还会游泳、爬树。遇险时,会从肛门腺分泌油性黄色臭液。食物广泛,主要捕食鼠类、两栖类和昆虫。

2～4 月份进入繁殖期,妊娠期 30～40 天,每胎产仔 5～6 只。出生幼仔全身粉红色,被稀而短的白毛。2 月龄时,可长成夏毛。约 45 日龄时断乳。

【采集与加工】 全年均可捕猎。捕获后杀死,剥皮,去内脏、骨骼,取肉烧炭存性,研末备用。

【养殖方法】 可以舍饲、笼饲或露天圈养。舍饲可利用砖制和木制房屋,屋内放置多个巢箱。笼饲专为育幼仔,笼内设巢室。露天圈养面积要大于 9 平方米,围墙必须用石灰或水泥粉刷光滑,圈中央堆成土堆,周围挖多个洞。

黄鼬 8～10 月龄性成熟,年产 1 胎。发情交配期多在 4～5 月份。发情的黄鼬活动频繁,雄鼬睾丸膨大,呈圆形。雌鼬外阴部明显红肿,阴唇外翻,有粘液,此时可放对交配。交配时间为 1～4 小时。1 雄可配多雌,比例以 1∶5～6 为宜。初配后应复配 2～3 次。雌黄鼬妊娠后,如果是散养的要放入笼内饲养,便于产后的饲养管理。一般雌鼬妊娠 10～15 天后,腹部略膨大,食量增加。临产前表现不安、拒食,用草堵住巢箱出入口。产前 4～5 天应把柔软的垫草放进巢箱内,供雌鼬做窝。产仔时不宜打扰,黄鼬母性极强,仔鼬 1 月龄时睁眼,哺乳 40 多天可断乳。

十、香　鼬

香鼬 *Mustela altaica* Pallas,别名香鼬子、香鼠。主要分布于我国北方各地。以肉入药。

【形态特征】 香鼬(图 6-1),体形像黄鼬,但较小。体长 210～340 毫米,体重 100～200 克。身体细长,颈长,四肢短,一般尾长不及体长一半。夏季背部毛色为暗棕黄色,两边体侧毛色逐渐变淡,腹面为淡黄色或橘黄色,与体背形成明显毛色分界。冬毛背腹分界不明显,几乎呈一致的黄褐色。不同个体毛色变化较大。背毛有深棕色、沙黄色、黄色、浅棕黄色,腹面有白色、棕黄色、黄白色。

图 6-1　香　鼬

【生活习性】 栖息在森林、草原、高山灌丛及草甸处。通常独居,利用其他动物的洞穴为巢,或在岩隙、树洞或乱石堆等处休息。白天、夜间均活动,清晨和黄昏最活跃。主要以小型啮齿动物为食,也捕食鸟类、鱼类等。2～3月份交配,妊娠期40多天。每胎产仔7～8只。

【采集与加工】 捕获后杀死,除去皮毛、内脏和骨骼,取肉晾干,捣细即成。

十一、艾 鼬

艾鼬 *Mustela eversmanni* Lesson,别名地狗、两头乌、黑脚鼬、艾虎。主要分布于我国长江以北地区。以肉和鲜脑入药。

【形态特征】 艾鼬(彩图350),是一种体型较大的鼬类。体长315～460毫米,体重500～1 000克。吻部钝,颈稍粗,四肢短小,尾短而细。身体背侧为棕黄色或沙黄色,腰和臀部的毛为黑、褐色相混杂。唇和鼻周围为白色。胸、腹部和四肢为黑褐色。尾同背部毛色,末端黑褐色。

【生活习性】 栖息于开阔山地、草原、森林和灌丛及村庄附近。独居,夜行性,性凶猛,行动敏捷,能游泳、攀缘。自己挖洞或侵占其他动物的洞穴作巢。主要以啮齿动物为食,也食鸟类、鸟卵、小鱼、蛙类、浆果等。2～3月份交配,妊娠期约60天,每胎产仔8～10只。哺乳期约45天。

【采集与加工】 全年均可捕猎,捕后杀死,除去皮毛、内脏和骨骼,取肉备用。鲜脑和面粉制丸或片。

【养殖方法】 艾鼬较温驯,一般采用笼养。除妊娠和哺乳期单笼饲养外,其他时间可合笼饲养。艾鼬不耐高温,需搭遮阳棚,夏季热天地面洒水降温。常备清洁饮水,保持用具和环境卫生清洁。一般每天饲喂2次,繁殖季节可喂3次。

艾鼬在鼬科动物中繁殖力较高,1年可繁殖2胎。艾鼬10～11月龄性成熟。一般4月中上旬发情配种。如果雌鼬未配上,从4月到8月均可受配。9月到翌年2月份为休情期。雄鼬从3～8月,一直处于发情状态,具有配种能力,睾丸9月下旬开始萎缩。雌鼬发情时阴门变化明显,发情期的第七天为最旺期,阴门肿胀是非动情期的50倍,此时易达成交配。每次交配10～30分钟,最长达3小时。每个发情期可交配3～4次。雌鼬第一次配种,于4月初至5月初进行。雌鼬妊娠产仔后,仔兽于6月下旬断乳分窝,雌鼬7月初可再次发情、交配,于8月下旬产第二胎。配种方法可采用1公1母法或1公多母法。妊娠雌鼬换毛较快,临产前将乳房周围的毛全部拔掉,乳头明显现露。产仔后雌鼬母性很强。仔鼬20日龄可吃饲料,28～33日龄睁眼,35～40日龄可断乳。可参阅金盾出版社出版的《毛皮兽养殖技术问答》等书。

十二、鼬 獾

鼬獾 *Melogale moschata* Gray,别名山獾、山獭、猸子、鱼鳅、白鼻狸、白猸。分布于我国长江以南地区,华东、中南及西南各地也有分布。以脂肪入药。

【形态特征】 鼬獾(彩图351),体躯粗短,体长约360毫米,体重1～1.5千克。鼻端尖,裸露而斜向下。耳小而圆。四肢短健,爪侧扁。体背侧及四肢外侧一般为鼠灰色,从头顶向后至脊背有1条白色或乳黄色纵纹,有些个体不明显。前额、眼后、颊部、颈侧有不定形的白色或淡黄色斑。上唇、鼻端两旁淡黄色。下颌、身体腹面及四肢内侧淡黄色或白色。

【生活习性】 栖息于树林、草丛、土丘等环境。挖洞而居。一般夜间8～9时后出洞活动。经常出没于有流水的山沟、小溪边。杂食性,主食植物的根、茎、果实和蛙、蚯蚓、小鱼、昆虫和小型哺乳动物等。会爬树,性情不凶猛,生活力较强。每年繁殖1次,2月份交配,4月份产仔,每胎4～5仔。鼬獾于2月上旬开始发情。雌、雄獾互相追逐,大声呼叫。发情的雌獾阴门肿胀,呈粉红色。可采用轮流放对的方法交配,也可雌、雄合笼饲养。鼬獾交配多在夜间进行。妊娠期57～60天。

【采集与加工】 捕捉后杀死,取皮下脂肪及肠网膜上的脂肪,入锅中文火熬炼,滤去油渣,冷却至淡黄色油膏状时密封。置干燥处保存备用,称獾油。

【养殖方法】 鼬獾可用笼舍进行笼养,也可以用地下洞穴进行栅养。

十三、水 獭

水獭 *Lutra lutra* Linnaeus,别名獭水狗、水耗子、獭猫,为国家二级保护动物。分布于全国各地。以肉及干燥肝脏入药。

【形态特征】 水獭(彩图352),身体细长,呈扁圆形。体长560～800毫米,体重2～7.5千克。头部宽扁,吻短,眼小,耳小而圆。四肢短,趾(指)间有蹼。鼻孔和耳道生有小圆瓣,潜水时关闭,防止水流入。尾长,柔韧而有力。体毛较长而致密。背部咖啡色,有油亮光泽,腹面毛色较淡,为灰褐色。很多地区水獭的喉部有大小不等的纯白色斑块。

【生活习性】 营半水栖生活,主要生活在河流、湖泊水域,沼泽、池塘、靠近海岸的小岛屿也有分布。水獭多穴居,洞穴在堤岸的岩缝中或树根下。洞有多个出口,其中1个在水下。一般夜晚出来活动,视觉、听觉和嗅觉都很灵敏,善于游泳,能在水中矫健而敏捷地捕鱼。水獭主要以鱼为食,也食蟹、蛙、蛇、水禽、甲壳类等。水獭没有固定的繁殖季节,一年四季都有交尾。1年可繁殖2胎,每胎产2仔。幼獭出生3个月后可独立生活,一年后性成熟。

【采集与加工】 冬季捕杀,剖腹取肝,摘去胆囊,去净油脂、肌肉,洗净血液,悬挂在通风处阴干或用微火烤干,称獭肝。取肉鲜用或炙干入散剂等使用。

【养殖方法】 可以栏舍饲养或笼养。栏舍饲养需要较大的运动场,一般为水泥地面,运动场顶加盖铁丝网,以防逃走。场内备有60～80厘米深的水池,供夏季在室外活动游泳。冬季舍饲,獭舍内需备有水池和产仔箱。人工饲养水獭,饲料以新鲜的淡水杂鱼为主,每头水獭日供0.8～1.2千克,也可喂少量的肉、内脏、谷物、蔬菜等。成年水獭日喂3次,冬季日喂2次,幼龄水獭日喂4次,可喂淡水杂鱼,或以米饭、碎肉、鱼粉等代替鲜鱼。水獭最喜欢吃淡水活鱼,如鲫鱼、鲤鱼、鲶鱼、白鱼、鲑鱼等。

水獭虽没有固定的繁殖季节,而发情多在9～10月份,发情持续时间15～30天。发情的水獭,食欲下降,雌、雄獭大声嘶叫追逐,雄獭睾丸突出下垂,雌獭阴门红肿。水獭的交配是在水中进行的,时间需5～10分钟。雌獭受孕后,不再发情,由于受精卵有滞育期,所以妊娠期变动范围较大,最短为52天,最长71天。妊娠30天后食量明显增加,腹部稍有膨大。产仔箱内要放入柔软的干草,临产前雌獭将干草絮成圆筒形的窝。产仔时间依地区而易,我国北方水獭多在春夏季产仔。水獭产仔后母性很强,幼獭8～11日龄睁眼,50日龄可断乳,90～120日龄可独立生活,3岁时性成熟,可参与繁殖。可参阅金盾出版社出版的《毛皮兽养殖技术问答》等书。

十四、小灵猫

小灵猫 *Viverricula indica* Desmarest，别名斑灵猫、香猫、香狸子、笔猫，为国家二级保护动物。分布于江苏、浙江、湖南、湖北、四川、云南、广西、广东、福建、台湾等地。香腺囊中的分泌物入药，药材名为灵猫香。

【形态特征】 小灵猫(彩图 353)，头略尖，躯体瘦长。体长 550～580 毫米，体重 2～2.5 千克。耳短而圆，四肢短小，尾较长，约为头及体长的 2/3。全身深灰棕色，颈侧有 2 条模糊的黑褐色短纹，尾具 6～8 个棕黑色环纹。在会阴部有囊状香腺，闭合时外观像 1 对肾脏。雄性比雌性略大。

【生活习性】 小灵猫栖于多树山地。夜行性。喜在村舍附近的耕地、山洞、石缝等地穴居。善于攀缘，常在山溪边活动。一般独居。食性为杂食，主食各种小动物，如鼠类、鸟、青蛙、蜥蜴、小鱼及昆虫，有时也吃果实和树根。小灵猫有擦香的习性。活动时，经常向突出的物体上蹭擦香腺囊，以此标识领域和诱惑异性。以夏季产仔为多，每胎 4～5 只。

【采集与加工】 全年均可取香。将灵猫固定，露出香囊腺，掰开腺体开口，用手捏住后部轻轻挤压收缩，使油质状的香膏流出。这种分泌物即灵猫香，不需特别处理，放入 4℃ 冰箱内保存备用。每隔 2～3 天采取 1 次。

另有大灵猫，别名山狸、麝香猫等，其香囊腺分泌物的功效与小灵猫的相同。

【养殖方法】 人工饲养小灵猫可采用笼养或舍养的方式。由于小灵猫属夜行性动物，每天饲喂 1 次即可。一般冬季每只每天饲喂量 500～600 克，春、夏季 400～500 克。

小灵猫 2 岁性成熟。繁殖期主要集中在 2～4 月份。发情时，发出“咯咯”叫声。雌灵猫外生殖器肿胀充血。此时可公、母并笼饲养。交配多在夜晚进行，交配时间短。并笼 1 个月后，母灵猫仍单独饲养。受孕后的小灵猫变得温驯。2 个月后腹部膨大、下垂，乳头明显突出。小灵猫妊娠期 70～90 天，多在 4～6 月份产仔。临产前 1 周应停止打扫母灵猫笼舍。产仔期应保持环境安静，避免打扰。人工饲养的小灵猫，每胎产仔多为 3 只。仔灵猫 7 日龄睁眼，15 日龄时可出窝活动，3 月龄断乳。断乳前需把食物抹在仔灵猫口中训练其吃食。

十五、家 猫

家猫 *Felis domestica* Brisson，分布于全国各地。以肉和骨骼入药。

【形态特征】 家猫(彩图 354)，为小型家畜。体长约 400 毫米，体重 2 000～3 000 克。头圆，吻部短，鼻端裸露湿润。眼较圆，耳直立，多呈三角形，嘴呈“人”字形，嘴侧胡须较长。四肢短，趾行性。趾端具锐利而弯曲的爪，爪能伸缩。尾较长，但短于体长。毛色变异较大，无一定规律，常见的有白、黑、黄、灰色或双色、三色相杂。

【生活习性】 性格温驯，爱清洁，不合群，多单独活动。通常白天好睡眠、休息，夜晚活动频繁。喜食荤腥之物，如肉、鱼等，尤其喜食内脏，也食杂粮，善捕鼠，也捉小鸟、昆虫等。每年繁殖 1～2 次，妊娠期 63 天，每胎产 4～6 仔。哺乳期约 30 天，1 岁后性成熟。

【采集与加工】 杀死猫，去皮毛和内脏，取肉鲜用；除去骨骼上的筋肉，取骨，阴干备用。猫的油脂、胞衣亦入药。

【养殖方法】 猫是人类的伙伴和朋友,人们饲养猫的主要目的是捕鼠和观赏,很少有大规模饲养。一般家庭养1～2只,或几只。可喂予残汤剩饭,但每餐必须有鱼、肉之类。现在有商品猫饲料出售。猫8～12月龄出现发情。1月下旬至3月上旬为繁殖季节。雌猫发情持续4～10天,一般交配后都可受孕,产后母猫要喂给营养丰富的饲料,哺乳幼仔成活率较高。可参阅金盾出版社出版的《家庭养猫》、《养猫驯猫与猫病防治》等书。

十六、豹 猫

豹猫 *Felis bengalensis* Kerr,别名山狸、野狸、狸猫、野猫、石虎、钱猫、麻狸。分布于全国各地(除新疆等干旱地区外)。以骨骼入药。

【形态特征】 豹猫(彩图355),体型大小似家猫,体长400～650毫米,体重2 000～3 000克。全身有纵行排列的斑点。体背在棕黄的基色上,具褐色、红棕色或棕黑色的斑点。斑点或明或暗,甚至不够明显。自头顶到肩部有4条褐色或棕黑色纵纹,中间的2条或沿背脊断续地向后延伸至尾基部。体侧有数行斑点。尾上面具同色斑点或半环,尾尖端棕色或黑色。瞳黄褐色或淡绿黄色。自两眼内侧至额部有2条纵白纹。横过颊部有2条斜黑纹。腹面及四肢内侧白色,暗色斑形大而稀少,在喉胸部似连成数条横纹。

【生活习性】 栖息于山地林区或郊野灌丛等处。巢穴筑在树丛间的岩石缝隙或大石块下面。一般独居或雌、雄同居。常居于近水地方,而远离干燥区域。晨昏及夜间活动频繁。豹猫活动灵巧,善于攀爬树木,游泳本领也较强。主要食鸟类、鼠类、兔、蛙、鱼、昆虫等,有时也食果实。在北方豹猫于春、夏季繁殖,在南方可长年繁殖,妊娠期约60天,每胎产仔3～4只。

【采集与加工】 全年均可捕猎,捕后杀死,去净皮毛、内脏和筋肉,取骨,晒干备用,药材称狸骨。

十七、马

马 *Equus caballus* Noack,分布于全国各地。以胃中结石入药。

【形态特征】 马(彩图356),是人们熟悉的家畜,体格高大,骨骼、肌肉发达,四肢强劲有力。体高1.27～1.6米,体重225～773千克。马头面部狭长,耳小而尖,直立。眼大,鼻宽。从头顶起沿颈背至鬐甲长有长毛,称为鬣,其颈上部分称为鬃。两耳间垂向额部的毛称为门鬃。躯体其余部分被以均匀的短毛,整个尾部也被有长尾毛。

马被驯化以来,随着人们的不同要求,已培育成乘马和挽马两大类型。乘马体型轻捷,奔跑快速,后者体型粗壮,能负重。马的品种不同,身体大小、毛色也各不相同。毛色主要有青毛、黑毛、花毛、栗毛等。

【生活习性】 适于草原生活,善于奔跑。对寒冷的气候比对炎热的气候更能适应,对湿润的条件不太适应。听觉、嗅觉敏锐,有发达的夜视能力。记忆力很强。一般喜食禾本科、豆科牧草。每天早晨、傍晚采食能力很强,夜间也能采食。马18月龄左右可达到性成熟。寿命25～30岁。

【采集与加工】 杀马时,如胃中有结石,取出,用清水洗净,剥去外面筋膜,再用通草、纱布或棉花等包好,吸收水分后,装入布袋,挂通风处阴干,药材名马宝。

【养殖方法】 在日常管理方面要注意厩舍卫生、马体卫生，要经常打扫、清洁，每天应有适当的运动，实行分槽饲养，每天定时定量饲喂。饲料以青粗饲料为主，适当搭配精料。

马的配种年龄，因品种、健康等状况而有所不同。一般应在满 3 周岁时繁殖。过早或过晚，都会影响马匹的繁殖力。我国北方马的配种季节多在 3～8 月份，5～6 月份为配种旺季。母马的排卵和性欲的出现是有季节性和周期性的，发情周期平均 21 天，发情持续平均 7 天。马的配种方法有本交和人工授精两种。本交中常用人工辅助交配和小群自由交配。人工授精由授精站进行。妊娠母马的日粮必须含有丰富的营养。对孕马应精心管理，搞好保胎工作，妊娠中后期应适当增加一些精料，减轻使役强度。马的妊娠期为 340 天。母马产仔后需饮温水约 1 个月，产前产后 20 天内应停止使役。幼驹 1 月龄后便可补喂饲料。幼驹生后 6 个月断奶。可参阅金盾出版社出版的《马驴骡的饲养管理》等书。

十八、驴

驴 *Equus asinus* Linnaeus，别名毛驴。分布于我国北方地区。皮、阴茎及睾丸入药。

【形态特征】 驴(彩图 357)，为我国北方地区主要役用家畜之一。体型比马小，体重约 200 千克。驴的头型较长，眼圆，其上生有 1 对显眼的长耳。颈部长而宽厚，颈背鬃毛短而稀少。躯体匀称，四肢短粗，蹄质坚硬。尾尖端处生有长毛。驴的体色主要以黑、栗、灰 3 种为主。

【生活习性】 驴性情较温驯，饲养管理方便。主要喂麦秸、谷草，也吃高粱、大豆、大麦等。

【采集与加工】 全年均可收集驴皮。将干驴皮用水浸软，去净毛及污物，洗净，切成小块，在清水中略煮，漂去污血及腥味，然后放锅中加水久煮，至大部分胶质溶出为止。过滤，滤液中加入少量明矾以沉淀杂质，取上清液浓缩。浓缩液中加入矫味剂，并加入豆油以减低粘性，然后放入预先搽豆油的容器内。待凝固后切成小块，置网架上晾 7～8 天，再放入密闭的木箱中闷至外皮回软，再晾，如此反复，闷晾至干，形成表面棕黑色或乌黑色，有光泽，略透明的凝胶块，即为名贵药材阿胶。原产山东东阿县，故称阿胶，也称驴皮胶。

【养殖方法】 其养殖方法与马相似。可参阅金盾出版社出版的《马驴骡的饲养管理》等书。

十九、骡

骡 *Equus asinus* Linnaeus×*Equus caballus* Noack，分布于我国长江以北地区。以胃中结石入药。

【形态特征】 骡(彩图 358)，是马和驴杂交所得的后代。体重 300 千克左右。外表特征介于马和驴之间，体型一般比驴大，近似于马。但头较粗长，鬃毛短而稀软，耳大而长，蹄形较狭长，整个尾不全被长毛。体色变异较大，常见的有黑色、栗色和棕灰色。

【生活习性】 人们培育骡的目的主要在于役用，因为它具有力大，耐劳，食量小等优点。骡没有繁殖后代的能力。

【采集与加工】 杀骡时，如发现胃内有结石取出，清水洗净，剥去外面筋膜，再用棉花包好，吸收水分，装入布袋中，挂通风处阴干，药材名骡宝。

【养殖方法】 其饲养管理方法与马相同。

二十、家 猪

家猪 *Sus scrofa domestica* Brisson,别名猪。分布于我国各地。以胆囊等入药。

【形态特征】 家猪(彩图359),身体肥胖,四肢短粗。体粗长,体重平均75千克,吻端上翘,颜面凹陷,额上多皱褶,颈短粗而不明显,躯体被毛稀疏、粗硬,脊背毛长而富有弹性。尾细小。家猪的品种繁多,毛色和花纹较杂,但主要是黑色、白色或黑白相间3种类型。

【生活习性】 家猪为杂食性动物,对各种营养物质的转化率较高。听觉、嗅觉灵敏,对温湿度敏感,怕冷、怕热、怕潮湿。在猪群中群体位次明显,爱好清洁,不在吃睡地方排泄粪尿。家猪性成熟早,我国本地的猪3月龄就能发情。

【采集与加工】 杀猪时,取胆囊,置通风处阴干,或将鲜胆汁烘干后加入等量的淀粉、葡萄糖或乳糖制成胆粉。猪肉、血、肝、胰、脑、肺等均可入药。

【养殖方法】 猪是杂食性动物,饲喂需科学地配合日粮,以满足猪不同生理期的要求。

猪一般6~8月龄性成熟。母猪10月龄、公猪12月龄可参加配种。猪是长年发情的动物,配种受胎不受季节限制。母猪发情周期为20天左右,发情持续期2~5天。母猪发情表现为行动不安、尖叫、吃食减少、排尿频繁,外阴部红肿有光泽。排卵时间一般在发情开始后的24~36小时,适宜的配种时间应在母猪开始排卵前的2小时,即母猪发情后22~34小时内。配种可采用自然交配或人工授精。自然交配可采用重复配的方式,1个发情期可先后配2次,第一次交配后间隔8~12小时再配1次。母猪妊娠后不再发情,表现为贪睡、食欲旺盛,性情日渐温驯,腹围日渐增大。对妊娠母猪的管理主要应做好保胎工作。妊娠初期,应适当运动,每天运动1~2小时,妊娠后期减少运动量,临产前几天停止运动。母猪妊娠期114天,每胎5~10仔。产前5~10天将产房准备好。当母猪具有临产征候时,把其腹部、乳房及阴户用消毒液清洗擦干,准备接产。母猪多在夜间分娩,接产时要保持安静,不要惊慌。仔猪出生后7天需补料,45~60日龄断乳。可参阅金盾出版社出版的《科学养猪》、《科学养猪指南》等书。

二十一、野 猪

野猪 *Sus scrofa* Linnaeus,别名山猪。分布于全国各地。以胆囊入药。

【形态特征】 野猪(彩图360),与家猪相似,体长1.2~1.5米,体重110~150千克。头部比家猪细长,吻部突出,呈圆锥状,耳直立,四肢较短,尾小,躯体被有刚硬的针毛,背部鬃毛明显。雄性上犬齿发达,形成獠牙。毛色为棕黑色或黑色,腹毛毛色较淡。幼猪为黄褐色,背部有6条淡黄色纵纹,6月龄后纵纹消失。

【生活习性】 栖息于阔叶林、灌木林或较低湿的草地。没有固定的巢穴,喜结群活动,群体大小不一,有几只以至一二十只或几十只的。通常在早晨、黄昏和晚上活动。野猪视觉差,听觉与嗅觉敏锐,一般胆小怕人,但防御时却异常凶猛。杂食性,以林中坚果、浆果及嫩枝叶为食,庄稼成熟时盗食玉米、豆类和薯类。一般10月间交配,翌年5~6月份产仔,每胎产仔5~6只,最多可达15只。

【采集与加工】 全年均可捕猎。捕后杀死,取出胆囊,鲜用或阴干备用,称野猪胆,胆囊中的结石也入药,称野猪黄。

二十二、林　麝

林麝 *Moschus berezovskii* Flerov,别名獐、香獐子、麝鹿。分布于新疆、西藏、青海、甘肃、宁夏、陕西、山西、湖北、四川等地。为国家二级保护动物。以雄麝香囊中的干燥分泌物入药。

【形态特征】 林麝(彩图 361),是小型鹿类动物。体长 700～800 毫米,体重 9～10 千克。通体灰褐色,成麝体背无斑纹,从眼的下部开始有 2 条白色毛带,经过颈部延至前胸。后肢明显长于前肢,站立时臀部高于肩部。尾秃而短。雌、雄都无角。雄麝上犬齿发达,露在唇外,形成獠牙。雄麝阴囊和脐部之间有一椭圆形的麝香腺囊,是分泌和贮存麝香的器官。

【生活习性】 林麝生活在海拔 1 000～4 500 米的灌木林、阔叶林、针阔叶混交林及针叶林中。较能耐寒,怕炎热。夜行性,晨昏活动频繁。性胆怯,除繁殖季节外均营独居生活,即使是哺乳期,母仔也不同窝栖居。麝有领域,活动、觅食均遵循熟悉路线,擦尾、排粪、栖居地都有固定场所。林麝以植物为食,喜食芳香性植物嫩叶、嫩枝和花蕾,对攀缘性藤本植物尤其喜食。成年雄麝 5～7 月份出现一个泌香盛期,一般经历 3～7 天,这是分泌麝香最集中的时期,麝香囊肿大,有香水溢出。秋末冬初为繁殖期,妊娠期 6 个月,每年 1 胎,每胎产 1～3 仔。

【采集与加工】 夏季在阴天或凉爽的早晨、傍晚或冬季白天都可以取香。每年根据麝香成熟的情况,可取香 1～2 次。用活麝人工取香时,将麝捉住保定好,取香者左手食指和中指夹住麝香腺囊颈部,右手执挖勺,缓慢伸入囊内,由后向前徐徐转动,由里向外拉,麝香即源源而出。麝香清理后,用吸水纸包住,进行干燥。干燥后放入有色瓶内,置阴凉干燥处保存,称麝香仁。麝香为名贵药材。

此外,还有马麝、原麝均可取麝香。

【养殖方法】 林麝是国家保护动物,禁止捕猎。饲养方式有单养和群养 2 种。单养可以是笼养、舍养或拴养。群养分为合养和群体饲养。合养主要是为配种的需要而采取的饲养方式,一般由 1 头种公麝和 4～5 头母麝为 1 个配种组,需要足够大的活动场(75～100 平方米)和小屋。活动场中央设置食槽和水盆。群体饲养是以培养合群习性为目的的饲养方式。通常从断乳仔麝开始,公、母分群饲养,10～20 头组成 1 个群体。实行严格的定时、定量、定点投饲。每天早、中、晚 3 次饲喂。要重视饮水,保证运动和日光浴。麝的饲喂应按照不同生理时期的需求进行合理日粮搭配。

公麝 3 岁半、母麝 2 岁半为适宜的配种年龄。公麝为持续发情,母麝为周期性发情,1 个发情周期平均为 21 天,持续发情期 36～60 小时。在 1 个发情季节里,一般有 3～5 个发情周期。母麝在第一个发情周期如未受孕,第二个周期会继续发情,一旦受孕,发情会终止。按 1 公 5 母组群配种是普遍采用的自然配种法。还可采用人工授精的方法。林麝妊娠期 178～192 天,5～6 月份是产仔盛期。出生仔麝体重 350～820 克,750 克以上的胎儿往往难产。仔麝 15～20 日龄开始吃少量草叶。2～3 月龄断乳。

二十三、麅

麅 *Capreolus capreolus* Linnaeus,别名狍子。主要分布于我国东北、西北地区。以未骨化的幼角、已骨化的角入药。

【形态特征】 麅(彩图362),是一种中型鹿类,体长1～1.4米,体重30～40千克,肩高不到1米。雄狍有短小的角,分叉简单,只有三叉,无眉叉。角基部和主干上有粗糙的小节突。额较高,鼻端裸露无毛,耳短宽而圆。眼大,有眶下腺,颈长,后肢略长于前肢。尾短,隐于体毛中。蹄窄小,悬蹄短,不触地。冬毛厚密,灰棕色或灰黄色,颈和体背暗棕色,腹面淡黄色,臀部有白色斑区。鼻尖黑色,面颊淡黄色。夏毛短薄,背面为纯黄棕色,背中线附近较深。腹面为淡黄色,下颌为白色。

【生活习性】 栖息于混交林和针叶林中,多在林缘、灌丛、林中河谷活动。通常晨昏活动,三、五成群,最大的一头常走在前面。一般食灌木的嫩枝、芽、树皮、草类等,缺食时也吃地衣苔藓。8～9月间交配,雄狍有逐偶的习性,雄性间争斗剧烈。雌狍妊娠期9个月,每胎产1～2仔。雄狍每年1～2月份生角,11～12月份脱角。

【采集与加工】 春季采锯未骨化的幼角。锯后及时洗去茸毛上附着的污物,吸出内部一部分血液,然后在锯口处用线缝好,周围钉上4个小钉,缠上麻绳,固定在架上,置沸水中煮沸5～6小时,取出晾干,次日再用沸水煮沸,如此反复进行数次后,自然风干,称狍茸。刮去茸毛,涂酒精,放火上烤软,切片或研成粉末备用。收取已骨化的角,备用,称干角。新鲜血液及肺脏亦可入药。

二十四、赤 麂

赤麂 *Muntiacus muntijak* Zimmemann,别名黄麂、印度麂、红麂、角麂、吠鹿。主要分布于广东、广西、云南、海南、四川、贵州等地。以肉、雄麂尚未骨化的嫩角、骨骼入药。

我国的麂类还有黑麂(为国家一级保护动物)、小麂、罗氏麂等。

【形态特征】 赤麂(彩图363),为麂类中体型最大的一种。体长约1.5米,体重20千克左右。脸部较狭长,额部有明显的"V"字形黑纹。雄麂有角,单叉型,角短而直向后伸展,角基长、角尖向内弯,两尖相对。雌麂无角,只额顶相应部位微有突起,且着生成束的黑毛,如同角茸。冬毛为暗褐色,颈背和背脊毛色较深,脸部、颈两侧为鲜棕色,下颌部毛色淡白,胸部为棕色,后腹部由淡黄到纯白,腹股沟部、臀内侧及尾的腹面均为白色。由于地区和季节的变化,毛色也有变化,有深黄色或棕红色。

【生活习性】 主要栖息在山地、丘陵的草丛、稀树灌丛中。没有固定的窝巢,但有一定的活动范围。一般为独居生活,早晚活动最频繁,叫声响亮,如同犬吠。赤麂听觉敏锐,性机警,胆怯,如遇惊动即狂奔逃走。身体非常灵巧,能在密林、草丛中疾走。为草食性,吃各种植物的幼叶、嫩芽及浆果、核果等,特别嗜食碱性植物。全年均可繁殖,以1～2月份交配的居多。妊娠期6个月,每年1～2胎,每胎产1～2仔。

【采集与加工】 四季均可捕捉。捕后杀死,去皮、内脏,取肉备用。骨骼熬膏备用,称麂骨膏。茸角需经煮炸至干,切片,研末备用,称麂茸。

二十五、梅 花 鹿

梅花鹿 *Cervus nippon* Temminck,别名花鹿。目前野生较少,残存于东北、长江中下游南部山区及台湾等地，为国家一级保护动物，现主要为人工养殖。以雄鹿未骨化的密生茸毛的幼角、梅花鹿的骨化角或锯茸后翌年春脱落的角基、梅花鹿雄性的外生殖器、梅花鹿的胎儿及胎盘、梅花鹿鲜血阴干而成的干燥血片或粉末、梅花鹿的骨骼、梅花鹿除去毛垢的净皮、梅花鹿的尾、梅花鹿四肢的筋等入药。

同属中还有马鹿、水鹿，为国家二级保护动物，白唇鹿为国家一级保护动物，还有白鹿等。

【形态特征】 梅花鹿(彩图364)，是一种中型鹿，体长约1.45米，体重100千克。雄鹿头上有角，雌鹿无角。角呈四叉型，第二叉位置特别高。耳大直立，颈细长，四肢细长，臀部有明显的白色斑块。夏毛为红棕色或棕色，有鲜明的白色斑点，斑点在背脊两旁及体侧下缘呈纵行排列，其余斑点自然散布。冬毛栗棕色，无白色斑点。幼鹿身体棕灰色，从颈背至身体背面及侧面都密集有白色斑点。

【生活习性】 栖息于混交林、山地草原和森林边缘附近，很少进入密林中，一般晨昏进行采食、饮水，小群活动，行动敏捷，嗅觉、听觉发达。性胆怯，易受惊。食性广，以青草、树叶、嫩芽、树皮、苔藓等为食。繁殖期在8～10月间，雄鹿争偶剧烈。妊娠期8个月，每胎产1仔，偶产2仔。哺乳期4个月。仔鹿3岁成熟。雄鹿在4～5月间脱掉干角，随即长出茸角，过了8月份角已骨化。

【采集与加工】 野生鹿禁止捕猎，家养鹿采集鹿茸分锯茸和砍茸2种方法。锯茸法在雄鹿第三年开始锯茸，每年可采收1～2次。第一次在清明后45～50天，第二次约在立秋前后。锯茸后给鹿的伤口敷七厘散或玉真散，贴上油纸，放回鹿舍。锯下的茸应立即加工，先洗净，并挤去一部分血液，将锯口部用线绷紧，缝成网状，并在茸根上钉上小钉，缠上麻绳，然后固定于架上，置沸水中反复烫3～4次，每次15～20秒钟，使茸内血液排出，至锯口冒出白沫，然后晾干。次日再烫数次后阴干或烘干，即为鹿茸药材。置阴凉干燥处，密闭，防蛀。每年3～4月份拣取雄鹿自然脱落的角，除去泥沙，风干备用，为鹿角药材。宰鹿后，取皮、骨骼、尾、筋备用。如果是雄性梅花鹿，割取阴茎及睾丸，除净残肉及油脂，固定于木板上风干备用，药材名鹿鞭或鹿肾。如果是妊娠母鹿，剖腹取出胎儿和胎盘，除净残肉及油脂，烤至干透即得，药材名鹿胎。

【养殖方法】 可采用圈养和放牧饲养。放牧是在驯化的基础上进行的。约150头左右分为1群。饲料应根据鹿群各个生理时期的不同需求合理搭配。

9月下旬至10月中旬配种。公鹿最佳的繁殖年龄是4～7岁，母鹿16个月龄可配种。一般采用“单公群母”轮换方式配种，公、母比例为1∶10～15。配种期间要防止种公鹿角斗造成伤亡。母鹿妊娠期8个月，翌年4～6月份产仔。要做好产前准备工作，产仔时注意护理，发生难产时需助产。哺乳期4个月。可参阅金盾出版社出版的《茸鹿饲养新技术》、《药用动物养殖与加工》等书。

二十六、牛

牛 *Bos taurus domesticus* Gmelin，别名家牛、黄牛。分布于全国各地。以牛的胆结石、胆囊及黄牛皮、骨、肌腱经熬制而成的胶质等入药。

【形态特征】 牛(彩图365)，为大型家畜，经过人类长期培育，形成许多品种，有黄牛、水牛、牦牛等。我国黄牛的优良品种有秦川牛、南阳牛、鲁西牛、晋南牛、蒙古牛、延边牛等。其中蒙古牛是我国黄牛中分布最广，数量最多的品种。体长125～142厘米，体重269～516千克。

头部宽阔，眼大，嘴大，鼻孔粗大。头顶部有1对角，左右分开，角的长短、大小随品种而异。四肢健壮，蹄趾坚硬，尾较长。毛色多为黄色，但不同品种，毛色变异很大。

【生活习性】 牛性情温驯，生长较快。食植物性饲料，是四胃反刍动物，对粗饲料消化能力强。通常在休息时反刍。成年牛每天大概有10～15个反刍周期，每天反刍时间平均为7～8小时。喜吃青绿多汁饲料、新鲜饲料，有竞食性，自由采食时互相抢食。牛2～3岁性成熟，母牛发情周期20天左右，发情持续1～3天。妊娠期285天，每胎产1犊。

【采集与加工】 宰牛时检查胆囊、胆管，有结石立即滤去胆汁，将牛黄取出。清除干净后，先裹以灯芯草或通草丝，外面再包以纱布或毛边纸，悬挂阴干，忌风吹日晒，以免破裂或变色，即为牛黄药材。此为天然牛黄。也可采用牛体培植牛黄，一般用老残牛做胆囊置入核心(塑料制成，上端开口，形如鸡蛋的袋状物)手术。埋核1年后即可收获药材牛黄。宰牛时将胆囊取出，挂起阴干，或将胆汁放入容器中，加热干燥备用。

【养殖方法】 牛入药部分是牛黄，主要以役用黄牛为种植人工牛黄的对象。对于役用黄牛的管理，牛舍要通风干燥，粪便及时清除，合理使役，牛体要勤刷拭。妊娠牛和种植人工牛黄的牛适当多给些精料。粗料以羊草、谷草及农副产品豆吻子、玉米秸等为主。精料主要有玉米面和豆饼粉。一般精料每天喂2.5千克。夏季多喂青草。

牛性成熟与体成熟后，公牛长年具备配种能力，母牛发情周期18～24天，发情持续时间18小时。通常采用自然交配或人工授精。妊娠期285天。大多数每胎产1犊，个别的产2犊。可参阅金盾出版社出版的《养牛与牛病防治》、《肉牛高效益饲养技术》等书。

二十七、山　羊

山羊 *Capra hircus* Linnaeus，别名家山羊、羊。分布于我国各地。山羊的干燥血块、肉、干燥胆汁、角等入药。

【形态特征】 山羊(彩图366)，体型较纤瘦，体长0.9～1.1米，体重20～30千克。头面狭而略尖，颌下有一缕长毛，俗称山羊胡。雌、雄均具角，角形简单，小而直。体被直毛，长度中等，绒毛细而短。山羊的毛色以白色者居多，少数有灰色、黑色、褐色。

【生活习性】 山羊对环境的适应性强，为草食性反刍家畜，喜欢采食树叶和嫩枝。善爬坡、登高，行动轻巧灵活。喜干燥环境，厌潮湿，性机敏，活泼而爱角斗。山羊一般6月龄性成熟，1年繁殖1次，妊娠期5个月左右，每胎产1～2仔。

【采集与加工】 杀羊取血，放平底盆中晒干，切成小块，或将血灌入羊肠内，用绳扎成3厘米长的小结，晒干。割取胆囊，囊口结扎，挂通风处阴干。取角备用。

【养殖方法】 可采用放牧和舍饲2种方式饲养。我国北方草原牧区，可终年放牧，仅在大雪封地或母羊产羔前后补饲草料。放牧山羊应单独组群，不要与绵羊混群放牧。羊群可由数十只到数百只，大小由放牧草场大小而定，牧地狭小时，组群应小。农区养山羊以舍饲为主，除季节性放牧外，主要是在专门的棚圈里饲喂。圈内设饲槽和饮水盆。每天喂3～4次，饮水1～2次。舍饲羊在牧草生长季节每只羊每天喂3～5千克青草和鲜树叶；冬春枯草季节每只羊每天喂1～1.5千克青干草。种公羊及妊娠羊、哺乳母羊每天需补饲精料0.25～0.5千克/只，多汁饲料1千克/只。

山羊性成熟年龄很早，最佳的繁殖年龄是3～5岁。发情主要在春秋两季，部分山羊品种终年发情。因此1年可繁殖2胎或2年3胎。山羊发情周期为19～20天。发情持续期20～48小时。配种后到下一个发情期不再发情者,即可认为已受胎。母羊分娩后10～14天又可发情。山羊母性强,乳汁充足,羊羔成活率高。羔羊在整个哺乳期,应多吃初乳,吃好常乳,早吃草料,运动充足。畜舍要注意干燥保温。羔羊80～120日龄可断乳。可参阅金盾出版社出版的《养羊技术指导》、《怎样养好山羊》等书。

二十八、绵　羊

绵羊 *Ovis aries* Linnaeus,别名家羊、宽尾巴羊。分布于我国各地。以肉、肝等入药。

【形态特征】 绵羊(彩图367),由于人类对绵羊驯养和培育的历史很长,至今已有600多个品种。外表特征多种多样。体重也随品种而不同,最小的20千克左右,大的可达200千克。有的公、母羊头上均具角,角呈螺旋形,有的仅公羊有角,还有的均无角。角的形状和尾的形态随品种而不同。全身被密而厚的毛。被毛一般有2层,外层为粗毛,可挡雨水,内层为纤细的绒毛,可保温。

【生活习性】 绵羊属反刍动物,能够较好地利用粗饲料。反刍只在休息时进行,呈周期性,每次40～60分钟。绵羊嘴尖,唇薄而灵活,下颌门齿前倾,便于采食低矮的牧草。以各种牧草为食,尤喜豆科牧草。绵羊具有较强的合群性,并且对劳苦、饥饿和疾病都有较大的忍耐性。绵羊喜干厌湿,耐寒怕热,性情温驯,胆小怯弱,自卫能力差,公羊虽生有大角,也无抵御能力。绵羊一般7～8月龄性成熟,每年7月份至翌年1月份为繁殖季节。每年繁殖1次,妊娠期144～155天。每胎产1～5羔。

【采集与加工】 杀羊时取肝,放冷水中泡1小时,切片晒干或烘干备用。肉鲜用。

【养殖方法】 放牧是饲养绵羊的基本方式,除了大风雨、暴风雪天气,羊在圈舍内补饲饲草、饲料外,可四季放牧,回圈舍后再补饲一定的精饲料及饮水。

对于种公羊,在配种期每天每只补饲混合精料0.5～1千克(豆饼1/3,玉米不超过1/2),苜蓿草或干草2千克,胡萝卜0.5～1.5千克,食盐15～20克,骨粉5～10克,血粉或鱼粉5克,分早、中、晚3次补给。每天饮水3～4次,放牧时间要保证6～10小时。非配种期每天除放牧外,还供给混合精料0.25～0.5千克,优质干草1.5～2千克,青贮及块根饲料1.5～2千克,分早、晚2次喂给。

对于妊娠母羊,妊娠头3个月只要抓紧放牧即可满足营养需要,不必补喂精饲料;进入妊娠后期要加强补饲。妊娠后期的母羊还应坚持每天6小时以上的放牧运动,里程不少于8公里,临产前7～8天不要到远处放牧。绵羊的圈舍要注意夏季通风,冬季保暖。要严格药浴以防疥螨。

绵羊7～8月龄性成熟,一般母羊1.5岁、公羊2.5岁参加配种。绵羊的繁殖季节为7月份至翌年1月份。绵羊配种时间的确定实际是确定产羔时间。产羔季节一般在冬春两季。冬季产羔,配种时间在7～8月份;2～3月份早春产羔,配种时间在9～10月份;4～5月份晚春产羔,配种时间在11～12月份。配种可采用自然交配和人工授精两种方式。母羊发情周期为15～19天,发情持续期为24～48小时,排卵时间在发情的中期,因此,在发情开始后的12小时配种或输精较为适宜。自然交配可采用长年或配种季节将公、母羊混群放牧,任其自由交配,1只公羊可配15～20只母羊;也可由人工辅助交配,即在配种期用试情公羊挑选发情母羊,再让其与选定的公羊交配。采用人工授精,需每天早、晚2次将公羊放入母羊群中试情,及时给已发情的母羊做标记。早上试情的下午输精,晚上试情的第二天早上输精。妊娠期150天左右。羔羊出生3周后可随母羊在近处同牧,4月龄左右断奶。

二十九、高山鼠兔

高山鼠兔 *Ochotona alpina* Pallas,别名石兔、啼兔。分布于新疆、甘肃、宁夏及东北的小兴安岭、长白山一带。以干燥粪便入药。

同科种还有达乌尔鼠兔、灰鼠兔、藏鼠兔。

【形态特征】 高山鼠兔(彩图368),体型短粗,四肢短小。体长150～200毫米,体重73～170克。吻钝,耳圆形,有白色边缘。后肢略长于前肢,无尾。毛长而蓬松。后足腹面具污白色密毛,其毛基为黑色。身体背侧的毛一般为棕黄色,腹面为浅棕黄,在颈下、腋下、腹股沟等处杂有灰黑色毛。

【生活习性】 栖息于林中岩地,营群居生活,以石隙为洞穴,洞口常在乱石间,形状不一。主要在早晨和傍晚活动,不冬眠。以植物的绿色部分、松子、榛子及苔藓等为食。一年繁殖2次,每胎产2～3仔。

【采集与加工】 四季皆可采集。从鼠兔的洞口或洞内收集粪粒,筛净泥沙,去除杂质,晒干备用,称草灵脂。

三十、草　兔

草兔 *Lepus capensis* Linnaeus,别名蒙古兔、草原兔、山跳子、跳猫。分布于黑龙江、吉林、辽宁、内蒙古、甘肃、青海、新疆、河北、陕西、山西、山东、河南、安徽、湖北、湖南、江西、四川及贵州等地。以干燥粪便入药。

【形态特征】 草兔(彩图369),属于中等大小的野兔,体长平均440毫米,体重平均2 000克。耳朵中等长,吻短而粗,尾占后足长的80%,是我国野兔中尾最长的种类。由于栖居的生态环境不同,毛色变异较大,背毛从沙黄色至深褐色的都有,腹毛纯白色。但草兔的尾色均一致不变,尾背面中央有一清晰的大黑斑,其余部分为纯白色。

【生活习性】 草兔多栖息在草原、干草原及森林草原等开阔的地方。通常单独活动,很少集群,没有固定的栖所,不会挖洞,一般只在隐蔽的地方挖掘10厘米深的地面小坑作为暂时的居处。如遇惊扰,便弃旧坑,再在其他地方挖新坑。主要在夜间活动,晨昏时最为活跃。善于奔跑、跳跃,听觉、嗅觉发达,视觉不敏锐,眼睛为侧位,视野很大。通常以草本植物为食,也吃昆虫和螺类。

草兔繁殖力较强,冬末交配,妊娠期45～48天,在华北地区每年产2～3窝,长江流域每年产4～6窝,每窝产2～6仔。幼兔出生便有毛,眼睁开,能自由活动。

【采集与加工】 草兔粪便全年均可拣取,以秋季较多。一般在野草割掉后寻找收集,收后拣净杂质,晒干备用,称望月砂。

三十一、松　鼠

松鼠 *Sciurus vulgaris* Linnaeus，别名灰鼠、松狗、栗鼠。分布于我国北方亚寒带和温带森林地域，黑龙江、辽宁、吉林、内蒙古、河北、新疆等地。以除去内脏的全体入药。

【形态特征】 松鼠（彩图 370），体型较细长，体长 180～260 毫米，体重 300～450 克。吻部短，脑颅大而圆。眼大，耳壳较大，耳基部生有黑色簇毛，前肢短，后肢长，四足生有锐利的钩状爪。尾较长，超过体长的一半。全身背侧毛色为褐灰色，腹面为白色。个体毛色差异极大，随地区不同，毛色也有所差异，一般北部地区偏灰，南部较黑。

【生活习性】 栖息于亚寒带针叶林或针阔混交林处，多居住在具有高大树干的森林中，树栖，在树洞做窝或在树枝间筑巢。日间活动，晨曦最活跃。不冬眠，在严寒的冬季很少出窝活动。以植物性食物为主，也吃昆虫、蚁卵、鸟卵及其他动物。主要的食物为种子和果子，如红松子及榛子及其他核果和蘑菇等。秋季有贮食的行为，一般分藏多处，以备越冬。1～2 月间发情，妊娠期 35～40 天。年产仔 2 胎，偶有 3 胎的。每胎产 3～10 仔。幼鼠 8～9 月龄性成熟。

【采集与加工】 全年均可捕捉。捕后杀死，去皮及内脏，取肉烧黑或焙干研末备用。

三十二、岩 松 鼠

岩松鼠 *Sciurotamias davidianus* Milne-Edwards，别名扫毛子、石老鼠。分布于我国北部多岩石地区，包括河北、北京、陕西、四川、山东、山西、甘肃等地。以岩松鼠全身骨骼入药。

【形态特征】 岩松鼠（彩图 371），外形似松鼠，体长 200～250 毫米，体重 240～330 克。尾长不及体长，尾蓬松但毛较稀疏。脸部有颊囊，眼眶周围有白圈。耳无簇毛，耳壳短。背部自头顶到尾基身侧和四肢外侧都是青黑黄色毛，腹部自头到尾为黄灰色。下颌为白色。

【生活习性】 栖息于山区和丘陵的多岩石地区，为树栖和地栖间的一类松鼠。洞穴通常筑于岩石的缝隙中。白昼活动，善于攀爬树木。主要吃坚果及山桃、杏等浆果，有时也以农作物为食。5～10 月份繁殖，每年繁殖 1～2 次。

【采集与加工】 四季均可捕猎。捕后处死，剥皮，去除内脏和肉，取全身骨骼，置通风处阴干即可，称臊桡子骨。

三十三、长尾旱獭

长尾旱獭 *Marmota caudata* Jacquemont，别名雪猪、旱獭、土拨鼠、鼧鼥。分布于我国新疆西部和南部。以肉及体内的脂肪入药。

我国还有灰旱獭、草原旱獭及喜马拉雅旱獭。

【形态特征】 长尾旱獭（彩图 372），是一种大型地栖啮齿动物。身长而肥大，体长 470～500 毫米，体重 4～5 千克。颈粗，耳短小，不显露，四肢短粗，尾长超过后足长的 2 倍。通体橙黄色或赭黄色，体背掺杂有深褐色。尾端黑色或赭褐色。

【生活习性】 栖息于高山草原。多在山坡、山脚小丘附近筑洞栖居。一般群居。主要以莎草科和禾本科植物为食。有冬眠习性，每年 9～10 月份开始冬眠，3～4 月份出蛰。出蛰后开始交配,夏初产仔。

【采集与加工】 捕获后,处死,取肉鲜用或切片风干备用,称雪猪肉。取出脂肪,装入旱獭胃内,挂通风处晒干备用,称雪猪油。

三十四、贾褐大鼯鼠

贾褐大鼯鼠 *Petaurista yunanensis* Anderson ,别名云南鼯鼠、大飞鼠、大鼯鼠、飞虎。分布于云南西北部和西藏东南部等地。以干燥粪便入药。

我国还有夏齿鼯鼠(橙足鼯鼠)、灰鼯鼠等。

【形态特征】 贾褐大鼯鼠(图 6-2),体型较大,体长 420~500 毫米,体重 1.8~2.5 千克。头钝圆,眼大而圆。耳为椭圆形。身体两侧有皮褶形成的飞膜,自颈两侧与体侧延伸的皮褶与四肢连成一片,终于尾基。尾圆柱形,略长于体长。被毛长而柔软。体背为暗栗红色或黑栗褐色,常覆以散生的白色麻斑或麻斑痕迹。胸腹部主要为灰白色。尾基与背部毛色相同,尾后 4/5 为黑色。

图 6-2 贾褐大鼯鼠

【生活习性】 主要栖息于亚热带常绿阔叶林或针阔混交林、杉树林中。以树洞、岩洞、岩缝为栖居场所。一般夜间活动,以晚上 9~11 时活动最为频繁。主要吃各种树叶、嫩枝、花芽、杉树叶、苔藓及栎果、椎栗的果实等。4~7 月份进入繁殖期,每年产 1 胎,每胎产 1~3 仔。

【采集与加工】 鼯鼠粪全年均可采集。采后除去沙石、泥土等杂质,晒干即可。药材名五灵脂。按粒块大小,分为灵脂块和灵脂米。

三十五、豪　猪

豪猪 *Hystrix hodgsoni* Gray ,别名刺猪、林猪子、箭猪。分布于陕西及长江流域及以南各地。以肉、胃、刺等入药。

【形态特征】 豪猪(彩图 373),体型肥大、粗壮。体长 550~770 毫米,体重 10~15 千克。全身棕褐色,身体背面密被棕色长刺。由肩部到颌下有一些尖端为白色的刺,形成一半圆形白色环纹。臀后部长刺较集中,尾短,隐在刺中。刺呈纺锤形,中空,直径约 6 毫米,最长的可达 20 多厘米。

【生活习性】 栖息在山坡、草地或密林中，掘洞而居。群居，夜行性。遇敌时刺竖起，转身以背相向，并倒退御敌。以草根、竹笋或野果为食，经常盗食玉米、薯类、蔬菜、瓜果。每年繁殖1次，冬末产仔，每胎产3～5仔。

【采集与加工】 全年均可捕捉。捕后杀死，用沸水烫去皮刺，剖腹去内脏，取肉、胃、刺备用。

三十六、褐家鼠

褐家鼠 *Rattus norvegicus* Berkenhout，别名大家鼠、沟鼠、挪威鼠、白尾吊。分布于全国各地。以肉、脂、睾丸及幼仔等入药。

可供药用的鼠类还有黑家鼠、黄胸鼠等。

【形态特征】 褐家鼠(彩图374)，体型粗大，体长150～220毫米，体重72～290克。耳朵短厚，后脚粗大，尾长不超过体长，尾部有明显的鳞片组成的环节。背毛棕褐色至灰褐色，腹面苍灰色，略带一些乳黄色。

【生活习性】 栖于人的住宅、仓库、厨房、阴沟、农田、小河堤等处。挖洞或利用其他动物废弃的洞居住。洞穴构造复杂。杂食性，盗食粮食和人类食品。喜食含水分较多和含油脂较多的食物。午夜前活动最频繁。繁殖力很强。平均每年繁殖6～10胎，每胎产2～17仔，妊娠期20天。幼鼠3～4月龄就能生育。

【采集与加工】 全年均可捕捉。捕后杀死，肉鲜用或焙干，研末备用。取脂肪熬油外用。睾丸鲜用。用鼠夹打捕或找窝穴收取幼仔备用。

三十七、花白竹鼠

花白竹鼠 *Rhizomys pruinosus* Blyth，别名粗毛竹鼠、拉氏竹鼠、银星竹鼠。主要分布于云南、广东、广西、福建、贵州、湖南、江西等地。以脂肪入药。

还有中华竹鼠和大竹鼠(普通竹鼠)。

【形态特征】 花白竹鼠(图6-3)，为中型啮齿动物。体长356～360毫米，体重1 500克左右。身体为圆筒形，吻部钝圆，颈短，眼极小。耳隐于毛内。四肢短粗，有锐利强大的爪。尾长超过体长的1/3，几乎完全裸露，在尾基部有些稀疏的短毛。成体背面毛色灰褐色，有一些白尖针毛伸出毛皮外方，体表似有一层灰白薄霜，呈星点状，故又称银星竹鼠。身体腹面无白色针毛，为纯褐灰色。幼体毛色深，为黑灰色，白色尖毛亦极明显。

【生活习性】 栖居于竹林、稀树草原、草坡及灌木、竹子、乔木等的混合林中。在土质松软的地方挖洞居住，有时也利用穿山甲等的旧洞。一般夜间外出活动，白天隐居洞内。食性因地区略有不同。居住在竹林内的主要吃细竹、嫩竹和竹的地下茎、芒茎、芒根；居住在稀树草原与高原草地的竹鼠则以棕叶芦及扁斑芒为主要食物。通常在春季发情交配，4～6月产仔，每胎产1～4仔。

【采集与加工】 秋末、冬初捕捉最宜，捕后杀死，取脂肪炼油备用。

图 6-3　花白竹鼠

三十八、东北鼢鼠

东北鼢鼠 *Myospalax psilurus* Milne-Edwards，别名华北鼢鼠、鼢鼠、地羊、地排子、瞎老鼠、盲鼠、瞎摸鼠子。分布于我国东北及内蒙古、河北、山东等地。以肉入药。

【形态特征】 东北鼢鼠(图 6-4)，体型与鼹鼠相似，体长约 190 毫米，体重约 240 克。吻部钝圆，耳壳不发达，隐藏在毛下。眼睛极小。尾很短，几乎全部裸露，仅有极稀疏的白色短毛。前肢的爪非常强大，尤其第三趾的爪最长，适于地下挖掘活动。毛细软而有光泽，毛色一般为浅棕灰色。通常在额头中央有 1 块纯白色斑点，其大小变化很大，个别的完全消失。

图 6-4　东北鼢鼠

【生活习性】 主要栖息在草原及农田中，也有在丘陵地区斜坡上的荒草地与灌丛中栖息的。挖洞穴居，洞道较复杂，地面上无明显洞口。鼢鼠的洞道分支极多，并且相互串通，形成网状。洞道经常是变化的，因为鼢鼠随时都在建筑，也随时堵死、废弃旧的洞穴。东北鼢鼠雌、雄分居。一般雌鼠洞穴较复杂，分支集中，有窝和贮粮仓库；雄鼠的洞道较简单，贮存的粮食也较少。昼夜均活动，冬季主要在洞内活动，不冬眠。主要吃植物的地下部分，也吃一部分绿色部分、种子及少量昆虫。食物种类有茅草、苦菜、龙须菜、豆类、花生、甘薯、马铃薯等。4～6 月份繁殖，每年繁殖 1 次，每次产 2～4 仔。

【采集与加工】 四季皆可捕捉，在农田、草原、荒地、洞穴处，用鼠夹捕捉，杀死后去皮及内脏，取肉备用。

附 录

一、药用昆虫饲养方法

药用昆虫的饲养方法，文中已作了有针对性的介绍，但对所有药用昆虫饲养的基本方法，还未有系统介绍，而读者也有必要了解这方面的知识和方法。因此，在此再作一专门介绍，以便在实际养殖中灵活应用。

饲养药用昆虫的一般方法。①连续性和阶段性饲养。连续性饲养(或叫完全饲养)，就是将药用昆虫的全生活周期，在人工控制的条件下完成。如完全变态的家蚕，可以从卵开始饲养，使卵孵化出幼虫，幼虫取食桑叶，排泄粪便，可得到药用部分——蚕沙。幼虫经白僵菌感染后，可得到到药用部分——白僵蚕。茧内幼虫化蛹，经白僵菌处理后，得到药用部分——僵蛹。蛹羽化为蛾，蛾再交配产卵，如此世代相传。阶段性饲养(或叫不完全饲养)，则是在自然环境中，采集所需药用昆虫进行人工饲养，使其发育健全，避免遭受自然界中敌害的损伤，而获得完整虫体，提高药效。如自田野采集蟋蟀若虫(不完全变态陆生昆虫的幼期)，经人工饲养到成虫阶段，即可得到药用部分——蟋蟀。一般来说，阶段性饲养比较容易，而连续性饲养要困难得多。因为要克服四季气候变化及其所造成的休眠、滞育等生理变化所受到的限制，解决了这些限制条件，才能顺利地、不间断地繁衍下去。②群集饲养和个体或少量饲养。群集饲养，如地鳖虫，可在地下池中或饲养箱中进行多个体群集养殖，在较短时间内取得大量药用虫体。群集饲养是在已经掌握了一定的饲养方法和较成功的经验后，方可进行。少量或个体饲养，是为了探索不同种类药用昆虫的生长发育过程，在人工饲养条件下取得最适宜的温、湿度，生态环境，代用饲料和配合饲料等的科学依据，为大量饲养提供可行性资料。

饲养药用昆虫的饲料：饲养昆虫的饲料可分为天然饲料和人工饲料。天然饲料是指药用昆虫在自然环境中所喜欢觅食的动、植物或其他物品。人工饲料是指利用多种有机或无机物质配制而成的昆虫饲料。天然饲料易于获得，不需加工制作，价格便宜，但受季节或地区限制，难以满足大量养殖的需要。人工饲料不受季节性限制，可大量按需要供应，减少天然饲料的不洁而引起微生物和寄生虫感染。

配制人工饲料，要考虑以下几点：①适口性。饲料中添加药用昆虫喜食的寄主植物的叶片提取物，以引诱其取食。也可在配好的人工饲料中，拌入少许的寄主叶汁。②营养性。一是要有适量的蛋白质和必需氨基酸。二是充足的碳水化合物。三是必要的脂肪酸。四是固醇类，是昆虫生长和发育，特别是生殖所不可缺少的营养物质。五是维生素，是调节昆虫身体代谢作用的物质，必须从饲料中补充。③防腐性。人工饲料保存的时间长或短，取决于防腐剂的成分及添加量。目前常用的防腐剂有山梨酸、安息香酸钠、福尔马林、乙醇、苯(甲)酸钠、丙酸钠、丁酸钠、青霉素、金霉素、四环素、对羟基苯甲酸甲酯、对羟基苯甲酸乙酯、对羟基苯甲酸丁酯等以及其中几种的混合液。这些防腐剂在专门配制饲养药材昆虫用的人工饲料上尚无经验。因为药材昆虫是用来给人治病的药物，无论内服或外用都与人体发生关系，必须经过充分验证后，方可在饲料中添加，否则会得不偿失。在配制人工饲料时，还应考虑到饲料中的营养平衡问题。食物营养的基本要求是,必须含有机体所需要的营养物质的量和合适比例。

饲养药用昆虫的条件:昆虫生活在自然环境中,可充分利用身体上的运动、感觉、嗅觉、触觉等多种器官,任意选择各自最适宜的生活环境、场所、食料等赖以生存的条件。在饲养药用昆虫时,应考虑以下几点:①食料。药用昆虫的种类不同,口器构造各异,所需食物的软硬、粗细、稀稠和性味各不相同,即使是以植物为食的种类,也有的只吃叶,有的只吃花,有的则贪食果实,还有的专门蛀食植物木质部,或只吃一种植物的某部分,称之为单食性。有些种药用昆虫喜食动物性食物,如鲜肉、腐肉、禽兽的毛皮、尸体、骨骼等,称之为寡食性。有的药用昆虫则动、植物兼食,或对食料无严格选择,称之为杂食性。因此,在饲养药用昆虫时,就应先了解其食料的种类和取食方法,便于配置最适宜的饲料,选择最适宜的放置饲料的容器及饲养方法。②空间。有翅昆虫,发育到成虫阶段时,必须在一定空间内飞翔、追逐,才能促使其性器官发育成熟,然后选择配偶交配,繁育后代。即使无翅种类或有翅种类的前期,也需要有一定的空间,才能进行取食、排泄,完成蜕皮、增龄及多种身体内部的生理变化。有了空间,才能躲避敌害的侵袭,特别是捕食性或吸血性昆虫的侵害,没有空间就失去了其捕食本能及身体特殊构造功能的发挥。在人工饲养环境中空间受到限制,缩小了活动范围,影响昆虫的生长发育。饲养昆虫,如果没有适宜的活动空间,很难达到预期的饲养目的。③气候条件。是指昆虫生活环境中的温度、湿度、光照、雨量、土壤湿度等。其中温、湿度对昆虫生长发育的影响较明显,光照对昆虫的休眠、滞育起着决定性的作用。昆虫为变温动物,不同种类的昆虫,或同种昆虫的不同发育阶段,所需的温、湿度各有一定适宜限度和极限。在适宜的范围内,温度增高,生长发育加快,寿命相对缩短。温度降低,发育减慢,寿命相对延长。高于或低于适宜生存的气候条件,便会影响其生长发育,超过其极限就会造成死亡。大多数昆虫在5℃～15℃才开始活动,在25℃～35℃生长发育良好,温度升高到38℃～45℃时,便进入昏迷状态,超过48℃,即使很短时间也会大量死亡。气温低于5℃,则不利于其发育。湿度的变化对昆虫的生活也有相当大的影响。昆虫身体中需要一定量的水分来维持正常的生命活动。如水分不足或缺少,正常生理活动便无法进行,甚至死亡。低湿能抑制昆虫体内的新陈代谢,延缓发育期,高湿能加快其发育。昆虫生活中的最适宜的环境湿度为75%～85%之间。④活动场所。昆虫有空中活动类、地表活动类、地下活动类、水中活动类、寄生类。要根据其活动特点,建造相应的饲养设施。

饲养药用昆虫,不论在室内或室外,完全饲养或阶段饲养,用自然饲料或人工饲料,群集的或个体的,总的说来,都要为其创造能获得近乎自然的正常环境和食物,从而生产出质量合乎药用要求的昆虫。

二、药用昆虫的利用与资源保护

自古至今,药用昆虫在防病治病、保护人类身体健康中起过并仍起着重要作用。我国的昆虫种类有15万～20万种之多,药用昆虫的种类当然也就不只是书中介绍的这些了。如从昆虫的分类系统分析,按不同分门别类阶梯划分,无论从其身体结构特征、生态环境、寄主植物、生物学特性等诸多方面,各种昆虫之间均有不同和相同之处。从已知药用昆虫的化学成分、药理作用看,同科、同属中的种类大致相同,如蜚蠊目中的鳖蠊科,螳螂目中的螳螂科,直翅目中的蟋蟀科、蝼蛄科,同翅目中的蝉科、蜡蝉科,半翅目中的蝽科,双翅目中的虻科、丽蝇科,鞘翅目中的芫菁科、粪金龟科、金龟科、天牛科,膜翅目中的蜜蜂科、胡蜂科、马蜂科等,这些目也仅是我国已知 33 目中的少数,即使同一科中的药用种类,也只是其中的一部分。所以,应加强昆虫药用价值的研究,大力开发中药资源,充分利用药用昆虫,造福大众。

但值得注意的是,自然界中的生物资源是有限度的。生物多样性是自然界生物资源的标志,是人们食物、医药、轻工业原料等的重要来源,是人类赖以生存的物质基础,它还在全球生态平衡、气候调节及水土保持等方面起着极为重要的作用。生物多样性一旦遭到破坏,则极难恢复。昆虫多样性是生物多样性的重要组成部分,它与其他生物相互作用,共同维持着大自然的生态平衡。我国昆虫种类丰富,开发利用的潜力很大。但近来由于受到乱采滥捕,致使一些原来数量就少的种类,已很难采到。随着对昆虫抗癌物质研究的进展,发现斑蝥、蟑螂、冬虫夏草和部分蝶类、蚂蚁、蜜蜂、胡蜂等及其产物,均有抗癌活性物质,因而利用量迅速增加。照此下去,不要多久,某些药用昆虫,甚至包括尚未查清的种类,便会接近濒危以至绝灭的地步。如不及时采取措施加以调节,有些物种则会遭到毁灭。

要保护药用昆虫资源免遭破坏,使其能永继利用,应保护好重要药用种类的自然生态环境,特别是那些受地理位置、气候条件限制的种类,如设置冬虫夏草自然保护区等;对稀有种类,或在自然环境中易遭损害的,可进行人工繁殖,加速扩大种群数量后,部分加以利用,部分回归大自然,使其保持一定的种群优势,如螳螂、九香虫、樗鸡等;还要适量采收,合理利用,避免滥捕、乱采,破坏资源。

昆虫除作为药用外,我国自古以来就有吃昆虫的习惯。如今在一些餐桌上,也作为佳羹、药膳而大量消费,虫药酒、虫饮料也应时而生。这些本属于有利于人民健康的事,如过量采捕,也会使一些昆虫数量减少,导致生态失调。应大力提倡人工养殖,做到既不破坏自然平衡,又能满足人民生活的需要。

近来,生物多样性保护与持续利用,已成为全球环境保护的热点问题。1992 年 6 月,联合国环境与发展大会通过了《生物多样性公约》。1994 年 2 月,国务院环委会原则上通过了《中国生物多样性行动计划》,这一战略性行动的实施,将对我国生物多样性保护产生积极影响,对全球生物多样性保护也具有重要意义。

三、蛀食药材的仓库害虫及其防治

本书所介绍的各种药用昆虫的药材价值部分,均有保存在通风干燥、无虫、无鼠处备用的要求。这说明昆虫药材在保存过程中易遭受仓库害虫的蛀食。药材一旦遭蛀食,则失去药用价值。

(一)害虫种类

据中国科学院动物研究所主编的《中国农业昆虫》、曹志丹的《贮粮昆虫》、赵养昌等的《中国仓库害虫区系调查》等文献资料介绍,危害中药材的仓库害虫隶属于 5 个目(包括蜱螨目),30 余科,约 150 余种。其中危害昆虫药材的集中在鞘翅目、隐跗郭公虫科、皮蠹科、窃蠹科、蛛甲科中。为使读者在保存昆虫药材时能辨别害虫种类及了解防治方法,现将其中常见而危害严重的几种害虫的形态特征、分布略述于后,供参考。

1. **郭公虫** 包括赤颈郭公甲 *Necrobia ruficollis* (Fabricius),别名赤胸椰甲;赤足郭公甲 *Necrobia rufipes*(De-Geer),别名赤足椰甲。主要危害干肉、皮张、蚕茧及动、植物药材。分布于新疆、甘肃、陕西、山西、河北、山东、江苏、浙江、福建、广东、贵州、广西等地。

【形态特征】 赤颈郭公甲成虫体长6毫米左右,圆筒形,在颈部的红色区被赤褐色茸毛,有蓝色光泽。复眼前为蓝色,复眼后方、头的腹面、口器为赤褐色。咀嚼式口器,上颚有突出的齿,前面1个尖,后面2个钝。前、中胸的背板和腹板赤褐色,后胸腹板色暗。鞘翅上有明显的排状刻点。肩部翘起,约占鞘翅1/5的赤褐色区呈"人"字形与后部蓝色区分开(图7-1)。

幼虫体长约9毫米,扁圆形,乳白色,后部略宽,背部有浅色毛基片,腹部9节,有1对尾突。

赤颈郭公甲主要危害干肉、皮张、蚕茧及动、植物药材。

赤足郭公甲成虫体长3.5~7毫米,椭圆形,有蓝色金属光泽。触角除基部4节为赤褐色外,前5~11节为黑褐色。足为赤褐色,故名赤足。前胸背板宽,前窄于后,后缘角钝圆,密布小刻点。小盾片半圆形,较小。鞘翅基部宽于前胸背板,后端向后内方倾斜,有小刻点及纤毛(图7-1)。

幼虫体长9~10毫米,长条形,浅白色。头及前胸背暗褐色,腹部各节背板有浅紫色斑,末端有2个上翘的尾突。

赤足郭公甲主要危害干鱼、咸肉、畜禽骨骼、动物性药材及干果类。

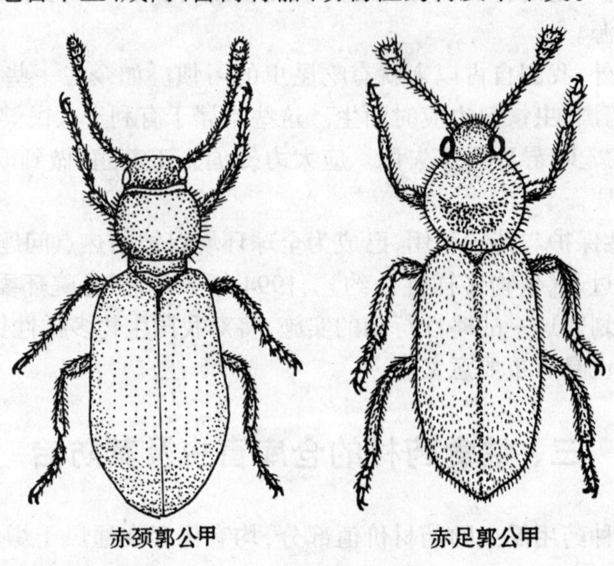

图7-1 郭公虫的形态

2. 皮蠹 包括钩纹皮蠹 *Dermestes ater* Degeer;白腹皮蠹 *Dermectes maculates* (Degeer);螵蛸斑皮蠹 *Trogoderma oothecophylun* Chao et Lee;花斑皮蠹 *Trogoderma variabile* Ballion。危害生皮毛,干、咸肉,各种干果品,动物性药材等。分布于黑龙江、吉林、辽宁、内蒙古、新疆、甘肃、陕西、河北、山东、山西、江苏、安徽、河南等地。

【形态特征】 钩纹皮蠹成虫体长8~10毫米。体长椭圆形,黑褐色,头部中央有丛状毛。复眼黑色,大而突圆。触角棒状,11节,赤褐色。鞘翅毛浅黑色,腹部毛黄褐色。各腹板有4个褐色斑,末端一节中间2个斑纹相连接,有时色斑呈钩状纹,故名钩纹皮蠹。雄虫第四腹节中部后缘有一深坑,内有红色毛刷,雌虫无此特点(图7-2)。

幼虫体长13毫米左右,暗褐色,各腹节背面后缘中央有一浅色斑,末节尾突较直。此虫主要危害动物皮毛、蚕茧、动物性药材。

白腹皮蠹成虫体长 6～10 毫米。体椭圆形，红褐色至黑褐色。头部两侧及额区有白色毛。后胸腹板前侧片有一长圆形黑色毛斑与中侧边相连。腹部两侧有黑色毛斑，第五腹板黑色，其中有一“八”字形白纹。鞘翅有不规则的稀刻点，末端有小齿。雄虫腹部第四腹板中央有浅凹坑，内有赤褐色毛丛。雌虫无此特征(图 7-2)。

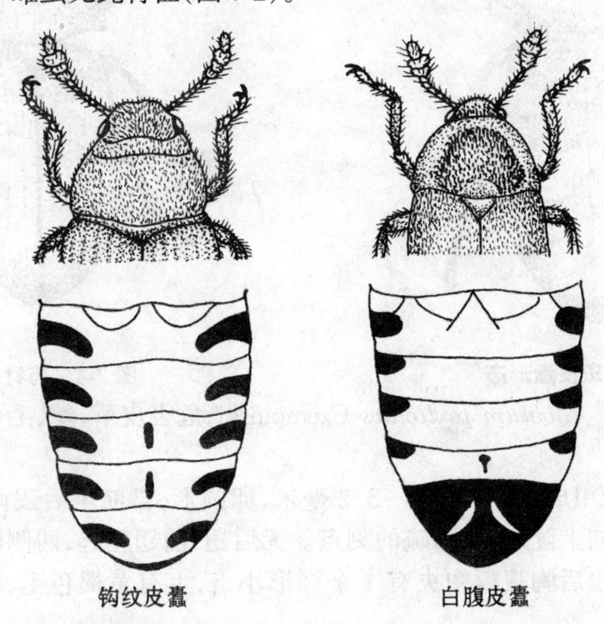

图 7-2　钩纹皮蠹和白腹皮蠹身体前半部斑纹及腹板斑纹形态

幼虫体长 10 毫米左右，头大，尾尖，体扁平，暗褐色，被黄毛，背面中部有黄色纵带，腹部节间膜色稍深，尾端有一向上弯的刺。此虫危害生皮毛、干咸肉、各种干果、动物性药材等。

螵蛸斑皮蠹成虫体长 2.5～3 毫米。体黑色，椭圆形。前胸背板隆起，宽大于长，有浅色毛。鞘翅上斑纹明显，自基部褐色圆晕斑之后有环形纹及斜纹，近翅端有白斑，鞘翅上刻点与胸、头部的近似。前胸腹板突起，向后逐渐变窄长。雌虫较短，末端扩大。此虫危害桑螵蛸及蝉蜕、土狗、蚕茧等多种昆虫药材，也取食动物毛皮等。

花斑皮蠹成虫体长 3～4 毫米。体椭圆形，褐色至黑色，头部有密集刻点。前胸背板中部隆起，鞘翅基部有环形纹，近前缘断开，中、后各有 1 条波形纹，有时只隐约可见。前胸腹板突起，后部又缩小(图 7-3)。

幼虫体长 6～8 毫米，黄褐色，身体各节背板有近似长形的黑褐色毛基片，上有短毛，体侧毛较长，腹部末数节上有矛头形毛，端节有毛棘。此虫危害蚕茧、动物标本、皮毛、谷物等。

3. **药材甲**　药材甲 *Stegobium paniceum* (Linnaeus)，危害烟草、中药材、茶叶、动植物标本、畜禽皮毛及粮食制品。分布于我国各地。

【形态特征】 药材甲成虫体长 2～3 毫米。体长卵形，黄褐色至深赤褐色。头小，常隐于前胸下。前胸背板明显隆起，后缘宽，中部有 1 条纵隆脊，后角钝圆。鞘翅上有成行的刻点，被黄色纤毛。足细而短，常隐于胸下(图 7-4)。

幼虫体长 3.5～4 毫米，呈圆锥形，略弯曲，乳白色。头淡褐色，体毛直立，浅褐色。后胸有或无微刺。腹部除第十节外，各节都有微刺。足 4 节，有明显的爪，气孔环形。

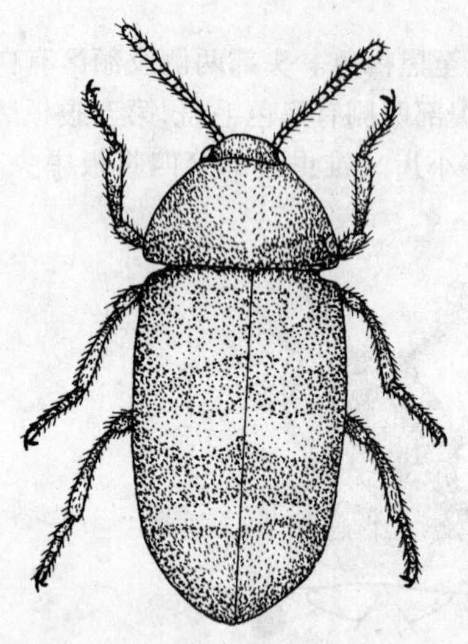

图 7-3　花斑皮蠹形态

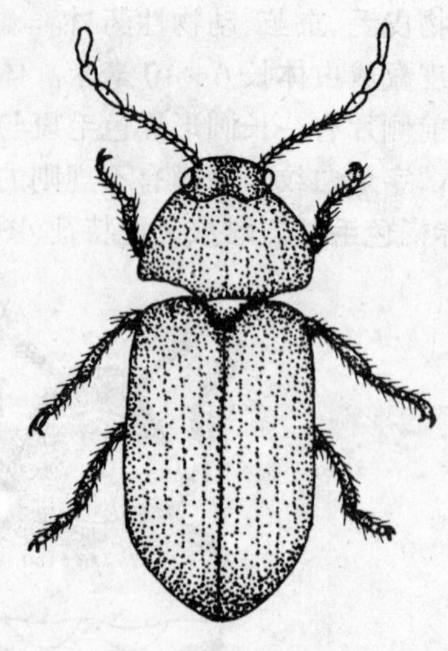

图 7-4　药材甲形态

4. **裸蛛甲**　裸蛛甲 *Gibbium psylloides* Czempinski，危害皮革、丝、毛、动植物标本及贮粮。分布于我国各地。

【形态特征】　裸蛛甲成虫体长 1.5～3.2 毫米，卵圆形，自前至后逐渐扩宽，背中隆起，暗赤褐色。前胸背板小，向上隆起，有稀疏的刻点。无后翅，前翅隆起，两侧内折包住腹侧缘。腹部褐色，被黄色毛。雄虫后胸腹板中央有 1 个圆形小点，上有黄褐色毛，雌虫无此特征（图 7-5）。

幼虫体长 3～4 毫米，乳白色，稍弯曲，头部浅黄色。

（二）药材仓库害虫的防治

药材仓库害虫的防治原则是：安全、经济、有效。在害虫发生初期，及时、彻底地将其杀灭。

药材仓库管理与害虫的防治比较困难。原因是库容量大，封闭性差，倒仓困难，药材是"入口"的物品，在用药防治时，首先要考虑到杀虫剂对人体健康的影响及其残留期、残留量等问题。因而可从 4 个方面进行防治，即检疫法规防治、清洁卫生防治、物理防治和药剂防治。其中前两项为管理防治，后两项为直接杀灭害虫。

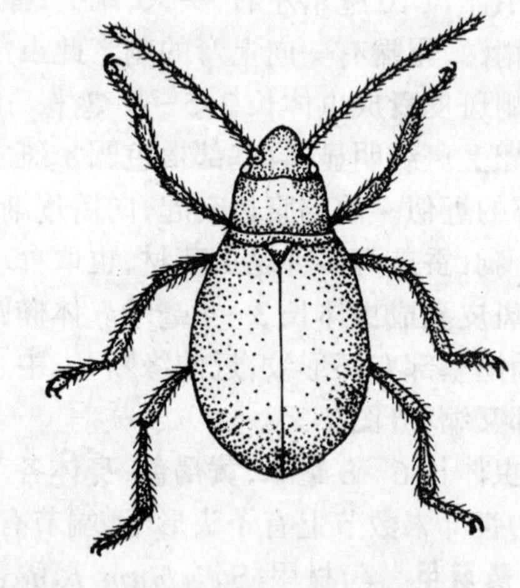

图 7-5　裸蛛甲的形态

药用昆虫在贮藏过程中，发生害虫蛀食时，如进行药剂或物理防治，会破坏药物成分，改变药材性能，使药材降低或失去应用价值。

保护昆虫药材不遭虫害的最佳方法，应以防为上策，把重点放在管字上。

要加强检疫工作。昆虫药材的购进输出，必须按有关检疫的规定，经过检查，在收购、运输等环节都要严格检查，防止害虫传播。发现检疫对象害虫，应就地消灭。

药材的日常管理工作要做到干和净。干，即干性药材在贮存前应充分干燥。蛀食性害虫的发生与繁殖，都需要一定的湿度，充分干燥的环境，可起到防虫作用。净，即采收昆虫药材时，在晾、晒过程中，必须拣出杂物、污物。有些害虫有喜土壤、粪便的特性，药材贮存前应先整理干净，严密包装。药材本身净洁，环境整洁有序，则很少招来虫害。存药处所通风、透光也是讲求卫生的一个方面。

昆虫药材体积小，所占空间有限，只要晾干、拣净、包严、防潮，放在清洁，温、湿度适宜的地方保存，经常检查，是可以做到防虫蛀和防止发霉变质的。

主要参考文献

1. 中国药用动物志协作组．中国药用动物志·第一册．天津科学技术出版社,1977

2. 中国药用动物志协作组．中国药用动物志·第二册．天津科学技术出版社,1983

3. 李时珍（明朝）．本草纲目．人民卫生出版社,1957

4. 中国科学院南海海洋研究所海洋生物研究室．南海海洋药用生物．科学出版社,1978

5. 林吕何．广西药用动物．广西人民出版社,1976

6. 纪加义等．山东药用动物．山东科学技术出版社,1979

7. 陈义．中国蚯蚓．科学出版社,1956

8. 陈义等．中国动物图谱·环节动物、附多足动物．科学出版社,1959

9. 张玺等．中国经济动物志·海产软体动物．科学出版社,1962

10. 沈嘉瑞等．中国动物图谱·甲壳动物第二册．科学出版社,1964

11. 张凤瀛等．中国经济动物志·棘皮动物门．科学出版社,1963

12. 张凤瀛等．广东海胆类．科学出版社,1957

13. 张玺等．南海的双壳类软体动物．科学出版社,1960

14. 张国庆等．人工养蝎技术．金盾出版社,2000

15. 刘月英等．中国经济动物志·淡水软体动物．科学出版社,1979

16. 陈德牛等．中国经济动物志·陆生软体动物．科学出版社,1987

17. 陈德牛等．蚯蚓养殖技术．金盾出版社,1997

18. 陈德牛等．食用蜗牛养殖及加工技术．金盾出版社,2001

19. 谢玉坎．珍珠科学．海洋出版社,1995

20. 杨 潼．中国动物志·环节动物门 蛭纲．科学出版社,1996

21. 宋大祥等．中国动物志·蛛形纲:蜘蛛目 蟹蛛科、逍遥蛛科．科学出版社,1997

22. 马绣同．中国动物志·软体动物门 腹足纲 中腹足目 宝贝总科．科学出版社,1997

23. 王祯瑞．中国动物志·软体动物门 双壳纲 贻贝目．科学出版社,1997

24. 董正之．中国动物志·软体动物门 头足纲．科学出版社,1988

25. 董正之．中国动物志·无脊椎动物第二十九卷软体动物门 腹足纲 原始腹足目 马蹄螺总科．科学出版社,2002

26. 朱弘复,高金声．本草纲目昆虫名称注．中国昆虫学报,1(2):234～262,科学出版社,1950

27. 蔡邦华．昆虫分类学．财政经济出版社、科学出版社,1956～1985

28. 周尧．中国早期昆虫学研究史(初稿)．科学出版社, 1957

29. 南京中医学院．中医学概论．人民卫生出版社,1958

30. 王宗楷．昆虫饲养．中国农业出版社,1964

31. 江苏新医学院．中药大辞典．上海人民出版社,1977

32. 王林瑶等．昆虫知识．科学出版社,1977

33. 忻介六,苏德明等．昆虫、螨类、蜘蛛的人工饲料．科学出版社,1979

34. 敬一兵等．虫草．云南科技出版社,1986

35. 王林瑶,张广学．昆虫标本技术．科学出版社,1987
36. 中国科学院动物研究所．中国农业昆虫．中国农业出版社,1987
37. 郭郛,忻介六．昆虫学实验技术．科学出版社,1988
38. 孔祥华．白蚁趣谈．新世纪出版社,1988
39. 柳支英等．医学昆虫学．科学出版社,1990
40. 萧刚柔等．中国森林昆虫．中国林业出版社,1992
41. 王林瑶,张立峰．药用地鳖养殖．金盾出版社,1993
42. 王天齐．中国螳螂目分类概要．上海科学技术文献出版社,1993
43. 李铁生．中国胡蜂资源的开发与利用．科学出版社,1993
44. 曹志丹．陕西省经济昆虫志·贮粮昆虫．陕西科学技术出版社,1981
45. 中国水产学会科普委员会．淡水养鱼实用技术手册．北京科学普及出版社,1989
46. 李时珍．本草纲目(第六册)．北京商务印书馆
47. 伍汉霖,金鑫波,倪勇．中国有毒鱼类和药用鱼类．上海科学技术出版社,1978
48. 沈世杰主编．台湾鱼类志．台北国立台湾大学动物学系
49. 张世义,李连仲．家庭养鱼必读．中国致公出版社,1994
50. 张世义．中国动物志(硬骨鱼纲鲟形目·海鲢目·鲱形目·鼠鱚目)．科学出版社,2001
51. 徐恭昭,郑澄伟主编．海产鱼类养殖与增殖．山东科学出版社
52. 中国科学院水生生物研究所,上海自然博物馆．中国淡水鱼类原色图集．上海科学技术出版社,1992
53. 中国科学院海洋研究所．中国海洋鱼类原色图集．上海科学技术出版社,1992
54. 四川省生物研究所．经济两栖爬行动物．上海科学技术出版社,1978
55. 叶昌媛,费梁,胡淑琴编著．中国珍稀及经济两栖动物．四川科学技术出版社,1993
56. 白庆余编著．药用动物养殖学．中国林业出版社,1988
57. 白庆余,黄祝坚,白秀娟主编．经济蛇类的养殖与利用．金盾出版社,1998
58. 林吕何、姜凤梧著．蛤蚧．海洋出版社,1985
59. 黄美华．浙江动物志·两栖类爬行类．浙江科学技术出版社,1990
60. 黄美华,曲韵芳．五步蛇．科学出版社,1983
61. 黄祝坚,白庆余．养蛇技术．金盾出版社,1993
62. 黄祝坚,白志信．蛙与鳖的养殖法．农村读物出版社,1986
63. 谭燕翔,毛延年编译．怎样养龟．香港上海书局出版
64. 陈服官,罗时有等．中国动物志 鸟纲 第九卷．科学出版社,1998
65. 陈益填,胡国琛．肉鸽 信鸽 观赏鸽．金盾出版社,1988
66. 傅桐生等．中国动物志 鸟纲 第十四卷 雀形目 文鸟科 雀科．科学出版社,1998
67. 李房全,谢金防,谢若泉,吾豪华,周唏平．药用乌鸡饲养技术．金盾出版社,1994
68. 李桂垣等．中国动物志 鸟纲 第十三卷．科学出版社,1982
69. 卢汰春等．中国珍稀濒危野生鸡类．福建科学技术出版社,1991
70. 上海绿洲经济动物科技公司．山鸡 珍珠鸡 鹧鸪 鹌鹑．上海科学技术文献出版社,1998
71. 唐玉珍,赵祥臣．怎样养鹌鹑．黑龙江科学技术出版社,1984

72. 赵正阶．中国鸟类手册 上卷－非雀形目．吉林科学技术出版社,1995
73. 赵正阶．中国鸟类手册 下卷－雀形目．吉林科学技术出版社,2001
74. 郑作新,龙泽虞,郑宝赉．中国动物志 鸟纲 第十一卷．科学出版社,1987
75. 郑作新,龙泽虞,卢汰春．中国动物志 鸟纲 第十卷．科学出版社,1995
76. 郑作新,冼耀华,关贯勋．中国动物志 鸟纲 第六卷．科学出版社,1991
77. 郑作新．中国鸟类分类名录．科学出版社,1976
78. 郑作新．中国经济动物志 鸟类(第二版)．科学出版社,1993
79. 郑作新．中国鸟类种和亚种分类名录大全．科学出版社,2000
80. 郑作新等．中国动物志 鸟纲 第四卷．科学出版社,1978
81. 郑作新等．中国动物志 鸟纲 第二卷．科学出版社,1979
82. 郑作新等．中国动物志,鸟纲,第1卷．科学出版社,1997
83. 中国科学院西北高原生物研究所．青海经济动物志．青海人民出版社,1989
84. 周中华,江锦城,杜锦成．鸡鸭鹅的育种与孵化技术．金盾出版社,1986
85. 寿振黄等．中国经济动物志·兽类．科学出版社,1963
86. 夏武平等．中国动物图谱·兽类．科学出版社,1964
87. 中国科学院动物研究所兽类研究组．东北兽类调查报告．科学出版社,1958

河蟹养殖技术 3.20元
河蟹养殖实用技术 4.00元
河蟹科学养殖技术 9.00元
河蟹增养殖技术 12.50元
养蟹新技术 9.00元
养鳖技术 2.40元
养龟技术 6.00元
工厂化健康养鳖技术 7.00元
养龟技术问答 4.50元
鳗鱼养殖技术问答 7.00元
鳗鳖虾养殖技术 3.20元
鳗鳖虾高效益养殖技术 9.50元
淡水珍珠培育技术 5.50元
缢蛏养殖技术 5.50元
福寿螺实用养殖技术 4.00元
水蛭养殖技术 4.50元
中国对虾养殖新技术 4.50元
淡水虾繁育与养殖技术 6.00元
淡水虾实用养殖技术 5.50元
金鱼锦鲤热带鱼(第二版) 11.00元
金鱼(修订版) 8.50元
金鱼养殖技术问答 5.00元
中国金鱼 14.00元
中国金鱼(修订版) 20.00元
热带鱼 3.50元
热带鱼养殖与观赏 7.00元
绿毛龟养殖 2.90元
牛蛙养殖技术 2.50元
牛蛙养殖技术(修订版) 5.00元
美国青蛙养殖技术 3.60元
林蛙养殖技术 3.50元
科学养蛙技术问答 4.50元
蟾蜍养殖与利用 3.50元
食用蜗牛养殖技术(第二版) 4.50元
食用蜗牛养殖及加工技术 7.00元
白玉蜗牛养殖与加工 3.50元
蚯蚓养殖技术 4.50元
经济蛇类的养殖与利用 7.50元
养蛇技术 3.00元
人工养蝎技术 4.50元
蜈蚣养殖技术 4.00元
药用地鳖虫养殖 3.00元
黄粉虫养殖与利用 3.00元
药用昆虫养殖 6.00元
药用动物养殖与加工 12.00元
农家科学致富400法(第二次修订版) 19.00元
科学养殖致富100例 9.00元
农产品深加工技术2000例——专利信息精选(上册) 10.00元
农产品深加工技术2000例——专利信息精选(中册) 14.00元
农产品深加工技术2000例——专利信息精选(下册) 13.00元
二十四节气与农业生产 7.00元
农机维修技术100题 5.00元
农村加工机械使用技术问答 6.00元
多熟高效种植模式180例 13.00元
科学种植致富100例 7.50元
作物立体高效栽培技术 6.50元
农药科学使用指南(第二次修订版) 19.50元
农药识别与施用方法 4.00元
教你用好杀虫剂 5.00元
合理使用杀菌剂 6.00元
怎样检验和识别农作物种子的质量 2.50元
北方旱地粮食作物优良品种及其使用 10.00元
旱地农业实用技术 14.00元

以上图书由全国各地新华书店经销。凡向本社邮购图书者，另加10%邮挂费。书价如有变动，多退少补。邮购地址：北京太平路5号金盾出版社发行部，联系人徐玉珏，邮政编码100036，电话66886188。